encontrada

CARINA RISSI

encontrada
A espera do felizes para sempre

UM LIVRO DA SÉRIE
perdida

20ª edição

Rio de Janeiro-RJ / São Paulo-SP, 2023

VERUS
EDITORA

Editora: Raïssa Castro
Coordenadora editorial: Ana Paula Gomes
Copidesque: Anna Carolina G. de Souza
Revisão: Tássia Carvalho
Capa e projeto gráfico: André S. Tavares da Silva
Foto da capa: © Kirsty Legg

ISBN: 978-85-7686-318-2

Copyright © Verus Editora, 2014
Direitos reservados em língua portuguesa, no Brasil, por Verus Editora. Nenhuma parte desta obra pode ser reproduzida ou transmitida por qualquer forma e/ou quaisquer meios (eletrônico ou mecânico, incluindo fotocópia e gravação) ou arquivada em qualquer sistema ou banco de dados sem permissão escrita da editora.

Verus Editora Ltda.
Rua Argentina, 171, São Cristóvão, Rio de Janeiro/RJ, 20921-380
www.veruseditora.com.br

CIP-BRASIL. CATALOGAÇÃO NA FONTE
SINDICATO NACIONAL DOS EDITORES DE LIVROS, RJ

R483e

Rissi, Carina
    Encontrada : à espera do felizes para sempre / Carina Rissi. -
20. ed. - Campinas, SP : Verus, 2023.
    23 cm

    ISBN 978-85-7686-318-2

    1. Romance brasileiro. I. Título.

14-12169
                         CDD: 869.93
                         CDU: 821.134.3(81)-3

Revisado conforme o novo acordo ortográfico

Impresso no Brasil pelo Sistema Cameron da Divisão Gráfica da
DISTRIBUIDORA RECORD DE SERVIÇOS DE IMPRENSA S.A.

Para Adri e Lalá

O curso do verdadeiro amor jamais foi tranquilo.
– WILLIAM SHAKESPEARE

1

Fiquei um pouco agitada observando Isaac acomodar as grandes caixas sobre a carruagem. A assistente de madame Georgette estava na calçada ao lado de duas pilhas de pacotes que quase ultrapassavam sua altura. E Anelize não era do tipo mignon. Ela esticava um deles para o alto, e o garoto que cuidava do estábulo de Ian coçava a cabeça, claramente se perguntando onde acomodaria mais um.

Eu gemi e desviei os olhos. Ian tinha extrapolado todos os limites dessa vez.

— Seu irmão não devia ter comprado tanta coisa pra mim. É um exagero! — reclamei com Elisa, roendo a unha do dedão.

Minha quase cunhada adolescente me encarou, exibindo suas adoráveis covinhas. Os cabelos negros, como os do irmão, ressaltavam a satisfação mal disfarçada nos grandes olhos azuis.

— Você ouviu. Ian ordenou que comprássemos o enxoval completo. Creio que teremos de voltar amanhã para buscar o restante. Ou então pedir para Isaac vir sozinho, caso os preparativos do casamento nos impeçam de estar aqui.

— Eu não preciso de nada disso, Elisa! — resmunguei, batendo o pé feito uma criança de cinco anos.

— Discordo, senhorita Sofia — contrapôs a melhor amiga de Elisa, com ar sonhador. Tá vendo? Eu devia estar me sentindo como a Teodora, embasbacada e animada, não assustada. — O senhor Clarke lhe compra tantas coisas apenas pelo desejo de vê-la feliz — continuou Teodora, pousando a mão enluvada em meu cotovelo.

Uma parte de mim sabia que ela tinha razão, e eu até podia entender Ian, desde que ele não comprasse a vila toda para mim, como vinha fazendo nas últimas semanas. Conforme o casamento se aproximava, mais tensa e inquieta eu me sentia. Não sabia ao certo por quê — bem, isso não é totalmente verdade. Não que a culpa fosse minha, mas da sociedade que cismava em usar o termo errado quando duas pessoas decidiam dividir a vida. *Contrair* matrimônio. Eu não conhecia nenhum bom uso para aquele verbo: contrair dívidas, contrair um vírus... Os bíceps de Ian se contraindo e estufando as mangas da camisa enquanto ele treinava seus cavalos... humm... Tudo bem, um uso era bom, mas só aquele. Alguém devia fazer alguma coisa a respeito disso. Não é para menos que as pessoas fiquem com um pé atrás quando pensam em se casar. Como fora o meu caso, antes de conhecer Ian e ele me fazer perceber que um papel não mudaria nada. Eu tinha dado o grande passo, o maior de todos na verdade, ao aceitar abandonar o meu moderno, tecnológico, cheio de facilidades século vinte e um, para viver com ele no arcaico e sem recursos século dezenove.

Admirei o anel que reluzia em minha mão esquerda. Ian o desenhara e pedira a um joalheiro conhecido da cidade para confeccionar a peça. Era o anel mais espetacular que eu já tinha visto. Uma safira rodeada de brilhantes e dois diamantes triangulares de cada lado do aro dourado, formando uma flor perfeita. Acabei suspirando.

Escolher Ian foi simples, natural como respirar. Não dava para viver com o coração batendo fora do peito e morando em outro século. Não havia ninguém que me conhecesse tão bem quanto ele. Nem mesmo Nina, minha melhor amiga, que tive de deixar para trás. Por isso era *tão* ridículo ficar tão aflita por conta de uma simples cerimônia.

Maldita Tensão Pré-Casamento!

Então ali estava eu, vendo Isaac ser ocultado pelas caixas do meu enxoval. Não suportando mais observar a pilha de pacotes crescer sobre o teto da carruagem, sugeri a Elisa e Teodora que fôssemos dar uma volta pela vila. Elas toparam na hora. Não que fosse surpresa. Teodora era fã de compras, mesmo que fosse comprar remédios. O que era exatamente o caso.

— Se não se importarem, eu gostaria de ir até a botica — sugeriu a ruiva. — Mamãe precisa de seus sais.

Acompanhei as duas pelas ruas de pedra da pequena vila, desviando de carroças e cavalos amarrados a estacas. Ainda era chocante contemplar aquele cenário, fazer meu cérebro entender que agora eu fazia parte dele. Homens com botas e casacos acompanhavam damas com amplas saias enfeitadas. Os casais paravam aqui e ali para uma conversa casual com um conhecido. Eu era abordada frequentemente quando Ian me acompanhava até a vila — eu nunca saía sozinha, não sabia montar, muito menos dirigir uma carruagem —, e volta e meia era alvo de inúmeras perguntas. Algumas pessoas eram simpáticas comigo, outras apenas curiosas. E era compreensível. Por mais que eu me esforçasse, ainda destoava e muito de todos ali, sobretudo se Elisa e Teodora estivessem ao meu lado, com vestidos bufantes perfeitos graças à crinolina, coisa que jurei *jamais* voltar a usar. Uma garota deve impor alguns limites.

Não que eu estivesse me queixando de nada, nem daqueles olhares especuladores, mas às vezes... tudo bem, quase sempre... eu me sentia meio mal por ser alvo de tanto interesse. Tipo uma atração de circo. Ian sempre ria quando eu lhe dizia isso, e então me beijava de um jeito provavelmente inadequado para o século dezenove. Aí eu perdia a linha de raciocínio e esquecia tudo que me atormentava. O que, pensando bem, devia ser a intenção dele.

Humm... Acho que eu devo reclamar mais vezes...

— A senhora Madalena está com tudo pronto para a festa — falou Elisa, animada. — Restam apenas alguns detalhes a ser resolvidos. Passou tão depressa que mal posso acreditar que o casamento acontecerá em dois dias!

— Eu também — concordei, saindo do caminho de um menino com roupas excessivamente engomadas que perseguia um cachorro desgrenhado e fedorento.

— É surpreendente que a senhora Madalena esteja tão adiantada — comentou Teodora —, pois o número de convidados é bastante grande. O senhor Clarke fez questão de convidar todos os moradores da vila.

Eu soltei um longo suspiro.

— Acho que o Ian convidou até aquele cachorro ali, Teodora.

Eu havia imaginado uma pequena cerimônia na fazenda de Ian, com alguns poucos amigos, mas ele e Elisa tinham outros planos. Planos imensos! E, mesmo pouco à vontade, concordei. Levei dias para endereçar e despachar todos os convites. Usar pena para escrever era um saco, e eu não me saí muito bem. De toda forma, minha letra era praticamente ilegível, e Ian teve que terminar o serviço com sua caligrafia perfeita.

— Será uma cerimônia esplêndida, Teodora! — Desde que marcamos a data, Elisa não falava em outra coisa. — Sobretudo quando virem a noiva. O vestido de Sofia é absolutamente maravilhoso e único.

— Não que a madame Georgette concorde com isso — resmunguei. A costureira quase se recusou a confeccioná-lo. Foi preciso muita persuasão (e algumas moedas extras, eu suspeitava) da parte Ian para convencê-la a costurar o vestido que eu queria.

— Devo concordar que madame Georgette tem mãos de fada, e certamente seu vestido de noiva será o mais... — Entretanto, antes que Teodora pudesse continuar com os elogios, um homem alto e magro se colocou em nosso caminho.

— Bom dia, senhoritas! — o médico da vila e amigo dos Clarke se inclinou educadamente, tocando a aba do chapéu redondo. — Que grata surpresa encontrá-las aqui na vila assim tão cedo.

— Viemos buscar o enxoval da senhorita Sofia, dr. Almeida — explicou Elisa. — Isaac está acomodando as compras na carruagem.

O magricela sorriu para mim de um jeito simpático.

— Suponho que a senhorita esteja ansiosa com a proximidade do casamento — observou o dr. Almeida.

— Mais do que o senhor pode imaginar — acabei dizendo.

Ele balançou a cabeça de leve.

— Estou em dívida com o senhor Clarke. Lamento não ter ido visitá-lo nas últimas semanas, sobretudo por perder a oportunidade de conhecê-la melhor, senhorita Sofia. E se eu corrigisse meu erro oferecendo um jantar aos noivos em minha residência?

Eu sabia! Sabia que ele não esqueceria o assunto.

— Hã... não vai dar. Tá tudo muito corrido, sabe como é... por causa do casamento e tudo mais. Mas vou passar o recado pro Ian. Ele vai gostar do convite. — Porque, ao contrário de mim, Ian confiava naquele homem.

Meu problema com o dr. Almeida ia muito além do rancor por ele ter sugerido, tempos atrás, que Ian me internasse em um manicômio. Acontecera logo depois de eu contar ao meu futuro marido que viajara no tempo. Obviamente, a princípio ele não acreditou, eu mesma custei a crer que tinha sido enviada ao passado sem passagem de volta. Eu não podia culpá-lo por ter pedido ajuda ao velho amigo da família na esperança de me ajudar de alguma maneira. Mesmo assim, a sugestão do dr. Almeida ainda me causava mágoa.

Fora Ian, o médico era a única pessoa ali que sabia, ainda que vagamente, que eu não tinha nascido naquela época. Meu medo era que ele decidisse investigar ou, pior, estudar o caso mais a fundo, ainda que Ian me garantisse todos os dias que o amigo jamais faria uma coisa dessas. Ele insistia em dizer que eu agora pertencia àquele século — pertencia a Ian, eu sempre o corrigia —, e não havia nada a investigar. Eu nunca acreditava nele, claro.

— E quanto à senhorita? — o médico quis saber, franzindo a testa. — Também ficaria feliz?

— Eu... humm... bem...

O dr. Almeida me estudou por um momento, então seus ombros caíram com um suspiro cansado.

— Não posso culpá-la por ter uma impressão tão ruim a meu respeito — comentou ele, insatisfeito. — Espero que com o tempo eu consiga mudar sua opinião e ganhar sua confiança. Mande lembranças ao senhor Clarke. — Ele fez uma mesura, se despedindo, e seguiu pela rua de paralelepípedos, cumprimentando alguns conhecidos com quem cruzava pelo caminho.

— Por que foi tão pouco cortês com o dr. Almeida? — Elisa quis saber assim que o médico estava longe o bastante. — Ele é um bom homem, Sofia.

— E muito curioso também — apontei.

— E isso é errado?

— Depende, Elisa. Depende muito do que ele vai querer saber.

Ela me lançou um olhar reprovador, mas deixou o assunto morrer quando voltamos a andar. Seguimos direto para a botica de fachada amarela e portas imensas. Ali dentro havia prateleiras altas e escuras forradas de potinhos, frascos de tamanhos e cores variados. O aroma pungente de produtos químicos fez meu nariz coçar de um jeito bom.

O homem, ágil demais para a idade avançada, atendeu Teodora parecendo meio deprimido. Seus olhos cansados e escuros estavam tristes. Depois de pegar os sais de que a mãe da garota fazia uso e embrulhá-los em um papel pardo grosseiro sobre o balcão de imbuia, ele me encarou.

— Peço que me perdoe, senhorita Sofia. Minha família e eu não poderemos comparecer ao seu casamento. Acabamos de receber a triste notícia de que a sobrinha de minha esposa faleceu. Partiremos para a cidade ainda esta tarde.

— Sinto muito — falei, me encolhendo.

— Que terrível notícia, senhor Plínio — lamentou Elisa. — O que houve?

Ele sacudiu a cabeça, arrasado.

— Não sabemos ao certo, senhorita Elisa. Rosália era jovem e tinha boa saúde. Pela carta de meu cunhado, parece que se tratou de um trágico acidente. A pobrezinha havia acabado de se casar...

— Oh! Mande nossas sinceras condolências à sua esposa e à família de sua sobrinha — adicionou Elisa, abatida.

Também fiquei deprimida ao ouvir a história. O fim de uma vida sempre mexia comigo, ainda mais quando era a de alguém tão jovem como a tal Rosália parecia ser. Comecei a remexer nos vidros e frascos amontoados nas prateleiras para me recompor e tentei afastar as lembranças de meus pais, que também partiram por uma fatalidade do destino. Eles não estariam presentes no meu casamento. Nina também não. Exceto pelos Clarke, eu não tinha amigos ali.

Comecei a ler alguns rótulos para me livrar dos pensamentos obscuros e, depois de um tempo, me dei conta de que um era mais estranho que o outro. Para que servia óleo de limão-doce?

— Não anda se sentindo bem, senhorita Sofia? — seu Plínio se aproximou, parando ao meu lado.

— Eu estava só olhando. Não conheço muito bem esses... essas... fórmulas...

Ele balançou a cabeça uma vez, entendendo.

— Esse óleo é indicado para diversas finalidades. Pode ser usado para combater dores nas articulações, enxaqueca, hidratar, e, acredite, alguns produtos de beleza levam óleo de limão-doce e lavanda para durar mais tempo.

Aquilo capturou minha atenção no mesmo instante.

— Tipo um conservante?

— Em alguns casos — ele confirmou.

Meu cérebro começou a trabalhar. O condicionador caseiro que aprendi a fazer com a Nina era uma mão na roda, já que não existia chapinha, secador ou creme para pentear no século dezenove, mas era um saco ter de ficar amassando aquela papa toda vez que eu queria tomar banho. Seria genial se eu pudesse prepará-lo em grande quantidade e armazenar por um tempinho.

— E o senhor tem óleo de lavanda aqui também?

— Claro que sim. Deixe-me ver... — Ele correu os olhos e os dedos longos e enrugados pelas prateleiras e, da última, pescou um vidrinho azulado.

Seu Plínio destampou o frasco, e o cheiro concentrado de lavanda fez meus olhos lacrimejarem. Seria melhor usar em pequenas quantidades.

Mais animada, sorri para ele.

— Eu vou... — Mas me detive. Como eu pagaria pelo óleo?

— ... comprá-los, é claro — interveio Elisa, que escutava a conversa. Ela retirou uma moeda da bolsinha de mão e a entregou ao boticário. — Esqueceu sua bolsa?

— Mais ou menos. — Eu nunca carregava uma das oito bolsas de crochê que Ian comprara para mim simplesmente porque não tinha o que colocar dentro. Ah, sim, ele me dava uma pilha de moedas todos os dias. E, assim que ele virava as costas, eu as deixava no primeiro lugar que encontrava.

O boticário embrulhou as pequenas garrafas em papel escuro e finalizou o pacote com barbante, me entregando o embrulho logo em seguida.

Voltamos para a carruagem e guardei os vidros na cabine. Isaac ainda tinha alguns problemas lá em cima. Evitei o máximo que pude olhar para as caixas, me sentindo muito culpada ao ver o rosto todo suado do rapaz parcialmente oculto pela muralha de pacotes. Eu precisava ter uma conversa muito séria com Ian.

Um cavaleiro fez a curva no fim da rua. Meu coração errou uma batida antes de começar a retumbar no peito, zunindo em meus ouvidos. Um suspiro escapou dos meus lábios sem que eu percebesse.

Lá estava ele.

Ian Clarke. O homem mais fantástico que já conheci em todos os tempos. Um legítimo cavalheiro do século retrasado — meu século atual nas últimas duas semanas e meia —, educado e prestativo, e seria meu marido em menos de quarenta e oito horas.

Ian era um aristocrata, ainda que sem título de nobreza. E, apesar das muitas pretendentes ricas, lindas e que sabiam se portar naquela sociedade arcaica, ele escolhera a mim, Sofia Alonzo, que nascera na maluca década de oitenta e conhecera todas as tecnologias e maus modos do século vinte e um.

Pressentindo que eu estava por perto, seus olhos vasculharam os arredores e me encontraram. Um sorriso esplêndido curvou sua boca. Aproveitei para admirar seu porte atlético enquanto ele se aproximava; os cabelos negros como a noite sacudidos pelo trote do cavalo marrom-claro, o rosto anguloso de proporções perfeitas, os olhos escuros e profundos com brilho prateado nos quais eu sempre me perdia, os lábios que, eu tinha certeza, haviam sido moldados para beijar os meus.

Como sempre acontecia, me senti atraída até ele, como se orbitasse ao seu redor, e não percebi que meus pés se moviam até ver o terror reluzir em seus olhos, ainda a certa distância.

Franzi a testa, me detendo. Ian não devia me olhar desse jeito pelo menos até, sei lá, completarmos vinte anos de casados e eu embarangar geral. Qual era o problema?

— Sofia! — gritou ele, acelerando o trote. E eu achei seu tom aterrorizado fora de contexto.

Ao menos até seguir a direção de seu olhar — fixo em um ponto pouco além de mim — e perceber que estava no meio da rua e que, a alguns metros, uma carruagem puxada por dois cavalos imensos seguia rápida e descontrolada.

E vinha em minha direção.

Tudo aconteceu tão rápido que meu cérebro não conseguiu registrar a cena. A carruagem estava a poucos centímetros e mal daria tempo de fechar os olhos. Parte de mim ficou revoltada com o atropelamento iminente. Quer dizer, era tão injusto ser atropelada por uma carruagem estúpida que mal alcançava trinta quilômetros por hora depois de ter passado a vida toda driblando carros, ônibus e motos que nunca respeitavam a faixa de pedestres no trânsito caótico da minha metrópole. A outra parte de mim se preparava para ser esmagada por patas e rodas de madeira.

Antes de fechar os olhos, vi o condutor se assustar e, por puro reflexo, puxar as rédeas abruptamente, tentando deter os animais. Os cavalos não souberam o que fazer, meio que frearam, meio que empinaram, mas a física não permitiu que a carruagem se detivesse, e ela se arrastou pelas pedras irregulares. Não havia como eu ser rápida o bastante para sair da frente, nem como a carruagem desviar o trajeto.

Esperei que a tal retrospectiva da minha vida passasse bem diante dos meus olhos, como acontecia nos filmes, mas só pude pensar em Ian, em seu sorriso, no jeito apaixonado como ele me olhava, na sorte de tê-lo encontrado, de ter tido a chance de amá-lo, de ser amada por ele. Minha vida tinha valido a pena...

Bem quando eu já me preparava para a colisão, tão próxima que pude sentir o resfolegar quente dos cavalos em meu rosto, um terceiro animal chegou por atrás e, por um instante, achei que seria amassada por ele antes que a carruagem pudesse me pegar.

— Sofia! — gritou Ian.

Não sei ao certo como ele conseguiu me alcançar tão depressa, mas o fato é que ele estava bem ali. Em um momento em que o mundo pareceu girar em câmera lenta, ele soltou as rédeas de Meia-Noite e, sem poder acreditar, eu o vi tomar impulso e se lançar sobre mim. Ian voou por alguns segundos antes de seu corpo colidir em cheio contra o meu. O tranco nos fez cambalear para trás e caímos nos ásperos paralelepípedos. Ian aterrissou sobre mim, ouvi um *crec* que não pude identificar se ressoara no corpo dele ou no meu. Senti uma pontada aguda alfinetar meu braço — o que me fez suspeitar que o *crec* fora em mim. As patas pesadas dos animais e a roda da carruagem passaram a centímetros do meu rosto, fazendo meu sangue gelar. O mundo voltou à sua velocidade normal.

— Você está bem? — Ian me examinou com dedos ágeis.

Eu quis perguntar se ele tinha se machucado, se aquele som de coisa quebrada viera dele, mas mal conseguia visualizar seu rosto. Ele saía de foco a todo instante.

— Sofia, olhe para mim. Sente dor? — As mãos ansiosas tocavam meu rosto, depois minha cabeça, investigando. Nesse processo, ele se movimentou um pouco e, como ainda estava sobre mim, algo em meu corpo reagiu de imediato.

Não, não isso!

Uma dor intensa, quase insuportável, me fez ver estrelas e urrar de um jeito pouco lisonjeiro. O peso sobre mim se fora abruptamente.

— Onde dói? Mostre-me! — ele exigiu, apalpando de leve meus ombros e toda a extensão do meu braço esquerdo, até que alcançou o meu pulso. Eu gritei de novo, e Ian soltou um palavrão que soou mais como uma súplica do que qualquer outra coisa. — Oh, meu Deus, você está sangrando! — murmurou ele horrorizado, olhando para minha pele suja de sangue.

Com todo o cuidado, Ian segurou meu pulso para examinar o tamanho do estrago, mas foi o suficiente para me fazer gemer e ele recuar no mesmo instante.

— Oh! Acho que ela vai desmaiar! — uma voz feminina desconhecida soou histérica.

Até aquele momento, eu não tinha percebido que havia um pequeno grupo amontoado ao nosso redor. Uma mulher com cara de cavalo se abanava com um leque, parecendo prestes a ter um piripaque.

— Não vou, não — objetei, contrariada.

Era só o que me faltava. Desmaiar feito uma donzela de filme antigo. Eu até podia estar em 1830, mas não começaria a agir como uma garota afetada. Não mesmo!

— Pois a senhorita *devia* desmaiar — retrucou friamente a Cara de Cavalo. — É o que faz uma dama em uma situação como essa.

Maravilha. Eu não sabia nem mesmo me machucar de forma apropriada no século dezenove.

— Eu sabia que isso ia acontecer. O que dizem é real, Ofélia. — A mulher ao lado fez o sinal da cruz.

— Que Deus a proteja. — E a Cara de Cavalo se benzeu também.

Certo. De que diabos aquelas duas malucas estavam falando?

— Ian! — alguém chamou com aflição. Elisa. — Ah, meu Deus, Sofia! — A menina olhou para mim, ainda estendida no chão, e cobriu a boca com a mão enluvada, admirada com a quantidade de líquido que jorrava da ferida.

Teodora estava ao lado dela, e a cor de seu rosto, naturalmente pálido, desapareceu de vez, evidenciando ainda mais as sardas. Isaac chegou por último.

— Isaac, vá até a casa do dr. Almeida! Diga-lhe que a senhorita Sofia precisa de seus serviços. Vou levá-la ao consultório — instruiu Ian, atormentado. Ele tentava me tocar, mas hesitava, como se estivesse com medo de me ferir.

— O médico passou por aqui agora — eu disse a Ian enquanto ele retirava um lenço do bolso do paletó e, com o mais gentil dos toques, o amarrava em meu antebraço rasgado. — Ai! Acho que ele foi na direção da igreja.

Ian assentiu uma vez e me ajudou a sentar. Ele estava tão pálido quanto Teodora.

— Você ouviu, Isaac! Vá logo, pelo amor de Deus! — ordenou, mas sua voz estremeceu.

— Si-sim, patrão. Irei imediatamente. — E saiu correndo.

Meu noivo, percebendo que eu pretendia ficar de pé, se antecipou, passando os braços por baixo do meu corpo e me içando do chão. A pequena aglomeração ao nosso redor exclamou um *Oh!* coletivo. Rezei para que fosse por conta de todo aquele sangue que já empapava o lenço branco, e não por minha bunda estar aparecendo, mesmo com todo o tecido da saia longa cobrindo minhas pernas.

Elisa e Teodora se apressaram para acompanhar as largas passadas de Ian.

— Não se preocupe com nada, tudo ficará bem — ele garantiu de um jeito aflito. Tive a impressão de que não era a mim que ele tentava convencer.

— Não tô preocupada, mas, Ian, eu machuquei o braço, não as pernas. Eu posso andar!

Ele imediatamente sacudiu a cabeça.

— É claro que posso! — insisti. — Me põe no chão. Vou te sujar todo. — O fluxo de sangue já havia ensopado o lenço e agora escorria para a minha roupa. O vestido azul-claro já era.

— Pouco me importa, Sofia. Minhas roupas são a última coisa que me preocupa agora. — Ele me olhou nos olhos e me segurou mais junto de seu corpo. Havia tanta angústia em seu semblante que eu teria rido se não fosse a dor latejante em meu antebraço. — Lamento muito por tê-la ferido.

Eu ofeguei.

— De onde você tirou um absurdo desses? Você não me machucou! Pelo contrário, me salvou de ser atropelada.

Ele negou com a cabeça, perturbado.

— Pensei que a perderia bem diante dos meus olhos. Agi sem pensar. — Ele gemeu e deixou a cabeça pender, desferindo um beijo delicado em minha testa. Tudo isso sem perder uma passada sequer. Passei o braço bom em torno de seu pescoço. — Por que foi para o meio da rua daquele jeito?

Eu corei e desviei os olhos para os botões de sua camisa.

— Eu não estava prestando muita atenção. Essa coisa de casamento anda me deixando meio... desligada — murmurei, pois era menos embaraçoso do que lhe dizer a verdade.

— Nunca mais faça isso, Sofia. Você poderia... poderia... — Ele engoliu em seco e não continuou.

— Desculpa. — Deixei minha cabeça pender sobre seu ombro. — Foi sem querer, eu juro!

— Apenas me prometa que tomará mais cuidado. Eu não suporto nem mesmo a ideia de...

— Prometo que vou prestar mais atenção — eu o interrompi ao notar sua dificuldade em completar aquela frase. — Agora me põe no chão. Estou bem. De verdade, Ian.

Sua resposta foi me ajeitar melhor nos braços. Seus passos se tornaram mais rápidos e decididos.

— Já estamos chegando — ele avisou. — Fique tranquila, tudo sairá bem. Estarei ao seu lado o tempo todo. Garantirei que o dr. Almeida a trate de modo a lhe infligir o mínimo de dor possível.

Abri a boca para dizer que ele estava exagerando, assim como fizera com o enxoval, mas no mesmo instante o que ele falou se infiltrou em meu cérebro. Meus olhos se arregalaram, minha boca ficou seca como o deserto e meu coração bateu tão forte que achei que podia muito bem seguir o conselho da Cara de Cavalo e desmaiar.

A expressão apavorada e agoniada de Ian traduzia o seu *mínimo de dor possível* para *dor excruciante e inimaginável*.

Maravilha.

2

Quando chegamos à casa do médico — que não era tão grande quanto a de Ian, mas parecia bastante confortável, ao menos a sala, com móveis de cerejeira e tecidos em tons de verde —, eu já estava totalmente em pânico.

Dona Letícia, a senhora Almeida, foi simpática, nos recebeu bem e tudo o mais, e nos conduziu até o consultório do marido, onde Ian me acomodou sobre um longo sofá. O problema foi a parafernália metálica espalhada pela sala, que me fez estremecer e me sentir dentro de uma câmara de torturas medieval.

— Hã... Quer saber, acho que já tá parando de sangrar. A gente pode ir pra casa — sugeri a Ian logo que ficamos sozinhos. Tentei me levantar, os olhos presos em um serrote pendurado pelo cabo na parede amarela, mas meu noivo não permitiu.

— Não antes de o médico cuidar de você. — Ele me empurrou de volta com muito cuidado. Ian não compartilhava do meu temor. Ele parecia imerso em seus próprios horrores.

— Mas, Ian...

A porta se abriu em um rompante e o médico magricela entrou, procurando o problema com olhos rápidos, encontrando meu olhar de pânico e Ian tentando me manter no sofá.

— O que houve? — ele exigiu saber, pendurando o chapéu em um suporte perto da porta.

Antes que eu pudesse explicar, Ian se pôs a falar sobre o quase atropelamento e seu ato heroico. Não que ele visse as coisas do mesmo modo que eu. Não gostei nada da forma como ele narrou o acontecido, como se fosse culpado por eu ter me ferido, e não o responsável por eu ainda estar com a cabeça grudada ao corpo.

— Não foi bem assim, Ian. Eu bati em alguma coisa quando caí. Você não teve *nada* a ver com isso. — Apontei para a ferida.

Ian soltou um longo e angustiado suspiro.

— Isso é irrelevante agora, Sofia. — Então se dirigiu ao médico: — Por favor, doutor, não pode se apressar? Há tanto sangue e...

O dr. Almeida o interrompeu, pousando gentilmente a mão em seu ombro.

— Não se preocupe, meu caro amigo. Cuidarei de sua noiva da melhor maneira possível.

Meu noivo concordou com a cabeça.

O médico se aproximou do sofá, mas hesitou, franzindo o cenho.

— Posso? — indicou meu braço.

Eu assenti uma vez.

— Temo ter quebrado o braço dela — confessou Ian, engolindo em seco.

— Você não quebrou meu braço! — contrapus, irritada. — Caramba, Ian, por que você acha que foi culpa sua? Eu é que devia ter olhado antes de ir pro meio da rua. Se quiser culpar alguém, então culpe a mim.

Ficou claro que ele não concordava comigo, e minha tentativa de fazê-lo entender meu ponto de vista só serviu para deixá-lo ainda mais nervoso. Ele abriu espaço para o médico, mas ficou atrás de mim, acariciando meu pescoço com a ponta fria dos dedos.

— Não se torture com suposições, senhor Clarke. Com licença, querida — disse o dr. Almeida enquanto desatava o nó do lenço. Ele começou a examinar o ferimento, e os longos dedos experientes apalparam rapidamente toda a extensão do meu antebraço. Doeu. — Não está quebrado, senhor Clarke.

— Graças a Deus! — Ian suspirou, se curvando e deixando a cabeça pender sobre a minha. Ele plantou um beijo demorado em meus cabelos trançados. — Eu não suportaria se ela tivesse uma fratura.

O médico assentiu uma vez, antes de pegar uma lupa e a aproximar da ferida. Ian se endireitou para não fazer sombra. Almeida franziu o cenho e sua boca se tornou uma pálida linha fina.

— O corte é muito profundo. Terei de suturá-lo.

— Não! — exclamou Ian, horrorizado. — Não... Não há uma outra forma? Um curativo, talvez? Eu a obrigarei a guardar repouso, prometo!

— Eu sinto muito, senhor Clarke, mas um curativo só pioraria o ferimento. A umidade causada pelo sangue pode se tornar fonte de uma infecção violenta, e não queremos isso.

Olhei para cima e tentei acalmar Ian, esticando o braço bom para pegar sua mão e apertá-la de leve.

— Fica tranquilo. Já levei ponto antes. Nem dói tanto assim.

Ian se agachou ao meu lado, levando minha mão aos lábios, depois pressionou minha palma em sua bochecha e a segurou ali.

— Não aqui, meu amor.

Não foi preciso que ele elaborasse melhor. Observei o dr. Almeida abrir sua maleta preta e retirar um pequeno estojo prateado ali de dentro. Ele fez surgir uma linha negra e espessa e algo que se parecia muito com um anzol. Só isso.

Levantei os olhos para Ian.

— Nada de anestesia? — Engoli em seco.

Ian encarou o médico, atormentado. Parecia lutar contra algo. Por fim, uma resolução desconcertante o dominou.

— Dê a ela — ele ordenou ao amigo, se endireitando.

O médico suspirou enquanto lavava as mãos.

— Senhor Clarke, não posso permitir que uma dama...

— Não pode fazê-la sofrer quando há uma maneira de evitar! Dê a ela, ou eu mesmo o farei.

O médico soltou um gemido, secou as mãos em um pano branco e ajeitou o material de sutura sobre a bandeja na mesa redonda e alta ao lado do sofá. Foi até o armário e procurou algo entre as centenas de garrafas ambarinas, parecidas com as que eu vira mais cedo na botica.

— Me dar o quê? — perguntei a Ian.

— Algo que tornará o procedimento suportável. — O fato de ele não dizer o nome do anestésico e evitar contato visual não me pareceu bom sinal.

O dr. Almeida abriu outro armário e retirou dali uma garrafa escura, que logo desarrolhou. Seja lá o que fosse aquilo, não era líquido. Ele pescou um tablete circular e então o entregou a Ian.

— Sabe que uso apenas com os cavalheiros. As damas... não toleram bem — contou o médico.

Meu noivo segurou a balinha marrom (ao menos se parecia com uma) e a admirou por um momento, aflito, indeciso. Então, ergueu a cabeça e me fitou demoradamente. Sua atenção se voltou para a linha e o anzol, e em seguida retornou para o meu rosto. Por fim, ele grunhiu e estendeu a mão, me oferecendo o tablete.

— Não engula, apenas mastigue — explicou Ian quando eu o peguei.

— Certo — analisei o tablete. — Isto aqui é o quê?

— Apenas mastigue, meu amor. Antes que eu me arrependa do que estou fazendo.

Com medo de ser costurada *a seco*, mandei aquilo para dentro e o amargor preencheu minha boca. Logo minha língua estava adormecida.

— É ruim! — reclamei.

— Eu sei — respondeu Ian, tristonho, e afastou uma mecha de cabelo que se desprendera da trança e caíra em meus olhos.

— Credo! Ruim demais!

— Não, não cuspa! — ele alertou, quando fiz menção de tirar aquilo da boca. — Logo vai se sentir melhor, confie em mim.

Eu assenti e, por mais que meu corpo todo rejeitasse a ideia, continuei mascando. Ao se dissolver, o tablete se revelou um amontoado fibroso e desidratado que fazia cócegas em minha língua dormente.

É melhor eu não me machucar nunca mais, pensei. Não queria nem imaginar o que fariam com um osso quebrado e... Ah! Então fora isso que assustara tanto Ian e... *Uau, que lindo aquele vidrinho azul*. Ele ondulava sob a luz do sol como se...

Estreitei os olhos. Aquele frasquinho estava... dançando?

Uma sensação esquisita me impediu de continuar o raciocínio. Meu coração acelerou sem motivo aparente e minha respiração tomou o mesmo curso. As cores ao meu redor se tornaram mais vivas e brilhantes e eu me sentia... feliz. Tão, tão feliz! Não sei bem por quê, mas de repente eu me sentia radiante, contente a ponto de sair voando. Olhei para Ian — seus olhos estavam fixos em meu rosto, mas sua testa estava franzida. E ele meio que brilhava.

— Ei, por que você tá brilhando? — eu quis saber.

— Acho que podemos começar — anunciou o médico.

— Espere. — Ian se agachou para que seus olhos ficassem na mesma altura dos meus. Ele me avaliou com atenção, e eu queria perguntar mais uma vez sobre aquele brilho, quando de repente ele se dividiu em dois.

— Uau!

— Sofia, como se sente neste momento? — questionou Ian.

— Feliz! Tem dois de você! — Eu estiquei o braço e puxei um deles pela gola da camisa até colar sua boca na minha. Mal podia esperar para beijar o outro também. — Dois Ians... Humm...

Ele me afastou com delicadeza e tentou sorrir.

— Ela está pronta — disse ao médico, com tanta tristeza que me fez rir.

Eu inclinei a cabeça para o lado, admirando aqueles rostos à minha frente. Minha nossa! Os Ians eram tão... tão...

— Vocês dois são tão lindos quando ficam preocupados comigo — ri de novo.

Um meio sorriso relutante brotou em seus lábios. Nos dos dois.

— Você não devia prestar atenção nesse tipo de coisa agora — eles disseram juntos, com os olhos fixos em mim.

— Ué, e a culpa agora é minha? Vocês dois é que são lindos e me deixam confusa... — Um brilho novo me fez desviar o olhar para o armário aberto. — Ei, eu acho que aquele vidro azul tá tentando me seduzir. Ele fica rebolando pra mim.

Ian deixou escapar uma risada.

— Se eu fosse ele, também tentaria a sorte.

— Pode ser que ele só esteja feliz. Que nem eu. Não sei por quê, mas tô felizona! Você tá assim também? O outro Ian está?

— Eu... Nós ficaremos assim que você estiver bem.

Com isso, ele e o outro Ian se acomodaram no braço do sofá, abrindo caminho para o médico, e ficaram tão juntos que minha visão embaçou um pouco. Os Ians não soltaram minha mão. Bom, acho que não, do meu pescoço para baixo estava tudo meio anestesiado, mas eles seguravam uma mão muito parecida com a minha.

O dr. Almeida arrastou uma cadeira para perto, entretanto eu não conseguia prestar atenção no que ele estava fazendo. Não com os Ians ao meu lado. Um deles entrava e saia de foco, e eu tentava manter a atenção nele para que não desaparecesse. Distraída, me perguntei a razão de haver dois deles naquela sala, mas então o dr. Almeida ateou fogo em meu braço.

— Puta que pariu... — Uma enxurrada de palavrões deixou meus lábios enquanto eu sacudia desesperada o braço, tentando me livrar das chamas, muito embora o fogo parecesse molhado. E tivesse cheiro de uísque. E o raio do vidro azul continuava dançando conga na prateleira.

— Não, não mexa o braço — avisou um enrubescido dr. Almeida. — Não quero ter de amarrá-la.

— Eu sabia que não devia gostar do senhor. Sabia! — Eu me virei para os Ians. Um deles estava corado; o outro, não pude ter certeza, pois não parava quieto. Fiquei confusa com aquele rubor, já que era a mim que o médico pretendia amarrar e depois queimar até a morte. Ah, meu Deus, era como a caça às bruxas no século... no século... qual deles mesmo?

E em qual mesmo eu estava agora?

— Aperte minha mão, Sofia. — sussurrou Ian, torturado. — Deixe-me sentir sua aflição, mas procure se manter imóvel. Não suportarei se tiver de ser imobilizada.

— Ouça seu noivo, senhorita. Preciso fechar o ferimento antes que contamine. A senhorita já perdeu sangue demais. Pode acabar tendo uma anemia.

— O senhor quer é me torturar para saber mais sobre mim, mas não vai adiantar.

Ian soltou um longo suspiro.

— Não culpe o dr. Almeida, meu amor. É o procedimento. Foi assim comigo também.

— Ele também tacou fogo em você?! — perguntei assustada.

Ian exibiu um sorriso relutante.

— Sim. Mas eu tinha apenas oito anos, e meu pai não permitiu que eu mastigasse ópio.

Eu gargalhei ao ouvir aquilo. Não sei bem por quê, tudo parecia engraçado.

— Ópio é um nome engraçado — eu ri. — Óóóóópio! Eu gosto de óóóópio.

— Faço ideia — resmungou Ian, escrutinando meu rosto.

— Mas e aí? Como foi que você se machucou... humm... pode fazer aquele Ian parar quieto? Ele tá me deixando tonta. — E algo muito esquisito estava acontecendo em meu estômago.

— Ele vai embora logo — um dos Ians me garantiu.

— Aaaaah! — resmunguei. — Mas eu gosto dele. Gosto dos dois. Dois Ians. Os dois meus.

Os Ians franziram a testa e fitaram o médico.

— Talvez meio tablete fosse suficiente — o Ian que não saia de foco disse ao cirurgião.

— É o que parece — concordou o médico.

— Por que você tá tão... Ai! — Algo beliscou minha pele. Eu tentei virar o rosto para ver o que o dr. Almeida estava fazendo com o meu braço, mas Ian me impediu, colocando a mão em meu rosto e o mantendo voltado para ele.

— Ainda quer saber como me machuquei?

Senti meus olhos se arregalarem de pavor.

— Ai, meu Deus! Você se machucou também?!

— Não hoje, Sofia — ele me garantiu, paciente. — Quando eu era criança. Estava cavalgando e fui lançado sobre uma cerca.

— Foi um corte e tanto — comentou o doutor, sem desviar a atenção do que estava fazendo. — Ian estava pálido feito cera quando cheguei à propriedade dos Clarke. Mas não era pela perda de sangue, era por medo de mim.

— Eu não sabia que você também não gostava do dr. Almeida — comentei.

O médico gemeu. Ian sorriu de leve.

— Ah, eu não gostava. Não até parar de me machucar.

Franzi a testa, refletindo sobre o que ele havia acabado de dizer.

— Talvez, se eu parar de me machucar, eu também goste dele — deduzi. — E se ele parar de fazer perguntas. E de me dar coisas ruins para engolir. E de atear fogo em mim.

A luz ao redor dos Ians começou a se desvanecer. Que pena. Eles pareciam anjos envoltos naquele brilho. Anjos muito, muito sexys.

— Estou quase terminando — anunciou o dr. Almeida.

Ian balançou a cabeça uma vez. O outro Ian começou a perder a cor, ficando translúcido. Meu corpo se tornou pesado, uma sonolência incontrolável dominou meus membros.

— Lamento muito que tenha se ferido — ele deslizou o polegar pela minha bochecha.

— Eu devo ter me cortado em alguma pedra do pavimento. Sabe, nunca pensei que pedras pudessem ser tão perigosas.

Sua expressão se suavizou um pouco — não muito, mas o suficiente para que o V entre suas sobrancelhas quase desaparecesse. Podia apostar que ele estava recordando nosso primeiro encontro meses atrás, quando eu tropeçara em uma pedra em 2010 e caíra literalmente em 1830. Pois eu estava.

— No seu caso — Ian falou com aquele tom rouco que eu amava —, creio que sejam letais. Vou me certificar de livrá-las de seu caminho.

— Acho mais fácil eu parar de cair. — Não fosse pelo vidro azul dançarino, eu ficaria muito impressionada com a minha sensatez. — Mas não vou me opor se quiser dar uma olhada no caminho para o altar. Acho bem possível eu me estatelar bem na frente dos seus convidados. Ah, não! O outro Ian foi embora...

Ele inclinou a cabeça para o lado e riu, mas era um riso tenso, preocupado.

— Não precisa ficar com ciúmes — me apressei. — E, olha, o vidrinho tá cansado de dançar!

— Pronto — anunciou o médico.

— Graças a Deus! — Ian soltou um longo suspiro, levando minha mão boa a seu peito e deixando a cabeça recair sobre o meu ombro. Seu coração batia rápido sob a minha palma.

Olhei para o antebraço em que o médico trabalhara e vi uma linha irregular de nós pretos e de aparência estranha. Gemi.

— Que inferno. Depois de amanhã serei a noiva Frankenstein.

— Quem? — o médico perguntou.

— O Frankenstein! Sabe... Frankensteeeeeeein grrrr... — Estiquei os braços com as mãos em forma de garras, fazendo uma careta. Nem Ian nem o médico reconheceram minha imitação, mas eu achei que tinha sido muito boa, ainda mais com o toque realista da linha preta costurada em minha pele branca.

O dr. Almeida se levantou, foi até o armário e pegou um pote pequeno. Então o abriu, e o cheiro agudo de coisa azeda fez meu nariz arder.

— Unguento — avisou ele, espalhando a gosma amarela sobre minha pele costurada. Em seguida, enfaixou meu braço com retalhos brancos que fizeram as vezes de atadura.

— Não sei como lhe agradecer, doutor. — Ian ficou de pé para apertar a mão do sujeito.

— É sempre um prazer cuidar de sua família, senhor Clarke. Irei até a sua residência amanhã, para fazer um novo curativo e garantir que o ferimento não infeccione.

Eu também me levantei porque parecia a coisa certa a fazer, mas meu corpo não concordou com isso.

— Opa! — cambaleei e caí sentada no sofá.

Ian se abaixou e passou um braço sob as minhas pernas. Eu não reclamei dessa vez. Estava muito... humm... não sei bem o que eu estava... para andar com aquele vestido comprido. Com medo de tropeçar e ter de ser costurada outra vez, passei o braço pelo pescoço dele e sorri.

— Sabe de uma coisa? — eu disse a Ian. — Quase ser atropelada tem lá as suas vantagens.

— Eu preferia que não tentasse outra vez.

— Vou ver o que posso fazer sobre isso. Valeu pelo curativo, dr. Almeida.

O sujeito coçou a cabeça.

— Errrrr...

— Ela agradeceu, doutor — explicou Ian, com um suspiro.

— Ah, sim. — O médico se adiantou para abrir a porta. — Disponha, senhorita, embora eu prefira não ter de tratá-la tão cedo.

— Olha aí, eu também! Viu só, Ian? A gente finalmente tá se entendendo! — exclamei e, mesmo a contragosto, Ian e o médico riram.

Teodora e Elisa estavam na sala em companhia da senhora Almeida, do sobrinho do casal, Júlio, e de Lucas, que parecia incapaz de tirar os olhos de Elisa. Os dois rapazes nos saudaram com uma educada mesura. Júlio era parecido com o tio, alto e magro, só que com mais cabelos. Lucas era um pouco mais baixo, tinha um belo rosto quadrado e os cabelos cor de areia faziam um contraste interessante com os olhos castanhos.

Todos se espantaram ao me ver no colo do Ian. Elisa foi quem falou primeiro:

— Sofia...

— Acalme-se, Elisa — meu noivo pediu. — Está tudo bem. O dr. Almeida já cuidou dela. Foi preciso suturar o ferimento, mas...

A menina arfou e cobriu a boca com as mãos.

— Oh, não!

— Não houve fratura, o que é um alívio. — Ian me acomodou melhor em seus braços. E, dirigindo-se aos dois rapazes, disse: — Sei que estou abusando da cortesia, mas gostaria de acompanhar minha noiva na carruagem. Será que um de vocês poderia...

Lucas deu um passo à frente.

— Não precisa explicar, senhor Clarke. Compreendo perfeitamente. Levarei sua montaria até a propriedade com prazer.

— Não é preciso se incomodar tanto, senhor Guimarães. Apenas o coloque numa das baias do dr. Almeida e amanhã voltarei para apanhá-lo.

— Como preferir. — E o garoto pareceu frustrado.

Ian se despediu da mulher e do médico, e, sem perder tempo, deixamos a casa. A multidão nos esperava do lado de fora, aguardando notícias. Assim que me viram, um *Oh!* coletivo e decepcionado se fez ouvir. Elisa e Teodora se empenharam em explicar o que havia acontecido a alguns conhecidos, enquanto Isaac abria a porta carruagem e Ian nos acomodava lá dentro. As garotas entraram logo em seguida, sentando-se no banco da frente. Ian ficou ao meu lado, abraçado à minha cintura, minha cabeça descansando em seu ombro. O polegar dele fazia pequenos círculos em meu pescoço.

— O que aconteceu? — Elisa questionou. — Foi tudo tão rápido! Quando me virei, Sofia já estava no meio da rua.

— Eu me distraí.

A carruagem entrou em movimento, e algo dentro de mim parecia fora do lugar. Tipo meu cérebro e meu estômago.

— Sofia, querida, o que pode tê-la distraído tanto a ponto de se colocar na frente de uma carruagem? Sei que vem de outro lugar e não está habituada às coisas por aqui, mas as ruas da vila são muito movimentadas! — censurou a menina.

Eu teria rido se meu corpo não tivesse necessidades mais urgentes. Cobri a boca com a mão tentando deter o fluxo que subia pela minha garganta. Ian rapidamente previu o que viria a seguir, pois deu um soco no teto da carruagem, fazendo-a parar instantes depois. Ele abriu a porta apressado, e eu voei lá para fora, meio encurvada, e enfiei a cara numa moita, liberando de forma ruidosa tudo o que havia comido.

Uma grande mão enlaçou minha cintura enquanto outra mantinha minha trança no lugar. Quando meu estômago se aquietou, eu não consegui olhar para ele.

— Ela está bem, senhor Clarke? — ouvi o cocheiro perguntar.

— Vai ficar, Isaac. — Um lenço branco me foi ofertado.

— Estarei por perto caso precise de ajuda — o moleque avisou.

Fechei os olhos depois de limpar o rosto, inspirando fundo.

— Eu quero morrer! — gemi.

— Eu sinto muito. Amanhã vai se sentir ainda pior, mas pedirei à senhora Madalena que lhe prepare uma gemada com vinho. — Ele me ajudou a ficar reta, e deixei meu corpo cair de encontro ao dele. — Isso vai dar um jeito em seu estômago. Sempre funcionou comigo.

Estremeci ao pensar em ovo cru.

Eu definitivamente quero morrer.

Meu noivo plantou um beijo no topo da minha cabeça.

— Vou cuidar de você agora. Vamos para casa.

Com sua ajuda, voltei para a carruagem, e, como fizera antes, Ian passou um braço ao redor de meu corpo. Eu fiquei imóvel por um tempo, atenta ao meu estômago conforme entrávamos em movimento. Relaxei ao perceber que não restara nada para ser expulso.

— Está tão abatida, pobrezinha — Teodora comentou. — Posso imaginar a quantidade de láudano que o dr. Almeida deu a ela para que passasse tão mal!

— Não foi láudano. Foi... ópio — sussurrou Ian.

— Ópio? — ela franziu o cenho, transtornada. — Ópio puro?

A palavra já não era tão divertida assim.

— Me mandaram mastigar — dei de ombros. — Aí eu fiquei bem feliz. Agora não tô assim tão feliz. Tô com muito sono. — Recostei-me em Ian. mas algo em sua calça espetou minha perna, mesmo com todo aquele tecido. Ele se moveu rápido, metendo a mão no bolso e retirando dali cacos de vidro e pecinhas de metal presas a uma corrente. O *crec* que ouvi mais cedo. Quase suspirei de alívio.

Mas Elisa arfou.

— Oh, Ian! O relógio de papai! Lamento tanto!

Ian analisou o objeto com a testa franzida.

— Deve ter quebrado quando saltei do cavalo. — Não pude deixar de perceber o tom de tristeza que se infiltrara em sua voz. Meu coração também se partiu em milhares de pedaços.

— Sinto muito — murmurei, tocando o braço dele. — Desculpa.

Ele beijou a minha testa e me abraçou com força, a mão que ainda segurava o relógio rodeou minha cintura, mas se fechou ao redor dos destroços, pressionando minhas costelas.

— Não precisa se desculpar, Sofia. Posso viver sem o relógio. Apenas me prometa que prestará mais atenção quando estiver na vila.

— Eu prometo — corei, enterrando a cabeça em seu peito.

Foi ali que jurei a mim mesma que aquilo nunca mais se repetiria. Que jamais deixaria Ian tão apavorado, que não o colocaria em risco outra vez. Ele podia ter quebrado o pescoço saltando do cavalo daquele jeito para me salvar do atropelamento! E, sobretudo, prometi que nunca mais voltaria a quebrar algo dele, mesmo que indiretamente.

Elisa e Teodora começaram a conversar, mas eu me sentia esgotada — e dopada — demais para participar. Fiquei observando Ian por um tempo até que adormeci — pelo menos eu acho, já que não me lembro de coisa alguma depois disso. Quando abri os olhos novamente, estava em meu quarto, no casarão de Ian. Ele estava retirando meus sapatos, depois desfez minha trança com toda a calma do mundo. Um travesseiro macio fora colocado sob minha cabeça.

— Não vai... — eu comecei, mas ele me interrompeu, pousando o indicador sobre meus lábios.

— Não vou. Agora descanse. — E beijou minha testa.

Pensei que teria uma noite calma, mas, em vez disso, pesadelos com relógios despedaçados e Ian encolhido em um canto, com a cabeça enterrada nos braços, povoaram meu inconsciente.

3

Sinos badalavam em minha cabeça quando acordei, na manhã seguinte. Bem, talvez fossem gongos. Ou britadeiras. Possivelmente uma mistura das três coisas.

Fiquei imóvel por um instante, avaliando o estado do meu corpo. Tudo estava em seu devido lugar, exceto minha cabeça, que pulsava em ritmo frenético. O restante em mim doía como se eu tivesse tomado uma surra — sobretudo a bunda —, meu estômago se contraía, e as sensações no antebraço esquerdo se alternavam entre ardência, fisgadas e latejos constantes.

Ainda de olhos fechados, gemi ao tentar me mover, amaldiçoando o médico. Ressaca de chope parecia o céu se comparada ao que eu estava sentindo agora.

— Está acordada? — a voz profunda e ligeiramente rouca soou do outro lado do aposento.

Girei a cabeça, o que foi uma péssima ideia. A pior de todas que já tive! Ah, pensando bem, não foi, não. Ter ido atrás de Santiago meses antes, pensando que ele também viera do futuro, tinha sido a pior de todas. Mas definitivamente mover a cabeça tão depressa naquele momento entrava para o "Top 10 das Ideias Idiotas".

Encontrei Ian sentado todo desajeitado em uma cadeira próxima à porta escancarada. Ele trocara a camisa e a calça manchadas de sangue por outras limpas e ainda calçava as botas. E parecia exausto.

— Você ficou nessa cadeira a noite toda? — minha voz saiu áspera.

— Era isso ou a senhora Madalena não me permitiria ficar com você.
— Ele se levantou e suas juntas estalaram.

— Sua governanta é um baita leão de cháca... — Tentei me sentar, mas o quarto girou e me deixei cair no travesseiro de penas. — Droga.

— Suponho que sua cabeça esteja doendo e o inferno esteja acontecendo em seu estômago. — Ele pegou uma caneca sobre a mesa no canto e se aproximou, então se sentou na beirada da cama e afastou uma mecha do meu cabelo para trás.

— É por aí. Me lembre de nunca mais aceitar nada que o dr. Almeida oferecer.

Ele abriu um sorriso.

— Isto a ajudará a se sentir melhor — ele indicou a caneca.

Meu corpo inteiro se contraiu sob o lençol e fiz uma careta.

— Não é uma boa ideia, Ian — comentei, enjoada.

— Confie em mim, vai se sentir bem muito em breve. — E então me lançou *aquele* olhar. Aquele que fazia minhas entranhas dançarem hula-hula e meu coração perder o ritmo.

— Eu vou vomitar outra vez! — avisei.

— Não vai. Eu garanto.

Eu me movi na tentativa de sentar, mas caí de novo sobre o travesseiro. Uma pontada aguda no meu braço suturado irradiou até o núcleo do meu cérebro e fez minha visão ficar turva.

— Porcaria de ópio!

Ian riu baixinho.

— Permita-me ajudá-la. — Ele apoiou a caneca no criado-mudo e, muito gentilmente, me ajudou a sentar.

— O que é ópio, afinal? Já ouvi falar, mas não sei direito o que é.

Ian ajeitou os travesseiros nas minhas costas. Aproveitou a proximidade para colar os lábios nos meus pelo mais breve dos segundos.

— Bom dia, meu amor — sussurrou.

— Bom dia, Ian — suspirei.

Ele se aproveitou de minha ligeira confusão para colocar a caneca entre as minhas mãos.

— Beba.

Olhei para o creme rosado e fiz uma careta.

— Tem certeza de que... Ei! Você não respondeu a minha pergunta! — me dei conta. Eu tinha que parar de me distrair quando ele me beijava. Mas era tão bom, e os olhos dele brilhavam tanto!

Ian respirou fundo, impaciente.

— Não há muito a esclarecer. Ópio é uma mistura de sementes e leite de papoula, muito eficaz para aliviar a dor.

Meus olhos se arregalaram e quase saltaram das órbitas.

Eu não era grande conhecedora do assunto, mas sabia que papoula era a matéria-prima de uma droga poderosa e alucinógena. Os jornais viviam falando dela.

— Você me dopou com heroína? — Devia ser outro tipo de papoula, me convenci. Ian jamais permitiria que eu usasse drogas.

— Você a conhece, então. O ópio do famoso dr. Bayer tem esse nome. Heroína.

Eu pisquei, perplexa, e minha boca se escancarou.

— Ian... não sei como te dizer isso, mas heroína é um tipo de droga!

— É claro que é, e serve para aliviar a dor.

Sacudi a cabeça depressa.

— Você não entendeu. Não é droga do tipo remédio, é do tipo perigosa, viciante e... pirante!

Ele inclinou a cabeça, confuso

— O que quer dizer com "pirante"?

— É tipo... tipo... ficar chapada além da conta, doidona. Ver objetos dançarem e um homem lindo se duplicar... — Levei as mãos à cabeça. — Ai, meu Deus, eu usei droga. Ainda bem que tô em outro século. A Nina ia me matar se soubesse!

Não que eu fosse careta, afinal cada um faz o que quer da vida. Mas eu nunca nem me arrisquei com um baseado, tão comum em cada esquina do século vinte e um. E agora, no século dezenove, experimentara *heroína* sem querer. Logo depois de quase ser atropelada.

Por que eu tinha a impressão de que tudo estava fora de contexto? Era para o século dezenove ser calmo e inofensivo!

— Eu não podia permitir que você sofresse tanto se havia alternativa, ainda que ruim. — Ian deslizou a mão pelas minhas costas bem devagar.

— Ei, morfina é feita de papoula também, não é? — Isso eu podia aceitar. — Ou será que é o Merthiolate?

— Não conheço esses nomes, mas esqueça esse assunto. Já passou.

— Sinto muito pelo seu relógio.

Ele deu de ombros.

— Está tudo bem, meu amor. É apenas um relógio.

— Elisa disse que era do seu pai.

Ele fez que sim.

— Ganhei dele quando completei quinze anos.

— Um presente bem legal.

— Na verdade, foi um prêmio. — Ele se recostou na cabeceira da cama. — Foi meu pai quem me ensinou a montar e tudo o que sei sobre cavalos. Ele era um excelente cavaleiro. O melhor! E sabia disso, por essa razão me incentivava a ser tão bom quanto ele um dia. O título de melhor cavaleiro das redondezas sempre pertenceu a um senhor Clarke — explicou, meio sem jeito. — Desde muito pequeno, eu queria ser como meu pai, um dia me tornar um senhor Clarke tão bom quanto ele. E eu queria mais que tudo ter um relógio. Ganhar o primeiro relógio é um marco na vida de um garoto, Sofia. Assinala o dia em que o menino se torna homem. Meu pai dizia que eu só ganharia o meu quando o superasse em uma corrida. As disputas começaram no dia em que completei dez anos. E se repetiram em todos os meus aniversários. Aos quinze, eu o venci. — Um minúsculo sorriso saudoso surgiu com a lembrança. — Em vez de me comprar um relógio novo, ele me deu o dele, que ganhara do pai da mesma forma. É uma tradição de nossa família. "Esse relógio pertence ao senhor Clarke vencedor, e esse posto agora é seu. Cuide dele até o próximo senhor Clarke estar pronto para possuí-lo, Ian" — entristecido, ele citou o pai. Então respirou fundo. — Três meses depois, com o inverno, veio a pneumonia, que levou meu pai deste mundo.

— Ah, Ian... — Larguei a caneca na mesinha de cabeceira, passei os braços ao redor dele e o apertei com força, piscando várias vezes para me livrar das lágrimas que se empoçavam em meus olhos.

Ian perdera algo que lhe era tão precioso, tão caro e insubstituível. Além do objeto que o ligava ao pai e a todas aquelas lembranças, ele perdera a chance de continuar uma antiga tradição de família. O próximo senhor Clarke jamais herdaria o relógio, pois ele não existia mais. Tudo isso porque Ian decidiu se jogar na frente de uma carruagem para impedir que ela me esmagasse. Eu me senti responsável, minúscula e mais idiota que nunca.

— Eu sinto muito mesmo — murmurei em sua camisa. — Talvez dê pra consertar ou...

Ele sacudiu a cabeça.

— Não há como consertá-lo. A caixa se partiu ao meio. Mas não tem problema, você está bem, e isso é o que realmente importa para mim. — Ele se esticou em direção ao criado-mudo, depois alcançou uma das minhas mãos, a trouxe para frente do meu corpo e depositou nela a caneca branca cheia de creme rosa espumado. O cheiro da bebida morna fez minha boca desértica salivar de um jeito ruim.

— Ian... — Tentei devolver a bebida, mas ele a recusou.

— Não é tão ruim quanto pensa.

Eu duvidava muito disso.

— Você fala como se tivesse tomado gemada um monte de vezes.

O clima ficou mais leve quando ele disse de um jeito brincalhão:

— Sempre que foi necessário.

— Ah, é? — perguntei surpresa. Ian era tão perfeito. Não dava para imaginá-lo caindo na farra. — Então você me enganou esse tempo todo com essa fachada de bom moço, é?

Um meio sorriso esticou sua boca.

— Nem sempre fui um cavalheiro exemplar, como bem sabe. — E, com isso, ele se referia a ter me levado para a cama antes de nos casarmos. Eu discordava totalmente, claro.

— E eu aqui me gabando por ter te levado para o mal caminho... — fingi estar desapontada. — O que você aprontava? Mulherengo sei que você nunca foi. — Porque não houve ninguém antes de mim. Quer dizer, na cama dele.

Ele deu de ombros.

— Não aprontava nada e nem acontecia com frequência, mas um rapazote aprende a conhecer seus limites testando-os. — Ele empurrou a caneca em direção ao meu rosto. — Não me enrole, Sofia. Beba.

Droga! Eu tinha certeza de que ele havia esquecido.

— Tá bom! Mas, se eu vomitar de novo, a culpa será toda sua.

— Assumo total responsabilidade.

Bufando, inspirei fundo e prendi o fôlego. Virei a bebida de uma vez, como costumava fazer quando minha mãe me dava remédios. O líquido era grosso, viscoso, doce e se prendeu a cada canto de minha boca.

— Tudo. — Ele segurou a caneca em meus lábios, inclinando-a para cima até que não restasse nada ali.

— Argh! — resmunguei, limpando a boca nas costas da mão e estremecendo ao sentir aquele creme escorregar para o meu estômago.

— Não se deite — ele alertou.

— Não era bem isso que eu pretendia fazer — gemi, lutando para manter a gemada dentro de mim.

Um minuto inteiro se passou até que eu conseguisse controlar os espasmos e respirasse aliviada.

— Tudo bem? — Ian quis saber, tocando meus cabelos e colocando-os atrás de minha orelha.

— Humm... Acho que... vai ficar aqui dentro.

— Vai sim. — Ele se inclinou e me beijou de leve. Ao menos no começo. Quando as coisas começaram a ficar realmente boas, ele se afastou. — A porta está aberta. Alguém pode nos ver. Deseja alguma coisa?

Arqueei uma sobrancelha, sugestivamente.

— Sabe do que estou falando — Ian riu.

Examinei meu vestido sujo, as manchas de sangue seco próximas ao curativo.

— Acho que um banho seria legal.

— Vou providenciar. — Ele fez menção de se levantar, mas se deteve. — Quer algo para ler mais tarde?

— Não. Tenho que ir até a vila de novo. A gente ficou de buscar o resto da tralha que você comprou pra mim. Não coube tudo na carruagem ontem.

— Elisa me contou quando veio visitá-la mais cedo. Ela deixou aquele pacote — ele indicou o embrulho sobre a mesa no canto. — Mas preferia que ficasse em casa hoje.

— Só machuquei o braço, Ian. Você precisa parar de pirar toda vez que eu caio. Ou tenho gripe. Ou quase sou atropelada.

Ele comprimiu os lábios, visivelmente contrariado.

— Então vou acompanhá-la.

— Porque gosta de estar perto de mim ou por medo de que eu me meta em problemas?

— Porque também tenho assuntos a resolver na vila. Mas posso adiar, caso consiga convencer a senhorita a ficar em casa.

— Bom, eu ficaria se você não tivesse comprado a vila toda. Sabia que tem mais de doze camisolas no meu enxoval? E você sabe que eu nem uso camisolas! — Preferia dormir usando as confortáveis camisas surradas manchadas de tinta do meu pintor preferido. Humm... Talvez Ian estivesse querendo me dizer alguma coisa ao comprar toda aquela lingerie... — Sério, Ian, você tem que parar com isso agora. Daqui a pouco não vai ter espaço pra guardar tanta... — porcaria, eu quis dizer, mas pensei melhor — coisa. E olha que sua casa é do tamanho de um museu!

— Não vamos discutir esse assunto novamente. Eu me recuso. — Ele ficou de pé.

Eu me arrastei para a beirada da cama e me levantei também.

— Vamos sim! Você precisa escutar o que eu digo. Eu não quero mais nada. Já tenho tudo, porque tenho você. E é a única coisa que eu quero e preciso: *você*! Nada de camisolas, lençóis, paradas com renda que eu nem sei o que são. *Você*, e apenas você!

Aquele sorriso malicioso que eu amava deu as caras. Um de seus braços encontrou o caminho de minha cintura. O outro subiu para o meu rosto, e ali ele encaixou a mão e o inclinou. Prendi a respiração.

— Você não pode me dizer esse tipo de coisa e esperar que eu me comporte como um cavalheiro, senhorita.

Seus lábios encontraram os meus. Ergui os braços para enlaçar seu pescoço, mas Ian soltou minha cintura e deteve meu pulso esquerdo a tempo. Fiquei um pouco perturbada, até que ele o estreitou contra o peito — rijo, repleto de vales recoberto por uma pele sedosa e pelos macios — e o manteve ali, sua mão grande engolindo a minha. Seu coração batia rápido e forte contra a minha palma. O ferimento em meu antebraço, aquele que ele mantinha cativo com tanto cuidado, pulsava no mesmo ritmo. Eu me derreti contra ele.

Cedo demais, Ian separou nossa boca e encostou a testa na minha. Os dedos em meu rosto traçavam de leve a linha de meu maxilar.

— É melhor eu procurar a senhora Madalena, antes que ela nos encontre assim e me proíba de chegar perto da senhorita — sua voz estava rouca.

— Tá — murmurei, meio zonza.

Ele me beijou mais uma vez antes de sair do quarto. Só quando fechou a porta, me lembrei da discussão e de que ela não chegara a lugar nenhum. Como em todas as outras vezes.

— Droga, Ian!

Soltei um longo suspiro e fui pegar os óleos. Desembrulhei os frascos, mas me detive quando, sem querer, deixei cair o papel de embrulho. Alguns documentos e a caneta Bic que eu dera a Ian estavam sobre a mesa. Ao que parecia, ele passara um bom tempo fazendo anotações e contas. Dei uma olhada em uma delas. Franzi a testa tentando entender melhor aqueles números, mas, antes que pudesse analisá-los com mais atenção, Madalena e um empregado adentraram no quarto carregando baldes de água.

— Bom dia, senhorita — saudou-me a governanta dos Clarke, entrando e despejando a água na banheira. — O patrão nos contou sobre o acidente. Lamento muito que tenha se ferido, mas fico contente que não tenha batido a cabeça dessa vez.

— Vou ser a noiva mais esquisita que já viram, não vou? — comentei, olhando para a atadura suja que já começava a se soltar em meu braço. Nem o lindo anel em formato de flor, com seu brilho cintilante, conseguia suavizar minha aparência sinistra.

— Não, querida. Será a mais bela, pois estará se unindo ao homem que ama. E um simples ajuste na manga pode esconder o curativo.

Isso! Madame Georgette devia ter alguma coisa meio à mão para emergências como aquela, certo?

— Já levei todos os seus pertences para o novo quarto. — Madalena testou a temperatura da água. — O baú está preparado para a viagem. Tomei a liberdade de incluir algumas camisolas de seu enxoval.

— Valeu.

Ainda não acreditava que teríamos uma lua de mel. Ian e eu iríamos para as montanhas! Não sei bem o que isso significava, mas tinha consciência de que não era nenhum resort cinco estrelas com garçons trazendo caipirinha na beira da piscina. Mesmo assim, eu estava ansiosa. E Ian também.

Ele me contou que a casa na região montanhosa pertencia à família Clarke havia décadas. Os pais dele passavam muito tempo lá quando ele e Elisa eram crianças, para desfrutar de alguns momentos de privacidade. Ian pretendia seguir os mesmos passos, e seria a primeira vez que ficaríamos totalmente sozinhos. Quer dizer, sem contar os empregados, mas até nisso ele dera um jeitinho. Alguém prepararia tudo no chalé, e levaríamos comida que não estragasse com facilidade. Eu não me importava com nada disso desde que, com os olhos brilhando, Ian mencionara um lago. Elisa ficaria sob os cuidados de Madalena e Gomes, e os Moura permitiram que Teodora permanecesse na fazenda enquanto estivéssemos fora.

A governanta terminou com a banheira e me entregou o potinho com o creme de abacate, banana e água de coco. Madalena era uma dádiva! Juntei um pouco dos óleos à papa e misturei bem com os dedos. Eu não tinha certeza se eles fariam meu condicionador caseiro durar mais, como informara o boticário, mas o aroma ficou muito agradável, parecido com o de um cosmético de verdade. Pedi à Madalena que me arrumasse uns vidrinhos para guardar o restante e fazer alguns testes de durabilidade. Ela assentiu e saiu assim que comecei a desabotoar o vestido.

Tomei um banho demorado, mas foi complicado não molhar a atadura no antebraço. Eu me recostei na banheira, deixando meus membros doloridos relaxarem, e me espantei ao perceber que a dor de cabeça havia desaparecido como mágica.

Sorri. Ian sempre tinha razão. Não que eu fosse dizer isso a ele um dia...

O sorriso morreu quando lembranças de sua expressão triste invadiram, sem convite algum, minha cabeça. Meus dedos se enroscaram por vontade própria no pingente do meu colar. Aquele com a letra I que Nina me dera pouco antes de eu voltar para o século dezenove. Eu entendia quanto aquele relógio significava para Ian, a dor que aquela perda lhe causava.

Eu tinha de fazer alguma coisa quanto àquele relógio, decidi, saindo da banheira e me secando apressada. *Mas o quê?*, a pergunta fervilhava em meus pensamentos.

Enquanto me vestia, eu não fazia a menor ideia de que encontraria a solução para o problema naquela mesma manhã. Nem de que aquilo alteraria meu futuro de maneira irreversível.

Quando chegamos à vila, o sol já estava a pino. Ian me ajudou a descer da carruagem e não saiu de perto de mim um só instante. Ele ficava olhando para todos os lados esperando que um homem-bomba se atracasse a mim, ou algo do tipo. Era muito ridículo.

Isaac mais uma vez empilhava caixas sobre o teto. Elisa explicava ao garoto como as caixas deviam ser dispostas. A costureira já havia bolado uma solução para esconder minha atadura.

— Et voilà! Esta é a última, chérie — disse madame Georgette, colocando o último pacote sobre a pilha na calçada. Ela ajeitou o corpete do vestido, deixando seu busto avantajado menos exposto. — Trabalharrei nas mangas esta tarrde. Amanhã estarrá prronto, sim? Eu mesma irrei levá-lo até a prroprriedade dos Clarrke. Mas, se me perrmitirr colocar apenas um pouquinho de corr na...

— Não quero, madame — sacudi a cabeça, rindo. Ela não desistiria até que eu estivesse na porta da igreja com o buquê na mão, e mesmo assim eu podia apostar que ainda tentaria me fazer mudar de ideia quanto ao vestido. — Valeu por me socorrer e por... dar conta do pedido exagerado do Ian.

Ela se voltou para ele e piscou um dos olhos azuis. Ian sorriu de volta de um jeito conspiratório. Por um instante, o rubor natural de madame Georgette se intensificou. Acabei rindo. Eu conhecia bem aquela sensação.

— O senhorr Clarrke é admirrável! Um homem que se prreocupa assim com as necessidades de sua fiancée... e sem que ela o atorrmente! Tirrou a sorrte grrande, mademoiselle.

Eu o fitei também, bem a tempo de ver aquele sorriso tímido brincar em sua boca.

— É. Sou uma garota de muita sorte. — E, com deleite, assisti às bochechas dele ganharem o mais delicioso tom de rosa.

Ela se despediu logo depois de garantir mais uma vez que meu vestido estaria pronto na primeira hora do dia.

Elisa, porém, não estava satisfeita com a arrumação de Isaac e continuou a dar instruções. Ian seguia vigilante, olhando em todas as direções.

— Parece bem tranquilo hoje.

— Claro — respondi. — Tá todo mundo enfiado em casa se aprontando para um casamento que só vai acontecer amanhã.

Ele franziu o cenho e me puxou para o lado, para que eu ficasse na calçada, ao avistar uma carruagem se aproximando devagar.

— E você desaprova — afirmou.

Dei de ombros.

— Só não quero que gaste tanto dinheiro comigo.

— Não estou gastando, estou... — Ele coçou a cabeça de um jeito muito fofo, enquanto tentava encontrar as palavras certas. — Usando meus recursos para fazer feliz a mulher que amo.

Eu fiquei na ponta dos pés para beijá-lo, mas me detive. Estávamos na rua, em público. As pessoas do século dezenove não eram muito a favor de demonstrações públicas de afeto. Sacudi a cabeça, irritada, e suspirei.

Século dezenove estúpido!

— Sofia, estaria disposta a me acompanhar até a...

Alguém chamou por ele, interrompendo-o.

— Senhor Clarke, quão oportuno encontrá-lo! — disse o senhor Albuquerque, velho conhecido dos Clarke e pai de Valentina. A moça seguia o pai, acompanhada de uma garota tão jovem quanto Elisa, que eu ainda não conhecia.

Valentina era a mulher perfeita, com seus cachos loiros, olhos azuis e modos refinados, e amava Ian desde que nascera, pelo que eu soube. Ela me incomodou por um tempo, mas agora — que eu estava de casamento marcado — desejava que fôssemos amigas. Prova disso era que eu estava pronta para suportar seu olhar zangado ou frio por ter despedaçado suas esperanças ao me meter na vida de Ian, ainda que sem querer.

No entanto, ela não fez nada disso. Na verdade, mal me olhou. Sua atenção, como sempre, estava voltada para Ian, e seu rosto se iluminou ao cumprimentá-lo.

Tá legal, não ia rolar amizade nenhuma se ela não parasse de olhar para Ian daquele jeito!

— Lembra-se de minha sobrinha, senhor Clarke? — o homem com um imenso bigode indicou a garota pouco menor que Elisa.

Os cabelos ruivos da menina escapavam de forma desordenada do chapéu de abas rendadas. Era a primeira vez que eu via uma moça com o cabelo fora de controle desde que chegara ali. Gostei dela imediatamente.

— Claro que me lembro — disse Ian, se inclinando de leve. — Como tem passado, senhorita Suelen? Espero que a visita não seja tão breve quanto a última. Elisa lamentou muito sua partida no inverno passado.

— Estou mu-muito bem, senhor. — Suelen corou quando Ian sorriu para ela. Suspirei para evitar grunhir. Era melhor eu me acostumar com aquilo de uma vez. Ian era lindo, e eu não era a única que tinha olhos. Infelizmente. — Não sei ao ce-certo quanto tempo ficarei com tio Walter. Talvez alguns meses. Meus pais viajaram para a Europa.

— Excelente notícia! Teremos o prazer de sua companhia por mais tempo. — Ian olhou para mim. — Permita-me apresentá-la a minha noiva, Sofia Alonzo.

— Oi — eu sorri para ela.

— Encantada em conhecê-la. — Ela fez uma pequena reverência.

Elisa, terminando de organizar o enxoval, juntou-se a nós naquele instante, saudando os recém-chegados.

— Se nos permitem — começou o senhor Albuquerque —, os cavalheiros precisam discutir um assunto muito enfadonho para as jovens damas. — Ele puxou Ian de lado e começou a falar, animado, sobre cavalos.

— Soube de seu acidente, senhorita Sofia — disse Valentina. — Espero que nada grave tenha lhe acontecido.

— Só um corte no braço — mostrei o curativo sujo.

— ... estou pensando em comprar uma nova égua — dizia o senhor Albuquerque a Ian. — Sua opinião é muito importante para mim. A carruagem está logo ali. Venha dar uma olhada.

— Bem, senhor Albuquerque, eu adoraria, mas... — Ian me fitou de canto de olho, parecendo preocupado. Lutei para não revirar os olhos.

— Vá com ele — indiquei com os lábios.

Ele sacudiu a cabeça, teimando.

— Ah, Ian, pelo amor de Deus! — praguejei, me aproximando dele. — Desculpa, seu Albuquerque, mas preciso falar com o Ian um minutinho.

Eu o peguei pelo braço e o arrastei para longe dos ouvidos curiosos, deixando o senhor Albuquerque e as garotas (exceto Elisa, já bastante acostumada com o meu jeito) espantados.

— Você precisa ir ver seja lá o que for que o seu Albuquerque quer. É o seu trabalho! — sussurrei.

— Posso fazer isso outra hora — ele rebateu de pronto. — Não vou deixá-la sozinha.

Eu gemi.

— Droga! Tudo bem, escuta. Ontem, quando eu fui para o meio da rua, não foi por nenhum problema de desatenção nem nada assim.

— Não? — ele franziu o cenho, confuso.

Respirei fundo e baixei os olhos.

— Não. Foi porque eu... bem... vi você. — Examinei sua expressão. Nunca em toda minha vida pensei que poderia deixá-lo tão perturbado, ainda mais depois de ter contado que vim do futuro. — E os meus pés meio que ganham vida própria quando eu te vejo — dei de ombros. — Você é tipo um ímã pra mim. Você sabe o que é um ímã?

Ian fechou a cara e me observou com intensidade.

— Eu sei bem o que é um ímã. Mas como pode me dizer isso só agora? — ele resmungou, rangendo o maxilar.

— Porque é muito constrangedor! Eu não tinha a intenção de te preocupar, mas não imaginei que você fosse ficar tão neurótico.

Ele sacudiu a cabeça, impaciente.

— Por que me diz isso agora, aqui na vila, onde há tantos conhecidos e não posso beijá-la?

— Ah! Aaaaah! — não consegui conter o sorriso. — Bom, eu não conheço aquele cara ali. — Apontei para um homem que passava apressado com um pão no sovaco.

Ian olhou por sobre o ombro e fez uma careta triste.

— Infelizmente, eu sim. — Ele deu um passo à frente, tomou minha mão e plantou um beijo quente e demorado em minha palma. — Isso é tudo o que posso fazer no momento.

— E se eu te arrastasse para aquele cantinho ali? — perguntei, esperançosa.

Ian soltou um gemido gutural que eu conhecia bem. Todos os pelos do meu corpo se arrepiaram em resposta.

— Creio que seríamos detidos por ofender a moral e os bons costumes. — Ele tentou conter a diversão, mas falhou vergonhosamente. — É melhor não arriscar. Temos um compromisso importantíssimo amanhã.

— Bom, então, já que você não vai ficar de amassos comigo pela vila, pelo menos tente resolver seus assuntos com o seu Albuquerque. Eu preciso passar no sapateiro.

— Tem certeza? — ele alisou a bandagem em meu braço com a pontinha dos dedos.

— Tenho.

Ian avaliou minha expressão e cedeu com um ligeiro aceno de cabeça.

— Tudo bem. Eu as encontro daqui a... — Ele levou a mão ao bolso, tateou procurando alguma coisa, então franziu a testa, e uma pontinha de tristeza se fez visível em seus olhos de ônix. Ele estava procurando seu inseparável relógio. — Bem, eu as encontro em breve.

A tristeza que ele tentou disfarçar fez meu peito se contrair até eu quase não conseguir respirar. Ele não percebeu o pesar em meu rosto e me conduziu de volta ao pequeno grupo antes de aceitar o convite do senhor Albuquerque. O homem já se colocara em movimento, porém meu noivo se deteve e se dirigiu à irmã:

— Elisa, pode me fazer um favor? Vou encontrá-las aqui assim que puder, mas, quando me vir, por gentileza, segure o braço de Sofia e não solte até que eu as alcance, está bem? — Ele me fitou pelo canto do olho com um ar brincalhão.

A menina franziu o cenho ao mesmo tempo em que eu corei.

— Está bem — ela concordou, confusa.

Assim que os dois homens se afastaram, Elisa, eufórica, começou a contar para as amigas sobre os preparativos do casamento. Suelen não prestava muita atenção, observando-me com curiosidade e um leve sorriso nos lábios.

— Que foi? — passei a mão em meu rabo de cavalo, para me certificar de que estava tudo bem. Os fios estavam macios e comportados, as ondas marcadas. Os óleos fizeram toda a diferença no meu creme de abacate.

— Seu cabelo é muito bonito, senhorita Sofia — disse Suelen, meio sem jeito.

Era a primeira vez que uma mulher elogiava meu cabelo na rua. Em *qualquer* século!

— Graças a um tratamento novo que descobri. Nem sempre ele fica assim.

— Verdade? — ela deu um passo à frente sem notar. — Eu já tentei de tudo com o meu. Mamãe diz que é eriçado porque nunca tenho paciência para escová-lo cem vezes todas as noites, mas ela não entende que quanto mais escovo...

— Mais ele sai do controle — completei.

— Sim! — ela disse, com os grandes olhos verdes reluzindo.

Dei risada.

— Tenho bastante creme agora. Vou separar um vidrinho pra você e amanhã na festa você pega com a Elisa, se quiser. Você passa depois do xampu, e aí...

A menina parecia fascinada e absorvia cada palavra que eu dizia. Por fim, as primas quiseram nos acompanhar até o sapateiro. Contudo, ao nos aproximarmos do estabelecimento, vi uma nova loja, cuja existência não notara até então. Teodora havia dito algo a respeito de uma pequena joalheria inaugurada havia poucas semanas na vila, mas eu não dera muita importância. Agora, porém, ela recebia minha atenção total. Mais especificamente, algo na vitrine.

Algo que talvez pudesse diminuir a tristeza de Ian quando ele fosse consultar as horas.

Um relógio novo! A solução, de tão simples, era quase ridícula. Como eu não tinha pensado nisso antes?

5

— Ah, querida Sofia, olhe aquele broche! Que encanto! — apontou Elisa, entusiasmada. — Combinaria com seu vestido!

— E quanto ao seu, senhorita Elisa? Que tecido escolheu? — perguntou Valentina.

— Seda. É o casamento de meu irmão, não posso...

Elisa continuou falando, mas eu não ouvi. Minha atenção estava no relógio de bolso prateado descansando sobre o cetim creme. Ele destoava dos outros, e me causou certa estranheza olhar para a peça simples, nada rococó, com o mostrador branco e os longos ponteiros pretos. Não combinava em nada com o restante da vitrine repleta de dourado, brilho e pedras coloridas.

Entrei na loja sem refletir muito, o coração batendo rápido. As três garotas me acompanharam.

— Olá! — saudou o homem de bigodes cinzentos e pele morena. — Que grata surpresa ver tão belas jovens em meu humilde estabelecimento. Como tem passado, senhorita Valentina? Não tenho visto seu pai pela vila ultimamente.

— Ele tem sofrido de gota outra vez, senhor Estevão — respondeu Valentina, com um sorriso doce. — Mas está melhor, graças aos cuidados do dr. Almeida.

— Mande lembranças a ele. E como está crescida, senhorita Elisa! Já é uma moça! — elogiou o joalheiro.

— Completarei dezesseis na primavera.

— Como o tempo voa! — o sujeito exclamou, então focou os olhos em mim. — E esta deve ser a encantadora senhorita Sofia, que arrebatou o coração de nosso jovem senhor Clarke. Lamento não ter ido ao baile de noivado. Minha esposa estava com uma terrível amigdalite. Mas ficamos muito felizes com a notícia. Ansiosa com a proximidade do casamento?

— Um pouco nervosa — acabei confessando.

— É claro que está, minha querida — e ele exibiu uma fileira de dentes tortos. — Minha esposa ficou muito contente quando recebeu o convite. Estamos honrados pela lembrança e desejamos os mais sinceros votos de felicidade ao casal.

— Vale... errr... Obrigada.

— Minha sobrinha acaba de chegar. Ficará conosco até o Natal. Seria muito abuso se eu a levasse à cerimônia?

— Não, de jeito nenhum. Quanto mais gente, melhor. — Ao menos era assim que Ian pensava.

— Em meu nome e no de Najla, eu lhe agradeço — ele fez um ligeiro gesto com a cabeça e sorriu. — Como posso ajudar damas tão encantadoras? — perguntou a nós quatro.

— Posso ver aquele relógio ali? — indiquei a vitrine.

Não sei por que fiz isso. Realmente não sei. Eu não tinha como pagar por ele.

— Certamente, senhorita. — Estevão abriu a vitrine com uma chavinha, pescou o que eu queria dali e me entregou a peça.

Fiquei admirada ao sentir o peso em minha mão.

— É prata pura — ele informou. — Veio diretamente de Londres.

Inferno! Importado no século dezenove deve custar os olhos da cara!

— É muito bonito. — E era mesmo. A caixa traseira era simples, tinha apenas um pequeno entalhe com o símbolo do infinito bem ao centro. Ali em minha palma, não parecia tão diferente. E eu tinha certeza de que em certas mãos ele se encaixaria de forma precisa e perfeita.

— Se procura um presente para seu noivo — continuou Estevão —, um relógio seria uma lembrança marcante para celebrar a união. Mas, se me permite, senhorita Sofia, talvez um dos outros modelos agrade mais ao senhor Clarke. Há uma peça de ouro com acabamento impecável. A máquina conta com dezoito rubis e...

— O Ian iria gostar mais desse — interrompi, séria. Muito mais do que a ocasião pedia. Minha mão começou a suar. — Ele não iria querer um relógio com dezoito rubis. Ian gosta de coisas simples e comuns.

— Bem... — Estevão pigarreou. — A senhorita deve conhecer melhor o gosto dele que eu.

Assenti uma vez.

— É claro que esse que escolheu é magnífico — ele emendou, voltando ao *modo vendedor*. — Poderia gravar uma mensagem na tampa ou as iniciais de seu noivo, se desejar. Deixe-me mostrar.

Ao pegar o relógio, ele o girou e levantou a tampa traseira, e a peça se abriu como se fosse um estojo de pó compacto, revelando a parede interna, lisa como uma colher.

— Vê? — indicou ele. — Perfeito para uma inscrição apaixonada.

— Ah, Sofia, quanta delicadeza de sua parte — Elisa se animou, tocando meu ombro. — Ian ficou tão abalado por ter perdido o relógio de papai! Estava na família há gerações.

Sei que não foi a intenção dela, mas aquilo só me deixou ainda mais mortificada.

— Quanto custa?

Quando o homem disse o preço, eu não soube avaliar se era ou não caro demais. A moeda — literalmente, nada de notas — era dividida por cores. Cobres e douradas, e tudo que eu sabia era que as douradas valiam mais. Vergonhoso para alguém que por anos trabalhou em um escritório de contabilidade.

— Deve ficar com ele — Elisa me encorajou. — Não acha que Sofia deve comprar este presente para Ian, senhorita Valentina?

— De fato, é uma linda peça — Valentina concordou, piscando rápido.

— Isso... esse valor... é muito caro? — perguntei a elas. — Tipo, o que eu poderia comprar com esse dinheiro?

Elisa franziu o cenho.

— Bem, não sei ao certo. Talvez um bom vestido de baile...?

— Ou aquele par de brincos, ou dois pares de sapatos, ou alguns frascos de perfume — ajudou Suelen, enumerando com os dedos e parecendo grande conhecedora do assunto. Teodora e ela deviam se entender muito bem.

Um vestido. Não parecia ser tão caro assim.

— Garanto que nada deixaria meu irmão mais feliz do que receber um presente seu — Elisa exibiu suas covinhas. — Ainda mais um relógio!

Eu mordi o lábio, tentada, mas já sabia a resposta. Eu não tinha como pagar. Não sem assaltar alguém, ou roubar um banco. Quer dizer, se os bancos já existissem, é claro.

Desde a minha volta ao século dezenove, quase três semanas antes, eu estava desempregada, e a grana que eu tinha na carteira só teria validade em uns cento e setenta anos. Não me sobrara muito tempo para pensar a respeito com Ian e Elisa me arrastando de um lado para o outro por conta dos preparativos para o casamento. Eu não tinha nada meu ali, exceto os cacarecos sem valor dentro da bolsa que viajara no tempo comigo na primeira vez e ali permaneceram. Ian era muito generoso — até demais para o meu gosto. Ele me daria todas as moedas de que dispunha se eu pedisse, mas, se eu pagasse pelo relógio com a grana dele, deixaria de ser um presente. E a minha intenção não era substituir um relógio por outro. Eu tinha plena consciência de que a perda que Ian sofrera era irreparável. Mas talvez, se eu desse a ele algo que representasse quanto eu o admirava e amava, quanto ele era importante para mim, a falta do relógio do pai se tornasse mais suportável, ou algo assim.

Não tinha nada a ver com o fato de que ele um dia pudesse passar a me odiar por eu ter sido a causa da destruição (ainda que sem querer) de algo tão precioso. Nada a ver mesmo!

No entanto, por mais que eu quisesse sair daquela loja com o relógio numa sacola, meus bolsos permaneciam vazios.

— Obrigada, senhor Estevão. — E devolvi a peça ao homem. — É muito bonito, mas não posso ficar com ele.

— Tem certeza? — ele perguntou, surpreso.

Fiz que sim com a cabeça e saí da loja antes que fizesse uma loucura — tipo agarrar o relógio e sair correndo.

Valentina e Suelen nos seguiram para fora, mas perceberam que meu humor não era dos melhores e logo trataram de inventar uma desculpa, se despedindo apressadas e voltando para o ateliê. Elisa teve que correr para me acompanhar.

— Sofia, espere! Por que desistiu da compra? — Ela me alcançou e inspirou fundo, tentando recuperar o fôlego. — Tenho certeza de que meu irmão ia adorar aquele relógio.

— Eu sei, Elisa! Mas eu não tenho como pagar. Não ainda.

Tudo bem, novo plano. Eu juntaria uma grana e voltaria em um mês ou dois. Como conseguiria dinheiro ainda não estava muito claro, mas eu podia bolar alguma coisa, certo? Se eu consegui me virar para pagar a faculdade depois da morte dos meus pais, podia muito bem pensar em algo que me desse algum lucro. Era uma droga estar no século dezenove, onde o trânsito era inexistente e eu não podia vender balas no semáforo (também inexistente, claro).

— Mas Ian não lhe deu muitas moedas? — perguntou Elisa.

— Deu. Mas eu... perdi todas — menti.

— Você está mentindo. Por que não quer usar o dinheiro que meu irmão lhe deu?

— Porque... não seria um presente para ele. Seria uma compra, e não é essa a intenção.

— Que pensamento mais peculiar, Sofia. Os homens sempre arcam com as despesas da esposa, mesmo que seja com um presente para eles. Ao menos é o que um bom marido faz, e meu irmão deixou claro que você pode ter tudo que quiser.

Ela nunca entenderia. Tentei outro caminho.

— Pois é, mas ele ainda não é meu marido.

Seus imensos olhos azuis se ampliaram, a boca se escancarou conforme minhas palavras penetravam seus ouvidos.

— Tem razão! Se as pessoas souberem que você estava fazendo compras com o dinheiro de Ian *antes* do casamento, pensarão que você é a... Oh, não!

— Elisa, ele comprou metade da vila pra mim — abri os braços, desanimada.

— É diferente! Foram presentes do seu noivo, ninguém jamais poderá reprimi-lo por isso, mas se você, uma dama solteira, decidir fazer compras usando o dinheiro de Ian, assumirá que é sustentada por meu irmão. Sua reputação cairá na lama! Ficará à margem da sociedade, ninguém vai recebê-la ou convidá-la para jantares e bailes, você se tornará uma pária! Não podemos permitir que algo tão abominável aconteça! — Elisa encrespou a testa. — Temos que pensar em outro jeito de pagar por aquele relógio.

Não era bem aquela reação que eu esperava, mas funcionou, de qualquer forma. A menina começou a andar de um lado para o outro, seus saltinhos repicando o paralelepípedo, as delicadas sobrancelhas franzidas como se estivesse concentrada em algo. De repente, ela parou, fazendo sua longa saia bufante balançar.

— Tenho algumas economias. Não é muito, mas posso lhe emprestar quase a quantia toda, e o que faltar poderá pagar depois do casamento! Tenho certeza de que o senhor Estevão não vai se importar.

— Não. De jeito nenhum. Seria ainda pior do que pegar o dinheiro do Ian. — Porque não era fácil uma garota conseguir algum dinheiro naquele século.

Ela me olhou feio assim que eu disse isso, e estava pronta para retrucar quando algo em sua expressão mudou.

— Então você pode pagar com as economias da casa! — Seu sorriso foi tão amplo que quase atingiu as orelhas. — Todo marido oferece um bom montante para a esposa manter a casa. Para a compra de mantimentos, roupas de cama, pequenos imprevistos, as necessidades dela. É uma boa soma e, se conseguir economizar nos gastos diários, pode conseguir o valor que precisa para comprar o relógio!

— Tipo um salário por cuidar da casa? — perguntei desconfiada. — Porque ele já tem a Madalena pra fazer isso.

— Madalena é governanta. Ela cuida dos afazeres, mas não pode decidir nada sem consultar Ian ou a mim. E, a partir de amanhã, será você quem deverá assumir essa tarefa! Não pense que é fácil. Todos os gastos serão sua responsabilidade. E o que sobrar será seu, para gastar como bem quiser. É uma compensação por seu empenho e esforço. Foi assim que consegui juntar minhas economias.

Engoli em seco. Ouvir aquilo não era bom. Nada bom.

— Eu não sou muito boa em cuidar da casa. Vivia faltando leite na minha geladeira porque eu nunca me lembrava de comprar.

A cabeça dela pendeu para o lado.

— Sua geladeira?

— Ah, é um... humm... baú onde eu guardava comida. Dei esse nome a ele — me apressei em dizer. Elisa não tinha ideia da minha história, e eu queria que permanecesse assim. Já bastava ter bagunçado a cabeça de Ian uma vez. Eu estava ali, escolhi aquele século, era tudo o que importava. — E, de todo jeito, não adianta. Eu queria dar o relógio para o seu irmão amanhã, depois do casamento, e só vou receber essa grana mais pra frente, certo? Voltamos ao problema de eu ser amante do seu irmão.

— Shhhh! Não diga essa palavra em voz alta — ela enroscou o braço no meu. — E ninguém precisa saber disso. Basta dizer ao senhor Estevão que teve problemas com a remessa de alguns títulos e que, assim que os correios despacharem os documentos, a agência bancaria fará o pagamento.

— Os correios já existem? — perguntei surpresa. Ela se deteve e me olhou confusa. — Existe aqui! Foi isso que eu quis dizer. Se já existe nesta região.

— Bem, temos um agente dos correios na vila. O senhor Bregaro. Mas duvido que o senhor Estevão vá falar com o sujeito. Ele não tem motivos para desconfiar de sua palavra. Ou da minha. Vamos! Temos de nos apressar antes que Ian fique impaciente e decida nos procurar. Ele não pode estragar a surpresa! — Ela fez a volta e me puxou rumo à joalheria.

Eu relutei. O plano de Elisa tinha muitos furos. Eu podia enganar o seu Estevão e o pessoal da vila, mas Ian não era bobo. Assim que visse o relógio, ele se perguntaria como eu tinha conseguido comprá-lo. Elisa, porém, garantiu que o irmão pensaria que eu havia utilizado as moedas que ele me dera nas últimas semanas e não tocaria no assunto. Eu também temia que Ian topasse com o seu Estevão e o joalheiro lhe contasse que eu tinha comprado fiado, além da mentira sobre títulos de valor e tudo o mais. Elisa achou muito improvável; o sigilo absoluto entre vendedor e comprador era quase sagrado naquele século.

Eu tinha quase certeza de que aquele plano não daria certo. Ainda assim, a expressão desolada no rosto de Ian pouco mais cedo naquele dia bloqueou qualquer pensamento e eu entrei na lojinha. E, como Elisa antecipara, o senhor Estevão ficou mais do que satisfeito em me vender fiado e acreditou em tudo o que eu disse (e ainda resmungou sobre o senhor Brega-Sei-Lá-das-Quantas precisar de um assistente).

Depois de termos acertado tudo, demorei um pouco para decidir o que queria gravar na tampa do relógio. Evoquei a imagem de Ian sorrindo daquele jeito que fazia meu coração se alvoroçar, e as palavras saíram sem esforço. Estevão levou pouco mais de vinte minutos para fazer a gravação e me entregar o relógio dentro de uma bela caixa de madeira forrada de veludo verde-escuro.

Nós duas saímos da joalheria, passamos rapidamente no sapateiro para pegar minha encomenda — a única coisa que Ian comprou para mim da qual não reclamei, apesar de ele não ter visto o modelo que escolhi — e voltamos para a frente do ateliê de madame Georgette. Isaac já tinha acabado de empilhar as caixas e nos esperava sentado no banco da frente da carruagem. Pedi a ele que guardasse o relógio dentro de um dos pacotes, e o garoto me atendeu de pronto. Isaac estava sempre disposto a me ajudar. Eu gostava cada vez mais daquele garoto.

Elisa tocou meu braço de repente e seus dedos finos me prenderam.

— O que foi? — perguntei sem entender.

A garota deu de ombros.

— Apenas atendendo a um pedido curioso.

Eu acompanhei seu olhar e encontrei Ian atravessando a rua. Dei um passo à frente, mas Elisa me conteve, me segurando mais firme, de modo que eu tive de esperar por ele. Ah!

— Já terminaram? — ele perguntou ao nos alcançar. Educado como sempre, ele se inclinou, os olhos fixos nos meus, tomou minha mão e a levou aos lábios. Um rugido selvagem reverberou pelo meu corpo quando senti a carícia quente em minha pele.

— Já — suspirei.

Ele se endireitou, mas não soltou a minha mão, apenas a realocou na curva de seu braço.

— Excelente. Gostaria que me acompanhasse até a igreja.

— Algum problema com o casamento? — Elisa arregalou os olhos.

— Não, Elisa. Está tudo certo. Mas desejo falar com o padre Antônio.

— Ah... — foi minha complexa resposta.

Eu me encontrara com o padre uma única vez, logo depois de voltar para Ian. O homem até que foi simpático e me desejou felicidades assim que soube do nosso noivado, mas bastou ser informado de que eu estava morando na casa dos Clarke para que toda a camaradagem desaparecesse. Foi por isso que inventei dezenas de desculpas para não ir à missa nos dois últimos domingos.

— Demoraremos um pouco — Ian avisou a irmã. — É melhor você voltar para casa. Vou pegar Meia-Noite na casa do dr. Almeida mais tarde.

— Está bem, mas procure não demorar muito. Sofia e eu temos que terminar os arranjos das mesas.

— Farei o possível — ele concordou com um firme aceno de cabeça.

Despedindo-se da irmã e de Isaac, Ian começou a me guiar pelas ruas da vila, seguindo em direção à igreja.

— Senhorita Sofia! Senhorita Sofia!

Eu me virei. Anelize corria em minha direção, um dos lados da saia levemente suspenso, uma caixa redonda nas mãos.

— Que bom que a encontrei. Eu me esqueci desta encomenda. São suas... — Ela olhou para Ian pelo canto do olho.

Ian pigarreou de leve.

— Vou esperá-la ali. — Ele me soltou e se afastou alguns passos.

— São suas... A senhorita as chama de calcinhas. Estavam embaixo de um rolo de tecidos. Desculpe.

— Não tem problema. Pode entregar para Elisa? Eu tô indo pra igreja agora.

— Ah, claro. E a senhorita faz muito bem. Rezar numa hora dessas é tudo que podemos fazer.

Eu ainda não tinha entendido o que ela quis dizer quando seus braços magros me envolveram.

— A senhorita estará em minhas orações todas as noites.

— Humm... Valeu — dei um tapinha desajeitado em suas costas. Quando ela se endireitou, percebi que tinha lágrimas nos olhos.

— Anelize, você tá bem?

— Ah, como a senhorita é atenciosa! Com tanto para pensar, ainda é gentil o bastante para se preocupar comigo. Farei uma novena para a senhorita. Minha fé é poderosa. Vai dar tudo certo. Oh, não! A senhorita Elisa está partindo. Preciso entregar o pacote a ela!

Anelize gritou enquanto se apressava na direção da carruagem, e eu fiquei ali, observando a garota magra e alta feito um cabo de vassoura, que não falara coisa com coisa, se aproximar de Isaac e estender a caixa para o alto. Eu ainda observava a assistente de madame Georgette quando Ian me abordou.

— O que aconteceu?

— Eu honestamente não sei.

— Podemos ir? Não quero que minha irmã fique furiosa comigo por mantê-la longe de casa na véspera de nosso casamento.

Assenti e aceitei seu braço.

— Espero que o padre esteja de bom humor hoje — comentei. — Madalena disse que ele perguntou por mim ontem, quando apareceu para acertar uns detalhes com você. Foi muita sorte Elisa ter me arrastado com ela e Teodora ao ateliê da madame Georgette logo cedo.

— O padre Antônio apenas se preocupa com a sua reputação. Amanhã, no entanto, essas aflições terminarão. Você será minha perante Deus e os homens. Para sempre — adicionou ele, com um sorriso torto satisfeito.

Eu sorri também. Ian e eu estávamos tentando — de verdade — nos manter afastados um do outro. Em parte porque Madalena era um tremendo cão de guarda, e, em parte, porque Ian queria fazer tudo de acordo com a tradição. Mas, sabe como é, estávamos apaixonados, e de boas intenções o inferno está cheio.

Entramos na igreja em estilo barroco localizada bem no centro da vila. A capela não era tão diferente da que eu estava acostumada. Tinha bancos de madeira escura e um altar simples, e algumas imagens de santos nos davam as boas-vindas. Na lateral, em um pequeno recuo, ficava o confessionário, uma espécie de casinha. Não gostei dela.

— Por que você precisa falar com o padre? — sussurrei enquanto atravessávamos o corredor.

— Quero me confessar.

Foi aí que entrei em pânico.

O padre Antônio, um sujeito de sessenta e poucos anos e uma vasta cabeleira grisalha, saiu de uma porta na lateral do altar e atravessou a nave da igreja com uma agilidade impressionante para alguém da sua idade. Seu olhar severo esteve preso em meu rosto durante todo o trajeto. Ao nos alcançar, porém, ele se voltou para Ian e sorriu.

— Meu caro senhor Clarke, que bom vê-lo! — exclamou o sacerdote.

— Padre Antônio — Ian fez uma mesura elegante. — Como tem passado?

— Muito bem, com a graça de Nosso Senhor. Espero que todos em sua casa estejam gozando de boa saúde. — Então, ele me encarou com aqueles acusadores olhos enrugados e apenas disse: — Senhorita Sofia.

— E aí, padre Antônio? — Meio sem jeito, tentei fazer uma reverência, mas era difícil conseguir tal proeza usando aquele vestido bufante (ainda que eu não usasse a crinolina), e os sapatos estúpidos e desconfortáveis me faziam oscilar. Acabei apenas inclinando levemente a cabeça, para evitar constrangimentos.

— Não tive a oportunidade de revê-la quando visitei a propriedade do senhor Clarke ontem. A senhorita Elisa havia levado a noiva à modista. Uma pena. Gostaria de ter conversado em particular com a senhorita. Parece que terei uma nova chance — ele sorriu com malícia. — Soube de seu acidente ontem. Espero que não tenha se ferido gravemente.

— Só um pouco, no braço — mostrei a atadura a ele.

— Padre — chamou Ian com sua voz grave —, o senhor tem tempo para mim agora?

Isso fez o rosto do sacerdote se iluminar.

— Certamente, meu caro. Apenas me dê um minuto para me preparar.

— Claro.

Ele fez um aceno de cabeça para Ian e se dirigiu para os fundos da igrejinha, nos deixando a sós.

Fiquei na ponta dos pés para alcançar a orelha do meu noivo e sussurrei:

— Por que você precisa se confessar?

— Vamos nos casar amanhã, Sofia.

— E...?

Ele suspirou, mas sorriu.

— Não vou me sentir digno de recebê-la, senhorita, se não fizer isso. — Ele deve ter percebido o pânico que crescia descontrolado em meu corpo, pois emendou: — Não precisa fazer nada que não queira ou que a deixe desconfortável. *Nada*, compreende? — Eu só balancei a cabeça, concordando como de costume. — Mas quero que entenda que para mim é importante ter essa conversa com o padre Antônio. Preciso me sentir digno de você.

— Mas você já é!

Ele sorriu de leve, acariciando minha bochecha com as costas da mão.

— Aos seus olhos, meu amor — Ian murmurou. — Como eu disse, não precisa fazer nada que não queira.

Uma pena que o padre não concorde com Ian, pensei.

— Sabe, eu preferia me casar no quintal da sua casa. — E nem precisa de um padre, eu quis acrescentar.

— *Nossa* casa — ele corrigiu. — Foi aqui que meus pais se casaram, Sofia. Gosto da ideia de unirmos nossa vida na mesma capela onde eles fizeram os votos deles.

Sem dizer nada, nem ao menos nos dirigir um olhar, o padre voltou com uma daquelas estolas no pescoço, concentrado, as mãos cruzadas sobre a pança. Então ele entrou na casinha. Ian beijou minha mão, fez uma mesura — e meu coração reagiu de imediato. Ian me fazia sentir tão especial quando se curvava daquela maneira, me olhando nos olhos! Ele teria se dirigido ao confessionário se eu não o tivesse impedido.

— Não demora muito lá dentro, tá bem?

Ian assentiu.

— Serei rápido. — E tocou minha testa com os lábios macios por um breve segundo antes de desaparecer atrás da cortina vermelha que fazia as vezes de porta do confessionário.

Eu tentei me distrair olhando as imagens dos santos e contando vitrais, mas não deu muito certo. Comecei a andar de um lado para o outro diante do altar, inquieta.

Eu esperava que Ian saísse dali com as orelhas vermelhas ou coisa assim; não foi o que aconteceu, entretanto. Horas depois — ao menos me pareceu —, Ian deixou a casinha sorrindo, aliviado. Quase em êxtase.

Eu me adiantei até ele.

— Ei, você parece... ótimo!

Ian exibiu aquela fileira de dentes brancos perfeitos.

— E por que não estaria?

Encolhi os ombros.

— Eu... não sabia o que esperar. Não me confesso desde a primeira comunhão — admiti. — Nem lembro como se faz isso.

— Por que isso não me surpreende? — ele riu.

Eu desviei os olhos e escorreguei o indicador pelo encosto negro de um dos bancos.

— Então... — comecei sem jeito. — Se eu quisesse... humm... me confessar, o que eu teria de fazer, exatamente?

Não, eu não queria entrar naquela casinha com o padre, mas ouvir Ian dizendo que queria ser digno de me receber me fez pensar no assunto. Eu também queria ser digna dele, e sabia que não era. Em muitos aspectos.

Em todos os aspectos, drog... Então me lembrei de onde estava e interrompi meu pensamento.

— Você não tem que fazer isso — Ian me assegurou, e eu sabia que ele estava sendo sincero.

— Sei disso — concordei, ainda fitando a madeira lisa. — Mas andei pensando e acho que você tem razão. Se vou me casar como manda o figurino, então vou tentar fazer tudo direito.

Sua mão se encaixou sob o meu queixo, e ele inclinou meu rosto para cima.

— Falo sério — ele me garantiu. Suas íris negras brilhavam como nunca. — Não precisa fazer nada que não queira.

— Eu também tô falando sério. Não vou fazer nada pela metade. Só não sei o que devo dizer ao padre.

Ian me estudou por um momento, então franziu as sobrancelhas ao perceber que eu estava sendo sincera.

— Creio que deva contar o que mais a aflige — sugeriu.

— Você não pode ser um *pouquinho* mais específico? Tipo, por onde eu começo?

Isso o fez lutar contra um sorriso.

— Lembra-se dos Dez Mandamentos, Sofia? — Assenti, muito embora não lembrasse. — Pode usá-los como guia.

Bastante receosa, fui até o confessionário. O padre já estava saindo dali, mas, ao ver que eu me aproximava, tratou de se fechar lá dentro de novo. Eu cerrei a cortina atrás de mim. Então, encontrei uma espécie de escada, com apenas um degrau, presa à estrutura de madeira. Fiquei olhando, tentando adivinhar o que fazer a seguir. Devia ter perguntado mais coisas a Ian quando tive a chance. Talvez, se eu espiasse pela cortina, ele...

— Ajoelhe-se, minha filha — ajudou o padre.

— Ah, sim. É claro. — Fiz o que ele mandou.

Havia uma janelinha protegida por intrincadas tiras de madeira, por isso eu não conseguia ver o padre Antônio, apenas um vulto escuro através das frestas.

— Conte-me os seus pecados — disse ele.

— Hã... certo. Eu não sei bem o que dizer. Eu pequei...? — tentei.

— Muito bem — vi o vulto assentir.

Esperei que ele me desse uma dica do que dizer em seguida, mas, como isso não aconteceu, imaginei que tinha acabado. Soltei um longo suspiro de alívio e comecei a me levantar, mas a ordem imperativa vinda do outro lado do confessionário me fez cair de joelhos outra vez. Doeu. Podiam ao menos colocar uma almofada naquela tábua.

— Prossiga — ele ordenou.

Muito bem. Aquilo seria complicado, porque quase tudo que era divertido era considerado pecado. Eu não passei os últimos anos levando uma vida louca, mas também não fui santa. Tentei me lembrar dos Dez Mandamentos, como Ian sugerira. O problema foi que não consegui me lembrar de nenhu...

— Ah! Eu não matei ninguém — falei orgulhosa. — E, de resto, acho que cometi um pecadinho ou dois.

— E que pecados foram esses?

— Do tipo que todo mundo comete? — arrisquei.

O vulto bufou.

— Minha filha, preciso que seja mais específica.

— Eu sei! Tô tentando pensar em alguma coisa pra falar para o senhor, mas não tá rolando, padre. Eu faltei muito nas aulas de catecismo!

Juro que o vi revirar os olhos.

— Senhorita Sofia, não tenho certeza se entendi o que pretende, mas é pecado mentir, e é ainda mais grave ser leviana para com um homem de fé.

— Mas não estou mentindo! Realmente não faço ideia do que o senhor quer que eu diga. Não poderia me dar umas dicas do que devo dizer?

Ele sacudiu a cabeça.

— O arrependimento deve partir de seu coração.

— Mas como vou saber se me arrependo se não sei do que devo me arrepender? O senhor podia... podia... me ensinar de novo! — me animei. — O senhor não pode se negar a isso, padre.

— Muito bem. — Mas sua voz o contradizia. — Alguma vez desejou mal ao próximo?

Pensando em Carlos, meu antigo chefe, respondi:

— Várias vezes.

— E se arrepende disso?

— Não muito — admiti, remexendo uma linha solta da atadura. — O senhor precisava conhecer meu chefe. Ele é um completo idiota.

Ouvi um suspiro exasperado.

— Senhorita Sofia, gostaria de lembrá-la que estamos em um templo sagrado. Poderia moderar seu palavreado?

— Ah, me desculpe. Não quis ser desrespeitosa, é só que o senhor perguntou, e eu tive que responder, porque senão estaria mentindo. E o senhor sabe que mentir é pecado, justamente o que me trouxe aqui, então...

— Sim, sim, eu entendi — ele me interrompeu, impaciente. — Apenas se atenha a seus pecados e evite comentários desnecessários.

— Certo. Desculpe. Pode continuar.

Tive a impressão de que ele esfregava a testa, mas não deu para ter certeza.

— Por acaso já se deixou dominar pela inveja, preguiça, raiva ou soberba? — indagou num folego só.

— Sim, sim, sim e... muito de vez em quando, sim também.

— Alguma vez feriu a moral e os bons costumes, senhorita?

Essa era fácil.

— Não.

— Tem certeza? — insistiu.

— Tenho.

O padre suspirou pesadamente.

— Creio que terei de ser mais específico. — Ele virou a cabeça na minha direção. Sua voz ficou mais alta quando perguntou: — Luxúria lhe diz alguma coisa?

— Ah! — *Oh-oh!* — Hã... Olha só, acabei de me lembrar de umas coisas. Eu disse alguns palavrões e não ajudei os sem-teto porque achava que dar dinheiro a eles só contribuiria com seus vícios e... acho que é isso. Não, peraí. Muitas vezes eu desejei socar a cabeça do Gustavo no triturador de papel do escritório. Nunca fiz isso, claro, mas não sei se o que conta é a intenção... E é isso aí. Foi bom falar com o senhor.

— Espere um momento, minha jovem! — ele rugiu ao me ver ficar de pé.

Gemi, exasperada, soltando os ombros.

— Ajoelhe-se — ordenou.

— Tá legal! — eu resmunguei, voltando para a posição anterior e torcendo muito para que o padre também não me visse com clareza e não notasse como eu estava corada. — Eu não sou virgem. É isso que o senhor queria ouvir?

— Na verdade — sua voz era mais baixa agora, quase triste —, gostaria que tivesse guardado castidade, como manda a lei da Igreja. Como pode viver em pecado e sob o mesmo teto de seu noivo? Não teme por sua alma? Ou pela dele?

— Padre, eu sei o que o senhor deve estar pensando, mas o Ian não é esse tipo de homem.

— Sei muito bem que espécie de homem seu noivo é — ele esbravejou, parecendo descontente com Ian também.

— Então deve saber que ele não está se aproveitando de mim nem nada. Ele me ama.

— E quanto à senhorita, está se aproveitando dele? — perguntou sem titubear, me deixando muito irritada.

— Não! Claro que não! Eu amo o Ian! Se o senhor soubesse tudo o que passei para conseguir estar aqui com ele, não me perguntaria uma coisa dessas. Não sei se sabe, mas não tenho família aqui perto.

— Sim, fui informado.

— Claro que pensei no que as pessoas diriam quando soubessem que eu estava morando com os Clarke. Tudo bem que foi mais por causa da Elisa, só que o Ian não quis me deixar ficar na pensão. Disse que mulheres de respeito não se hospedam em pensões. Aí o que sobrou foi ou ficar com os Clarke ou na rua. Duvido que o senhor faria uma escolha diferente da minha se estivesse no meu lugar.

O sacerdote ficou em silêncio por um tempo, o que me fez pensar que aquela explicação seria suficiente para que me deixasse em paz.

Não foi.

— O que aconteceu com a sua família, minha filha? — perguntou, um pouco mais cortês agora.

— Meus pais morreram cinco anos atrás. Num acidente de carr... Num acidente. Eu não tenho ninguém além dos Clarke. Não tenho dote, nem grana, nem parente. Minha única amiga tá a um milhão de anos de distância. Não tenho nada — bufei, tentando encontrar uma posição que não fizesse meus joelhos doerem tanto.

— Continue.

— Eu sei o que o senhor pensa de mim. Sei o que todos pensam a meu respeito. E sim, eu queria poder ser a noiva que o Ian merece, a que todo mundo esperava, mas não sei ser essa mulher perfeita. Eu sou só... sabe, eu. — Arranquei a linha da atadura com força e o curativo afrouxou um pouco. — Odeio essas roupas quentes e, por mais que eu me esforce, nunca vou me habituar a elas. Não gosto da casinha, nem do jeito como algumas pessoas me olham por aqui.

O sacerdote se mexeu, se encostando mais na telinha que nos separava e apoiando o cotovelo nela.

— E por que suporta tudo isso? — ele quis saber.

— Porque eu amo o Ian, padre.

— É um bom motivo — ele concordou e me pareceu mais cordial. — Um nobre motivo.

— E ele me ama também. Vou fazer o Ian feliz. Tão, tão feliz que o senhor nem vai acreditar!

Parei para tomar ar. Minha respiração estava acelerada e tive a impressão de que aquele discurso inflamado não tinha sido dirigido ao padre. Franzi a testa.

— Torço para que esteja certa — ele se afastou da janela. — Lembra-se de mais alguma coisa?

— Não, padre.

— Muito bem. Eu a absolvo de seus pecados. — Ele fez o sinal da cruz em minha direção. — Reze cem ave-marias e cinquenta padre-nossos como prova de seu profundo arrependimento.

— Q-quantos?! — engasguei.

— Cem ave-marias e cinquenta padre-nossos.

— Meu Deus! Por que tudo isso?

— Reze mais dez ave-marias por usar o santo nome do Senhor em vão, sim? — ele completou satisfeito.

— O quê?! O senhor acha que me castigar vai fazer com que eu me arrependa de pecar? Vai é me deixar arrependida de ter me confessado, isso sim!

— Acrescente mais trinta padre-nossos — disse calmamente.

Eu já estava pronta para protestar de novo, mas tive a impressão de que isso só faria com que a minha punição aumentasse.

— Argh!

Saí daquele cubículo pisando duro. Ian estava ajoelhado em um daqueles troços de madeira feitos para aquilo mesmo em frente ao altar, concentrado em sua oração. Esperei ao seu lado por um momento até que ele ergueu a cabeça e franziu a testa.

— Como foi? — perguntou.

— Ainda pior do que eu tinha imaginado! O padre me deu um castigo.

— Penitência, meu amor. — E exibiu um meio sorriso. — Ele lhe deu uma penitência.

— Tanto faz. Podemos ir pra casa agora?

Ian me observou confuso.

— Você precisa cumprir sua penitência antes.

— Aqui? — questionei em pânico.

— Tão longa assim? — ele inclinou a cabeça para o lado.

Eu bufei.

— Cento e dez ave-marias e oitenta pai-nossos — contei. — Eu não vou terminar de rezar antes de comemorarmos um ano de casados!

— Você deveria estar agradecida. Padre Antônio foi bondoso com você. Ele me deu trezentas ave-marias e cento e cinquenta padre-nossos.

Meus olhos se arregalaram.

— O que você andou aprontando?! — Não tinha como Ian ter se saído pior que eu.

— Muitas coisas. — Ele alcançou minha mão e me ofereceu um espaço ao seu lado.

— Ele me fez dizer que não sou mais virgem — resmunguei, já de joelhos. — Aposto que toda aquela enrolação sobre pecados era pra saber se a gente já tinha ficado junto pra valer.

— Ele já sabia.

— Ele te fez dizer também? — O padre Antônio devia ser um agente do FBI infiltrado no século dezenove, especializado em arrancar segredos das pessoas ou coisa assim. Só podia ser isso.

— Não, Sofia. Eu contei a ele.

— Você o *quê*? — olhei para o meu noivo, chocada. Agora eu entendia a insistência do padre Antônio em me fazer confessar que não era virgem. O descontentamento dele com relação a Ian. — Mas por que diab... humm... por que fez isso?

— Era preciso — ele encolheu os ombros. — Não quero que nada pese em minha consciência amanhã, quando for tomá-la como esposa. Quero me sentir em paz comigo mesmo. Sei que o que fizemos foi... — ele fez um careta. — Não posso dizer que foi errado, pois não foi. Mas eu devia ter sido mais firme em minhas convicções. Não lamento um único segundo que passamos juntos, e *isso* não faz de mim um homem honrado.

Um pequeno sorriso se espalhou pelo meu rosto.

— É claro que faz, só o fato de se preocupar é prova disso. Mas, tudo bem, você fez o que achou certo. — Tentei encontrar uma postura menos dolorida. Meus joelhos latejavam. — Se é importante pra você, é importante pra mim também. Agora vamos mandar bala nessa reza ou meus joelhos não vão sobreviver.

Ian não conseguiu conter a risada.

— Eu já mencionei como adoro sua forma de se expressar? — Ele voltou a juntar as mãos, mas dessa vez com a minha entre as dele. Então se inclinou levemente para sussurrar em meu ouvido: — Obrigado por compreender e ficar ao meu lado.

— De nada. É só você me amar pro resto da vida e estamos quites.

Aquele brilho prateado faiscou em suas íris negras, e minhas bochechas esquentaram.

— Pensei que me pediria algo impossível, senhorita — ele murmurou.

Cutuquei seu braço com o cotovelo.

— Vamos lá. Primeiro as ave-marias.

Trinta milhões, novecentas e setenta e duas ave-marias depois, meus joelhos estavam um caco. Precisei do auxílio de Ian para me levantar e endireitar as costas. Deixamos a igreja e um padre Antônio mais do que satisfeito ao me ver sair mancando dali.

Depois de passarmos na casa do médico e Ian resgatar Meia-Noite, meu noivo me ajudou a subir no lombo do cavalo e, para minha surpresa, me colocou na parte de trás, se acomodando à minha frente. Ele nunca tinha feito isso antes. Sempre que cavalgávamos, eu ia na frente, com seus braços enlaçados em minha cintura, como um cinto de segurança que me impedia de cair de cara no chão.

— O que você está fazendo? — perguntei.

— Levando-a para casa, senhorita — respondeu por sobre o ombro.

— Mas eu vou aqui atrás?

— Algum problema?

— Ah, nenhum, se você pretende ficar viúvo antes mesmo de se casar. Ele deu risada.

— Vamos devagar, basta se segurar em mim.

Pegando minhas mãos e passando-as por sua cintura, ele as prendeu em seu tórax firme, tomando cuidado para que meu ferimento não esbarrasse em nada.

— Podemos ir?

— Por que não fazemos como sempre? — sugeri. — Eu me sinto mais segura aí na frente.

— Eu... Sofia, quando você... quando a tenho em meus braços, meus pensamentos às vezes... quase sempre... *todas* as vezes... — ele se corrigiu, exalando pesadamente e deixando os ombros caírem. — Minha mente segue um rumo que não consigo refrear e... — ele limpou a garganta. — Ao menos até amanhã eu gostaria de manter os pensamentos longe de... humm... determinados assuntos — e ruborizou.

Entendendo o que ele quis dizer, revirei os olhos, encostando a testa entre suas omoplatas. Humm... O cheiro de Ian era tão bom, meio amadeirado, com uma mistura de ervas e algo mais selvagem. Me fazia pensar em... Aaaaaaah!

— Tudo bem, acho que entendi seu ponto — falei embaraçada, tentando rebater os pensamentos libidinosos que se insinuavam pelo meu cérebro. — Mas já aviso que isso não vai funcionar.

Apoiei-me em suas costas para conseguir passar, com dificuldade, uma das pernas para o outro lado do animal. O vestido subiu um pouco, deixando minhas panturrilhas à mostra. Voltei a abraçar Ian, prendendo as mãos em seus ombros. O corte ardeu, mas nada que eu não pudesse aguentar. Deitei a cabeça em suas costas e esperei nossa partida. Em vez disso, Ian ficou totalmente imóvel.

— Sofia, o que está fazendo? — ele quis saber, tenso.

— Garantindo que eu não vá me estatelar no chão, ué. — Segurei ainda mais forte, colando meu peito em suas costas.

O corpo dele se retesou por completo. Ian suspirou desanimado, sacudindo a cabeça.

— Tem razão — concordou. — Isso não vai funcionar.

7

Depois que Ian decidiu que era melhor apenas ele ter pensamentos impróprios, e não todos os homens da vila — por causa das minhas canelas expostas e tal —, voltamos à posição padrão: eu na frente, cercada por seus braços fortes. Ele quis almoçar na pensão, mas, depois da conversa com o padre, tudo o que eu queria era ir para casa. Então Ian comprou alguns pãezinhos na banca do seu Manuel — ainda em guerra com o alfaiate, que queria ver a frente de sua loja livre da barraca de pães caseiros — e os guardou no compartimento fechado da sela.

Cavalgamos de volta para casa sem pressa. Entretanto, ele estava calado demais naquela tarde.

— Você parece tenso — comentei.

Ele sacudiu a cabeça.

— Apenas ansioso por tudo que está por vir. Escute-me, Sofia. Não estou certo de que você esteja familiarizada com todos os costumes que envolvem o casamento desta época, então devo alertá-la de que não nos veremos amanhã até a cerimônia.

Girei em seus braços para poder ver seu rosto. Ian era tão lindo que às vezes — tipo umas dezoito vezes por dia — eu me perguntava se ele era real. Constatei que ele não parecia satisfeito com o arranjo.

— Por que não?

— É o costume. Apesar de a senhorita não ter família aqui que possa hospedá-la, eu me manterei afastado, como pede a tradição.

— Isso é ridículo! Eu vou morrer de saudades — resmunguei.

Os braços em minha cintura se estreitaram.

— Eu também.

Já estávamos nas terras de Ian, e avistei ao longe nosso lugar especial. Aquele em que Ian me encontrara pela primeira vez. Um descampado com apenas uma árvore de copa gorda e uma pedra em formato de meia-bola na qual eu tropeçara duzentos anos à frente.

Fiquei surpresa quando ele puxou as rédeas, fazendo o cavalo desacelerar o ritmo. O galope do animal diminuiu até cessar por completo.

— Ian, a gente tem que ir pra casa logo. Tem um monte de coisas pra resolver e...

— Você é minha prioridade. — Ele saltou com destreza e me ajudou a descer, me pegando pela cintura. — Como está seu braço? — ele quis saber assim que meus pés tocaram o chão.

— Bom. Quase não dói. Por que estamos parando aqui?

— Você precisa de um pouco de normalidade. Mas não podemos nos demorar muito. Imagino que o dr. Almeida deva chegar em breve para refazer o curativo. — Ele soltou as rédeas do cavalo, que se manteve no lugar. Então me pegou pela mão e começou a me levar para baixo da copa da árvore. — Você está tão tensa.

Eu sei — suspirei.

Eu me sentei, me recostando no tronco, mas Ian hesitou e permaneceu de pé, analisando atentamente o meu rosto.

— E não parece feliz — assinalou em voz baixa.

— Não, eu tô sim, juro! É só que... estou um pouco preocupada.

Um pequeno V se formou entre suas sobrancelhas.

— A respeito de quê?

— Não sei bem — dei de ombros.

Ian foi até a montaria, revirou os bolsos da sela, encontrou o pacote de pãezinhos e minha cópia esfrangalhada de *Orgulho e preconceito*. Ele já nem a tirava dali, tantas foram as vezes em que fugimos de casa para namorar naquele mesmo local.

— Vamos acalmar você. — Ele exibiu um meio sorriso impossível de resistir, batendo o exemplar na palma da mão. Ian entendia minha agitação. Ele sempre me entendia, até quando eu mesma não compreendia o que estava sentindo, como naquele momento.

Ele me entregou o livro e se sentou na minha frente, de costas para mim. Afastei as pernas, dobrando os joelhos, para que ele se acomodasse melhor. Ian encostou a cabeça em meu ombro, as costas pressionando meu peito e estômago, mas apoiou os cotovelos no chão para sustentar o próprio peso, ficando meio deitado.

Sorri sem querer e passei os braços sobre os seus ombros, usando-os como apoio para segurar o livro.

— Onde foi que a gente parou da última vez? — abri o volume.

Ian ergueu uma das mãos e folheou algumas páginas.

— Bem aqui.

Ele começou a ler em voz alta, e seu tom rouco fez aquela minha inquietude se acalmar. Ian lia com tanto entusiasmo que me peguei suspirando. O homem que eu amava em meus braços lendo o livro que eu adorava. Com o que mais uma garota poderia sonhar?

No entanto, minha felicidade começou a murchar quando Ian se pôs a narrar uma certa parte da história que eu bem conhecia:

— "Não me interrompa. Ouça-me em silêncio. A minha filha e meu sobrinho são feitos um para o outro. Ambos descendem pelo lado materno da mesma linhagem nobre; e do lado paterno de duas famílias honradas e antigas, embora sem títulos. As fortunas de ambos os lados são esplêndidas. Eles estão destinados um ao outro, pela voz unânime das respectivas famílias; e o que existe para separá-los? As arrogantes pretensões de uma moça sem família, relações, nem fortuna. Isso pode ser tolerado? Não pode e não será. Se cuidasse do seu próprio bem, não desejaria sair da esfera em que foi criada."

Suspirei, encostando a bochecha na massa negra de seus cabelos. Nunca me senti tão próxima de Elizabeth Bennet como naquele instante. E meu caso era ainda pior. Lizzie não tinha os problemas que eu tinha.

— Estou entediando você? — Ian moveu a cabeça para me observar quando não virei a página como deveria.

— Não, Ian. Por favor, continue. — Forcei um sorriso, mas não consegui enganá-lo.

— Acho que devemos parar por hoje. — Ele tomou delicadamente o livro das minhas mãos e o fechou, deixando-o ao nosso lado na grama. Em seguida girou, se sentando de frente para mim. Seu olhar profundo analisava meu rosto atentamente. A brisa agitou meus cabelos e, com a ponta dos dedos, ele os tirou do meu rosto. — Algo a incomoda. O que é, meu amor?

— Nada. Eu só tava aqui pensando que... — engoli em seco, remexendo no anel em meu dedo anular. — Eu não sou, em muitos aspectos, uma garota indicada para ser a esposa de alguém. Sou muito pior que a Lizzie — apontei o livro com a cabeça. — Eu não tenho dinheiro, família, dote *nem* bons modos para este século, nem sei direito como me dirigir às pessoas e...

Os olhos intensos, tão escuros e fascinantes quanto um buraco negro, se tornaram reprovadores. Ele correu o dedo pela testa, como se sua cabeça doesse.

— Sofia, por favor, diga-me que não está realmente pensando em um absurdo desses.

— Você sabe muito bem que podia arrumar alguma *senhorita* cheia de posses que tivesse boa família e... — ele me interrompeu, colocando um dedo sobre os meus lábios.

— E nenhuma delas me faria feliz nem mesmo por cinco minutos. Será que ainda não deixei isso claro? — Ele liberou meus lábios e acariciou a lateral do meu rosto. — Eu não quero alguém que tenha boa família, fortuna, conexões. Eu quero *você*.

— Não é verdade — rebati, deprimida. — Você me disse logo que a gente se conheceu que precisava se casar por causa da Elisa. Que sua irmã precisava de uma boa influência feminina. E, vamos encarar, Ian, eu não sou um bom exemplo pra ela. Não neste tempo.

Ele sacudiu a cabeça.

— As coisas mudaram.

— Mesmo? Porque para mim continua tudo igual. Foi você quem mudou, se apaixonou, mas as coisas, os problemas, ainda são os mesmos. É isso que me assusta. Eu sei que não vou corresponder às expectativas e vou acabar falhando com Elisa. Tenho medo de que um dia você acabe me odiando por isso. — Desviei os olhos para as minhas mãos, entrelaçadas uma na outra. — Há uma inversão de papéis aqui. Sou eu que vou ter de aprender com ela, não o contrário. Você não vai querer que eu ensine sua irmã a ser uma mulher do século vinte e um, vai? Porque é tudo que sei.

Ian tocou meu queixo, erguendo minha cabeça até nossos olhares se encontrarem. Ele sorria.

— Você a ama, e isso já bastaria para mim, mas conheço seu caráter, Sofia, e não imagino pessoa mais adequada para ensinar minha irmã a ser uma mulher.

— Você não tá falando sério...

— Estou sendo absolutamente sincero. Sei que certos assuntos são... — ele pigarreou — delicados para ser discutidos, ainda mais com uma menina, mas tenho certeza de que você saberá o que fazer quando chegar a hora de abordar o... tema.

Desviei os olhos outra vez. Na primeira vez em que estive ali, não sabia que teria a oportunidade de voltar, então tive uma conversa muito séria com Elisa, de mulher para mulher. Ian não sabia disso, e eu preferia que ele permanecesse na ignorância.

— Bom, se você pensa assim, então há uma pequena chance de eu não estar fazendo *tudo* errado.

Isso o fez rir.

— Meu amor, não existe certo ou errado aqui. — Ele tomou meu rosto entre as mãos e me beijou de leve. — Somos apenas nós dois, você e eu, começando uma vida juntos. Vamos errar algumas vezes, acertar outras, mas, se estivermos juntos, tudo acabará bem. É assim que tem que ser. É assim que será. Confie em mim.

Sorri, deixando minha testa se colar à dele.

— Eu confio em você. É em mim que não dá pra botar muita fé. Você foi a primeira coisa que deu certo na minha vida, e mesmo assim foi uma confusão.

Ele esboçou um sorriso.

— Sabe o que eu penso?

Dei de ombros.

— Que o divórcio é sempre uma alternativa? — tentei.

Ele fechou a cara no mesmo instante.

— Divórcio é algo que só existe na Inglaterra. Se esse é o seu plano, pode esquecê-lo. Será para sempre, Sofia. Mas eu estava pensando que você, senhorita, está com medo do casamento — ele afirmou sem rodeios.

Tomei sua mão e comecei a brincar com seus dedos.

— Não é que eu esteja com medo. Não exatamente. Ser sua é a parte que mais desejo. Mas o resto me deixa preocupada. Tenho certeza absoluta sobre você, Ian, sobre o que sinto, mas... As pessoas vão rir de você por se casar comigo, porque quase todo mundo já sacou que sou diferente.

Ele me puxou para junto de si, até me colocar sentada em seu colo.

— Se forem tolos o bastante para isso, que riam. — Faíscas prateadas reluziram em suas íris negras. — Eu a amo, Sofia, e sei, a duras penas, como é impossível viver sem você. Posso lhe garantir, não estou disposto a repetir essa experiência enquanto estiver vivo. Nada, nem mesmo você, me convencerá do contrário. — E se inclinou para me beijar.

Um beijo longo, úmido e quente, que me fez perder o fôlego. Ser beijada por Ian era como morrer por um instante.

Deixei minhas mãos vagarem por seu peito, desbravando as montanhas e vales recobertos de pelos macios e quentes. Gemi em aprovação e continuei a explorar até que Ian me interrompeu, se levantando tão depressa que quase caí de cara no chão, e cambaleou alguns passos.

— M-melhor irmos para casa. Agora — disse sem fôlego, estendendo a mão para me ajudar a levantar.

Eu o estudei por um instante, tentando entender o que fizera de errado, quando me lembrei da conversa que tivemos logo depois de sairmos da igreja.

Tradição de casamento idiota!

— Tudo bem — concordei com um suspiro, aceitando sua ajuda. — Elisa deve estar me esperando. Não que minha presença mude alguma coisa. Sua irmã assumiu a organização toda, e Madalena não me deixa fazer nada. Ela até me deu um esporro anteontem porque tentei ajudar com a mudança do nosso quarto. Ela disse que não posso nem chegar perto da cama até amanhã.

Ian juntou nossas coisas, depois me conduziu até o cavalo e me ajudou a montar.

— É o costume. A noiva não deve arrumar a cama onde dormirá pela primeira vez com o marido. Mas não se preocupe, amanhã você será a nova senho... — Estreitei os olhos antes que ele pudesse dizer as palavras. Ian se corrigiu rapidinho. — Hã... minha esposa, e poderá fazer o que quiser em nossa casa.

— Você diz isso como se fosse uma coisa boa — reclamei enquanto ele se ajeitava na sela. — Não reparou na bagunça que fiz no meu quarto?

Ian riu.

— Sabe, senhorita, nas ocasiões em que estive em seu quarto, tive algo mais agradável que sua desorganização para dedicar minha atenção. — Aquele sorriso malicioso que eu amava esticou seus lábios antes de ele cutucar as costelas de Meia-Noite e dispararmos de volta para casa.

Quando chegamos à propriedade, ninguém nos deu atenção. Gomes, o mordomo, corria de um lado para o outro, e Madalena gritava com os empregados, dando ordens e exigindo agilidade. Aquilo parecia uma zona de guerra. Elisa era a única que ainda não tinha pirado.

Bom, mais ou menos.

— Oh, Ian! — disse ela, atravessando a sala. — Você demorou tanto! Está tudo uma bagunça! O senhor Gomes e a senhora Madalena não estão conseguido se entender. E preciso da noiva para preparar os arranjos de flores!

— Desculpe, Elisa. Não tive a intenção de sobrecarregá-la. A conversa com padre Antônio demorou mais do que eu previra. — Ele me lançou um olhar divertido, cúmplice, e tive de morder a língua para não rir.

Elisa rapidamente se esqueceu dos problemas e o olhou com preocupação.

— Oh, meu irmão. — Ela apoiou as mãos no braço dele. — Perdoe minha falta de sensibilidade. Peço desculpas se estiver sendo muito severa, mas serei a anfitriã amanhã. É a primeira vez que terei de representar a família em um evento desse porte. Estou um pouco nervosa.

Aquilo era o máximo de aspereza que Elisa era capaz de demonstrar?

— Não fique. — Ele cobriu a mão dela com a dele. — E agradeço por tudo que tem feito. Nós dois agradecemos — ele buscou meus olhos.

— É isso aí, Elisa. Você tá arrasando como organizadora de casamento do século dezenove — eu lhe garanti. — Eu é que tô com problemas. Fico pensando que vou tropeçar na barra do vestido quando estiver entrando na igreja.

— Não permitirei que isso aconteça, estarei por perto. — Ela soltou a mão do irmão e passou o braço pela minha cintura.

— Vou procurar o senhor Gomes e ver no que posso ajudar — falou Ian, se inclinando ligeiramente para pegar minha mão e levá-la até os lábios perfeitos. — Nós nos vemos no jantar, senhorita. — Em seguida, sumiu em um dos corredores do casarão.

Elisa pediu que eu a encontrasse na sala de leitura e foi ao quarto pegar o rolo de fitas que seria muito útil para os arranjos. Alguém chamou na porta da frente. E ninguém apareceu para atender, o que era estranho. Gomes parecia ter o dom de se materializar na porta em três milésimos de segundo.

Um homem parrudo de cinquenta e poucos anos tentava com certa dificuldade controlar a carroça abarrotada de caixas de vinho. O cavalo não parava quieto, fazendo o vidro tilintar.

— Boa tarde, senhorita. Procuro o senhor Clarke. As bebidas que ele encomendou estão todas aqui. Quieto, Borba! — gritou, puxando as rédeas com força.

Como eu não fazia ideia de onde meu noivo estava naquele labirinto de cômodos — além de estar louca para começar meu trabalho como administradora da casa, para ter o direito de receber o salário e tal —, endireitei os ombros e assumi minha nova função.

— Eu cuido da entrega. Pode levar tudo para a despensa.

— A senhorita vai receber as bebidas? — perguntou ele, incrédulo.

— O senhor não me acha capaz de receber um amontoado de garrafas? — retruquei ofendida.

— Não, senhorita. Creio que fui mal interpretado. — Mas seu olhar o contradizia.

— Ótimo. Então pode levar as caixas pra despensa.

— Não prefere que eu as coloque na adega do senhor Clarke? — sugeriu lentamente, como se eu fosse uma criança de três anos.

Ian tinha uma adega, e eu sabia disso. O problema é que eu não fazia a menor ideia da localização. Normalmente era o Ian ou o Gomes quem ia até lá. De jeito nenhum eu diria àquele homem de roupas encardidas que eu não sabia onde ficava um dos cômodos da casa que passaria a administrar.

— Essas garrafas serão usadas amanhã na festa. Então só vai dar mais trabalho se estiverem na adega. Deixe tudo na despensa que faz muito mais sentido.

— Como a senhorita preferir — disse com escárnio antes de dirigir a carroça para os fundos da casa.

Eu corri para a cozinha e acompanhei de perto o descarregamento. As caixas de madeira começaram a ser empilhadas na parede perto da porta.

— Não. Aí não. Vai ficar no caminho. Coloque ali no fundo — ordenei ao entregador.

— Tem *certeza* que sabe o que está fazendo? — ele me olhou de soslaio. Eu corei.

— É claro que tenho! Eu ajudo.

— Não, de maneira nenhuma. Apenas informe ao senhor Clarke que a decisão de armazenar a bebida na despensa foi da senhorita.

— Ele vai ficar sabendo. — E ficaria orgulhoso, eu tinha certeza.

Depois de decidido o local, quatro altas pilhas se formaram na parede com manchas escuras no fundo da despensa. O entregador foi embora reclamando baixinho.

Encontrei Elisa à minha espera na sala de leitura e a ajudei a preparar as dezenas de pequenos arranjos de flores coloridas que seriam colocados nas mesas do banquete no dia seguinte.

— Guardei o presente de Ian em seu novo quarto — contou Elisa, me estendendo um ramo de lavanda. Ao menos eu achava que era lavanda.

— Valeu. Você ainda acha que ele não vai desconfiar de que comprei fiado?

— Duvido que isso lhe passe pela cabeça.

— Espero que você esteja... — mas me detive quando ouvi um bater de portas.

Madalena entrou na sala de leitura. Gomes apareceu logo em seguida. A governanta estava tão furiosa que não notou nossa presença atrás da pilha de buquês.

— Senhor Gomes — disse Madalena —, eu nunca precisei de ajuda para coisa alguma. Não seria numa ocasião como o casamento do senhor Clarke que careceria de seus préstimos.

— Não vou fugir de minhas responsabilidades, senhora — avisou ele.

— Com todo respeito, senhor, essa responsabilidade é minha. Eu cuido da casa, e o senhor, dos assuntos do patrão.

— E o que acha que é o casamento dele, minha senhora? Estou tentando fazer com que o senhor Clarke se sobrecarregue o mínimo possível. Ele anda tão atarefado que certamente ainda não ouviu os boatos que circulam na vila. Seria bom que alguém o prevenisse quanto aos rumores.

Madalena arfou.

— O senhor não ousaria preocupar o rapaz com mexericos descabidos! Não na véspera do casamento dele! — ela colocou um dedo imperioso na cara do mordomo. — O senhor o viu sofrer por causa da senhorita Sofia. Como acha que ele vai reagir quando ouvir tais boatos?

Ai, meu Deus, que boatos eram esses que o Gomes queria contar para o Ian, e a Madalena, não? O que eu tinha aprontado agora?

Inesperadamente a cena após meu quase atropelamento voltou à minha mente. A Cara de Cavalo tinha dito alguma coisa. O que era mesmo? Ah, sim. Algo sobre o que diziam ser verdade. Podia apostar que era disso que a Madalena e o Gomes falavam. Mas o quê? O que era verdade?

— Creio que o patrão gostaria de ser colocado a par. Não falo apenas por causa da senhorita Sofia — continuou ele, esfregando a testa.

— A senhorita Elisa é prudente e não está de casamento marcado — disse Madalena —, não é com ela que devemos nos preocupar. Isso se houver razão para nos alarmarmos. Esqueça esse assunto por ora, senhor Gomes. Temos muito trabalho pela frente.

— Se é assim que pensa...

Elisa e eu espiamos por sobre as rosas. Gomes abriu a porta para a mulher passar e fez uma rápida mesura. Madalena, arrastando as longas saias, pegou a bandeja com a jarra de vinho vazia sobre a mesinha no canto e foi embora. A porta foi fechada logo em seguida.

— De que boatos eles estavam falando? — perguntou Elisa, atormentada.

— Eu tinha esperança de que você soubesse alguma coisa — confessei.

— Ninguém comentou nada comigo. Nem mesmo madame Georgette.

Era preocupante. A costureira adorava uma fofoca e sabia tudo o que acontecia na vila. Tentei não dar importância ao assunto, mas Gomes parecia muito aflito, e Madalena, apesar das desculpas, soara um pouco temerosa demais para o meu gosto. E o mordomo achava importante que Ian soubesse, por minha causa. Fiz um esforço tremendo para me recordar de meu comportamento em público nas últimas semanas. Não, nada com que eu devesse me preocupar. Bom, eu achava que não.

Terminamos com as flores perto da hora do jantar. Eu segui para o quarto ainda intrigada com a conversa dos empregados e encontrei a banheira já à minha espera, de modo que não demorei muito no banho. Assim que terminei de me vestir, alguém bateu à porta.

Ian e o dr. Almeida me saudaram com uma pequena reverência.

— O doutor veio refazer o curativo — anunciou Ian.

— Boa noite, senhorita Sofia — saudou-me o médico.

— Que bom que veio. A faixa acabou molhando durante o banho e agora tá pinicando. — Dei um passo para o lado para lhes dar passagem.

— Vamos ver — disse ele ao entrar. Ian o seguiu.

Eu me sentei na cama e o médico começou a desenrolar o tecido úmido que cobria o ferimento.

— Muito bom — o dr. Almeida assentiu em aprovação. — Está cicatrizando muito bem e não inchou, sinal de que não houve infecção.

Ao ver a cicatriz avermelhada, não a achei tão boa assim, mas, se o médico estava dizendo, quem era eu para discutir. Ian, contudo, reagiu de forma diferente da minha, suspirando aliviado.

Ergui a cabeça, rindo.

— Você vai ter cabelos brancos antes dos trinta se continuar se preocupando comigo desse jeito.

— Quem dera eu fosse capaz de me preocupar menos, meu amor.

— Senhor Clarke — Gomes chamou da porta do quarto. — A encomenda acaba de chegar, senhor.

— Bem a tempo. — Ian levou a mão ao bolso, mas, quando não encontrou o que procurava, seu rosto se contorceu um pouco.

— Que encomenda? — perguntei para me distrair da tentação de pegar o relógio que eu tinha comprado só para não ter de vê-lo assim tão triste. Só mais um dia e aquilo teria fim, tentei me convencer.

— Detalhes de última hora — disse ele. — Se importa se eu me ausentar por um momento?

— Vai lá. Amanhã essa bagunça toda acaba. — E com isso eu quis dizer todos aqueles compromissos que sempre levavam Ian para longe de mim.

Ele se inclinou antes de me deixar a sós com o homem que me achava uma doida varrida. Tenho de admitir que, apesar dos meus receios quanto às suas intenções, o dr. Almeida era muito competente e trabalhava com precisão e agilidade, colocando mais pomada na ferida.

— Em poucos dias poderemos livrá-la do unguento — entusiasmou-se.

— Que bom. Eu não combino muito com amarelo.

O médico acabou rindo

— Não com esse tom de amarelo — concordou. — Quando partirão para as montanhas?

— Acho que na segunda. Ian não quer viajar durante a noite.

— Ele faz bem. As estradas encontram-se em situação precária devido às chuvas. — Ele fechou o potinho de pomada e alcançou uma atadura. — Soube que madame Georgette teve muito trabalho para confeccionar seu vestido.

— Ah, eu não diria trabalho. Foi mais um choque. E como sabe disso? — questionei surpresa.

— Ela comentou com minha esposa. Seu casamento é um dos assuntos mais debatidos na vila. A senhorita atiça a curiosidade das pessoas. Talvez seja esse seu aspecto de mulher à frente de seu tempo. — E enrolou uma atadura nova em meu antebraço.

— Aonde quer chegar com esta conversa, doutor? — avaliei sua expressão despreocupada.

— Sou apenas um curioso que ouviu uma história muito interessante e não compreendeu bem o que escutou. Em um primeiro momento — acrescentou amarrando a faixa, mas seu olhar escrutinava meu rosto.

— E num segundo momento?

Ele inclinou a cabeça para o lado, franzindo a testa.

— Acho a senhorita uma mulher intrigante. Gostaria muito de poder eliminar a má impressão que tem de mim.

— E assim ganhar minha confiança e descobrir mais sobre a minha história. — Não tinha sido uma pergunta.

— Apenas se estiver disposta a contar — ele esboçou um sorriso.

— Não estou, mas valeu por mudar de ideia e não ficar pensando que eu sou uma doida que precisa de internação imediata.

Ele riu, fechando a maleta.

— Sua franqueza às vezes é desconcertante, senhorita Sofia.

Bom, eu já tinha sido acusada de coisas piores.

Ele se levantou e eu fiz o mesmo. No entanto, a conversa que eu escutara na sala de leitura ainda dominava meus pensamentos. Resolvi tentar a sorte.

— Dr. Almeida, o senhor ouviu boatos sobre mim?

— Além dos relacionados ao casamento, nada mais. Por quê? — suas sobrancelhas subiram e um conjunto de vincos decorou sua testa.

Meus ombros cederam. Eu não levava muito jeito para detetive, afinal.

— Nada. Esquece.

Eu o acompanhei até a sala principal, onde encontrei Elisa. Meu noivo apareceu instantes depois e insistiu que o médico ficasse para o jantar, mas, dada a bagunça que se instalara na casa, ele recusou alegando que a esposa o aguardava.

Como de costume, Ian me acompanhou até a sala de jantar. Madalena não deu as caras naquela noite, ocupada com o banquete do dia seguinte. A comida estava fantástica como sempre, só que meu estômago estava embrulhado. Ian percebeu.

— É apenas uma cerimônia, Sofia — ele garantiu.

— Uma mera convenção — adicionou Elisa, entusiasmada.

— Que alterou a rotina de todos na casa — apontei.

— Apenas porque quero que tudo seja... — Ian se deteve.

Pop.

Pop. Pop.

— O que é isso? — ele procurou em volta.

— Vem da cozinha — comentou Elisa, franzindo a testa. — Parece champanhe sendo aberto.

Pop. Pop. Pop.

— Mas por que estariam abrindo champanhe a essa hora? — Os olhos de Ian se arregalaram. — Meu Deus, esqueci de verificar se o champanhe foi entregue! Preciso avisar aos empregados que mandem a encomenda direto para a adega. A bebida é muito frágil e abre com facilidade. Com licença.

O champanhe. Não o vinho.

Pop.

Aquilo não podia estar acontecendo.

Pop. Pop. Pop.

Mas estava!

— Ian, peraí — chamei, quando ele se levantou. — Eu não sabia que..

Po-po-po-po-po-po-po-po-po-po-po-po-po-pop.

Ian não esperou que eu terminasse. Disparou em direção à cozinha. Eu fui atrás para ver o que estava acontecendo. Ele derrapou ao fazer a curva para entrar na despensa, se agarrando ao batente para não cair. Assim que cruzei a porta do quartinho, uma rolha passou zunindo a centímetros da minha orelha.

— Meu Deus! — exclamei horrorizada.

A despensa se transformara numa zona de guerra.

Merda.

8

Estava um verdadeiro inferno ali. Rolhas voavam como balas perdidas, ricocheteando nas paredes e no teto. O champanhe dourado escorria como chafariz das garrafas que explodiam sem motivo. O líquido empoçava no chão e lambia sacos de farinha, açúcar e o que mais encontrasse pela frente. Ian cuspiu um palavrão.

— Ai! — gemi quando uma rolha acertou a minha testa.

Ele se colocou na minha frente, me abraçando. E várias rolhas lhe atingiram as costas.

— Para o chão! — gritou Ian. — Depressa!

Agindo rápido, ele me puxou para baixo até que eu me deitasse, e o champanhe ensopou a frente do meu vestido. Ian usava o próprio corpo para me proteger do tiroteio, se deitando meio de lado, meio sobre mim.

— O que está acontecendo? — Elisa gritou ali perto.

— Não entre aqui, Elisa! Chame o Gomes! — Ian ordenou, cobrindo minha cabeça com uma das mãos.

Po-po-po-po-po-po-po-po-po-po-po-po-poooooooooop!

— Por que elas estão explodindo? — perguntei, com a cara colada ao chão molhado.

— Porque a parede em que as caixas estão apoiadas é a mesma do fogão. Imagino que a alta temperatura tenha aumentado a pressão dentro das garrafas.

Merda. Merda. Merda.

O entregador sabia que isso ia acontecer e não disse nada, aquele cretino.

— A gente tem que fazer alguma coisa! — falei. — Vamos perder toda a bebida do casamento!

Ian se contorceu para tirar o paletó e ainda continuar me protegendo das rolhas. Ele me entregou o casaco.

— Cubra a cabeça com isso.

Em seguida, puxou a camisa pela gola.

Eu sei, eu não devia prestar atenção *nisso* no meio daquele tiroteio, mas Ian sem camisa era uma visão e tanto, de modo que meus olhos se demoraram só um pouquinho naquela trilha de pelos tão sexy que desaparecia no cós da calça.

Ele colocou a camisa sobre a cabeça, criando uma tenda. As garrafas continuavam explodindo.

— Vou afastar as caixas da parede. Quero que saia daqui assim que achar seguro! — Ele me beijou com fúria antes de se levantar.

Rastejei pela despensa enquanto Ian se aproximava com seu escudo-camisa, praguejando baixo toda vez que era atingido. Ergui a cabeça e avistei a grande tina de madeira cheia de água do outro lado da cozinha. Escapei do quartinho e corri em direção a ela, com um plano já se formando em minha mente, mas movê-la se mostrou impossível. Teria sido mais fácil se eu tivesse tentado inventar o refrigerador.

Ian gemeu dentro da saleta, e eu disparei para junto dele. Ele tinha conseguido mover duas caixas para perto da porta. Metade das garrafas estava aberta. As outras se sacudiam, procurando a liberação. Perderíamos todo o lote se não fizéssemos algo depressa.

— Sofia, saia daqui ou vai se ferir! — ele gritou, carregando mais duas caixas.

— Tive uma ideia. — Eu me abaixei para apanhar três garrafas e corri até a tina. Imergi o champanhe ali; uma das garrafas estourou mesmo dentro da água, mas as outras duas, depois de algumas convulsões, se aquietaram. Voltei para a despensa para pegar mais. Quando Ian percebeu que meu plano funcionava, se juntou a mim. Bom, na verdade ele pegou as garrafas que eu segurava e ordenou que eu ficasse longe, por causa dos pontos no meu braço e tal. Não que eu tenha obedecido, claro.

Quinze minutos mais tarde estávamos sem fôlego, ensopados de champanhe e suor. Entramos novamente na despensa para nos certificar de que todas as bebidas fechadas tinham sido resgatadas. Eu me recostei em Ian, tentando levar ar aos pulmões. Havia incontáveis garrafas abertas, jogadas no chão ou ainda cascateando. O assoalho se transformara numa piscina onde rolhas flutuavam.

— De quem diabos foi a ideia de armazenar as bebidas na despensa? — ele passou a mão pelos cabelos e jogou a camisa sobre o ombro.

— Bom... foi... humm... minha — alisei a frente do vestido encharcado. A atadura estava ainda pior. Limpei a garganta, mirando o lago espumante.

Ian soltou um longo suspiro exasperado.

— Eu não sabia onde você estava — continuei, sem olhar para ele —, e ninguém apareceu para atender a porta. E você nunca me levou para conhecer a adega, eu não sei onde fica, então... Desculpa, Ian. Eu não sabia que não podia colocar as bebidas aqui. Só quis ajudar. Não imaginei que causaria uma guerra. — E prejuízos, me dei conta.

— Tudo bem. Foi um acidente. Podia acontecer com qualquer um. Mas sugiro que da próxima vez pergunte antes.

Eu gemi.

— Isso não vai dar certo.

— Claro que vai. Você pode dizer: "Ian, onde fica a *parada* da adega". — Um dos cantos de sua boca se ergueu para enfatizar a gíria que vez ou outra eu usava para me referir a coisas cujo nome eu desconhecia. — Ao que eu responderei: "Venha, vou lhe mostrar onde fica".

Sacudi a cabeça.

— Tô falando de me tornar a responsável pela vida doméstica. Não vou conseguir organizar uma casa do século dezenove sem mandá-la pelos ares.

— Sua ideia de resfriar as garrafas foi muito boa — ele me consolou.

— O que a gente vai fazer agora? Com as bebidas? Sobraram só... — *Pop!* — Acho que não quero saber quantas sobraram.

— Vou pedir para o Isaac ir até a vila encomendar mais, em caráter de urgência. Não se preocupe com isso. Agora me deixe ver sua testa. — Afastando com os dedos os fios de cabelo que se grudavam à minha têmpora, ele procurou um galo ou coisa assim, me obrigando a olhar para ele.

— Desculpa mesmo, Ian. Eu não sabia e ainda não sei onde fica a *parada* da adega.

Ele exibiu um meio sorriso.

— Eu a levarei até lá qualquer hora. Até que isso foi divertido.

Baixei os olhos sem graça. Círculos vermelhos decoravam a pele clara de seu tórax. Contornei vários deles com a ponta do indicador.

— Você tá todo estropiado.

Ele riu e me abraçou pela cintura. Sua pele estava quente, e foi uma sensação e tanto quando se grudou ao meu vestido ensopado.

— E você está encharcada. — Ele me beijou de leve.

— Virgem Santíssima! O que aconteceu aqui? — Gomes apareceu com dois empregados, observando as rolhas nadarem no lago de champanhe.

Ian me soltou, mas não por completo. Manteve uma das mãos nas minhas costas.

— Um pequeno incidente, senhor Gomes — respondeu Ian, evasivo.

— Chamado Sofia — completei com um gemido.

— Vou levar minha noiva para o quarto e volto em seguida para ajudá-los — Ian avisou.

— Não se incomode, patrão. Colocaremos tudo em ordem. Creio que vá precisar de mais bebidas.

Ian fez que sim com a cabeça e começou a dar instruções, mas eu parei de ouvir enquanto assistia a um dos empregados virando uma caixa para cima e sacudindo a cabeça. Meu primeiro trabalho como administradora da casa, e eu arruinara cento e trinta e seis...

Pop.

Cento e trinta e sete garrafas de champanhe. Típico.

Aproveitei para pegar o paletó esquecido sobre a mesa e o devolvi a meu noivo. Ian tirou a camisa do ombro e a jogou dentro da tina, vestindo o paletó em seguida. Ele me conduziu ao quarto e tudo parecia igual a todos os dias, exceto pelo fato de que, quando alcançamos a porta, paramos um de frente para o outro e ficamos ali no corredor nos encarando — um perigo, devido à nossa história. Quase sempre terminávamos os dois do lado de dentro. Mas não naquela noite.

— Então é aqui que eu fico — apontei com o polegar para a porta atrás de mim.

Ele a observou por um instante, e uma aflição inquietante reluziu em seus olhos.

— E eu tenho que voltar. — Ele agarrou minha mão com certa urgência e beijou o dorso. Ah, certo. A coisa de manter os pensamentos longe de certos assuntos. — Boa noite, meu amor. Até amanhã.

Ele já se virava para voltar à adega quando o chamei de volta.

— Então você não mudou de ideia? Ainda vai se casar comigo mesmo vendo em primeira mão que desastre de esposa serei?

O sorriso sedutor que surgiu em seus lábios fez meu pulso disparar e meus joelhos tremerem. Com duas passadas largas, ele estava praticamente colado a mim.

— Duvido que qualquer cavalheiro que eu conheço tenha a sorte de se casar com alguém que dá novo sentido à palavra "monotonia". E é preciso muito mais que uma simples guerra de rolhas para que eu desista de você, senhorita. — E me envolveu com seus braços fortes antes que eu pudesse piscar. — Na verdade, posso lhe garantir que nada me faria desistir. Seja neste século ou em qualquer outro.

Peguei-me sorrido.

— Você diz isso porque não sabe o que é uma Ferrari — brinquei.

— Nem mesmo por dez Ferraris. Seja lá o que for isso. Esperei a vida toda por você, Sofia. Não vou deixá-la escapar. — Faíscas prateadas reluziram em seu olhar quando ele abaixou a cabeça, buscando minha boca.

O beijo começou doce, apenas um beijo de boa-noite sem nenhuma outra intenção. Mas, ao se afastar, Ian umedeceu os lábios, provando, e arqueou uma sobrancelha. Então se inclinou de novo e deslizou a pontinha da língua por meu lábio inferior. Eu estremeci.

— Humm... Estou pensando seriamente em deixá-la a cargo das entregas das bebidas de agora em diante. — E voltou a me beijar.

Foi assim que perdemos o controle. Aquela boca tinha gosto de Ian e de algo pecaminoso, sobretudo quando as investidas de sua língua se tornaram mais precisas, determinadas. Meu coração acelerou a tal ponto que temi um ataque cardíaco. O braço em minha cintura se estreitou, colando-me ainda mais a ele, e eu tinha certeza de que àquela altura a história de manter os pensamentos afastados da tentação tinha ido para o vinagre. Ou para o champanhe.

Enrosquei os dedos em seus cabelos encorpados ao mesmo tempo em que ele me abraçou mais forte, a ponto de meus pés saírem do chão. Eu sabia o que viria a seguir. Ele me prensaria contra a porta e nos beijaríamos como se o mundo estivesse acabando. Então um de nós — eu, pois ele sempre deixava claro que a decisão era minha — procuraria pela maçaneta, e durante o resto da noite aquele quarto se tornaria um pequeno pedaço do paraíso.

Era o que teria acontecido, se Madalena não tivesse nos surpreendido.

— Senhor Clarke! Solte-a agora mesmo!

Ian interrompeu o beijo, olhou por sobre o ombro e fez uma careta.

— Maldição — murmurou baixinho, me colocando no chão com cuidado. — Eu tinha certeza de que ela estaria ocupada esta noite.

— O que pensa que está fazendo? — Madalena nos alcançou e me puxou para longe dele, se colocando entre nós. — Quantas vezes terei de recriminá-lo para que entenda que não deve se portar de maneira tão impudente com a mulher que em poucas horas será sua esposa? — Ela girou sobre os calcanhares. — E você, senhorita, por que permite que ele a trate de maneira tão desrespeitosa?

— Porque o amo — dei de ombros.

O rosto dela assumiu um tom arroxeado.

— Senhorita Sofia! Já para o seu quarto! — A mulher abriu a porta.

— A culpa foi toda minha, senhora Madalena — começou Ian, passando a mão pelos cabelos úmidos. — Eu persuadi a senhorita Sofia. Ela tentou me deter.

— Ah, eu notei quanto ela estava tentando se livrar do senhor! Notei mesmo. Agora venha, senhorita, vou ajudá-la a trocar de roupa. Boa noite, senhor Clarke! — Ela me empurrou para dentro do quarto, batendo a porta na cara de Ian. Porém, antes que o painel de madeira nos separasse, vi os lábios dele se moverem sem emitir som algum. "Sonhe comigo", pedira, para em seguida enfiar as mãos nos bolsos da calça. E eu podia apostar que sonharia. Exatamente como naquela cena: enquadrado pelo batente, os cabelos uma bagunça só, o paletó escuro entreaberto criando um contraste enlouquecedor com a pele clara, os gomos marcados em seu abdome.

— Madalena! Não precisava fazer todo esse escândalo! — Tentei alcançar a porta, mas ela me impediu.

— Não quero ouvir suas súplicas, senhorita Sofia. Tudo que peço é um pouco de decoro. O que há com vocês dois que se comportam como dois libertinos? Ande logo com isso. — Madalena literalmente teve de me arrastar para longe da porta. Caramba, eu nem me despedi direito.

— Poxa, Madalena. Amanhã ele será meu marido. Estava só me dando um beijinho de boa-noite.

— Sei bem o que pretendiam. Não tente me enganar, minha jovem. — Ela atirou meu pijama preferido sobre a cama (a camisa velha manchada de tinta de Ian) e me ajudou a desabotoar o vestido molhado. Então pegou a toalha e a esfregou pelo meu corpo. Assim que vesti a camisa velha, ela já estava mais calma, se prontificando a soltar minha trança, que milagrosamente escapara ilesa da confusão.

— Quer que penteie seus cabelos? — ofereceu.

— Você deve estar muito ocupada. Posso fazer isso sozinha.

— É sempre um prazer ajudá-la, senhorita Sofia. — E me guiou até a penteadeira.

Com delicadeza, Madalena começou a desembaraçar as mechas dos meus cabelos, escovando-os metodicamente. Meu cabelo dobrara de volume, mas, quanto mais armado, mais contente Madalena ficava, de modo que eu sempre permitia que ela brincasse com ele até eu ficar parecida com o Slash, do Guns N' Roses.

— Você já teve namorado, Madalena? — puxei conversa.

Pelo espelho, vi seu rosto se iluminar, corando, e, relutante, ela assentiu.

— E o que aconteceu? — quis saber.

— Ele adoeceu pouco antes de nossos pais acertarem o casamento. Febre amarela, pobrezinho.

— Sinto muito. Mas depois disso você nunca mais se apaixonou?

— Paixão é para os jovens, senhorita.

— Para com isso, Madalena! — Então, abruptamente, ela soltou os meus cabelos. As pessoas do século dezenove eram tão literais! — Não estou falando do cabelo. Pode continuar. Gosto quando você me penteia. Eu quis dizer é que você está enganada quanto a se apaixonar. Paixão não tem idade. Qualquer um com um coração batendo pode se apaixonar.

Ela bufou.

— Humpf! Pois sim! É tão ridículo alguém da minha idade se apaixonar que não há nem nome para isso. Veja o senhor Gomes, que se presta a um papel desses.

— Ele tá apaixonado?

— Foi o que Isaac me confidenciou. — As escovadas então se tornaram mais bruscas. — Veja se tem cabimento, senhorita. Um homem daquela idade se dar ao desfrute de ter sentimentos como se fosse um jovenzinho? Aposto que essa senhora por quem ele se encantou deve ser uma daquelas damas de má reputação.

— Você não sabe quem ela é?

— Não, e nem quero! Ele que faça bom proveito da companhia dessa dama.

Soltei uma gargalhada.

— Você tá parecendo eu, quando percebi que a Valentina... — me detive.

Oh!

— O que tem a senhorita Valentina? — ela quis saber.

— Humm... Nada. Deixa pra lá.

Madalena assentiu uma vez, ainda com a cara amarrada e os pensamentos distantes. Por fim terminou com o meu cabelo, me desejou boa-noite e passou pela porta, quase trombando em Elisa.

— O que fizeram com seu cabelo? — perguntou a menina, com sua camisola longa, folgada e cheia de babados, tentando conter a gargalhada.

Deslizei os dedos sobre a massa eriçada.

— Madalena andou brincando com ele outra vez.

— Eu a procurei justamente por isso. O que pretende fazer nos cabelos amanhã? — Ela se sentou aos pés da cama.

— Não faço ideia — confessei.

A questão era que meu cabelo sempre fora um problema. Não havia muito o que fazer, e, sendo bem honesta, eu não sabia fazer muita coisa.

— Acho que queria deixá-lo solto. Pega mal? — Segundo madame Georgette, meu vestido já daria o que falar. — As pessoas ficarão chocadas?

— Penso que deve fazer o que quiser no dia de seu casamento — afirmou ela, exibindo as covinhas.

— Gostaria de ter alguma coisa para moldá-lo. Fazer uns cachos bonitos ou coisa assim.

Apesar de o meu condicionador caseiro ter virado febre no casarão — até Elisa, com seus cabelos escorridos, aderiu —, era a única sofisticação que se podia esperar. Nada de gel, spray ou até um simples creme para me socorrer.

— Eu tenho exatamente o que você precisa! — A garota saltou do colchão. — Vamos fazer grandes caracóis e soltá-los pela manhã. Espere um minuto. Volto logo. — E, rápida como uma gata, saiu do quarto.

Alguns minutos depois ela retornou com uma caixinha de madeira decorada.

— São de Teodora, mas sei que ela não vai se importar. — Elisa abriu a tampa e me mostrou uma centena de retalhos de tecido branco.

— Humm... Vai moldar meu cabelo com isso aí?

— Sim. E amanhã você será a noiva mais esplendorosa de que já se teve notícia. Posso? — e indicou as tirinhas com um olhar esperançoso.

— Tudo bem, mas nada de cachos pequenos. Fico parecendo um poodle.

— Grandes cachos dourados é o que terá, então.

Elisa começou a enrolar as mechas nos dedos, colocou um bolo de retalhos estreitos no meu colo, escolheu um e fez alguma coisa com ele. Doeu. Não pude me mover até que ela tivesse terminado com todo o cabelo. Com a cabeça latejando, e assim que ela permitiu, olhei-me no espelho do toucador — enfim alguém me disse o nome da mesinha com a bacia, o jarro de água e o espelho — e quase caí para trás. Elisa usara os retalhos para amarrar os caracóis. Havia centenas de pontas brancas tremulando em minha cabeleira, como se milhares de plumas tivessem sido espetadas. Eu era praticamente uma drag queen.

— Espero que você saiba o que tá fazendo. Se seu irmão me vir assim, vai fugir do país.

Ela riu em deleite.

— Engana-se aquele que não crê no sofrimento existente na beleza.

Paciente, ela guardou os retalhos restantes de volta na caixa, colocou-a sobre a mesa de cabeceira e se deitou de bruços na cama.

Juntei-me a ela.

— Está nervosa? — perguntou.

— Um pouco. Ainda mais depois do incidente com as bebidas. Juro que não sei onde fica a adega.

— Eu logo imaginei. Fica no porão, a entrada é por fora, na lateral da casa. Eu a levo até lá um dia desses. Estou muito agitada, e creio que passarei a noite em claro se ficar sozinha. Teodora me faz tanta falta! Se incomodaria se eu dormisse com você?

— Claro que não, Elisa. Pode ficar.

— Mal posso acreditar na sorte que tenho — ela suspirou contente. — Ian não poderia ter escolhido uma irmã melhor para mim. — E pulou para debaixo das cobertas.

— Elisa... — Tentei encontrar as palavras certas para abordar o assunto enquanto me sentava na beirada do colchão. Eu não queria que Elisa me odiasse. O que era quase inevitável, caso minha suspeita se confirmasse. — Aqueles boatos que a Madalena mencionou mais cedo... Não sei do que se tratam, mas são sobre mim. E, se estão falando a meu respeito, é possível que o nome da sua família esteja na boca do povo também.

— Nossa família. Você já é parte dela há muito tempo — corrigiu. — Os meses em que esteve ausente foram terríveis, Sofia. Senti muito a sua falta, mas pior ainda foi ver meu irmão praticamente enlouquecer. Nada do que as pessoas digam a seu respeito pode ser pior do que aquilo que enfrentamos. Não me importo com o que dizem, e sei que Ian também não.

Meus olhos ficaram úmidos. Devia ser por conta da TPC.

— Você é o máximo, Elisa. Sabe disso, não sabe?

Ela corou, baixando os olhos.

— Sua opinião e apreço significam tudo para mim. Agora vamos dormir. Amanhã é o grande dia!

Eu me enfiei sob os lençóis, e Elisa se esticou para soprar a chama da vela, nos deixando na penumbra. Pouco depois, ouvi um estrondo do lado de fora, seguido de uma luz prateada, e gordas gotas de chuva começaram a açoitar a janela. A tempestade caiu com violência, e achei bastante apropriado. Era muito parecido com o que ocorria dentro de mim.

Porcaria de TPC.

Peguei-me pensando se todas as mulheres sentiam aquele alvoroço todo no estômago, o zumbido no ouvido e o tremor que me atingia os ossos às vésperas do casamento. Nina sentira. Eu sabia disso porque ela passara boa parte da véspera do casamento vomitando as tequilas que ingerira em sua despedida de solteira. Desejei — e não pela primeira vez — que Nina estivesse ali, que pudesse me abraçar e me encher de tequila até meus temores ficarem borrados e fora de prumo. Mas estremeci ao pensar que Ian me faria beber mais gemada depois do porre.

Ian, suspirei na escuridão, virando para o lado, o olhar perdido na janela, os pensamentos rodopiando com a chuva furiosa. No fundo, eu sabia que era ele quem eu queria por perto naquele momento. Desejava ir ao seu encontro, me enterrar em seu peito, sentir seus braços fortes ao meu redor e sua voz rouca em meu ouvido, espantando meus medos. Mas eu não podia. Se fizesse isso, sabia bem como as coisas terminariam. Como quase terminaram, se Madalena não nos tivesse surpreendido pouco antes. Eu não podia permitir que ele subisse ao altar se sentindo culpado. Eu o amava demais para isso. A próxima vez em que eu o encontrasse, seria diante de um padre.

Era isso. Estava acontecendo. No dia seguinte, uma nova etapa da minha vida teria início. Sofia Alonzo e tudo o que ela representava ficariam para trás, dando lugar a Sofia Alonzo Clarke.

A tal senhora Clarke.

E eu não fazia ideia de quem ela era.

9

Eu estava sentada no sofá da sala, conversando com Elisa e Teodora. Eu me sentia feliz, mas algo parecia fora do lugar. Inesperadamente, Ian entrou na casa, atravessando o cômodo sem olhar para mim.

— Ian? — chamei.

Ele não respondeu. Nem ao menos se virou. Fui atrás dele pelo longo corredor, mas, por mais que me apressasse, não conseguia alcançá-lo. Comecei a correr, e, quanto mais me esforçava, mais distante ele ficava. Tudo o que eu via eram suas costas largas se afastando cada vez mais. Eu chamava por ele, gritava, mas ele não se virava de jeito nenhum...

— Ian! — arfei, me sentando na cama com o coração acelerado, a boca seca, as mãos trêmulas.

Olhei em volta e a luz do sol entrava pela janela, banhando o quarto quase vazio com sua luz morna e dourada.

Um sonho! Foi só um sonho.

Eu sabia diferenciar uma coisa da outra. É claro que Ian não tinha desaparecido.

Mas eu precisava vê-lo.

Tipo agora!

Saltei da cama e comecei a me vestir às pressas, pegando o primeiro vestido que encontrei pela frente. E foi assim que Madalena me encontrou, toda atrapalhada com os botões da roupa. Ela trazia nas mãos uma bandeja abarrotada de pães e bolos, mas a abandonou sobre a mesa na entrada do cômodo e se apressou em me ajudar.

— Por que tanta pressa, senhorita Sofia?

— Preciso falar com o Ian. Ele já acordou?

Madalena se deteve.

— O senhor Clarke está acordado há muito tempo. Já até tomou o café da manhã. Mas a senhorita não deve vê-lo até a cerimônia. Quer que eu prepare seu banho agora?

— Madalena, é sério, preciso ver o Ian. É urgente!

— Não será possível — ela respondeu enervantemente calma e voltou a trabalhar nas porcarias de botões minúsculos sem a menor pressa. — No dia do casamento, os noivos só podem se ver diante do altar. É a tradição.

— Droga, Madalena! Você não entende! — resmunguei, ajeitando o decote.

— A senhorita é quem não entende. O patrão nem deveria ter dormido sob o mesmo teto que a senhorita. Não vou permitir que línguas maldosas ataquem a sua honra e a da família Clarke. A senhorita não se preocupa com o bom nome de seu futuro marido? Com o da senhorita Elisa?

Bufei, derrotada.

— Claro que sim.

— Pois bem. Mais tarde terá todo o tempo do mundo para falar com o senhor Clarke. Trouxe seu café da manhã. Espero que esteja de seu agrado.

— Sim, sim, tá tudo com uma cara ótima. — O vestido foi fechado afinal. — Mas... humm... eu preciso... usar a casinha primeiro!

O rosto da mulher demostrava a mesma desconfiança que ouvi em sua voz quando disse:

— Senhorita Sofia, por favor, não seja imprudente.

— Mas eu preciso usar a casinha, de verdade. É sério, Madalena, não faça essa cara! Nem me passou pela cabeça procurar o Ian.

Madalena exalou em desaprovação. Antes que ela decidisse me amarrar ao pé da cama, saí do quarto em disparada, rumo ao escritório de Ian. Imaginei que estivesse ali tentando botar os pensamentos em ordem, ou, sei lá, dando aquele nó complicado na gravata. No entanto, tropecei em Gomes no corredor.

— Bom dia, senhorita Sofia — ele se inclinou. — Aonde vai com tanta pressa?

— Bom dia, seu Gomes. Hã... eu preciso... falar uma coisa com o Ian...
uma coisa, tipo... muito importante e tem que ser agora! Sabe onde ele tá?

Seus olhos enrugados se estreitaram quando ele examinou minha cabeça. Levantei a mão e toquei o tecido.

Ai, droga, esqueci as plumas. Quer dizer, os retalhos.

— É pra deixar meu cabelo bonito! — me apressei em explicar. — Vai
ficar bacana. Elisa garantiu. Por favor, seu Gomes, preciso encontrar o Ian.
— Mas, pensando bem, talvez não fosse boa ideia. Não enquanto aquelas coisas estivessem na minha cabeça.

— Os noivos não devem se encontrar antes da cerimônia.

— Eu sei, eu sei. A Madalena acabou de me passar esse sermão, o Ian
já me disse isso também, até Elisa comentou, mas surgiu uma... emergência!
E eu preciso mesmo falar com ele. É, tipo, um assunto de vida ou morte!

O mordomo assentiu.

— Sendo assim, ficarei feliz em ajudá-la. — Eu já estava pronta para
beijar sua careca quando ele prosseguiu: — Escreva um bilhete e terei prazer em entregá-lo ao patrão.

— Bilhete? Qual é, seu Gomes! Preciso falar com ele pessoalmente!
Assuntos de vida ou morte não se resolvem por meio de bilhetinhos.

O homem sacudiu a cabeça.

— Sinto muito, senhorita, temo que não vai ser possível. É a tradição.

— Uma tradição bem estúpida, se quer saber minha opinião.

— Ainda assim, farei o possível para que a senhorita a cumpra.

Droga!

Tudo bem, eu podia encontrar meu noivo sem ajuda.

Vasculhei a casa toda, mas Ian não estava no escritório, nem no quarto, muito menos na sala de visitas. Marchei decidida rumo à cozinha. Examinei com atenção as muitas cabeças que encontrei por ali, mas a de Ian
não estava entre elas.

Por mais que eu odiasse, fui obrigada a usar a casinha e, em seguida,
corri em direção aos estábulos, na esperança de que ele estivesse lá.

Não tive sorte.

— Bom dia, senhorita Sofia — saudou-me Isaac, retirando o chapéu
torto. — O patrão acabou de sair para cavalgar.

Cavalgar? Eu quase tendo um ataque nervoso e ele cavalgando tranquilo por aí?

Isaac deve ter notado minha indignação, pois acrescentou:

— Precisei trocar a ferradura de Meia-Noite. O patrão quis testar se estava tudo bem antes de ir para a vila. Mas, se o que a aflige é o... — ele pigarreou — assunto da nova remessa de champanhe, fique tranquila. As garrafas já foram acomodadas na adega.

— Ah — corei. Pelo tom hesitante e encabulado do garoto, ele sabia que a causadora da guerra das rolhas fora eu. Maravilha para quem pretendia causar boa impressão no novo emprego... Quer dizer, na nova *função* naquela casa. — Tudo bem. Pode me fazer um favor, Isaac? Assim que o Ian... o senhor Clarke chegar, diga que preciso falar com ele. E que é urgente!

— Darei o recado — o menino assentiu solene. — Mas, senhorita, se me permite a ousadia, está se sentindo bem?

A preocupação dele me desarmou.

— Tô meio enjoada, Isaac — sorri. — Mas valeu por perguntar. Você é muito gentil.

Corando — as pessoas daquele século gostavam muito de corar —, Isaac colocou as mãos atrás das costas.

— Com todo respeito, senhorita, acho que deveria me permitir chamar o dr. Almeida. Creio que há algo errado com sua cabeça.

E lá se foram meus momentos de calmaria.

— É pra me deixar bonita!

Corri de volta para a casa enorme e fui direto para o quarto. Meu banho já me esperava. Adicionando talos e flores na água, Madalena me lançou um olhar divertido.

— Conseguiu o que queria?

— Você sabe que não — resmunguei, cruzando os braços sobre o peito.

Parecendo muito satisfeita, ela organizou mais uma vez a mesinha que ficava ao lado da banheira e então me deixou sozinha.

O vapor suave da água quente misturado ao aroma das flores era relaxante, mas, ainda assim, não o bastante. Não me demorei no banho.

Ian havia comprado para mim alguns produtos de higiene e beleza no armazém. Talcos, óleos corporais e um creme para o rosto. Usei o óleo com aroma de lavanda e amêndoas e me sentei em frente ao toucador ainda embrulhada na toalha. Olhei-me no espelho, examinando minha cabeça repleta de pontas brancas. Esperava que Elisa realmente soubesse o que estava fazendo.

Aproveitei que estava sozinha para camuflar as olheiras com uma maquiagem bem simples. Foi muita sorte a minha bolsa — e o kit de maquiagem — ter ficado com Ian quando parti na primeira vez.

Elisa entrou no quarto assim que terminei de me maquiar. Linda e perfumada, ela estava pronta em seu vestido marfim arrematado por delicados bordados na manga curta. Os cabelos estavam arrumados em um coque negro, de onde uma trança fina e longa entrelaçada a um fio dourado descia até a altura do ombro.

— Uau! Você tá tão linda! — exclamei maravilhada. — Parece uma daquelas garotas do cinem... — me detive, sacudindo a cabeça. Ela não parecia, ela *era* uma daquelas garotas de filmes de época. E não fazia a menor ideia de que eu não. — Você tá linda demais, Elisa!

— É muita gentileza sua, Sofia — ela inclinou levemente a cabeça, fazendo uma graciosa reverência. O fio dourado enredado na trança reluziu. — Madame Georgette já entregou o vestido?

— Não que eu saiba.

A menina arfou e cobriu a boca com a mão enluvada.

— Oh, não! Estamos com o tempo contado. Você vai se atrasar!

— Toda noiva se atrasa — apontei.

— Uma noiva *jamais* se atrasa! — afirmou aflita. — É rude!

— É? — Humm... eu precisava atualizar as informações que tinha sobre casamento.

Porém Elisa estava agitada demais e começou a andar de um lado para o outro, então achei melhor deixar o assunto de lado. Permaneci sentada diante do toucador, envolvida na toalha, examinando seu ir e vir.

— E aí... — comecei, segurando a toalha mais junto ao corpo. — Viu seu irmão por aí?

Ela me lançou um olhar afiado.

— Sabe que os noivos devem se encontrar apenas no altar.

Revirei os olhos.

— Eu preciso falar com ele! Por favor, Elisa? — supliquei. — É só um instantinho! Por favor, por favor, por favoooooooor!

Ela deliberou por um instante, pressionando os lábios. Pela expressão torturada, cheguei a pensar que me ajudaria.

— Sinto muito, Sofia — disse por fim. — Falta pouco para a cerimônia. Precisamos nos apressar, ou você se atrasará. Tenho certeza de que madame Georgette já está a caminho.

Teodora abriu a porta sem aviso, já vestida e impecavelmente maquiada, com o cabelo ruivo preso em um penteado elaborado, em que cachos perfeitos lhe caíam ao redor do rosto. Ela estava muito bonita no vestido rosa-claro com estampas de flores delicadas quase no mesmo tom.

— Bom dia, queridas! Como está se sentindo hoje, senhorita Sofia? — perguntou.

— A ponto de vomitar a qualquer momento.

— Esplêndido! — vibrou, se aproximando.

— Mas o vestido ainda não foi entregue! — contou Elisa, alarmada.

— Oh, não Elisa! — Teodora levou as mãos unidas ao coração. — Será que madame Georgette teve um imprevisto? Seria uma tragédia!

— Vocês duas não estão me ajudando — reclamei. Eu já tinha coisas demais para pensar.

— Sinto muito, querida, tem toda razão. Tudo sairá como o planejado. — Elisa pegou a minha mão e a apertou de leve.

— Senhorita Elisa, seu trabalho é um primor! — a ruiva elogiou ao ver os retalhos-plumas. — Já devem estar bem firmes. Vamos soltá-los agora?

— Por favor, ajude-me. Sofia tem muito cabelo — comentou minha quase cunhada, tocando minha cabeça.

Comecei a suar.

Vai ficar tudo bem. Vai ficar tudo bem! Ian não desapareceu. Só está... por aí, em algum lugar.

A porta se abriu de novo e me enchi de esperanças, pensando que Ian havia conseguido burlar a segurança de Madalena, mas era madame Georgette, envolvida em um tecido roxo brilhante.

— Bonjour, mes chéries! Como a noiva está se sentindo nesta manhã glorriosa? — indagou com seu sotaque francês. Ela trazia uma enorme caixa branca nas mãos.

Elisa, Teodora e eu — vergonhoso, eu sei — soltamos um suspiro coletivo.

— Enjoada — Teodora e Elisa disseram ao mesmo tempo, antes que eu pudesse responder.

— *Magnifique*, mademoiselle Sofia! — e sorriu enormemente. — Consegui refazer as mangas. Esperro que aprrecie o trrabalho. Vou ajudá-la a se vestir.

Não pude dizer que já havia gente demais para isso. Foi bacana da parte dela me oferecer ajuda e vir lá da vila só para isso. Muito embora eu desconfiasse de que ela queria estar presente para se certificar de que eu usaria todas as peças que criara. Isso podia ser tanto assustador quanto dolorido.

Madalena entrou no quarto segundos depois, elegante em um vestido verde-escuro com algumas flores bordadas nas mangas e no modesto decote. Seu cabelo estava preso sob um chapéu de palha com renda nas laterais e se encaixava na parte de trás da cabeça.

O quarto ficou pequeno e, como sempre acontece onde há muitas mulheres reunidas, independentemente do século em que se está, logo uma discussão se formou. Madalena e madame Georgette começaram a se estranhar, enquanto Teodora e Elisa quase me escalpelavam para retirar os retalhos.

No meio da confusão, Elisa tentava me convencer a usar o espartilho.

— Nem vem, Elisa — objetei. — Já tô apavorada com a ideia de tropeçar na barra do vestido. Não posso vestir aquele treco. Não vou conseguir respirar, e aí vou desmaiar antes de dizer sim.

— Mas madame Georgette fez aquele espartilho especialmente para hoje. Veja que lindo trabalho! — E apontou para a cama. A costureira dispusera ordenadamente todas as peças sobre o colchão.

— Oui, chérie Elisa. O vestido prrecisa do esparrtilho parra ficarr *fantastique*! — Madame Georgette ergueu a peça branca com delicados bordados prateados para examinar seu trabalho. Ela estava satisfeita. — Não querr que o senhorr Clarrke tenha uma noiva radiante? Não querr que a admirrem?

— Mas ninguém vai ver o espartilho!

— Ninguém além de seu noivo — assinalou a mulher, arqueando as sobrancelhas. — E todas sabemos o fascínio que les messieurs têm por essa peça.

— Madame! — censurou Madalena, irritada. — Esta conversa não é apropriada na presença de senhoritas.

Madame Georgette revirou os olhos.

— Suponho que deva usar o traje completo, senhorita Sofia — comentou Teodora, soltando os retalhos com uma agilidade impressionante. — Além de ser apropriado, isso lhe pouparia tempo e evitaria discussão.

— Madame Georgette e Teodora têm razão — concordou Elisa. — A noiva deve se vestir para agradar a seu noivo. E já estamos atrasadas!

— Mas...

— Por favor, Sofia — ela implorou. Seus enormes olhos azuis brilharam como duas safiras.

Diante de tantas caras suplicantes, pressionei as têmporas e respirei fundo.

— Ai, Elisa, droga! Tudo bem. Só não aperta muito.

Então começou pra valer. Eram tantas mãos sobre mim que temi que, no fim, um de meus membros se perdesse na bagunça. Elas foram bastante cuidadosas com meu braço machucado, mas é tudo o que posso dizer.

Usando a calcinha que madame Georgette vendia apenas para mim — um tipo de caleçon de renda ajustado na cintura por um fino cordão, só que aquela recebera a adição de ligas —, Elisa me colocou dentro do temível espartilho. As meias de seda branca vieram a seguir, então a anágua adaptada com bambolês (tudo para evitar a crinolina), uma saia toda encrespada de tule e, por último, o vestido.

Escolhi um modelo simples, sem frescura, e isso fora um problema para madame Georgette. O tomara que caia de cetim com decote reto era recoberto por um corpete de mangas longas confeccionado na mais delicada renda, em uma sobreposição quase lírica. O decote ombro a ombro e os padrões da renda emolduravam o colo, e as mangas desciam até meus punhos, escondendo a bandagem. Nas costas, uma fileira de minúsculos botões de pérola terminava na altura dos quadris. A saia em inúmeras camadas de tecido diáfano era ampla mas nem tanto, e, quando eu me movi, tive a impressão de estar envolta em uma névoa mágica. Uma faixa larga arrematava a cintura, com uma flor no mesmo tecido da saia posiciona- da quase na lateral. Dispensei a cauda, mas permiti que a costureira apli- casse o mesmo bordado delicado na barra dos véus, ou ela teria um ataque cardíaco.

Era o vestido de noiva perfeito.

Ah, e era todo branco.

— Ainda não me conforrmo com este vestido. É tão simples, sem cor! Quem se casa toda de branco, sem nenhum bordado colorrido? Mon Dieu! — lamentou a costureira.

Ela bem que tentou me convencer a usar um dos vestidos de noiva da época — dourados ou marfim perolados, recobertos de enfeites brilhan- tes e multicoloridos —, mas, se era para casar, que fosse da forma como eu conhecia.

— Pois eu achei a ideia maravilhosa! — comentou Elisa, me ajudan- do a sentar.

Ela deslizou os dedos pelos meus cachos, apanhou algumas forquilhas — algo parecido com grampos de cabelo, só que bem maiores —, separou as mechas laterais, torceu e as prendeu na parte de trás da minha cabeça. Doeu um pouco, já que as forquilhas tentaram penetrar meu cérebro. Com a ajuda de Madalena, os véus — um longo e um curto — foram fixos em meus cabelos.

— Está pronta — anunciou Elisa, me examinando de cima a baixo. — Oh, espere! Quase me esqueço. — Ela alcançou minha mão esquerda e retirou o anel de noivado.

— Ei! Isso é meu.

— Eu sei. Mas hoje precisará que este dedo esteja livre, senhorita. — Em um piscar de olhos, ela o deslizou pelo dedo anular de minha mão direita. Então se afastou para me observar novamente, e um sorriso satis- feito surgiu em seu rosto. — Agora está pronta. E perfeita!

As mulheres me rodearam. Um a um, os sorrisos se ampliavam. Os olhos de Madalena se alagaram.

— Oh, senhorita Sofia! — gemeu a governanta.

— Até que não ficou tão mal assim... — madame Georgette cedeu, me analisando com aprovação.

Levantei-me com dificuldade — culpa do espartilho, que me tirava o fôlego e ameaçava me derrubar no chão, desmaiada — e caminhei lentamente até o espelho. Era pequeno demais, mas ainda assim dava para ter uma ideia da minha aparência. Elisa conseguiu fazer meu cabelo finalmente parecer fabuloso. Largos cachos sedosos se espalhavam pelas minhas costas e ombros. As forquilhas eram trabalhadas, cheias de pedrinhas brilhantes, e faziam as vezes de uma pequena coroa na parte de trás da minha cabeça. Não podia negar que o vestido era impressionante. Minha cintura ficou bem marcada e a renda das mangas emprestava um ar romântico e bucólico ao visual.

Mas aquela não era eu.

— Oh, céus! Ela vai desmaiar! — gritou Teodora.

Muitas mãos me alcançaram. Umedeci os lábios e precisei de ajuda para sentar. O maldito espartilho espetou minhas costelas.

— Preciso... respirar... um pouco. Preciso... — de uma garrafa de vodca, de duas de rum e de meia dúzia de cervejas, talvez — de um minuto.

— Vou buscar uma taça de vinho. Certamente a ajudará a recuperar a cor — disse Madalena, e saiu em disparada porta afora.

— Tenho alguns sais que podem ajudar! Deixei a bolsa na carruagem — Madame Georgette correu também.

— LÁUDANO! — Elisa e Teodora gritaram ao mesmo tempo e dispararam em busca do remédio.

Acabei ficando sozinha no quarto, agora bagunçado. Inspirei fundo, desejando que Nina estivesse ali para me estender a mão. Descalcei às pressas os sapatos, que combinavam com o vestido, e os empurrei para debaixo da cama. Vasculhei as poucas coisas deixadas no guarda-roupa e encontrei as botas de cano curto que tinha encomendado. Retirei-as da caixa e as calcei com dificuldade. Curvar-me com o espartilho era uma tarefa quase impossível. Foi difícil amarrar o cadarço, mas, depois de algum contorcionismo, consegui. Suspendi a saia e fiquei olhando para as botas. Bom, agora estava mais a minha cara, embora as botas não fossem muito confortáveis.

Toc-toc.

Dei um pulo da cama.

— Sofia? — chamou a voz que esperei ouvir desde que abri os olhos naquela manhã.

— Ian! — arfei, subitamente revigorada, e corri até a porta.

— Não abra! — alertou ele assim que alcancei a maçaneta.

Paralisei, perturbada.

— Por que não?

Oh, meu Deus! Ele mudou de ideia. Ele desistiu! Sabia que vomitar na frente dele não era uma boa ideia. Sabia! Ah. Meu. Deus!

— Não traz sorte o noivo ver a noiva vestida antes da hora.

— Ah! — exalei de alívio, mas ainda assim precisava vê-lo. — Isso é besteira, Ian. — Tentei girar a maçaneta, mas não consegui. Ele a segurava do lado de fora. — Solta essa maçaneta. Preciso ver você.

— Besteira ou não, vou me precaver de todos os lados. Falta pouco agora. Queria falar comigo?

— Eu... estou nervosa e tive um pesadelo e... queria que você pudesse me abraçar e me dizer que vai ficar tudo bem. Que eu não vou desmaiar, não vou tropeçar na igreja e cair na frente dos seus conhecidos, e nem vou envergonhar você de qualquer outra maneira. Ah, e que você não vai fugir.

Ouvi Ian suspirar.

— Tudo vai ficar bem, meu amor. Acalme-se, por favor. Não gosto de saber que está tão aflita. Mas não quero trazer má sorte à nossa vida conjugal, então terá de ser só um pouquinho paciente. Nenhuma dessas coisas vai acontecer, sobretudo a que se refere a mim. Vim avisá-la de que já estou indo para a igreja. Eu lhe trouxe uma coisa. Vou deixar aqui no chão. Pertenceram à minha mãe. Ela ganhou de meu pai quando nasci, e eu me sentiria muito honrado se aceitasse usar isso hoje. Não abra a porta até que eu me afaste, por favor.

— Mas eu quero te ver! — protestei, sacudindo a maçaneta. — Preciso te ver! Preciso *de você*!

— E me terá para sempre. — Um suspiro doloroso se seguiu. — Sinto como se o relógio estivesse me punindo — ele confessou à meia-voz.

— E apesar disso você não vai abrir a porcaria desta porta, vai? — constatei quase às lágrimas.

Ele não respondeu. Tinha ido embora? Entrei em pânico.

— Ian? — chamei com o coração aos trancos.

— Ainda estou aqui.

Respirei um pouco.

— Senti sua falta essa noite. Muito mesmo.

— Sofia... — ele murmurou, e eu podia apostar que tinha fechado os olhos e sua testa estava vincada. Houve uma leve movimentação na maçaneta. Apenas um suave vibrar, que logo cessou. — Preciso ir antes que cometa uma besteira. Nós nos encontramos em uma hora. — E seus passos ecoaram enquanto ele se afastava.

Não lhe dei ouvidos e abri a porta bem a tempo de avistá-lo de costas em seu smoking negro, caminhando a passos firmes e rápidos pelo corredor. A meus pés, um solitário e perfeito lírio branco exalava seu perfume sobre uma caixa quadrada de veludo azul. Peguei o estojo e abri, me deparando com uma delicada gargantilha, na qual safiras ovais contavam com uma moldura dourada que pareciam folhas. O par de pequenos brincos formava um conjunto. E ambos combinavam demais com o anel que ele me dera depois de me pedir em casamento. Ao que parecia, ele pretendera me dar aquelas joias desde sempre.

Aproximei o lírio do rosto, sentindo seu aroma inebriante, e lembranças do meu primeiro baile ali preencheram minha cabeça. Ele pusera um lírio como aquele nos meus cabelos.

Ergui a cabeça e voltei a observar a figura alta e imponente, com seu andar elegante e cadenciado, se afastando e desaparecendo, numa cena tão parecida com meu pesadelo que me causou arrepios.

10

A carruagem decorada com fitas e flores — iguais aos arranjos que ajudei Elisa a preparar — estacionou em frente à igreja. A fachada amarela e branca era simples, apenas uma torre lateral e uma cruz ao centro da construção. Teodora e Madalena já estavam ali; tinham ido de carona na carruagem da madame Georgette. A governanta tomara seu lugar dentro da igreja, e Teodora nos esperava na porta.

— Estão todos em seus lugares — anunciou Teodora, vindo ajudar Elisa, minha dama de honra, a desenrolar meu véu quilométrico.

— Excelente — exclamou Elisa, esticando o tecido diáfano. Quando ficou satisfeita, se pôs a arrumar-me os cabelos, dando atenção especial a um cacho, para que caísse graciosamente sobre o meu ombro. E então me mostrou suas adoráveis covinhas. — Agora vamos velar a noiva. — E cobriu meu rosto com o véu mais curto.

— O quê? Não! — reclamei, afastando o tecido da cara. — Do jeito que tô tremendo, vou acabar tropeçando e só Deus sabe onde vou cair. — Da última vez, fui parar no século dezenove. Não queria arriscar. O vestido já era longo o bastante para tropeçar. O peso de tanta roupa também não ajudava muito. — Acho péssima ideia cobrir meu rosto. É desastre na certa, Elisa.

— Não se preocupe com o véu. Estarei bem atrás de você, cuidando para que não enrosque. Ian a descobrirá no momento certo. — Ela tornou a esconder meu rosto.

— Nenhuma noiva chega ao altar com o rosto descoberto — acrescentou Teodora.

— Não tire de Ian o prazer de desvelar sua noiva — ordenou Elisa.

Ah, os riscos que uma mulher corre pelo homem que ama...

Tomei fôlego.

— Tudo bem. — Toquei o colar que Nina me dera e que se enroscava na gargantilha de safiras.

"Respira, Sofia!", Nina teria dito com um sorriso. "Só respira."

Eu respirei — não muito, graças ao espartilho — e endireitei os ombros.

Ouvi o som das primeiras notas de um órgão estridente conforme subia os cinco degraus da entrada principal.

— Está pronta, Sofia? — Elisa quis saber, se posicionando atrás de mim e segurando as pontas do véu.

— Estou. — O buquê de flores coloridas (onde eu enfiara o lírio que Ian me dera sem que ninguém percebesse) dançava feito um pandeiro em meus dedos trêmulos. Virei-me para Elisa. — Não, não estou.

— Sofia! — ela repreendeu.

— Senhorita Sofia, sei que está nervosa, mas pense em seu noivo — Teodora tocou meu braço com os dedos enluvados. — O senhor Clarke praticamente escavou um buraco em frente ao altar, de tanto andar de cá pra lá. O pobrezinho está inquieto. Quanto mais demorar, mais aflito ele ficará.

Isso surtiu mais efeito do que qualquer outra coisa que ela pudesse ter dito.

— Tudo bem, vamos lá — falei. — Mas a Elisa vai na frente.

As duas me olharam com a mesma perturbação estampada nos belos rostos.

— As damas de honra sempre vão atrás — explicou minha futura cunhada.

— Ah, não vão, não — retruquei.

— É claro que vão — objetou Elisa, consternada. — Diga a ela, Teodora.

— Vão sim, senhorita Sofia — confirmou a ruiva.

— Não de onde eu venho — sob o véu, fitei Elisa. — E ainda ontem você disse que eu podia fazer o que quisesse no meu casamento!

— Mas não pensei que tentaria mudar a ordem dele!

— É só uma troca de posição. Ninguém nem vai reparar.

Elisa e Teodora se entreolharam por um tempo. Por fim, minha cunhada sacudiu a cabeça, largou o véu, se posicionou diante da porta e virou a cabeça para me olhar.

— Pronta agora?

Sorri de leve.

— Nem um pouco. Vamos logo.

Ela acenou com a cabeça. Teodora correu para a entrada, colocando a mão nas maçanetas.

— Boa sorte — ela sussurrou ao abrir a porta dupla.

A música de um órgão estridente preencheu todo o ambiente e me alcançou. Elisa deu um passo à frente, depois mais um e outro. Engolindo em seco e desejando muito que meu pai e minha mãe pudessem me ver ali, de onde quer que estivessem, me obriguei a fazer o mesmo. Entrei na igreja.

O cheiro de flor inundou meu nariz, e teve início o burburinho típico de casamentos. Engraçado como certas coisas resistiram ao tempo. Passei os olhos por toda a capela até encontrar aquele par de olhos negros, brilhando prateados. Eu sorri sob o véu, e me pareceu tão certo ir ao seu encontro, que toda a minha preocupação se dissolveu feito fumaça. Não levei muito tempo para alcançá-lo; a igreja era pequena, mas parecia lotada.

Assim que me coloquei à sua frente, Ian se inclinou de leve, tomou a minha mão direita e a beijou. Ele estava sério, compenetrado, mas aquele fogo lento ardia em seu olhar.

Elisa pegou meu buquê e se posicionou do lado esquerdo do altar, com o dr. Almeida e a esposa dele, os padrinhos de Ian.

O padre Antônio já estava ali, e, assim que Ian me ofereceu o braço, o sacerdote nos deu as costas. Ultrajada com a falta de educação do sujeito, me virei para Ian, para ver se ele estava tão ofendido quanto eu, mas ele me encarava com tanta intensidade que as palavras ficaram presas em minha garganta. Eu podia ouvir a voz grave do padre dando andamento à cerimônia, mas não era capaz de entender uma única palavra, como se ele falasse latim. Mesmo com o véu obstruindo minha visão, pude notar que Ian nunca estivera tão lindo. Os cabelos negros como carvão estavam penteados para trás, o traje escuro contrastava com o cravo vermelho na lapela. A boca convidativa se curvava nos cantos em um sorriso tímido, orgulhoso. Os olhos, aquele par de ônix em que eu sempre me perdia, também me observavam, mas eu não tinha certeza se ele era capaz de me ver debaixo de todo aquele pano.

Inesperadamente, sua testa franziu, o rosto tenso. Qual o problema?

O padre pigarreou, me obrigando a olhar para frente. Ainda de costas, o homem disse alguma coisa, e captei apenas meu nome no meio daquilo tudo. Parecia uma pergunta. Ao notar que eu não estava prestando atenção, padre Antônio repetiu mais uma vez, agora irritado.

Foi aí que meus olhos se arregalaram ao ouvir suas palavras. Ele não *parecia* falar latim. Ele *estava* falando latim! Comigo!

Ah, meu Deus!

Voltei os olhos para Ian, apavorada. Ele também estava alarmado e absolutamente tenso. O sacerdote se virou e refez a pergunta. Fixei os olhos nos lábios do padre, tentando entender o que todo aquele *dominus ominus* significava e quando eu deveria dizer *sim*.

Sem fazer ideia do que ele perguntava — e rezando muito para que a cerimônia fosse similar àquela que eu conhecia, independentemente da língua em que fosse realizada —, respondi, insegura:

— Eu aceito?

Uma agitação ecoou pelas paredes da capela, então *provavelmente* eu tinha dito a coisa errada.

Será que eu não posso ao menos esperar estar casada para só então constranger Ian diante da vila toda?, pensei, corando.

Mas, caramba, de quem foi a ideia de celebrar um casamento naquela língua que ninguém mais usava?

O padre franziu a testa, me estudando. Fitei Ian, ainda mais alterado que o padre.

— O que está acontecendo? — ele sussurrou, um tanto hesitante.

— Eu é que pergunto — devolvi em voz baixa. — Por que ele tá falando com a gente em *latim*?

— De que outra forma seria a cerimônia de casamento? — Suas sobrancelhas arquearam.

O padre pigarreou.

— Podemos prosseguir com...

— Só um segundo, padre — pedi, voltando a me inclinar para Ian. — Pensei que a gente ia se casar do jeito normal, com os noivos sabendo o que estão prometendo — expliquei, aflita.

Eu soube o momento exato em que ele entendeu o que estava acontecendo, pois seus olhos se arregalaram e seu maxilar quase se desprendeu do rosto.

— Você não conhece a cerimônia! — Ian se deu conta tarde demais.

— Não em latim!

— Ah, Sofia... — ele esfregou a testa e fechou os olhos.

Eu quis explicar que a culpa por não saber latim não era exatamente minha, mas não tive tempo, pois o padre Antônio inspirou uma grande quantidade de ar, os olhos quase saltando das órbitas.

— A senhorita o *quê*? — o sujeito esbravejou, fazendo tremer os vitrais da capela.

Opa!

11

— Isso é inadmissível! Um insulto! — vociferou o padre Antônio, andando de um lado para o outro na pequena sacristia de paredes rústicas, pouco mobiliada. — A senhorita não consegue acompanhar nada?

— Não. Desculpa, mas... — Levei a mão à barra do tecido que cobria meu rosto para poder vê-lo melhor.

— Não ouse levantar esse véu, minha jovem! — gritou ele, furioso.

Eu me detive no meio do movimento, deixando o véu exatamente como estava. Era irritante ter uma conversa com a cara coberta, mas achei que o padre já estava zangado o bastante. Comigo.

— Como pode não saber latim? — insistiu ele.

— Latim tá meio fora de moda tem uns... tempos.

— Por que não me contou antes? — Ian correu a mão pelos cabelos, soltando um longo suspiro.

— Como eu ia saber que os casamentos são realizados em latim?

Ele sacudiu a cabeça.

— Não me ocorreu que não soubesse. Embora eu devesse ter adivinhado — murmurou abatido.

— Não fica chateado comigo — implorei.

Ele pegou minha mão e a levou aos lábios.

— Não estou aborrecido com você, meu amor. Estou furioso comigo, por não ter deduzido que algumas coisas pudessem ter mudado ao longo do... — ele baixou a voz para um sussurro — você sabe.

O padre continuava indo e vindo, soltando fogo pelas ventas.

— Nunca, em quarenta anos de devoção, me deparei com uma situação como esta. Não saber latim! A senhorita ao menos é cristã?

— Sou! Mas é que lá onde eu morava a missa é realizada em português. Os casamentos também. Ninguém mais reza nada em latim... Bom, talvez o papa — adicionei.

— Não ouse fazer pouco caso de mim, senhorita! — ele ergueu um dedo imperioso.

— Mas eu não estou fazendo! E acho que não precisa desse estardalhaço todo só porque não sei latim. É só o senhor usar o bom e velho português e tá tudo resolvido.

O rosto do padre assumiu um tom arroxeado bastante preocupante, e me perguntei se não seria melhor chamar o dr. Almeida.

— Isso está fora de questão! Quem já ouviu um sacrilégio desses?

— Mas é assim que as coisas são no meu tempo! — gemi.

— Que tempo? — ele perguntou alterado, se detendo no vai e vem.

— Padre Antônio — Ian interveio, com a voz segura. — Entendo que o senhor nunca se deparou com uma situação assim antes, mas Sofia vivia em um lugar um pouco... diferente daqui. Ela não fez por mal, posso lhe garantir. Ela não pode ser culpada pelo fato de os costumes terem se modificado lá onde vivia.

— Decerto que não, mas enviarei uma carta a Roma, exigindo que façam algo para deter essa... esse... disparate. Imediatamente! — Ele se plantou à minha frente. — Exijo que me diga o nome de seu vilarejo!

— Ih! Isso vai ser meio complicado... — murmurei.

— Creio que o senhor tem razão — começou Ian, cauteloso. — Mas isso levará certo tempo e, no momento, estamos no meio do nosso casamento, uma centena de convidados nos aguarda. Será que não poderia abrir uma exceção e realizar a cerimônia em português, até que Roma se pronuncie?

O homem empinou o queixo.

— O que me pede é inaceitável, senhor Clarke! Eu não posso ir contra as ordens de Roma!

— Mas não seria ir contra as ordens — comentei. — Seria mais como... fazer uma adaptação.

— Senhorita Sofia! — O sujeito trincou os dentes. — Estou a um passo de excomungá-la!

— Padre Antônio, por favor! — Ian me puxou um pouco para trás, para longe da ira do sacerdote.

— Sinto muito, senhor Clarke, mas não haverá casamento hoje. — E, com isso, retirou a echarpe branca (ou o que quer que fosse aquilo) e a colocou sobre uma cadeira velha.

Ian olhou apavorado para mim, e eu tive certeza de que ele queria dizer um palavrão. Eu queria.

Em desespero de causa, Ian se virou para o padre e soltou a primeira coisa que lhe ocorreu. Ao menos achei que foi isso que aconteceu depois de ouvir o que ele disse:

— E se... eu mandasse consertar o telhado? O senhor sempre reclama das goteiras.

Não foi uma boa ideia, levando em conta o tom arroxeado do rosto do padre.

— Senhor Clarke! Não se envergonha?

Ian balançou a cabeça, apressado.

— Neste momento não, padre.

Então uma ideia me ocorreu. Uma não muito boa nem muito digna, mas eu me casaria naquele dia, quisesse o padre ou não. Só esperava que funcionasse. Ian e Nina insistiam que eu não sabia mentir. O véu serviria para alguma coisa, afinal.

E, quer saber, não era exatamente mentira.

— Tá tudo bem, Ian — soltei.

— Tudo bem? — ele e o padre perguntaram em uníssono, ambos me fitando. Ian, confuso; o padre, surpreso.

— Tá sim — dei de ombros. — O padre Antônio tem razão. Ele não deve mudar a cerimônia só porque ninguém nunca me ensinou latim.

— Mas, Sofia... — Ele buscou minha mão e a apertou contra o peito. Seu coração batia forte, rápido, magoado. — Meu amor, e quanto ao nosso futuro?

— Continua igual — assegurei a ele. — Nada vai mudar nesse sentido.

— Não vai? — Ian franziu o cenho. Já o padre gritou:

— O quê?!

Encarei Ian sob o véu.

— Você me quer na sua vida, mesmo se o padre não casar a gente hoje, não quer?

— Você *é* a minha vida, Sofia — ele disse simplesmente, me fazendo suspirar.

— Então é isso — ergui os ombros. — Vamos morar juntos. Não me interessa se estaremos casados conforme manda o figurino. Desde que você esteja comigo, nada mais importa.

— A senhorita não teria coragem! — se intrometeu o padre.

Virei a cabeça para ele.

— Teria sim, padre. Eu disse pro senhor outro dia que passei por muita coisa para poder voltar pro Ian. Viver com ele não seria nada de mais pra mim. Eu *já* moro com ele, lembra? A gente só não divide o mesmo quarto. Mas... bom, isso vai mudar hoje à noite.

Ian me olhou transtornado, torturado. Não era o final feliz que ele previra. Nem de longe! No entanto, eu sabia que ele não hesitaria um segundo sequer se essa fosse a única alternativa. Mesmo que o arranjo o destruísse.

— Abriria mão até de ser uma mulher honrada? — perguntou o padre. — Teria de andar pelas ruas de cabeça baixa, seria apontada como uma... uma...

— Amante? — ajudei.

— Não use essa palavra em minha sacristia!

Revirei os olhos.

— Tudo bem, mas eu seria uma o-senhor-sabe-o-quê sem nem pensar duas vezes. E, se esse for o único jeito de o Ian ficar comigo, acho que ele também não vai se importar.

Ian esfregou a testa e suspirou.

— Sentirei muito, Sofia. Quero-a sob a proteção de meu nome. Não foi esse o futuro que planejei lhe oferecer, mas, se for a única maneira...

— E a clemência divina? — o padre berrou, interrompendo-o. — Não temem a ira de Deus?

Ian se encolheu, mas eu neguei com a cabeça.

— Na verdade, não, porque eu estou aqui — expliquei. — O Ian está aqui. É o senhor que não quer nos casar. É o senhor quem nos condenará a uma vida de pecado. E a ter filhos bastardos. Um montão deles. — Tudo bem, eu não estava falando sério nessa parte. — E aposto que Elisa também vai ficar falada. Talvez até a Madalena, pobrezinha. Mas, se o senhor diz que não tem casamento, então não tem. Entendo perfeitamente sua posição.

Foi aí que eu vi a compreensão invadir Ian. Seus olhos de repente ganharam vida, sua postura mudou, ficando mais imponente.

— Sim, Sofia está certa — ele concordou depressa. — Não podemos pedir que altere as regras por nossa causa. Mas também não vejo como mudar o que sinto por minha Sofia. Viveremos à margem da sociedade, mas será um preço pequeno a pagar pela nossa felicidade. Sinto muito por ter tomado seu tempo esta manhã, padre. Agradeço por tudo. — Ian enlaçou os dedos aos meus. — Vamos para casa, meu amor. Não há mais nada que possamos fazer além de dar início à nossa vida conjugal. — E começou a me puxar em direção à portinha que dava para a rua.

— Esperem! — ordenou o padre.

Nós nos viramos. Ele nos fitou por um longo instante, os olhos faiscando de raiva.

— Dirijam-se para aquele altar agora mesmo. E não digam uma só palavra a menos que lhes seja solicitado. Voltaremos a conversar em uma ocasião mais oportuna.

Eu lutei para não gritar de alegria. O padre pegou a echarpe na cadeira e a jogou de qualquer jeito pelo pescoço, se dirigindo para a porta que levava à igreja, mas, antes de sair, ele nos olhou por sobre o ombro.

— Que Deus tenha piedade de sua alma, senhor Clarke, pois essa dama manipuladora não terá. — Então deu dois passos, porém se deteve mais uma vez. — Eu lhe enviarei a conta depois da reforma do telhado. — E saiu pisando duro.

— Ai, meu Deus, deu certo! — Eu pulei em Ian, abraçando-o pelo pescoço. — Achei que ele não fosse cair nessa.

— Não posso acreditar que você mentiu para um padre! *Dentro* de uma igreja — ele riu ao meu ouvido.

— Eu não menti! — Afastei-me um pouco para observá-lo através do véu, apoiando as mãos em seus ombros fortes e largos. — A gente ia viver junto sim, no que dependesse de mim. Eu só quis dramatizar um pouco a situação para tentar convencê-lo a nos casar. E deu certo!

— Você me deixa embasbacado, Sofia — sussurrou, apoiando as mãos na minha cintura. — Constantemente.

— O que estão esperando? — berrou o padre do corredor, e eu e Ian nos apressamos.

Os convidados permaneceram em silêncio enquanto retomávamos nosso lugar no altar. Muitos notaram a irritação do padre Antônio, embora eu duvidasse que desconfiassem do motivo.

O padre deu andamento à cerimônia, dessa vez em alto e claro português. Muitos *Ohs!* soaram pela capela e fizeram o homem corar.

O padre retomou de onde havíamos parado, eu acho.

— Está aqui por livre escolha? — ele me perguntou.

— Estou... Quer dizer, sim. — E o ritual seguiu em frente.

No momento dos votos, Ian lentamente alcançou a barra do véu e o ergueu. Seus olhos brilharam intensamente quando encontraram os meus, e ele exibiu aquele sorriso que quase fazia meu coração parar de bater. Em seguida, murmurou:

— Estenda a mão direita. — E eu obedeci.

O padre a tomou, pousando-a sobre a de Ian, já estendida, e enrolou nossas mãos com a echarpe.

O olhar de Ian buscou o meu.

— Eu, Ian Clarke, te recebo, Sofia Alonzo, como minha legítima esposa e te prometo ser fiel, amar-te e respeitar-te por todos os dias de nossas vidas.

— Eu, Sofia Alonzo, te recebo, Ian Clarke, como meu legítimo esposo e te prometo ser fiel, amar-te e respeitar-te por todos os dias de nossas vidas.

Um instante depois, estávamos recebendo as bênçãos e trocando as alianças. Quando foi a minha vez de dar o anel a Ian, ele franziu o cenho. Tanta coisa passou pela minha cabeça naquele instante: a tortura a que fomos submetidos quando ficamos afastados um do outro, minha busca incansável para voltar para aquele século — para Ian —, as histórias que ouvi em sua casa quando estava no século vinte e um, seu desespero, sua dor, sua tristeza... Eu compreendia a expressão em seu rosto. Ao admirar sua mão, o elo dourado e definitivo em seu dedo anelar, minha visão ficou turva.

Ergui a cabeça e encontrei um leve sorriso em seu rosto, mas seus olhos estavam úmidos, ainda que não transbordassem feito os meus.

— *Ego conjugo vos in matrimonium, in nomine Patris, et Filii, et Spiritus Sancti. Amem.*

O padre Antônio nos declarou marido e mulher para os convidados e permitiu que Ian beijasse a noiva. Finalmente!

Seus lábios doces e delicados me tocaram de leve, como pedia o decoro, mas os meus não foram tão decorosos assim, de modo que o agarrei pelo pescoço e aprofundei o beijo. Risadas e lamentações ecoaram pela nave, e Ian — muito a contragosto — se obrigou a me soltar. A esse ponto, meu coração dava cambalhotas dentro do peito. Estávamos casados! Éramos um só!

Reparei que Elisa tentava esconder as lágrimas atrás do meu buquê. A esposa do médico, dona Letícia, também parecia emocionada. O dr. Almeida apenas sorria. Madalena e Gomes estavam lado a lado na primeira fileira. Ela tinha o rosto vermelho e tentava engolir a emoção. Gomes nem se dava o trabalho de tentar. Teodora estava com os pais e me lançou um breve aceno de cabeça, seguido de um sorriso. Madame Georgette estava mais ao fundo, e também a dona da pensão, o padeiro, os Albuquerque, Lucas Guimarães. Toda a vila estava ali.

Elisa me passou o buquê e me abraçou com força.

— Bem-vinda à família, minha queridíssima irmã! Você quase me matou de susto — sussurrou ao devolver minhas flores.

— Desculpa. Mas eu não sei falar latim! — sussurrei de volta, e ela riu.

Ian apertou a minha mão. Virei-me e encontrei seu sorriso estonteante. Com gentileza, ele levou meus dedos até a dobra de seu cotovelo e começou a me conduzir pelo corredor central. Nosso primeiro gesto casados. Nosso primeiro passo em direção ao futuro.

Atravessamos a igreja sem pressa, recebendo os cumprimentos dos amigos. Mas acabei captando uma conversa entre duas senhoras que certamente não devia. Uma delas era a Cara de Cavalo.

— Entrar sozinha na igreja! A dama de honra na frente!

— Realizada em português! Não deve ter validade, Ofélia.

— Que espécie de sapatos eram aqueles?

— E o vestido! Sem brilho, apagado. Parecia uma simples criadinha...

— Oh, agora só nos resta esperar para saber se haverá um escândalo ou um funeral muito em breve.

Ótimo! Os mexericos não só ganhariam força agora, como também era esperado que eu matasse o Ian? Sacudi a cabeça e tentei ignorar os comentários da melhor forma possível.

Quando deixamos a capela, os convidados se amontoaram na calçada e entravam em carruagens, prontos para se fartarem no almoço que levara três dias para ficar pronto.

— Vou na carruagem dos Moura — disse Elisa, apressada. — Preciso estar lá para receber os convidados. — Os noivos eram sempre os últimos no cortejo, ela me explicara dias antes. — Você está linda, minha irmã! — E me abraçou apertado de novo. Depois foi a vez de Ian. — Que presente maravilhoso você me deu, meu irmão. Sofia é a melhor coisa que já aconteceu em nossa vida.

— Sim, Elisa. — Ele a beijou na bochecha, sorrindo orgulhoso para mim. — Ela é.

Minha nova irmã se juntou a Teodora, mas notei Lucas perto da porta a observando de longe.

Ian me puxou em direção à nossa carruagem e me ajudou a entrar nela. Assim que nos acomodamos e a porta foi fechada, ele abaixou a cortina na janela. Então se virou para mim, escrutinando meu rosto. Seus olhos reluziram.

— Você está tão linda que meu coração quase não suporta. — Ele tocou meu rosto com a ponta dos dedos, deixando uma trilha ardente de minha têmpora ao queixo.

Eu pretendia lhe dizer algo, mas então seu polegar deslizou sobre o meu lábio inferior e seus olhos acompanharam o desenho, de modo que perdi o raciocínio. Ian se inclinou para me beijar, segurando meu rosto entre as mãos, e foi terno e suave, o tipo de beijo que faz o coração de uma garota dobrar de tamanho e querer saltar do peito. Mas, assim que enrosquei os dedos em seus cabelos e ele escorregou no assento para ficarmos ainda mais próximos, algo selvagem tomou conta dele, e foi com muito esforço que Ian se obrigou a me soltar instantes depois. Não que eu estivesse de acordo.

— Foram tão longos os minutos longe de você — arfou ele.

— Nem me fale. Pensei que nunca chegaríamos a essa parte. — Deitei a cabeça em seu ombro e suspirei contente. — A gente tá casado. Nem acredito que deu tudo certo.

Ele riu, beijou o topo da minha cabeça e encostou a bochecha na minha testa.

— Eu não diria que deu *tudo* certo. Fiquei apavorado quando percebi que você não conhecia a cerimônia em latim. Vi todos os meus medos expostos bem ali diante de mim. Desde que marcamos a data, dezenas de pensamentos sombrios me atormentam. Temi que descobrissem que seus documentos não são legítimos, que fosse levada para longe outra vez, mas nunca imaginei que por pouco não nos casaríamos porque me esqueci de perguntar se você estava familiarizada com os costumes.

Ergui a cabeça e encontrei seu olhar.

— Ah, Ian, desculpa. Agora você vai ter que pagar o telhado da igreja porque eu não sei latim.

— Ou italiano — ele brincou, trazendo de volta a lembrança da noite incrível que tivemos na ópera, tempos atrás. — Não se preocupe. Posso lhe ensinar as duas línguas, se for esse o seu desejo. Teremos tempo, graças à sua... persuasão — concluiu, não encontrando palavra melhor. — Fiquei impressionado com seu poder de convencimento.

— Que bom que pensa assim, mas desconfio de que o padre Antônio discorde disso.

Ian exibiu um meio sorriso. Aquele malicioso que eu amava.

— Certamente discorda. Mas não importa, você estava certa, ou ele jamais teria aceitado nos casar. Estaremos juntos por toda a vida agora. — Ele me abraçou, e minha saia chiou contra o estofado. — Prometo que a farei feliz todos os dias de nossa vida.

— Se eu for mais feliz do que sou agora, vou acabar quebrando alguma regra — ri, girando a aliança no dedo e sentindo como ela se encaixava perfeitamente, como parecia tão certo tê-la ali.

— Ah, mas eu ainda nem comecei a executar meu plano de fazê-la feliz, minha linda e amada esposa.

Um *ploc* suave me fez baixar os olhos até a minha mão. A aliança se partira ao meio.

— Ai, meu Deus, eu quebrei! — Estava casada há menos de cinco minutos e já tinha quebrado a aliança. Aquilo só podia ser um sinal. Um péssimo sinal!

Ian se divertiu com meu pânico.

— Não está quebrada, apenas desencaixou. Deixe-me mostrar. — E alcançou a minha mão para retirar as duas metades da minha aliança. Entretanto, uma peça não se desprendeu da outra. Estavam entrelaçadas, formando um ∞. Com um movimento delicado e ágil, os longos dedos de Ian uniram as duas partes.

— Ah! — exclamei maravilhada.

Ele a depositou em minha palma. Havia um desenho, um friso contínuo em todo o aro. Eu a examinei de todos os ângulos e, com um pouquinho de pressão, consegui fazer com que se abrisse de novo. Do lado de dentro de umas metades entrelaçadas, estavam as iniciais IC e a data daquela manhã de maio. Na outra parte, lia-se a inscrição *Para toda a vida*.

— Ah, Ian! — arfei. — É linda! É a aliança mais especial que eu já vi!

— Que bom que gostou. Chegou ontem enquanto o dr. Almeida cuidava de seu braço — contou ele, unindo as peças para que se tornassem uma só outra vez e a recolocando em meu dedo.

— Você sempre me surpreende com essas coisas — suspirei.

— Eu tento. — Ele envolveu minha cintura com as mãos e me beijou com ternura. — É difícil para um homem como eu impressionar uma mulher que tem a mente duzentos anos à frente.

Pela primeira vez desde que conhecera Ian, senti uma pontada de insegurança em sua voz. Mas ele se recompôs antes que eu pudesse perguntar qualquer coisa, se afastando e me segurando pelos ombros.

— Agora me deixe admirá-la um pouco mais. — Seus olhos percorreram meu rosto, meu vestido, e um sorriso orgulhoso se abriu em seus lábios. — Ah, Sofia...

— Espera! — eu o interrompi, colocando as mãos em seu peito. — Não diga nada ainda. Você não viu a melhor parte!

Eu me inclinei — com dificuldade já que as barbatanas do espartilho insistiam em querer perfurar meu fígado — e alcancei a barra do vestido. Ian arqueou as sobrancelhas, corando, mas parecia mais do que ansioso para dar uma espiada.

Acabei gargalhando.

— Não acredito que você tá pensando nisso, Ian!

— Não estou pensando em nada — ele pressionou os lábios, o embaraço duelando com a diversão.

— O que quero te mostrar é isso aqui. — Suspendi a barra da saia até as canelas, exibindo as botas vermelhas com cadarço branco feitas por encomenda. — E aí, o que acha delas?

Ian as examinou por um momento e então voltou os olhos para os meus. Ardentes. Profundos. Apaixonados. E respirar se tornou complicado.

— São perfeitas — disse ele com aquela voz rouca que inflamava meu íntimo. — Só não tanto quanto você.

Ele inclinou a cabeça para me beijar, mas, antes que aqueles lábios suculentos me tocassem, algo o fez hesitar. Ian deixou escapar um suspiro e me soltou, ajeitando, um tanto a contragosto, meu véu.

— O que foi? — eu quis saber.

— A carruagem parou — ele se lamentou. — Chegamos.

— Ah... A ideia da festa foi sua — acusei.

— Agora me dou conta de que deveria ter ouvido sua sugestão — ele bufou resignado, e eu ri.

Ajudei Ian a arrumar os cabelos e desentortei o cravo vermelho em seu paletó.

— A gente combina — eu disse, alisando uma das pétalas.

— Essa cor sempre me faz pensar em você. — Ele aproveitou a nossa proximidade e me beijou de leve. — Achei que seria apropriado.

Alcançando a maçaneta, ele voltou a atenção para mim. Apesar de desejar um pouco mais de tempo comigo, Ian resplandecia de contentamento, e parte dele queria me exibir diante dos amigos e conhecidos.

— Bem, pronta para sua primeira recepção, minha esposa? — Ele quase brilhava de felicidade.

Pensei nas rolhas voando pela despensa, na bagunça que seria meu quarto se Madalena não fosse tão competente, nas centenas de vezes em que dei bola fora e os conhecidos dele me olharam como se eu fosse de outro planeta. Ainda assim, Ian fazia tudo valer a pena.

Tomei fôlego, sorri para ele, para o homem que eu amava com loucura, entrelacei nossos dedos e simplesmente respondi:

— É, eu tô pronta.

12

A frente do casarão estava irreconhecível, o jardim quase passava despercebido. Muitas mesas tinham sido dispostas de modo a formar um círculo, deixando o centro livre para a dança. Estacas foram fixadas nas extremidades para que um cordão de fitas douradas e brancas tremulantes fosse disposto. Os arranjos que ajudei Elisa a preparar decoravam as mesas. O colorido das roupas dos convidados proporcionava um espetáculo à parte. Um singelo quarteto de cordas se acomodava nos primeiros degraus da entrada da casa.

Não houve chuva de arroz nem "Vivam os noivos" quando descemos da carruagem — o pessoal do século dezenove era mais contido —, mas o restante foi meio parecido. Os convidados estavam interessados na comida, e os empregados corriam de um lado para o outro como se o quintal estivesse em chamas. Os noivos abriram o baile com uma valsa, e, embora eu tenha pisado no pé de Ian algumas vezes, ninguém pareceu notar. Nem ele.

Nós nos separamos depois da dança. Não que eu tivesse gostado da ideia.

— Vocês precisam falar com os convidados — explicou Elisa, me arrastando por entre as mesas. — Separados, conseguirão cumprimentar todas as pessoas.

— Eu preferia ficar dançando com o seu irmão.

— Depois, querida Sofia.

Então teve início a maratona de sorrisos, agradecimentos pelos votos de felicidade e blá-blá-blá. No entanto, não pude deixar de notar que muitos convidados me estudavam com uma expressão de preocupação, algumas até beiravam a piedade. Grunhi baixinho. Provavelmente já tinham antecipado que tipo de esposa eu seria. Não me ofendi, no entanto. Eu também estava preocupada.

Em algum momento, fui deixada na companhia da família Albuquerque. Eu tentei manter uma conversa, tentei mesmo, mas seu Walter estava mais interessado no prato que tinha nas mãos, e Valentina parecia tão miserável que era doloroso olhar para ela. Suelen era a única que não me causava náuseas. Já a senhora Albuquerque...

— Seu vestido é um tanto modesto — disse a mulher, sacudindo o leque e percorrendo minha silhueta com um olhar desdenhoso. — Mas parece-me apropriado. Combina.

A ofensa velada não me escapou.

— Sabe, dona Adelaide, às vezes uma coisa modesta é mais bonita que uma espalhafatosa. Depende muito dos olhos de quem admira. Se me der licença, ainda preciso falar com alguns convidados — sorri para ela e fui me afastando. Mas então lembrei que não devia ser tão grosseira e fiz uma mesura meio atrapalhada.

Valentina me interceptou antes que eu pudesse dar três passos.

— Sinto muito, senhorit... senhora Clarke — ela se corrigiu e corou. — Minha mãe não falou por mal. Ela apenas...

— Não se conforma que o Ian tenha me escolhido quando tinha você — falei sem pensar.

— Oh, não! Não! De maneira alguma. O senhor Clarke nunca... ele jamais... — Ela começou a piscar muito rápido, e eu quis chutar minha própria bunda.

Suspirei e toquei seu braço.

— Desculpa, Valentina. Eu não devia ter dito isso. Tô um pouco tensa.

Seu rosto ficou todo rosa e ela desviou os olhos para o chão.

— Oh, eu compreendo. A maioria de nós teme este momento. Mas sei que o senhor Clarke a tratará com ca-carinho e... bem... a senhora sempre pode fechar os olhos e rezar!

Levei um minuto inteiro para entender o que ela quis dizer. Então desatei a rir.

— Ai, Valentina, não é nada disso! Eu não tenho medo *dessa* parte. — A garota não tinha culpa que a mãe a deixara tão apavorada com relação à noite de núpcias. Talvez eu devesse ter *aquela* conversa com ela também. — Eu me referia à exibição. Me incomoda um pouco, sabe?

— Ah! Perdoe-me, senhora Clarke, não quis ser indiscreta. — E a garota quase entrou em combustão espontânea.

— Você não foi. E pode me chamar de Sofia.

Ela assentiu uma vez, mas ainda parecia desconfortável. Então respirou fundo, tomando coragem.

— Só queria que soubesse que não concordo com mamãe. Eu penso na senhora como uma dama admirável. E seu vestido é muito bonito e elegante.

Sorri para ela, não pude evitar.

— Valeu, Valentina.

— E os cabelos! Tão perfeitos! — exclamou Suelen, se juntando à prima. Ela abriu a bolsinha de mão e mostrou o pequeno frasco de condicionador caseiro. — Sua governanta me entregou há pouco. Foi isso que os deixou assim?

— Mais ou menos. Elisa fez uns cachos com tecido, mas o condicionador ajudou a manter tudo no lugar.

— Esplêndido! — Ela fechou a bolsa, saltitando. — Mal posso esperar para que os meus fiquem com o mesmo aspecto.

Perto dali, avistei Ian conversando com o dr. Almeida. Seria algo normal, se o rosto do meu marido não estivesse tão fechado. Tentei me aproximar deles, mas Suelen continuou falando. Por fim, o médico se foi, e Ian ficou um tanto inquieto observando o homem se afastar. Ele girou a cabeça e nossos olhares se encontraram. Captei nervosismo em seus olhos.

— ... porque eu nunca vou atrair um pretendente — dizia Suelen. — Mamãe diz que é por causa dos meus cabelos, e talvez ela tenha mesmo razão. Mas, depois de ver o seus, minhas esperanças se renovaram.

— Fica tranquila, Suelen, vai ficar bacana — garanti, o olhar ainda fixo em Ian. Ele não parecia bem. Nada bem, ainda que tentasse demonstrar o contrário. — Me deem licença, preciso falar com o Ian um minutinho.

— Ah, claro — Suelen respondeu, e as duas garotas fizeram uma mesura.

Fui ao encontro dele. Sorri para as mulheres com quem cruzei no caminho e tive que dar aquela abaixadinha toda vez que um cara topava comigo, o que acabou me atrasando um pouco. Ian me encontrou no meio do caminho.

— Qual é o problema? — perguntei, examinando seu rosto.

Embora sua boca tenha se curvado para cima, o sorriso não chegou aos olhos.

— Estou longe de minha esposa há mais de um quarto de hora, é esse o problema.

— Tem certeza? Você parece meio... tenso. Dei bola fora?

— Não, está sendo absolutamente perfeita e encantadora. — Ele deslizou os dedos pelos cabelos, e aquela preocupação que pensei ter visto não existia mais, me dando a sensação de que tudo não passava de coisa da minha cabeça. — Mas ocorreu-me agora que dançamos apenas uma única vez. Me concederia a honra? — Ele fez uma mesura, pegou minha mão e a levou aos lábios.

— Pensei que nunca fosse perguntar!

Ian riu e me levou para a área destinada à dança, mas parou ao ouvir os primeiros acordes.

— É uma quadrilha — avisou.

— Humm... então é melhor não arriscar. Elisa até tentou me ensinar alguns passos, mas não me saí muito bem.

Foi nesse momento que uma comoção chamou a atenção de todos. Ian e eu nos viramos. Uma carruagem imensa — a maior que já vira — com quatro cavalos brancos parou a uma curta distância da entrada da casa, quase atropelando a mesa ocupada pelo padeiro e sua esposa.

— Tia Cassandra — Ian gemeu ao meu lado, não parecendo nada feliz.

De dentro da carruagem, surgiu um rapaz alto e forte, que estendeu a mão para ajudar uma senhora corpulenta com ar de importante a descer. Ela tinha muito brilho no pescoço, e a cara de poucos amigos me fez encolher os ombros.

— Certo. Ela não parece do tipo tia fofa que todo mundo ama — comentei, os olhos fixos nas penas de pavão presas em alguma parte de seu vestido.

— E não é — ele comprimiu os lábios. — Vamos acabar logo com isso.

Mesmo descontente, Ian me ofereceu o braço e seguiu na direção dos recém-chegados. Fez um gesto de cabeça para Elisa quando passamos por ela. A menina, que conversava animada com a senhora Almeida, fez uma mesura apressada, correndo para nos alcançar.

— Pensei que a tia Cassandra não fosse vir! — ela exclamou, horrorizada.

— Eu também — murmurou Ian. — Tinha esperanças de que Thomas viesse sozinho.

Assim que nos aproximamos do par, eu quis fugir. Não sabia bem por quê, mas a cara da tia Cassandra me fazia querer voltar para o século vinte e um. Soltei o braço de Ian e comecei a retorcer as mãos.

— Thomas — saudou Ian, com uma mesura.

— Que prazer revê-lo, primo! — O rapaz, quase tão alto quanto Ian, abriu um largo sorriso. — Aceite os meus cumprimentos e votos de felicidade.

— Fico grato, Thomas. — E então se voltou para a mulher: — Tia Cassandra, que... bom que veio.

— Sabe que a estrada está em péssimas condições, meu sobrinho? Não me lembro de sacolejar tanto em toda minha vida. Você não está cuidando de suas posses como deveria. — Seus olhos pintados de azul-royal encontraram minha nova irmã. — Oh, Elisa, querida, veja como está crescida. — Ela tocou o queixo da menina, erguendo um pouco seu rosto e o analisando atentamente, como se Elisa fosse uma vaca premiada. — Sim, já é uma mulher. E muito bonita, embora um tanto magra. Será uma dama encantadora em alguns anos, não concorda, Thomas?

— Elisa é uma Clarke, como poderia ser diferente? — brincou ele, cumprimentando a prima da forma apropriada. Elisa corou, e Cassandra deixou escapar um sorriso de deleite ao observar o par que os dois formavam.

Ian pigarreou de leve e apoiou a mão na curva das minhas costas.

— Permitam-me apresentar-lhes minha esposa. Está é Sofia Alonzo Clarke. — Um orgulho indisfarçável distorceu ligeiramente sua voz. — Sofia, esta é minha tia, Cassandra Linhares Clarke, e seu filho, Thomas Clarke II.

— Prazer em conhecer vocês — arrisquei uma mesura.

A mulher grudou os olhos em mim, no meu rosto, no meu vestido. Busquei a mão de Ian e apertei seus dedos de leve. Agora eu era a vaca premiada. Não tão premiada assim, constatei depois daquele olhar.

— Então esta é a nova senhora Clarke. Não conheço nenhuma família Alonzo. Recorda-se de algum Alonzo, Thomas?

— A família de Sofia é de muito longe — Ian se apressou.

— E todos já morreram — acrescentei.

A mulher contemplou Ian, chocada.

— E quem lhe pagou o dote, meu sobrinho?

Ian endireitou os ombros, como se estivesse se preparando para uma briga.

— Não seja indelicada, tia — repreendeu ele no exato momento em que soltei:

— Eu não tenho dote.

— Oh! — Cassandra cambaleou levando a mão ao peito. O filho a amparou. — Oh, Céus! Uma noiva sem dote! Ah, meu bom Deus! Parece que cheguei tarde demais e nada mais poderá ser feito.

— Por que não se sentam e apreciam uma boa taça de vinho? — sugeriu Elisa, me olhando compadecida pelo canto dos olhos. — A viagem pode estar afetando sua saúde, tia.

— Excelente sugestão, prima — Thomas concordou depressa. — Vamos, a senhora precisa se sentar.

— Oh, Thomas, querido, chegamos tarde demais. Tarde demais! — lamentou-se, se deixando arrastar pelo filho. — Uma noiva sem dote, sem berço! Uma plebeia para manchar o bom nome da família!

— Não exagere, mamãe — eu o ouvi resmungar enquanto a arrastava para uma das mesas.

Eu queria não ter me importado com aquilo. Queria fingir que as palavras da mulher não mexeram comigo, mas o que ela tinha acabado de dizer andava martelando minha cabeça desde que ouvi sobre os tais boatos que corriam na vila.

Quando Cassandra e o filho, acompanhados de Elisa, estavam a uma distância segura, Ian apertou minha mão.

— Eu sinto muito por isso. Não imaginei que tia Cassandra fosse realmente aceitar o convite. Não a vemos desde a morte de nossos pais.

— Ela não foi muito com a minha cara.

— Tia Cassandra tem certa tendência a não gostar de ninguém — explicou, mortificado.

Eu assenti, pressionando os lábios com força.

— Me diz que ela vai embora assim que a festa acabar.

Ian parecia tão infeliz quanto eu acabara de ficar.

— É pouco provável. A propriedade dela fica a dois dias de viagem.

Gemi, cobrindo o rosto com as mãos.

— Ah, Ian, desculpa. Eu não quero te envergonhar diante da sua família. Mas, se ela vai ficar com a gente, isso vai ser meio inevitável.

Tocando meu rosto com delicadeza, ele me obrigou a olhar para ele.

— Você não me envergonha! Jamais me envergonharia. Se alguém deve lamentar e pedir desculpas pela falta de modos de minha tia, esse alguém sou eu. Não vou permitir que ela a perturbe outra vez. Prometo.

— Mas como você vai fazer isso se ela vai se hospedar na sua casa?

Ele fechou a cara.

— *Nossa* casa — corrigiu. — E darei um jeito nisso.

13

O que deveria ser apenas um almoço de casamento se transformou em um lanche e, posteriormente, em um jantar. Tochas foram acessas para iluminar o pátio, e Madalena apareceu dizendo que já era hora de cortar o bolo de três andares decorado com rosas de glacê, e que eu deveria jogar o buquê. Fiquei feliz por essa tradição já existir. Sobretudo porque eu estava mesmo muito a fim de jogar meu buquê. De preferência na cara enrugada da tia Cassandra, que não tirava os olhos enrugados de mim, com a boca encurvada nos cantos, em uma fria indiferença.

No entanto, as garotas solteiras relutavam em se posicionar atrás de mim. Algumas mães até as seguraram pelo braço, impedindo-as de arriscar a sorte, como se eu fosse um tipo de praga ou coisa assim. Queria poder dizer que aquilo não me magoou. De todo modo, lancei as flores com mais força do que pretendia, e, em vez de o buquê seguir a trilha até as mãos das poucas jovens solteiras espremidas na pista de dança, ele procurou outro alvo, caindo bem na cara de uma envergonhada Madalena.

Logo em seguida, Ian ordenou que os músicos tocassem uma seleção de valsas — pois esse gênero eu *quase* conseguia acompanhar — e me arrastou para o centro do espaço. Ficamos rodopiando entre outros casais, quase coladinhos, e aquilo era o céu. Bom, quase. Eu estava exausta, o espartilho me incomodava e as botas criaram uma pequena comunidade de bolhas nos meus pés. Estava louca para me livrar daquilo tudo. Soltei um suspiro, e Ian imediatamente diminuiu o ritmo.

— Você está exausta.

— Desculpa. Meus pés estão acabando comigo. Não me leve a mal, fico feliz que essas pessoas queiram comemorar nosso casamento e tudo mais, mas, tipo, elas não vão embora nunca mais?

Ian riu.

— Não enquanto nós dois estivermos aqui. É falta de educação deixar a festa antes dos noivos.

Eu parei de dançar.

— E você só me diz isso agora?! — Fiz uma nota mental para mais tarde pedir ao Ian que fizesse uma lista com todas as porcarias de regras de etiqueta do século dezenove para decorá-las o mais rápido possível. — Precisamos avisar que estamos saindo, ou sair de fininho tá bom?

Um dos cantos de sua boca se curvou para cima.

— Sair de fininho é uma ideia mais atraente.

Olhei para os lados e, disfarçadamente, fui empurrando Ian para perto da escada. Paramos junto ao quarteto de cordas, e fingi estar entretida com as fitas que tremulavam sobre a nossa cabeça. Pelo canto do olho, vi a tia dele arrastando as saias em nossa direção.

— Ah, não! Corre, Ian, corre! — eu o empurrei escada acima, passando pela porta da frente e fechando-a com rapidez. Ouvi algumas risadas vindas do jardim.

Segurei a mão de Ian e voltei a correr. Percorremos apenas alguns metros antes que ele me detivesse e, em um piscar de olhos, me tirasse do chão, me aconchegando em seus braços. Os bambolês da anágua se eriçaram, formando uma espécie de caverna na minha saia.

— O que tá fazendo? — perguntei, dobrando as pernas e procurando acalmar todo aquele tecido enquanto alguns empregados passavam com bandejas e tentavam disfarçar o sorriso.

— Levando minha esposa muito cansada para o quarto — Ian explicou animado.

Ele atravessou a casa comigo nos braços e foi direto para o nosso novo quarto. Abriu a porta, entrou e só então me colocou no chão.

— Uau! — exclamei ao observar o ambiente.

Meu quadro, aquele que ele pintara em minha ausência, tinha sido pendurado na parede azul-clara. A cama com dossel ostentava um lençol branco e imaculado. O amplo guarda-roupa tinhas entalhes em quase todas as portas. Havia uma penteadeira, um toucador, uma banheira duas vezes maior que a do meu antigo quarto, uma poltrona perto da alta janela. Cortinas diáfanas do mesmo tom das paredes pendiam do teto ao chão, como uma cascata. A mesa redonda logo na entrada estava coberta por uma toalha bordada em tons de amarelo-ouro e azul, com um imenso vaso de lírios brancos sobre ela. Aproximei-me da cama e deslizei a ponta dos dedos sobre as letras I e S entrelaçadas nas fronhas.

— Madalena fez tudo isso?

— Com a ajuda do senhor Gomes — disse ele, bem atrás de mim.

— Eles fizeram um excelente trabalho. Ficou lindo.

Uma batida na porta me sobressaltou.

Era Madalena.

— Senhor Clarke, sei que está feliz com o casamento, mas os criados não param de comentar sobre seu pequeno rompante apaixonado de agora há pouco. — E foi logo entrando no quarto. — O senhor deveria ter mais modos. E você, senhorita, deveria parar de rir.

— Desculpa, Madalena — pressionei os lábios na tentativa de atendê-la. Não deu certo.

Madalena revirou os olhos.

— Ainda bem que fui informada de que os senhores resolveram se recolher. — Ela se adiantou em minha direção, mas falava com Ian. — Vou ajudar sua senhora a se vestir apropriadamente. O senhor pode esperar no outro...

Ele se colocou diante dela, impedindo que chegasse até mim.

— Eu mesmo farei isso.

— Senhor Clarke, o senhor não pode... — começou ela, desconcertada.

— Minha esposa está muito cansada, cuidarei dela esta noite. A senhora fez um ótimo trabalho. Agora pode ir descansar. — Pegando-a pela mão, ele conduziu a mulher até a porta.

— Mas, senhor, eu deveria...

Ele sacudiu a cabeça antes que ela pudesse terminar.

— Hoje não, senhora Madalena. Esta noite Sofia será só minha.

— Senhor Clarke! — ela o censurou, corando, já fora do quarto. — Assim o senhor parece um... um cavalheiro...

— Apaixonado? — ele tentou.

— Desavergonhado! — ela corrigiu. — Eu... vou deixá-los, se é o que deseja, mas, se sua senhora precisar de meus préstimos, mande me chamar imediatamente.

— Boa noite — ele começou a fechar a porta.

— Boa noite, Madalena. Arrasou na decoração — eu falei, ainda rindo.

— Boa noite, senhora. — Ela se virou e Ian se apressou, fechando e passando a chave na porta antes que ela mudasse de ideia.

— Essa foi por pouco. — Ele soltou o ar com força.

— Não entendi bem o que ela quis dizer com "ajudar a me vestir apropriadamente". — Porque, sendo franca, eu esperava passar minha noite de núpcias sem muita roupa. Nenhuma, na verdade. Será que havia mais alguma porcaria de tradição que eu não conhecia?

— Ela se referia a ajudá-la com a...

Toc-toc.

Ian fechou a cara e voltou a abrir a porta. Era Gomes, dessa vez

— Senhor. Perdoe-me, mas creio que me esqueci de colocar isto no quarto — ele estendeu uma bandeja com uma jarra de cristal enfeitada.

— Obrigado — Ian pegou a bebida.

— Ao seu dispor, senhor. Boa noite, senhores. — O mordomo lançou um sorriso de cumplicidade a ele, fez uma grande mesura, colocando a bandeja debaixo do braço, e partiu.

Ian trancou a porta atrás de si e colocou a garrafa sobre a mesa redonda, afastando o vaso de lírios para o canto. Ele serviu dois cálices que já estavam ali e me entregou um. O líquido dourado reluziu com a luz bruxuleante das velas.

— O que é isso?

— Hidromel. É costume os noivos fazerem uso por um ciclo lunar inteiro. A começar pela noite de núpcias. — E me encarou com os olhos sérios e intensos.

Um calor lento, porém denso, começou a se espalhar em minhas entranhas.

Experimentei um gole da bebida licorosa — lembrava um pouco vinho do Porto — para me distrair. Era boa. Tomei o cálice todo. Ian bebeu sem tanta pressa, o olhar sempre grudado em mim.

— Quer mais um pouco? — ofereceu.

— Ãrrã.

Ele pegou meu cálice e foi até a mesa. Eu me sentei na beirada da cama.

— Por que é preciso tomar isso durante uma lua inteira?

— Segundo a tradição... — Ele tampou a garrafa e se juntou a mim, sentando-se bem ao meu lado, e me estendeu a bebida. Sorvi um gole. — Isso garantirá muitos filhos ao casal.

Engasguei, cuspindo e tossindo convulsivamente. Ian se sobressaltou, dando tapinhas gentis nas minhas costas.

— Fi-filhos? — balbuciei.

Ele me olhou de um jeito curioso.

— No futuro, Sofia. Não se espera que o casal conceba um herdeiro na lua de mel. São poucos os que têm essa sorte.

— Ah, tá. — Como se isso me deixasse aliviada. — Então isso aqui não vai me engravidar, tipo, esta noite, vai?

— Na verdade, eu tinha esperanças de que seria eu quem iria engravidá-la um dia, não uma bebida — ele riu, tentando parecer tranquilo, sem deixar transparecer a súbita apreensão que sentia.

Ai, meu Deus. Ian queria filhos. E muito em breve, desconfiei.

— Não precisa beber se não quiser — ele me assegurou. — É apenas uma antiga tradição.

— Não é isso. É só que... eu ainda não tô pronta pra... err... sabe, *pensar* em fi-filhos. — Ainda mais depois de me machucar. A maneira como a sutura em meu braço tinha sido feita... Bom, foi o suficiente para me fazer crer que a cesariana ainda não era muito popular no século dezenove. E a alternativa me parecia tão atraente quanto ser decapitada.

— Meu amor — Ian tocou a lateral do meu rosto. Seu polegar passeou preguiçoso pelo meu lábio inferior, fazendo meu sangue correr rápido nas veias. — Que tal se permanecêssemos no presente esta noite?

Aquelas palavras, aliadas ao toque quente, varreram minha apreensão para longe. Assenti uma vez e alcancei o véu em minha cabeça.

— Espere! — ele pediu, assim que notou minha intenção de removê-lo, tomando o cálice de minha mão e o colocando no chão. — Por favor, permita-me. Sonho com este momento há semanas.

Abandonei os grampos imediatamente ao ouvir sua urgência.

Suas íris negras infinitas se tornavam ainda mais profundas conforme fitavam minha silhueta. O calor ardeu em meu peito, se espalhando pelo meu pescoço e meu rosto. Era esse o efeito do hidromel, ou apenas uma reação do meu corpo ao olhar de cobiça de Ian?

Fosse o que fosse, eu não tinha tempo para refletir sobre isso, pois Ian se levantou, sempre me encarando, e estendeu a mão. Fiquei de pé com sua ajuda e dei alguns passos para frente. Ele me rodeou, até se posicionar atrás de mim. Com delicadeza, retirou as forquilhas dos meus cabelos e, em seguida, o véu. Cachos pesados me caíram sobre os ombros. Enterrando os dedos nas mechas, ele as empurrou para o lado e depositou beijos suaves em minha nuca, na curva do meu pescoço, em meu ombro desnudo. O fogo dentro de mim se inflamou, e eu me senti consumida por ele.

— Ficou adorável em seu pescoço. — Os dedos dele acompanharam as pedras da gargantilha.

— São lindas. Obrigada pelo presente.

Ian deixou suas mãos deslizarem e procurarem as pequenas pérolas nas costas do meu vestido. Começou a abri-las, uma a uma, enquanto eu me conservava ereta, graças ao espartilho, a respiração já descompassada. A dele e a minha. Ian se demorou um instante com os botões e, quando todos foram abertos, escorregou o vestido rendado até meus cotovelos, os dedos cálidos estimulando cada pedacinho de minha pele exposta. Com deliberada lentidão, deu a volta até ficar de frente para mim. Então, colou os lábios abrasadores nos meus enquanto as mãos desciam fluidas, empurrando o tecido por meus pulsos, e sendo particularmente cuidadoso com meu antebraço machucado.

Assim que me livrou da parte de cima da roupa, ele deu um passo para trás e ergueu meus braços, para então puxar o vestido para cima, o caminho mais fácil. Seus olhos queimaram ao encontrar o espartilho bordado.

Madame Georgette sabe das coisas, pensei, satisfeita.

Curioso com o que poderia encontrar, Ian se dedicou às fitas de cetim que prendiam as duas anáguas em minha cintura. Os tecidos se amontoaram aos meus pés, e Ian tomou distância para me examinar, prendendo a respiração. Ele se deteve então nas meias de seda, presas por ligas à calçola de renda.

O desejo explodiu dentro dele, seu rosto ganhou cor, os olhos, um brilho quase ofuscante, um esgar sutil no canto da boca. A adoração de um artista apaixonado perante sua musa. Diante daquele olhar, eu me senti linda, sexy, uma deusa.

— Eu poderia admirá-la pelo resto da vida e ainda não me seria suficiente — disse ele, num sussurro rouco que fez meu corpo estremecer.

Ian percebeu minha reação, e algo em sua expressão mudou. O artista estava dando lugar ao amante.

Impaciente, ele tirou o paletó, abriu os botões da camisa e veio ao meu encontro, erguendo-me com facilidade do chão para me colocar gentilmente sobre a cama, como se eu fosse o mais precioso cristal. Deitando-se ao meu lado, deu início a uma trilha de beijos, que começou na ponta dos meus dedos da mão e terminou em minha boca. Acariciei a pele quente de suas costas, seus ombros, seus braços, fortes e rijos. Abri as coxas para que ele se encaixasse entre elas.

— Esta noite eu lhe entrego este corpo — proferiu ele, solene. — Pois a alma que o habita e o coração que aqui bate há muito lhe pertencem. E serão seus, apenas seus, para sempre. Eu juro, Sofia.

Dominada por uma miríade de emoções e sensações, não consegui abrir a boca e dizer que ele me possuía por inteira, que ele era o meu mundo todo. Em vez disso, busquei sua mão e entrelacei nossos dedos, erguendo os olhos na esperança de que ele lesse neles tudo aquilo que eu não consegui expressar com palavras.

Ele entendeu. Ele sempre entendia.

— Ah, Sofia... — gemeu, mergulhando em minha boca.

* * *

Acordei com tudo sacudindo ao meu redor. Eu estava deitada sobre o peito de Ian, seu braço me envolvia, e a primeira coisa que me passou pela cabeça foi que estávamos em meio a um terremoto. A chama da vela sobre a mesa de cabeceira estava quase se apagando, mas consegui ver os móveis ao redor, os potes de creme sobre a cômoda, o aparador ao lado da banheira abarrotado de vidrinhos. Tudo completamente estático.

O tremor vinha da cama.

De Ian.

Ele tremia quase que convulsivamente. Tentei me levantar, mas seu braço se apertou ainda mais em minha cintura, se transformando em uma algema inescapável. Murmúrios dolorosos surgiam-lhe do fundo da garganta.

— Ian — toquei seu rosto de leve. — Ian, acorde.

Imerso em algum tipo de horror que eu não era capaz de ver, ele se contraiu sob o meu toque. Então seus olhos se arregalaram de repente, ele se sentou e soltou um grito de absoluto terror que parecia vir de sua alma. Ele gritava o meu nome, e, sobressaltada, notei que ele chorava.

— Ei, tô aqui. Calma. Tá tudo bem — eu me sentei e toquei seu ombro.

Seus olhos inundados se voltaram em minha direção e percorreram cada traço meu. Mãos trêmulas se encaixaram no meu rosto, depois investigaram meu pescoço, meus ombros, como se ele estivesse se certificando de que eu permanecia inteira. Arfando, ele me puxou para seu colo, me abraçando com tanta força que eu mal conseguia respirar.

— Deus! — ele proferiu, não sei se como prece ou súplica, e beijou cada pedaço meu que pôde alcançar.

— Tudo bem. Foi só um pesadelo — garanti. — Não era real.

Alisei seus cabelos murmurando palavras de consolo, na esperança de acalmá-lo. Mas, em vez disso, Ian enterrou a cabeça na curva do meu pescoço, me espremendo contra o seu corpo, ainda trêmulo, e chorou em completo abandono, os ombros sacudindo com força.

— Vai ficar tudo bem. Foi só um sonho ruim. Eu tô aqui — eu sussurrava, afagando sua nuca.

— Está — ele soluçou. — Você está aqui.

— E não vou a parte alguma — eu lhe assegurei, beijando sua têmpora. — Porque meu lugar é aqui com você.

Consegui desalojar sua cabeça de meu pescoço para que ele pudesse ver meus olhos na luz bruxuleante da vela. Era a primeira vez que eu via Ian chorar, e aquilo me assustou como nada mais poderia. Doía-me no fundo da alma, me fazia desejar que meu coração interrompesse suas batidas e que meus pulmões detivessem seus movimentos.

Eu o beijei tão furiosamente que nossos dentes se chocaram. E Ian correspondeu com a mesma loucura, os dedos se afundando na carne nua de minhas costas. Aprofundei o beijo até que a tormenta dentro dele se suavizasse, se transformasse em chuva e, por fim, numa fina garoa.

Ele suspirou quando minha boca se desprendeu da dele. Permaneci no seu colo, deslizando os dedos por seus cabelos suados.

— Você tá bem? — murmurei, usando a mão livre para secar a umidade em suas bochechas.

— Sim, obrigado — ele fungou. — Foi apenas um maldito pesadelo.

— Sobre me perder — deduzi.

Ele assentiu uma vez. Esperei que prosseguisse, e, quando isso não aconteceu, suspirei, desapontada.

— Deve ter sido por causa da TPC. Você me disse que estava com medo de que alguma coisa desse errado.

— TPC? — Os olhos úmidos ficaram confusos.

— Tensão Pré-Casamento — expliquei, brincando com uma mecha negra que havia caído na sua testa. — Ela quase me deixou louca. Deve ser por isso que só se casa uma vez na vida. Ninguém aguentaria uma segunda rodada sem ir parar no manicômio.

Ian riu, e o som de sua risada fez meu coração ganhar vida outra vez.

Eu suspirei aliviada. Estava louca para que ele me dissesse o que tanto o afligira, mas eu finalmente tinha conseguido acalmá-lo, levar seus pensamentos para outra direção, então não tive coragem de colocar o dedo na ferida.

— E agora que já passei pelo suplício e tudo mais, tô pronta para o que realmente interessa. Nossa lua de mel! A que horas a gente vai sair?

Ian ficou tenso, o maxilar se enrijeceu no mesmo instante.

— Quanto a isso — ele se remexeu no colchão —, eu queria...

Uma batida à porta me fez pular. Era madrugada. E nossa noite de núpcias. Algo muito grave devia ter acontecido para que fôssemos perturbados. Ou então ouviram os gritos aterrorizados de Ian.

Ele bufou, esfregando o rosto.

— O que um homem precisa fazer para ter um pouco de privacidade em sua noite de núpcias? — Ele desceu da cama, agarrou as calças e a camisa e se enfiou dentro delas.

— Deve ter acontecido alguma coisa séria. — Tipo alguém ter morrido engasgado com um bem-casado durante a quadrilha.

— É melhor que tenha mesmo!

Ele passou as mãos pelos cabelos e marchou até a porta, abrindo-a apenas o suficiente para ver quem estava ali àquela hora da madrugada.

— Tia Cassandra! — sua exclamação continha desespero e irritação. — Pensei que estivesse cansada da viagem.

— E estou, por isso serei breve. Não gostei de minhas acomodações.

— Como disse?! — Fiquei na dúvida se Ian queria rir ou gritar.

— O quarto é pouco arejado. Exijo uma acomodação à minha altura.

Ian soltou um longo suspiro.

— Amanhã falarei com a governanta para preparar-lhe um dos outros quartos de hóspedes. Eu estou... hã... um pouco ocupado agora, como pode imaginar.

— Que decepção, meu sobrinho. — Ela estalou a língua. — Nunca pensei que viveria o bastante para vê-lo dar as costas à sua família.

Pela rigidez que dominou o corpo do meu marido, percebi que ela o magoara. Ian era decente a esse ponto.

Levantei da cama e fui vasculhar a cômoda em busca do meu pijama preferido. Enfiei a camisa às pressas e, descalça, me dirigi até a porta. Toquei o ombro de Ian. Ele se espantou e deixou a porta se abrir um pouco mais. A mulher vestia uma camisola rosa ridícula sob o roupão da mesma cor, cheio de plumas nas mangas. Não era uma visão agradável para se ter na noite de núpcias. Não era agradável em noite nenhuma!

— Tudo bem, Ian. Acho melhor arrumar outro quarto para sua tia. — *Ou ela vai ficar aqui discutindo a noite inteira*, eu quis acrescentar.

— Céus! O que pensa que está fazendo, minha jovem?! — A mulher arregalou os olhos ao analisar minhas pernas nuas, quase derrubando o castiçal que segurava. — Onde está sua compostura?

Preferi ignorar o comentário. Estava vestida até demais para uma noite de núpcias.

— Vou te levar pro meu antigo quarto. É bem espaçoso e arejado. — E ficava no outro extremo da casa.

— Eu cuido disso — Ian me segurou gentilmente pelo braço. — Volte para a cama. Vou pedir para a senhora Madalena preparar tudo e voltarei assim que puder.

Sacudi a cabeça.

— Madalena deve estar desmaiada. Ela trabalhou duro nos últimos dias. Eu arrumo tudo rapidinho. — Fiquei na ponta dos pés para beijar seus lábios surpresos e fui para o corredor escuro. — A senhora não vem? — perguntei olhando por sobre o ombro, já que Cassandra permanecera imóvel e boquiaberta.

— Decerto não está pensando em andar pela casa *nesses* trajes. Ou na falta deles, devo salientar.

— O pessoal da casa já está acostumado comigo, não se preocupe com isso. Agora podemos ir? Tenho a impressão de que a senhora tá doida pra cair na cama.

Ela me ignorou e se dirigiu a Ian.

— Não pode permitir uma loucura dessas, meu sobrinho. Sua noiva está nua! Não pode admitir que ande por aí sem roupas!

Ele me lançou um sorriso torto, um olhar de deleite no rosto perfeito. Tanto eu quanto ele sabíamos que o que a mulher dizia era verdade. Ian jamais me deixaria andar pela casa daquele jeito sem fazer uma cena. Porém ele havia se dado conta do meu plano e embarcado nele. Meu Deus, como eu amava aquele homem!

— Ela não precisaria se a senhora concordasse em dormir no quarto em que foi acomodada. — Ele se encostou no batente e cruzou os braços sobre o peito.

O rosto de Cassandra assumiu um tom vermelho preocupante.

— Está bem! Em nome do decoro, ficarei naquele aposento medíocre. Mas escute o que estou dizendo, meu sobrinho, sua esposa lhe causará muitos infortúnios, se essa é a maneira como costuma se portar. Não me surpreenderei se ouvir que você foi mortalmente ferido em um duelo ao tentar defender a honra dela. Boa noite! — Cassandra suspendeu a camisola, empinou o queixo e nos deu as costas.

O horror ao ouvir a palavra duelo me deixou paralisada, e, sabe-se lá por quê, me lembrei da conversa da Cara de Cavalo logo depois da cerimônia. Quando ela comentou sobre esperar um escândalo ou um funeral, eu havia deduzido que fosse uma conotação, não que estivesse sendo literal. Será que era por isso que metade dos convidados tinha ficado me encarando daquele jeito? Eles esperavam que Ian acabasse morto num duelo porque de alguma maneira eu não me comportava como deveria? Por isso as garotas não quiseram meu buquê?

— O que ela disse é verdade, Ian? Os duelos ainda existem? — perguntei com o coração aos pulos assim que voltei para o quarto e Ian fechou a porta.

Ele me avaliou por um longo momento, então suspirou.

— São ilegais, mas, sim, existem.

Eu me estiquei e segurei seu rosto entre as mãos.

— Não quero que você se meta numa coisas dessas pra me defender. Tá me ouvindo? Eu proíbo você!

Ele riu.

— Você jamais me deu motivos para isso, meu amor.

— E você tá fugindo da promessa. Eu não dou a mínima pra minha honra, podem falar o que quiserem, só não quero meter você e Elisa em confusão. E duelar é uma tremenda burrice.

Alcançando uma de minhas mãos, ele girou a cabeça e plantou um beijo demorado em minha palma.

— Tenho que concordar. Sou um pacifista. E você está ficando tensa à toa. Está com sede?

— Um pouco. — Deixei que ele me conduzisse até a cama, mas esperei de pé enquanto ele pegava um copo de água para mim. — Acho que você está certo. Ando uma pilha. Não vejo a hora de a gente viajar e deixar toda essa TPC para trás — falei quando ele me estendeu o copo.

O corpo dele ficou rígido no mesmo instante.

— Sobre isso, lamento muito, meu amor, mas... — ele respirou fundo — teremos que adiar a viagem.

— O quê? Mas por quê?

— Surgiu um... — ele desviou o olhar. — Imprevisto. Sei que não poderia ser mais inoportuno, mas teremos que ficar aqui por uns tempos. Sinto muito.

— Que tipo de imprevisto?

— Um que me impede de levá-la a qualquer lugar no momento.

Por que ele parecia tão aflito? Por que me dava meias explicações?

Eu observei seu rosto com atenção, tentando entender. Foi aí que uma ideia me ocorreu.

— Um imprevisto do tipo financeiro, não é? Droga, Ian, eu te falei pra não gastar tanta grana comigo e com o cas...

Ele sacudiu a cabeça, me detendo.

— Não é esse o problema. Nada relacionado às finanças, garanto. É apenas... um problema repentino no estábulo. Não poderei me ausentar até que tudo se resolva.

— Ah! — soltei um longo suspiro aliviado. — Então tudo bem. A gente cancela a viagem. Não tem problema. Sério, lua de mel é uma coisa bem chata. Quem quer ficar quatro horas no aeroporto esperando um voo atrasado e depois chegar ao destino e descobrir que a bagagem foi extraviada e que terá de se virar com as roupas do corpo até alguém encontrar sua mala? Não que a gente corra esse risco aqui, mas mesmo assim.

Ele exibiu um sorriso triste.

— Não estamos cancelando, apenas adiando até que seja seguro.

— Seguro? — franzi a testa ante sua escolha de palavras.

— Seguro me ausentar por tanto tempo — ele explicou e começou a desabotoar a camisa. A dele. — Não quero que nada perturbe nossa viagem, por isso preciso de um tempo para resolver certos assuntos. Apenas algumas semanas e poderemos partir. — E, com isso, desfez o último botão e escorregou a camisa pelos ombros generosos. — Para mim realmente não importa onde estamos, para onde vamos, desde que você esteja comigo.

Lutei para desgrudar os olhos dele e prestar atenção no que dizia. Cara, eu devia ganhar um prêmio só pela tentativa, muito embora eu desconfiasse de que não tivesse sido muito bem-sucedida, considerando o sorriso ofuscante que surgiu em seu rosto conforme ele me puxava pela cintura e tombávamos juntos na cama. Meus cabelos caíram sobre o meu rosto. Ele enroscou uma mão nas madeixas e as puxou para trás com delicadeza, colando a boca ao meu ouvido.

— Agora me permita compensá-la pelo adiamento — murmurou, para em seguida distribuir uma porção de beijos molhados por todo o meu pescoço.

Mas é claro que permiti. E é óbvio que qualquer outro pensamento que não fosse ligado ao homem enroscado em mim se dissipou. Porém um eco, um sibilo quase inaudível, tentava perfurar a névoa da paixão. Minha intuição sussurrava que ele não tinha me contado toda a verdade.

14

Os raios de sol acariciaram minhas pálpebras. Suspirei e me movimentei na cama, sentindo os braços de Ian me apertarem com força. Abri os olhos e girei a cabeça no travesseiro, encontrando o rosto do meu marido relaxado, ainda inconsciente. Um sorriso involuntário surgiu em meus lábios. Eu nunca me cansaria de olhar para Ian.

Desvencilhando-me dele com cuidado, saí da cama e caminhei pelo quarto na pontinha dos pés. Apanhei meu pijama favorito esquecido no chão e o passei pela cabeça — Ian estivera particularmente impaciente na noite passada, razão pela qual os cantos de minha boca teimavam em curvar para cima.

Fui até o guarda-roupa, admirando as molduras entalhadas nas portas feito heras. Abri uma delas em busca do pacote que Elisa dissera ter guardado ali, já que não me permitiram entrar no quarto antes do casamento. Encontrei apenas vestidos. Vasculhei o assoalho, mas ainda assim não achei a caixinha.

Abri a segunda porta, e mais coisas que Ian comprara para mim estavam penduradas e arrumadas com capricho. Franzi o cenho e apalpei as peças em vão. Na terceira tentativa, um pressentimento ruim se apossou de mim conforme eu examinava a vasta coleção de camisolas e penhoares de cetim de cores variadas. Escancarei a última, e meus sapatos faziam fila na prateleira, ordenados pela altura dos saltos.

Dei um passo para trás com o coração batendo rápido até trombar no baú próximo à janela. Levantei a tampa e, além de roupas de cama, encontrei a caixa de veludo verde. Fechei o móvel e deixei o pacote sobre ele, correndo para a cômoda e abrindo as gavetas em um ritmo frenético. Aná-guas, calcinhas, espartilhos, uma coisa esquisita que se parecia com... uma pochete de crochê?

Ergui a peça e a examinei de diversos ângulos. Havia uma espécie de cauda presa a uma das fitas. Que raios era aquilo?

Dei de ombros e guardei de volta, esbarrando os dedos em algo ain-da mais estranho. Uma pequena coleção de esponjas jazia no fundo da gaveta. Eu as analisei, completamente confusa. Havia um barbante preso a elas, bem ao centro. Apertei as esponjinhas macias entre os dedos. Pou-co menores que uma ameixa, só que em formato irregular, eram peque-nas demais para ser usadas no banho.

— O que faz fora da cama assim tão cedo? — perguntou a voz rouca de Ian, me fazendo derrubar as esponjas dentro da gaveta.

Ele se esticou na cama, fazendo a madeira ranger de leve sob seu peso, e esfregou o rosto.

— Onde estão as suas coisas? — perguntei sem rodeios.

— No quarto.

— Não estão! Já olhei tudo. — Abri os braços para o guarda-roupa es-cancarado. — Só tem coisas minhas aqui.

Ian se apoiou nos cotovelos, o lençol deslizou por seu peito nu e se amontoou na cintura estreita.

— Eu quis dizer no quarto ao lado — ele indicou uma porta ao lado do guarda-roupa que até então eu não havia notado.

Meu coração mais parecia uma britadeira conforme eu me dirigia a ela. Alertas luminosos piscavam em minha cabeça quando pousei a mão na maçaneta. Tomando fôlego, eu a girei e, ao abrir a porta, me deparei com uma decoração masculina típica da época: uma cama maciça — mas sem dossel — dominava quase todo o espaço, e uma poltrona negra des-cansava ao lado da janela.

Perturbada, me atrevi a entrar e, sem perder tempo, fui direto ao guar-da-roupa, tão grande quanto o do quarto ao lado. Abri uma das portas, e ali estavam as roupas de Ian. Com a testa franzida, apanhei um de seus casacos.

147

Ian, já vestido com as calças da noite passada, surgiu sob o umbral da porta, passando a mão nos cabelos negros e encorpados.

— Esse é o meu quarto e aquele é o seu. — Ele me puxou para junto de seu peito, enrolando os braços em minha cintura e afundando o rosto em meus cabelos. — Bom dia, minha Sofia.

Por mais que todo o meu corpo se rebelasse contra a ideia — e, ah, a revolta em meu íntimo teria deixado a Inconfidência Mineira no chinelo —, consegui me desvencilhar dele para encará-lo.

— Por que temos quartos separados? — Sacudi o casaco. — Por que todas as suas coisas estão separadas das minhas?

Sua testa franziu.

— As damas normalmente preferem manter a privacidade.

— Bem, pois eu não sou uma dama! — berrei, jogando o casaco nele para provar meu argumento. Ele não esperava pelo ataque, então nem tentou se esquivar. O tecido, ainda no cabide, atingiu seu ombro direito.

Ian tinha um quarto só para ele. Não me queria ao seu lado todas as noites? Mal tínhamos nos casado e ele já me rejeitava?

Droga, eu sabia! Sabia que o casamento faria nossa vida sexual evaporar. As estatísticas nunca mentem.

— Percebo que não gostou da ideia — ele tentou me alcançar, mas eu me esquivei.

— Você é muito perspicaz.

— Sofia... — ele se esticou de novo, mas me afastei de suas mãos. Ian suspirou. — Pare de fugir de mim.

— Ah, quer dizer que só você pode, é?

— Eu não estou fugindo — afirmou, paciente.

— Ainda! Mas veja só, tem um quarto só pra você — fiz um gesto amplo para que ele enxergasse aquele cômodo imenso, completamente mobiliado, que abrigava todos os seus pertences.

Foi a vez dele de se alterar.

— Isso é por você, Sofia, não por mim! Apenas quis preservar sua privacidade.

— E por que diabos você acha que eu ia querer ter privacidade justo aqui? — apontei para a cama. — Uma das razões pra gente se casar tão depressa era pra dormir juntos sem a Madalena encher nosso saco. Mas aí você arruma um quarto conjugado e tem uma cama só pra você. Legal. A gente mal se casou e você já me deixou de lado. Literalmente!

Isso o fez rir e, dessa vez, ele me pegou pela cintura antes que eu pudesse me afastar. Então me envolveu em seus braços e beijou a ponta do meu nariz.

— Não é nenhuma rota de fuga. Este quarto é uma mera convenção. Não tenho o desejo nem a intenção de passar uma noite que seja longe da sua cama.

— Tá vendo? — Lutei para me livrar dele, mas tudo o que consegui foi fazer com que ele me segurasse ainda mais apertado. — *Minha* cama. Era para ser a *nossa*!

— E é — respondeu tranquilo.

— Não se todas as suas coisas estão no quarto ao lado.

Pela expressão dele, percebi que Ian finalmente entendeu meu argumento. Ainda assim, hesitou, me lançando aquele olhar penetrante na máxima potência.

— Eu não quero impor-lhe minha presença, Sofia.

— Você é meu marido, caramba! — bufei, socando o peito dele de leve. — Tudo que é seu deve estar embolado com o que é meu, que nem a gente fez com a nossa vida.

Isso trouxe um sorriso esplêndido ao seu rosto. Ele se abaixou e passou um braço pelos meus joelhos, me pegando no colo e voltando para o quarto em que passamos a noite.

— Gosto dessa palavra. Embolar — disse Ian e, como prova, me colocou na cama e, bom, meio que se embolou em mim. — Mandarei o senhor Gomes providenciar a mudança hoje mesmo, está bem? — Ele correu o nariz pela minha bochecha. — Perdoe-me se isso a entristeceu. Não era a intenção.

— Tudo bem — respondi num sussurro, fechando os olhos e me deleitando com a carícia. — Só quero que suas coisas fiquem junto das minhas. Estou tentando ao máximo me adaptar a tudo, mas aqui no quarto não, Ian. Aqui somos só você e eu, sem rótulos, sem época, nada. Apenas nós dois. No *nosso* quarto.

— Que bom que pensa assim. — Ele mordiscou minha orelha e eu estremeci em seus braços. — Porque não sei ao certo o que faria se você me mandasse dormir longe de você, ainda que fosse por apenas uma noite. Eu enlouqueceria, certamente.

Ouvir aquilo trouxe à tona a lembrança de seus soluços, seu pavor naquela madrugada. Eu o empurrei de leve, para poder ver seus olhos.

— Você tá bem?

— Pretendo ficar, minha esposa. — Ele tentou se inclinar, mas eu o detive.

— Tô falando do que aconteceu na noite passada. Se quiser conversar sobre... você sabe, talvez ajude — terminei meio sem jeito.

Ian soltou um longo suspiro agastado.

— Não há o que dizer. Creio que meu cérebro juntou meus maiores temores, que é perdê-la, caso ainda não saiba, e produziu aquelas imagens terríveis. Falar não ajudará, apenas tornará mais difícil esquecer. Beijá-la, em contrapartida, parece uma técnica muito eficaz... — E dessa vez eu permiti que ele me alcançasse.

Ian começou a se dedicar ao meu pescoço, e eu virei a cabeça para que ele tivesse livre acesso, mas vislumbrei de relance o motivo que me levara a vasculhar as gavetas agora esquecido sobre o baú.

— Espera, Ian. — Apoiei as mãos em seus ombros e o empurrei de leve. Adorei a consternação em seu rosto causada pelo adiamento. Acabei rindo. — É que eu tenho uma coisa pra você.

A surpresa dele foi o que me fez capaz de me soltar de seu abraço tão facilmente. Arrastei-me pelos lençóis e me estiquei para alcançar o pacote. Um pouco apreensiva, voltei para junto dele.

— Toma. — E lhe entreguei a caixa, me sentando sobre os calcanhares. — Seu presente de casamento.

Lentamente, Ian se sentou, analisando o pacote.

— Você o comprou para mim? — Sua testa franziu e as sobrancelhas arquearam num misto de alegria e confusão que tomou conta de sua face.

Não me pergunta. Não me pergunta como paguei. Só aceita, por favor!

— Espero que goste — forcei um sorriso.

Ian ficou observando a tampa fechada da caixa por um momento imensurável. Meus nervos quase entraram em colapso antes de ele erguer os olhos e cravá-los em mim. Aquele brilho prateado quase me cegou.

— Obrigado — murmurou numa voz intensa e enrouquecida.

— Mas você ainda nem abriu — eu ri, tensa. — Pode ser uma fita de chapéu cor-de-rosa.

— E eu a amaria de todo o coração. — Ele voltou a examinar o que tinha nas mãos. — Como eu poderia não amar algo que comprou pensando em mim, Sofia?

— Fico contente em ouvir isso, mas não é uma fita. Abre logo e me diz se gosta.

Ele examinou a caixa com um leve sorriso nos lábios. Parecia um menino que acabara de ganhar sua primeira bola. Eu mordi o lábio e entrelacei os dedos, ansiosa em todos os níveis. A caixinha parecia tão minúscula em suas mãos enormes...

Ian soltou a pequena trava dourada e levantou a tampa.

— Meu amor... — ele disse, sem ar.

A ponta de seus dedos passeou pelo mostrador do relógio aninhado no cetim creme, que fazia o prateado parecer ainda mais cintilante. Com movimentos deliberadamente lentos, Ian desalojou o relógio dali, testando seu peso, sentindo a textura. Então, ele virou o objeto para examinar a parte de trás, traçando o símbolo do infinito com o polegar. Seus olhos dispararam em direção aos meus. E diziam tanto. Perguntavam ainda mais! Minha boca ficou seca.

— Eu... — clareei a garganta. — Eu sei que não é tão vistoso quanto o que você tinha. E também sei que o do seu pai é insubstituível, mas você ficou tão triste quando ele quebrou que eu quis, sei lá, tentar te deixar menos triste. E também porque eu acho que nada mais pode representar o que aconteceu com a gente. É como um coração mecânico. Ele grava a passagem do tempo. Os ponteiros registraram cada dia quando ainda não nos conhecíamos, numa espécie de contagem regressiva. Eles marcaram cada minuto desde que nos encontramos. E agora marcarão cada segundo da nossa vida.

Ian não disse nada, apenas continuou me observando como se enxergasse minha alma.

— T-tinha outros modelos na loja — continuei, insegura —, uns mais chiques, com pedras brilhantes, mas eu pensei que você fosse gostar desse mais simples, porque... porque pode haver beleza na simplicidade, não é? Nem sempre uma coisa enfeitada é bonita. Quer dizer, não que você não mereça algo luxuoso. Você merece! É que às vezes uma coisa mais... comum pode ser atraente. Tipo, mesmo se for diferente das outras e... — engoli em seco. — Ele parecia fora do lugar naquela vitrine, mas aí nas suas mãos parece tão mais bonito.

Eu mordi o lábio para calar a boca. Não sei ao certo se pelo olhar intenso de Ian, que parecia atingir meus ossos, se por medo de que ele compreendesse que eu não falava do relógio ou se porque ele logo se daria conta de que eu não tinha grana para comprar um presente daquele.

— É perfeito — sua voz falhou. — Nunca vi nada tão belo, que se encaixe tão bem em minhas mãos, que seja mais precioso ou signifique mais para mim. — Mas ele ainda me encarava.

Soltei o ar com força, me sentindo mais leve, mas ainda trêmula.

— Ainda bem. Porque não sei se já existe troca nas lojas deste século. — Pisquei algumas vezes para afastar as lágrimas que teimavam em se acumular nos meus olhos.

Ele pousou a mão na lateral do meu rosto, e seu polegar percorreu minha bochecha.

— É o presente mais bonito que já recebi em toda minha vida. — Ele moveu a mão, deslizando-a por meu pescoço até parar no centro do meu peito, sobre o meu coração. — Jamais me afastarei dele — Ian murmurou tão intensamente que fiquei na dúvida se ainda falávamos do relógio.

— Mandei gravar suas iniciais.

— É mesmo? — Ian se aprumou para revirar a peça, abrindo-a com familiaridade, e a aproximou do rosto para ler a inscrição na tampa.

Eu o vi prender a respiração enquanto lia, os olhos ligeiramente mais brilhantes.

— Ah, Sofia! — Ele me puxou para perto e grudou a boca na minha, me beijando quase com brutalidade. Mas de repente me soltou e saltou da cama.

— Não! Volta aqui! — reclamei, arfando.

— Em trinta segundos — Ian riu, esticando a corrente do relógio com destreza e enlaçando-a ao passante da calça. Então colocou o objeto dentro do bolso e as mãos na cintura estreita. — Como estou?

Admirei meu marido dos cabelos negros bagunçados aos pés descalços, me detendo por um longo instante no meio do caminho. Ian era...

— Muito gostoso — suspirei.

A testa dele encrespou.

— Gostoso, como uma comida a ser saboreada? — perguntou um tanto confuso.

Dei mais uma conferida.

— Definitivamente!

Aquele brilho prateado se insinuou em seus olhos e o canto de sua boca perfeita subiu, num claro convite. Que, infelizmente, não tive tempo de aceitar, porque alguém bateu à porta.

Ian resmungou alguma coisa, irritado com a interrupção, e se pôs a procurar a camisa pelo chão. Assim que estava apresentável, foi atender à porta, e uma histérica Madalena entrou no quarto.

— Perdoem-me, meus senhores. Lamento interrompê-los justo hoje, mas eu não sabia a quem recorrer. — Ela corou ao me ver apenas com a camisa e se virou, ficando de costas para mim. — Algo terrível aconteceu!

— Por que não se senta, senhora Madalena? — Ian indicou uma das cadeiras perto da porta.

— Não seria adequado, senhor Clarke.

— Bobagem. Venha — ele pegou a mulher pelo braço, guiando-a gentilmente até o assento.

Saí da cama e, assim que ela se acomodou, me ajoelhei diante dela.

— Por que você tá chorando? O que foi que aconteceu?

— Um terrível engano, senhora Clarke — ela soluçou.

— Sofia — corrigi. — Que tipo de engano?

— Isaac desatrelou os cavalos da carruagem da senhora Cassandra ontem à noite. Os pobres animais estavam fadigados por conta da viagem, e o menino os levou ao estábulo para lhes dar um pouco de água. Mas a senhora sua tia — ela fitou Ian através das lágrimas — não havia dado permissão, e hoje de manhã ela ficou furiosa com o menino por ter feito tudo sem consultá-la. E agora Isaac e o senhor Gomes irão partir, pois a senhora Cassandra demitiu o menino!

153

15

— Senhora Madalena, por favor, acalme-se. — Ian tocou de leve o ombro da mulher em prantos. — Ninguém deixará esta casa. Ao menos nenhum de meus empregados. — Algo perigoso faiscou em seu olhar. — Vou até o estábulo falar com Isaac e desfazer o mal-entendido.

— Fi-fico muito grata, patrão.

Assentindo uma vez, Ian foi para o quarto onde estavam suas roupas e fechou a porta.

— Por que Gomes iria embora com o Isaac? — perguntei a Madalena, alisando a sua mão fria.

Ela secou as lágrimas com a ponta do avental.

— Ora, quem deixaria o filho sair sozinho pelo mundo?

— Isaac é filho do Gomes? — Essa era nova.

— Sim. Ele e a falecida esposa, que Deus a tenha, tentaram a vida toda conceber uma criança, mas foram abençoados muito tarde. A senhora Gomes já era uma mulher madura e não andava bem de saúde. A pobrezinha morreu ao trazer Isaac ao mundo. O senhor Gomes fez tudo que pôde pelo menino, e sonhava em vê-lo servir esta casa quando ele próprio já estivesse velho demais para fazê-lo, mas Isaac só queria saber de cavalos, de modo que o senhor Clarke o colocou para cuidar do estábulo logo que ele teve tamanho para isso. Eles não podem partir, minha senhora. Eles são... minha família!

— Ian não vai deixar. São parte da família dele também. Fica calma, tá?

Madalena meio que riu, meio que soluçou.

— O senhor Clarke tem aquele velho matusquela como um avô. — Ela se levantou de um salto, como se a cadeira estivesse pegando fogo. — Oh, minha nossa, eu preciso preparar seu banho! — alisou a saia longa e fez uma mesura. — Estará pronto em pouco tempo, senhora Clarke. Deseja que lhe traga o café da manhã?

— Sofia! E não quero nada. Você não está...

— Eu jamais deixei de cumprir minhas obrigações — afirmou, empinando o queixo. — Sinto muito por perturbá-la nesta manhã tão... — Seus olhos relancearam a cama bagunçada e ela ruborizou. — Importante.

E, com isso, se retirou. Ian saiu do quarto conjugado quase que no mesmo instante, amarrando a gravata com agilidade.

— Não precisa me esperar para tomar o café da manhã. — E finalizou o nó. — Você deve estar faminta.

— Dá pra aguentar. Vou te esperar.

— Tentarei ser breve, então. — Ele pegou minha mão direita e retirou o anel de safira, acomodando-o em seguida na mão esquerda, com a aliança, esquanto um pequeno sorriso curvava um dos cantos de sua boca.

— Você adora fazer isso, não é? Colocar anéis na minha mão esquerda.

O sorriso se ampliou.

— Nem faz ideia. — Ian plantou um beijo em minha mão e outro em minha testa antes de sair, contudo se deteve sob o batente, retirando o novo relógio do bolso e examinando as horas. — Sofia, precisa de mais dinheiro?

Meu coração deu um salto e quis sair pela boca. Minhas mãos começaram a suar, e tive que me obrigar a continuar olhando para ele e não desviar os olhos, como eu desesperadamente desejava.

— Não. Já resolvi tudo — e torci para que ele acreditasse.

Ian me examinou por um longo instante, e eu podia jurar que ele sabia que eu estava mentido. Contudo, assentiu uma vez, me mostrou os dentes brancos perfeitos e guardou o relógio antes de partir.

Soltei um longo suspiro e me deixei cair na cama. Se ele me pressionasse um pouco que fosse, eu acabaria dizendo a verdade.

A verdade.

Uma sensação muito desagradável na boca do estômago me tirou o fôlego, mas preferi ignorá-la.

Como prometido, Madalena preparou meu banho em dez minutos, e eu me apressei em ficar decente. Meia hora depois, coloquei o primeiro vestido que vi pela frente — um novo, lilás, com botões frontais —, escovei os cabelos e saí à procura de Ian. Àquela altura, ele já devia ter colocado ordem na casa.

— Senhora Clarke, bom dia — saudou Gomes assim que me viu entrar na cozinha.

Suspirei exasperada.

— Ah, seu Gomes, por favor! Não me chame assim. O senhor prometeu ao Ian! Todos vocês prometeram e ninguém tá cumprindo! Nada de senhora Clarke, tá bem?

Ele corou, mas assentiu uma vez.

— Como preferir. Deseja tomar seu café na sala de jantar, senhora Sofia?

Evitei um grunhido. *Senhora* era a parte ruim! Por que ele não percebia isso?

— Agora não, obrigada. Vou esperar o Ian. Madalena nos contou sobre Isaac. Eu sinto muito.

Ele anuiu com a cabeça.

— O senhor Clarke já conversou comigo. De qualquer forma, agradeço sua preocupação.

— Ele ainda tá falando com o Isaac?

— Não. Já conversou com meu filho também. Mas a senhora Cassandra solicitou uma reunião com seu marido pouco depois que ele deixou o estábulo. — Oh, *solicitar uma reunião* não devia ser nada bom. — Eles ainda estão no escritório do patrão. O senhor Clarke não está presente.

Eu franzi a testa.

— Ué, mas você não acabou de dizer que o Ian estava falando com a tia? — Ah, não! Será que Gomes estava perdendo o juízo, como Madalena dissera dias antes?

O mordomo deixou escapar uma risada.

— Estava me referindo ao jovem senhor Thomas Clarke II, senhora Sofia.

— Ah! Aaaaaah! — Certo. Aquilo era meio confuso... — Será que eles ainda vão demorar? Prometi ao Ian que o esperaria pro café, mas tô varada de fome.

— Lamento, mas não sei dizer. Contudo... — ele se inclinou levemente — escutei sem querer parte da conversa quando passava pelo escritório. Pareceu-me que aquela mulher estava insatisfeita com o casamento e decidiu dizer ao seu marido o que pensa da senhora. Pelo que pude ouvir, o senhor Clarke a defendeu com muito fervor.

Fiquei ereta. Aquela mulher metia medo com aquele rosto enrugado e esnobe, mas já estava passando dos limites. Eu não permitiria que ela trouxesse algum tipo de constrangimento a Ian. Eu já fazia isso muito bem sozinha!

— Vou até lá — endireitei os ombros. — Casei ontem e quero tomar o café da manhã com meu marido.

— Como quiser, senhora Sofia.

— Ai, senhora não, seu Gomes! Me chama de... minha cara, minha jovem, mas senhora não, por favor. Me magoa.

Seus olhos cansados se arregalaram, a boca aberta num *oh* mudo, horrorizado.

— Magoá-la? — perguntou ele. — N-nunca tive a intenção de magoá-la, senh... minha cara Sofia. Muito pelo contrário. Perdoe-me se feri seus sentimentos.

— Eu sei que não teve a intenção. Fica tranquilo. Mas pode parar com isso de senhora, tá bem? Não vou achar desrespeitoso. Nem o Ian.

Eu já me virava em direção ao escritório quando o mordomo me chamou:

— Minha cara Sofia — começou, cauteloso. — Espero que a estada da senhora Cassandra seja breve.

Sorri conspiratoriamente.

— Então somos dois, seu Gomes.

Eu pretendia seguir direto para o escritório de Ian, mas acabei encontrando Elisa no caminho. A garota parecia feliz, constrangida, ansiosa e muito, muito curiosa.

— Minha querida irmã! Acordou tão cedo! Pensei que dormiria até mais tarde hoje.

— Quem dera, se sua tia permitisse... — resmunguei.

— Tia Cassandra? O que houve?

Eu lhe expliquei a confusão da madrugada (menos a parte do pesadelo de Ian) e a da manhã. Para minha surpresa, Elisa ficou completamente envergonhada. Como se ela fosse a culpada pela intromissão de Cassandra.

— Oh, eu lamento tanto! — murmurou ela, arrasada. — Mal posso crer que minha tia tenha tido tamanha audácia a ponto de bater à porta de seu quarto em sua noite de núpcias. Até mesmo eu sei que isso é de uma enorme indiscrição.

— Eu dei um jeito — encolhi ombros. — O que me deixou fula da vida foi ela querer demitir o Isaac. Eu não o conheço muito bem, mas gosto do garoto. Além disso, ele é filho do seu Gomes, e eu amo aquele careca.

Minha cunhada riu.

— Ele a ama também, posso lhe garantir. Mas Ian resolveu o mal-entendido?

— Parece que sim. Ele está tendo uma reunião com a Cassandra.

Elisa soltou um delicado suspiro.

— Eu jamais deveria ter enviado aquela carta à titia, avisando sobre o casamento. Lamento tanto, Sofia.

Pousei uma mão sobre seu ombro e apertei de leve.

— Relaxa, Elisa. Parente a gente não escolhe. E ela deve se mandar logo, né?

Elisa inclinou a cabeça para o lado.

— Mandar o quê para onde?

Revirei os olhos.

— Ir embora — expliquei.

— Não sei bem, mas Thomas mencionou ontem durante a festa que deixou negócios pendentes e que não poderá se ausentar por muito tempo.

— Ainda bem! — exclamei, erguendo as mãos para o alto, e com isso fazendo Elisa gargalhar. Dei um beijo estalado em sua bochecha. — Vou falar com seu irmão e já volto. Te encontro na mesa do café?

— Sim. Oh, quase me esqueço. — Ela enfiou a mão no minúsculo bolso preso à saia de seu vestido, retirou dali uma moeda cobre e a depositou na minha mão. — A senhorita Suelen deixou-lhe isto e agradeceu por ter conseguido um pouco do produto.

Com o cenho franzido, fiquei olhando para a moeda em minha palma.

— Suelen entendeu tudo errado. Eu preciso devolver esta moeda a ela.

— Não faça isso, Sofia. Poderá ofendê-la! Ela estava radiante pela honra de compartilhar um de seus segredos de beleza. Ela não sabe que é você quem fabrica o condicionador. Não devolva o dinheiro. Nem é muito, não lhe fará falta.

— Mas...

Gritos femininos agudos ecoaram no corredor e Elisa se encolheu toda.

— É melhor eu ir salvar seu irmão! — eu disse a ela, já suspendendo a saia do vestido, pronta para correr.

— Por favor, vá depressa!

Disparei pelo corredor, mas me detive em frente à porta do escritório para alisar o vestido lilás e passar a mão pelos cabelos. Bati de leve.

— Estamos ocupados. Volte outra hora — resmungou a voz esganiçada da mulher.

— Tia Cassandra! — resmungou Ian e pouco depois abriu a porta.

Seu rosto estava afogueado, as sobrancelhas caídas, quase unidas, mas sua expressão se suavizou ao me ver.

— Desculpe interromper — comecei sem jeito —, mas bateu fome e eu queria saber se você já tá livre.

Ian bufou.

— Quase. E você não interrompe nunca. — Ele tomou a minha mão e se inclinou para depositar um beijo delicado nas costas dela.

— Tá tudo bem por aqui? — sussurrei.

— Não, mas ficará. — Ele se endireitou, me puxando para dentro da sala.

— Senhora Clarke, é hábito seu interromper reuniões familiares? — a tia perguntou, instalada muito confortavelmente na poltrona de couro negro ao lado das tralhas de pintura de Ian. Os cacarecos foram deixados ali por conta da bagunça da troca de quartos, mas eu desconfiava de que não demoraria muito para que fossem levados ao nosso quarto atual. Ian amava pintar.

— Sofia não interrompeu, tia Cassandra — Ian a repreendeu, impaciente. — Ela é parte desta família.

— Infelizmente, devo acrescentar. Lamento que sua negligência vá além do descuido para com a propriedade. Poderia ter feito um casamento mais proveitoso. Sua esposa não é a jovem mais educada que conhecemos, como pôde provar nesta madrugada. Na verdade — seus olhos estreitos passearam por mim —, ela parece quase selvagem.

— Isso é culpa do meu cabelo! — me defendi, passando a mão pelo rabo de cavalo malfeito. — E, se a senhora quer mesmo saber, acho que o problema não sou eu. Eu jamais me meteria na vida de recém-casados ou demitiria gente que nem trabalha pra mim, por exemplo.

— Menina insolente! — gritou ela, se levantando da poltrona. Sua saia volumosa esbarrou no cavalete e quase derrubou a tela em branco. — Como ousa...

— Tia Cassandra — interrompeu Ian, com a voz assustadoramente calma. — Gostaria de lembrá-la mais uma vez que é uma hóspede nesta casa, a casa de *minha esposa*. Então sugiro que repense suas próximas palavras.

— Ian, meu sobrinho amado! — O rosto da mulher ficou branco feito papel. — Como pode falar comigo nestes termos? Não vê que ela está zombando de mim? Eu o alertei ainda há pouco que ela tentaria nos afastar. Não posso ser culpada pelo comportamento dessa...

— Cuidado — avisou ele, encarando-a.

A mulher piscou algumas vezes.

— Só estou pensando no seu bem, querido.

— Agradeço a preocupação, tia Cassandra, mas, como eu disse ao menos três vezes na última hora, sou adulto e capaz de julgar o que é melhor para mim. Não preciso de seu consentimento, tampouco de sua aprovação. Espero que entenda e não se ofenda com isso. Como eu também expliquei, não há nada que a senhora possa dizer que mudará a maneira como me sinto em relação à Sofia.

— Bem... — Ela abriu o leque e começou a sacudi-lo freneticamente diante do rosto chocado. — Se é assim que pensa, creio que encerramos esse assunto.

— Assim espero — respondeu Ian, sucinto.

— Muito bem. Vou encontrar seu primo e então tomaremos o desjejum.

Cassandra fez uma mesura quando passou por Ian, mas me dedicou um tratamento diferente. Um olhar tão penetrante quanto perverso, e tive de lutar para não estremecer e demonstrar fraqueza.

Fechei a porta assim que ela saiu, soltando um suspiro.

— Olha, eu sei que família a gente não escolhe, mas essa sua tia... — No entanto, não pude terminar.

Ian me prensou contra a porta, colando a boca na minha. Era dessa forma que eu tinha imaginado passar minha lua de mel. Em seus braços.

— Desculpe-me por ter demorado tanto — ele disse um tempo depois, acariciando meu queixo com o polegar. — Mas minha tia realmente não sabe quando se calar.

— O que ela queria afinal? Seu Gomes disse que ela *solicitou* uma reunião.

— Creio que pôde captar o conteúdo da conversa — admitiu de má vontade.

Desvencilhei-me dele e gemi.

— Não acredito que ela te chamou aqui só pra me descascar!

Ian me estudou por um momento, parecendo refletir sobre algo importante. Por fim, abriu os braços em um gesto derrotado.

— Desisto. Vou precisar de explicação para essa.

Acabei rindo alto.

— Falar mal de mim. E depois eu é que sou a mal-educada... — Fui me aproximando da janela. Fazia um dia lindo lá fora, fresco e ensolarado, o céu azul sem nuvens, uma perfeita manhã de outono. — Eu sabia que isso ia acontecer em algum momento — murmurei encarando a paisagem rural e cruzando os braços sobre o peito. — Todo mundo já sacou que eu sou diferente e ninguém gosta dos diferentes.

Senti Ian se aproximar.

— Eu gosto. — Ele enlaçou os braços em minha cintura, colando minhas costas em seu peito rijo.

— Você entendeu o que eu quis dizer.

— Não se preocupe com tia Cassandra. Eu deixei bem claro que não admitirei interferências em nossa vida. Agora, se bem me recordo, você estava faminta.

Revirei os olhos.

— Se sua tia me achou mal-educada antes, não quero nem pensar no que ela vai dizer depois que me ver comendo. Teodora ainda se espanta.

Ele deixou escapar uma gargalhada gostosa que aqueceu meu corpo inteiro.

— Então comerei duas vezes mais que você, assim ela não notará seu apetite.

Deixei que ele me conduzisse para a sala de jantar, temendo o que me aguardava à mesa. Cassandra deixara claro que não aprovava o casamento e até tentou, sem êxito, argumentar com Ian. Então agora ela aceitaria o casamento e nos deixaria em paz, certo? Torci para que fosse assim, para que eu tivesse interpretado de maneira equivocada o olhar malévolo de Cassandra ao deixar o escritório...

16

Quando chegamos à sala de jantar, ouvi um suspiro mal-educado. De Cassandra, claro. Elisa também estava por ali, sentada ao lado de Thomas. Eles conversavam animadamente, e o rapaz parecia achar graça em tudo o que ela dizia, ao contrário de Cassandra — mas, até aí, o que é que divertia aquela mulher?

Minha cunhada notou nossa chegada e exibiu as covinhas para o irmão. Thomas se colocou de pé, fazendo uma mesura galante para mim. Cassandra, à cabeceira da mesa, o lugar que sempre pertencera a Ian, se manteve sentada, examinando com desprezo as delicadas xícaras de porcelana pintadas à mão.

— Bom dia — nos saudou Elisa, com um imenso sorriso no rosto perfeito. — Espero que estejam famintos. A senhora Madalena nos preparou um verdadeiro banquete.

— Bom dia, senhor Clarke. Senhora Clarke — cumprimentou Thomas, todo educado. Examinando-o com mais atenção, notei algumas semelhanças entre ele e Ian. A altura, os traços angulosos, no entanto, seus cabelos eram claros, quase loiros, e os olhos exibiam um pálido azul. — Espero que não se incomodem, mas mamãe ordenou que o café fosse servido ainda há pouco.

— Espera-se que os anfitriões estejam à mesa para receber os convidados — cuspiu Cassandra.

Eu estava prestes a soltar um "e a culpa do atraso é de quem?", quando Ian notou que provavelmente eu diria alguma besteira e decidiu intervir.

— Sinto muito pela demora. A culpa foi toda minha. — Ele puxou a cadeira em frente à irmã para que eu me sentasse. — Distraí-me com Sofia.

— É perdoável — Thomas abafou a risada. — Haja vista o quão adorável é sua esposa.

— Que comentário mais inapropriado, Thomas — recriminou-o Cassandra, exibindo uma carranca. — Ainda mais com Elisa à mesa.

— Mas eu concordo com o primo Thomas, tia Cassandra. Minha nova irmã é fascinante.

Ian me lançou um olhar cheio de significado conforme se sentava ao meu lado.

— Sofia é única, Thomas. E até hoje não encontrei uma única alma que resistisse a seus encantos. — Então ele refletiu melhor, fitando a tia de esguelha. — Bem, talvez uma.

Eu revirei os olhos evitando grunhir. Ian era tão exagerado quando o assunto era... bom, eu. A senhora Albuquerque definitivamente não me tinha entre suas pessoas favoritas. Nem o padre Antônio, me lembrei depressa.

— Você está estonteante esta manhã — murmurou Ian, para que apenas eu ouvisse.

— Valeu. — Senti minhas bochechas esquentarem. — Tive uma noite muito boa.

Foi a vez dele de corar, mas um brilho orgulhoso fez seus olhos reluzirem e os ombros ficarem mais largos e eretos.

— Teve muita sorte, Ian. — Thomas partiu um pãozinho doce, mas me encarava com curiosidade. — É raro encontrar uma dama com quem se possa manter uma conversa interessante.

— Thomas! Chega de tanta bobagem! — repreendeu sua mãe, ruborizando. — Há jovens incrivelmente agradáveis em nosso círculo social. Conhecemos as damas mais bem-educadas deste país, não há como qualquer uma delas ser entediante.

— A senhora ficaria surpresa... — resmungou, passando manteiga no pãozinho.

— Já sabem que os Moura pretendem oferecer um baile para tia Cassandra e Thomas? — contou Elisa, animada. — Estão todos muito empolgados com a ideia.

— Aposto que sim. Teodora adora um baile. Ela vai se amarrar. — Mordi uma rosquinha.

— Perdoe-me, senhora Clarke, mas não entendi sua colocação — disse o rapaz que parecia um bocado com Ian, mas sem todo o borogodó do meu marido. Ian era meu marido. Eu ainda não conseguia acreditar nisso. — A senhorita Teodora será amarrada?

Eu ri, assim como fez Ian. Foi ele quem respondeu ao primo:

— Minha esposa quis dizer que a senhorita Teodora ficará feliz em oferecer um baile a você e à sua mãe.

— Uma pena que não poderão comparecer por causa da viagem — lamentou Elisa. — Seria tão mais divertido se Sofia estivesse presente.

E perigoso, eu quis acrescentar.

— Decidimos adiar a viagem, Elisa — Ian contou a ela, me passando uma xícara de café fumegante.

— Valeu — agradeci.

— Ora, meu irmão, mas por quê? Já está tudo preparado, os baús, a comida... Não me diga que adiaram por minha causa! — exclamou Elisa, sem graça.

— Não foi esse o motivo, Elisa — Ian lhe garantiu. — Surgiu um problema no estábulo.

— Mas eu pensei que estivesse tudo em ordem.

— Eu também — suspirei.

Ian voltou a atenção para mim e, no mesmo instante, me arrependi de não ter mantido a boca fechada. Ele também não estava contente com o adiamento.

— Sinto muito se a desapontei. Mas eu preciso fazer o que é necessário. — Ele desviou o olhar para a xícara de café à sua frente.

— Ian, eu não quis...

Então Teodora entrou na sala sem aviso, o rosto afogueado, os cabelos ligeiramente desalinhados. Ian e Thomas se levantaram, fazendo uma mesura. Ela retribuiu o gesto com menos graça que o habitual.

— Desculpem-me por interrompê-los desta maneira — disse ela. — Mas recebi seu recado, senhorita Elisa, e vim o mais rápido que pude!

— Ah, Teodora, não pretendia alarmá-la. Imagino que não tenha sido clara o bastante em meu bilhete. Queria apenas sua companhia. Não era preciso vir tão depressa. Sente-se, por favor, e coma conosco.

Teodora assentiu com a cabeça e se sentou de frente para mim. Então ergueu os olhos em minha direção e sorriu, corando um pouco, como se tivesse feito algo embaraçoso. Ou como se eu tivesse feito, o que era bem mais provável.

— O que foi, Teodora?

— Não parece estar sofrendo — sussurrou ela.

— E por que eu estaria? Acabei de me cas... — Então me lembrei da reação de Valentina com relação à noite de núpcias e tive que rir. — Ah, Teodora, a gente precisa ter uma conversinha um dia desses.

— O que tanto resmunga, senhorita Teodora? — berrou Cassandra.

— Oh, estava apenas elogiando a aparência da senhora Clarke, senhora.

Ian pousou a mão sobre a minha e seu polegar acariciou a parte de dentro do meu pulso, fazendo meus batimentos cardíacos voarem. Aquele sorriso especial, que ele dedicava só a mim, iluminou seu rosto.

— Se me permite a ousadia, senhorita Teodora — Thomas a observava com certo fascínio. — Sua aparência também é muito agradável neste momento.

— Saí às pressas — Teodora respondeu a Thomas, corando de leve. — Creio que meu penteado tenha se desfeito no caminho.

O rapaz avaliou a cabeça da garota com um brilho no olhar.

— Seus cabelos são encantadores — murmurou ele antes de desviar os olhos

— O senhor é muito gentil, senhor Clarke — ela piscou algumas vezes, ajeitando, toda coquete, um cacho que lhe escapava do coque.

Eu agarrei a faca de manteiga e a apertei com força.

— O outro senhor Clarke — Elisa fez com os lábios. — Thomas.

— Ah! — Eu não conseguia entender por que o pessoal do século dezenove gostava tanto de complicar as coisas. Sério.

Cassandra pousou a xícara sobre o pires sem nenhuma delicadeza, atraindo a atenção de todos.

— Acredito que a negligência não deva ser enaltecida, e sim punida — falou ela

Teodora se encolheu na cadeira, abaixando os olhos, e eu quis matar a Cassandra. Os cabelos de Teodora, apesar de ligeiramente despenteados, estavam mais arrumados do que os meus jamais estiveram — exceto no casamento, graças à mágica de Elisa.

— Claro que acredita — resmunguei, pegando a xícara à minha frente.

— Muxoxos deselegantes deveriam receber o mesmo tratamento — alfinetou a mulher.

Tomei um gole de café.

— Eu disse que é claro que a senhora acredita. Ainda bem que é a única. Porque Teodora está linda. Acho até que está mais bonita agora do que quando todos os fios estão em seu devido lugar.

Os olhos da mulher se estreitaram e faiscaram de irritação.

— Não me surpreende que pense assim. É o que nos difere, senhora Clarke. Sempre busquei a perfeição! — O que sem dúvida era um caso perdido, dada a forma como se maquiava, mas achei melhor não comentar. — Não há desculpas para uma dama aparecer em público com os cabelos em desalinho. — E obviamente era para meu rabo de cavalo malfeito que a mulher olhava.

Ian se empertigou ao meu lado.

— Assim como não há desculpas para uma dama apontar supostas falhas alheias diante de uma plateia — disse ele, aborrecido. E, para pôr um ponto-final na conversa, dirigiu-se ao primo: — Como vão os negócios, Thomas? Soube que as sacas de café tiveram um aumento bastante significativo.

Os dois começaram a falar sobre as plantações de Thomas enquanto Elisa e Teodora trocavam olhares.

Madalena entrou na sala, fez uma reverência rápida e nervosa, secando as mãos no avental verde preso à larga cintura. Imaginei que ela quisesse falar com Ian, mas estava enganada.

— Senhora Clarke, perdoe-me por interromper, mas há uma visita à sua espera.

— Sofia — corrigi. — Visita pra mim?

Ela fez que sim.

— Pedi para que aguardasse na sala.

Ian interrompeu a conversa com o primo e me lançou um olhar interrogativo, provavelmente ponderando o mesmo que eu. Quem desejaria me ver no século dezenove se eu não conhecia quase ninguém?

— Bom, é melhor ir ver quem é. — Eu fiquei de pé. — Já volto — avisei a Ian.

Ele assentiu uma vez e, com a testa franzida, ficou me observando deixar a sala.

— Quem é, Madalena? — perguntei quando estávamos no corredor.

— A jovem diz ser amiga da família Albuquerque. Não a conheço, mas a vi ontem na festa.

Não que essa informação fosse de alguma ajuda, já que a vila toda estivera presente.

Quando cheguei à sala, a garota de pouco mais de vinte anos se levantou, e eu tive uma súbita vontade de correr e abraçá-la com força. Ela tinha o mesmo formato do rosto de Nina, ainda que os olhos e a cor da pele fossem diferentes.

— Senhora Clarke — ela fez uma mesura delicada. — Lamento incomodá-la, mas não pude esperar. Tinha de falar com a senhora o quanto antes e temi que partisse em viagem de lua de mel.

— Tudo bem, sem problemas. Mas, por favor, me chame só de Sofia. E você é...

Ela deixou um risinho escapar.

— Perdoe-me. Sou Najla Richa, estou hospedada na casa de meus tios. O senhor Jeremias Estevão, da joalheria? Nós nos vimos brevemente ontem na festa.

Fiz uma careta. Não prestei muita atenção ao redor quando o seu Estevão se aproximou para nos cumprimentar. Estava focada demais no homem, com medo de que ele contasse a Ian sobre a nossa transação. No fim das contas, a preocupação se provou desnecessária. O joalheiro cumpriu nosso acordo e ficou de boca fechada.

— Me perdoa, Najla. Ontem foi muito... tumultuado.

— Não se desculpe, entendo perfeitamente. — Ela juntou as mãos e se pôs a enrolar o que eu pensei ser um par de luvas rendadas. — Falei com a senhorita Suelen ainda agora, na saída da missa e... eu quase não a reconheci, senhora... Sofia. Os cabelos dela estavam lindos como eu nunca os vira antes!

— Ah! — Bastou dar uma rápida olhada na cabeleira de Najla para entender o motivo de sua visita.

— Eu também não tive muita sorte com os cabelos — ela apontou para a longa trança castanha no topo de sua cabeça. Alguns fios rebeldes já começavam a se eriçar. — Então pensei que... se a senhora pudesse...

Eu ri.

— Já entendi. Não precisa ficar tão constrangida. Vou pegar um pouco do condicionador pra você.

O rosto delicado da garota se iluminou como uma noite de Réveillon.

— Oh, eu lhe serei eternamente grata por isso.

Deixei Najla na sala e corri para o quarto. Eu precisava saber a durabilidade da nova fórmula, com os óleos. Madalena havia me ajudado com isso, recolhendo frascos vazios de xampu esquecidos pela casa, e enchi todos eles com o novo creme. Peguei um dos meus vidrinhos experimentais e voltei apressada para a sala. Najla me esperava retorcendo os dedos, mas sorriu extasiada ao fitar o que eu tinha nas mãos.

— Muito obrigada, senhora Clarke! — ela o pegou e abriu a bolsinha, acomodando-o ali dentro. Então retirou uma moeda acobreada e estendeu a mão.

Eu recuei, as mãos erguidas na altura dos ombros.

— Ah, não, Najla. Foi um mal-entendido. A Suelen achou que eu.

— Por favor, não me rechace — implorou, dando um passo à frente, os grandes olhos castanhos suplicantes. — Por favor, senhora Clarke, de sejo tanto ter este produto que meus dedos estão tremendo. Se isso fizer milagres, a senhora me verá muito aqui e não terei coragem de voltar se não puder pagar. Não quero lhe causar prejuízos.

— Mas, Najla, não é um cosmético de verd...

— Por favor! Já estou envergonhada o bastante por visitá-la um dia após seu casamento — ela esticou o braço, prestes a se debulhar em lágrimas.

Muito constrangida, aceitei a moeda, fazendo uma careta.

— Eu lhe sou muitíssimo grata! Nem pode imaginar quanto. A senhora é uma verdadeira dama. Agora vou deixá-la em paz. Aceite meus mais sinceros votos de felicidade. — Ela se inclinou de leve, e antes que eu pudesse mudar de ideia ou explicar alguma coisa, Najla passou correndo pela porta e desapareceu de vista.

Observei a moeda em minha palma. Não era o que eu pretendia, mas até que viera a calhar. Revirei a saia até encontrar o bolso e a guardei com a que Elisa me entregara mais cedo. Podia usar as duas para pagar uma pequena parte da dívida com seu Estevão. Já era um começo.

Voltei para a sala de jantar, mas encontrei apenas as mulheres. Uma atmosfera tensa se formara. Elisa estava inquieta. Meu coração deu um salto.

— O que aconteceu? Cadê o Ian? — perguntei preocupada.

— Ele e Thomas foram ao estábulo — disse Elisa. — Houve uma complicação com uma das éguas prenhas. Isaac veio avisar. O potro morrerá se não nascer logo!

Saí apressada pela porta da cozinha e desci até o estábulo com a saia do vestido levantada. A cada impacto de meus pés contra o solo duro, eu me amaldiçoava por não ter usado tênis no casamento da Nina, conservando assim meu precioso All Star surrado quando consegui voltar para Ian.

Os empregados amontoavam-se ao redor do cercado, enquanto Thomas olhava a certa distância. Os animais nas baias pareciam sentir que alguma coisa estava errada. Storm era o mais agitado de todos.

Eu me espremi entre eles até conseguir vislumbrar Ian ao lado da égua. Seu casaco havia sumido, e as mangas da camisa estavam enroladas até os cotovelos. Ele mantinha uma distância pouco segura para o meu gosto, dando comandos tranquilizadores ao animal. De repente a égua dourada se deitou de lado, sua imensa barriga subia e descia, em contração, enquanto ela tentava girar as patas para que ficassem para cima. Ian não perdeu tempo e se colocou às costas dela. Dei um passo à frente, preocupada.

Uma mão pesada pousou em meu ombro. Girei a cabeça, e Thomas sacudia a sua.

— Ele sabe o que está fazendo.

Assenti uma vez e tornei a observar a cena. Aquele animal estava tão fraco que dificilmente teria forças para ferir Ian. E, além disso, Thomas tinha razão, Ian sabia o que estava fazendo.

170

— Vamos lá, Princesa — disse meu marido, alisando a barriga inchada com as duas mãos de um jeito tão aflito, que fez meu coração doer também.

Como se o compreendesse, Princesa deu tudo o que tinha de si, e então uma coisa branca surgiu no... bem...

— Perfeito! — comemorou Thomas, baixinho.

Sem perder um segundo, Ian se reposicionou, fincando um dos pés sob a coxa traseira do animal para alcançar duas patas magras e um focinho que saíam do... humm...

Tudo bem, eu devia ter achado aquilo tudo nojento, sei que devia, mas não pude. Ian estava concentrado, tão seguro de seus movimentos, que só pude observar, fascinada, ele puxar as patinhas finas, ajudando aquela nova vida a superar seu primeiro obstáculo.

O recém-nascido caiu no chão, e Isaac gritou um "Isso, patrão!". Então Ian imediatamente rasgou a bexiga esbranquiçada que envolvia o animalzinho. Uma meleca estranha se espalhou pela terra, mas meu marido nem deu importância. Continuou espremendo o focinho do potro até ele sacudir a cabeça e resfolegar de leve.

Vi um sorriso deslumbrante, presunçoso, brotar no rosto de Ian enquanto ele contemplava o potrinho, mas então ele rapidamente voltou sua atenção para a égua ainda deitada, procurando a pulsação em seu enorme pescoço. Um suspiro de alívio fez seu peito se expandir. Dando alguns passos para trás, Ian ficou observando a égua cheirar o filhote, como se estivesse dando espaço e privacidade àquela nova família. Contudo, por sua postura, eu podia dizer que estaria pronto para ajudar ao menor sinal de problemas.

— Ian sempre teve talento para cuidar dos animais — falou Thomas, impressionado. — É incrível como ele parece saber o que sentem. É como se falassem a mesma língua.

Meu queixo caiu e meus olhos se arregalaram conforme a compreensão me atingia.

Ian não era apenas um criador, um treinador e amante dos equinos. Ele também *cuidava* dos cavalos! Como foi que não percebi isso antes?

Sentindo que era observado, Ian girou a cabeça, e nossos olhos se encontraram. Ele ficou admirado ao me ver ali, mas, por algum motivo, estava aborrecido. Com passos firmes, cruzei o espaço que nos separava. Ele se adiantou e, sem me tocar, me levou para o lado.

— Não a vi chegar. Não devia estar aqui.

— Fiquei preocupada. E você tinha coisas mais importantes pra fazer. Você foi maravilhoso, Ian! Tão incrível! Nunca tinha visto um animal nascer. — Até onde eu sabia, eles já vinham prontos de pet shops. — Por que nunca me disse que é veterinário? — Ele franziu a testa daquele jeito que eu conhecia tão bem. — Um médico de animais — me apressei em consertar.

— Eu não sou. Soube que há tais médicos na Europa, mas infelizmente não sou um deles.

— Então você engana muito bem.

Eu tentei tocá-lo, mas Ian se afastou.

— Estou todo sujo — explicou, exibindo as mãos cobertas de gosma. — Aprendi a lidar com os cavalos muito cedo, meu amor. Creio que já vi quase tudo, e acabei ganhando experiência para contornar as dificuldades. Na maioria das vezes, ao menos. E a sua visita? — ele quis saber.

— Era a sobrinha do seu Estevão da joalheria. Najla. Ela só queria... — Se eu lhe contasse o que a sobrinha do joalheiro queria, teria de mencionar Suelen e as duas moedas que tilintavam levemente em meu bolso. E, por consequência, acabaria falando da dívida com seu Estevão. Eu não queria que ele soubesse que me recusei a usar seu dinheiro. De novo. — Nos desejar boa viagem.

— Por que você desviou o olhar? — murmurou ele, em um tom doce e preocupado ao mesmo tempo.

Reprimi um sobressalto, mas não pude fazer nada quanto à gagueira. Droga, eu era péssima em esconder as coisas dele.

— Por na-nada! Só... fiquei impressionada com o nascimento do cavalinho. Eu nunca tinha visto um antes. É bem mais gosmento do que eu tinha imaginado.

Fiz força para manter contato visual e tentei não retorcer as mãos. Ele me examinou com atenção por um instante. Pareceu acreditar.

— Bastante gosmento — concordou, olhando para suas roupas sujas. — E estou coberto dessa gosma. Preciso de um banho.

— Tudo bem, mas seja rápido. Tenho planos.

— Que espécie de planos? — um dos cantos de sua boca se elevou.

— Um que envolve apenas você e eu longe daqui. Sua casa anda muito cheia.

A diversão em seu rosto desapareceu lentamente, sendo substituída por alarme. Ele ergueu a vista para o céu, como se procurasse algo ou pedisse ajuda. E foi ali que eu soube. Alguma coisa ia mal, e ele não pretendia dividir suas preocupações comigo. Ian escondia algo importante de mim.

17

Enquanto Ian se arrumava, vasculhei a memória à procura de sinais, ou ao menos de uma pista do que pudesse estar preocupando Ian daquele jeito. Exceto meu quase atropelamento, não encontrei mais nada. Por isso decidi que arrancaria dele o que quer que fosse durante o piquenique que eu havia planejado, nem que para isso eu tivesse de... não olhar para Ian e assim não me deixar seduzir por aqueles olhos indecentemente brilhantes.

Eu estava na cozinha — que ainda não voltara ao normal — esperando-o terminar o banho, e Madalena e Gomes, com a ajuda de mais dois empregados, tentavam colocar ordem no lugar e não me deixavam chegar perto de nada por motivos de segurança — ninguém nunca me permitiria esquecer o episódio das rolhas. Sendo assim, Madalena se ofereceu para preparar a cesta com guloseimas para o piquenique, mas, antes disso, ela e Gomes se puseram lado a lado em posição de sentido. Os dois empregados, Sebastião e Vitório, fizeram o mesmo. Os quatro ficaram me olhando em expectativa.

— O que foi? — eu quis saber.

— Estamos prontos para receber suas ordens, senhora Cl... — começou Madalena, mas Gomes lhe deu uma leve cotovelada. — Patroa.

— Como deseja que a casa funcione de agora em diante? — o mordomo ajudou.

— Ah! — Os ofícios da senhora Clarke. Depois de hesitar e ponderar qual seria a melhor estratégia a seguir, soltei, numa voz firme: — Muito bem, eu quero que todos vocês façam tudo *exatamente* igual ao que sempre fizeram. Sem tirar nem pôr.

Até que não foi tão difícil assim.

— Mas, senhora Clarke... — Madalena interveio.

— Sofia — suspirei desanimada.

— Patroa — ela recomeçou. — A senhora deve nos dizer como deseja que a casa seja administrada. O que planejou para as refeições? Se desejar, pode me passar um cardápio, e eu a atenderei da melhor maneira possível.

— Quero que continue fazendo o que sempre fez. É tudo uma delícia, Madalena.

Ela bufou.

— A senhora precisa especificar!

— Tá bom, se eu quiser pizza toda sexta, você faz?

— Pizza? — ela perguntou, coçando o braço. — Desconheço esse prato, mas, se a senhora me disser como é preparado...

— Nem adianta. Eu não sei nada de cozinha. Tá vendo? É melhor continuar seguindo o cardápio de antes.

— E quanto ao restante? A patroa precisa dizer alguma coisa, nos dar ordens. É a sua obrigação! — ela choramingou.

Parecia importante para ela e para os outros que eu lhes delegasse alguma tarefa. Eu me sentei na parte de baixo do fogão à lenha, refletindo.

— Já sei! Quero que passem as coisas do Ian para o meu quarto.

A boca de Madalena se escancarou na mesma proporção que os olhos de Gomes.

— A senhora não gostou da forma como arrumei o quarto do patrão? — Madalena quase chorou.

— Não! Quer dizer, sim! — sacudi a cabeça. — Quer dizer, eu adorei, Madalena, o quarto ficou lindo, mas tá errado. Ian me contou que é costume por aqui o casal ter quartos separados e tudo mais, mas de onde eu vim não é assim que funciona. As coisas do meu marido e as minhas vão ficar em um único quarto. O *nosso*.

— Mas, senhora, o quarto não acomodará todas... — começou Gomes, ao mesmo tempo em que Madalena soltou:

— Não tem cabimento o patrão dividir as gavetas com as suas necessidades femininas. Seria indecoroso!

— Um ultraje! — completou Gomes.

— Vocês estão falando daquela pochete? Aquilo que parece uma bolsinha, só que de crochê, com umas fitas de cetim e tipo uma cauda, ou daquelas esponjinhas?

— Virgem Santíssima! — murmurou Gomes, chocado, o rosto adquirindo um esquisito tom roxo. Sebastião e Vitório se entreolharam e começaram a rir, tentando disfarçar a diversão com crises de tosse.

— Nem mais uma palavra, senhora Clarke! — Madalena escondeu o rosto corado no avental enquanto Gomes fazia uma reverência apressada e empurrava os dois empregados para fora da cozinha gaguejando um "co-co-com licença".

Fiquei olhando eles desaparecerem sem entender nada, contudo algo me dizia que eu tinha falado alguma coisa inapropriada. Ou muitas coisas, dado o rubor que se espalhava pelo rosto e pescoço da governanta. Eu podia jurar que, se fosse possível, até os cabelos de Madalena estariam ruivos àquela altura.

Eu estava pronta para lhe perguntar o que eu havia dito de tão errado quando Ian entrou na cozinha com os cabelos ainda úmidos, uma camisa limpa sob o casaco.

— Estou pronto, meu amor — anunciou e então se deteve, olhando para a governanta. — Aconteceu alguma coisa, senhora Madalena?

— Na-não, patrão. — A mulher deixou cair o avental e voltou a trabalhar na cesta de palha.

Ian a examinou mais atentamente, percebendo o tom escarlate da mulher, então seus olhos voaram imediatamente em minha direção.

— Não me pergunta. Estou tão perdida quanto você — me defendi. — Acho que eu disse alguma coisa errada, só não sei bem o quê.

Ian reprimiu uma risada.

— A respeito de que falavam? — ele quis saber.

— Sobre...

— Sofia! Nem mais uma palavra sobre isso em minha cozinha! — Madalena chiou, batendo o pé. Aquela foi a primeira vez que ela me chamou pelo nome. Ainda sem entender o que tanto a enfurecera, me peguei pensando que deveria irritar Madalena com mais frequência.

— Humm... — Meu olhar passou dela para Ian. — Acho melhor deixar o assunto pra lá.

— Certamente — a mulher concordou.

— Avisa a Elisa que não voltaremos pro almoço — pedi a ela.

— Não? — perguntou Ian, hesitante. Havia um pouco de tensão em seu rosto. — Vamos nos ausentar por quanto tempo?

A reação dele não havia sido a que eu esperara. Ian não se animou, não correu comigo porta afora. Na verdade, tive a impressão de que ele procurava uma maneira de me convencer a esquecer o piquenique. O que estava acontecendo?

— O resto do dia. A gente volta antes de escurecer. Agora vamos antes que sua tia apareça e mele nosso passeio.

Ele se deixou arrastar pelo piso áspero, ainda que relutante, e, com o rosto branco feito cera, aceitou a cesta que Madalena lhe ofereceu.

— Se a tia dele der ordens descabidas, finja que não ouviu — eu avisei a ela.

— Sim, senhora Clarke.

De mãos dadas com ele, eu o fiz correr para chegarmos logo ao estábulo, temendo que ele encontrasse uma forma educada de recusar meu convite. Storm, o cavalo que era um amigo para mim, estava selado e impaciente à nossa espera.

— Onde pretende me levar? — perguntou ao me acomodar na sela e dar uma olha para o céu azul, sem nuvens. Então me entregou a cesta antes de montar com aquela elegância que sempre me causava admiração.

— Não sei ainda. Vou deixar Storm decidir.

— Sofia, não tenho certeza se é uma boa...

— Vamos, Storm — dei tapinhas no pescoço do cavalo, que começou a se mover.

Ian passou um braço bem firme pela minha cintura e, com a outra mão, segurou as rédeas, apenas por hábito. Meu senso de direção nunca foi lá essas coisas, então demorei um tempo para descobrir nosso destino. Um dos meus lugares preferidos na fazenda, mas que, devido à loucura dos preparativos para o casamento, visitamos poucas vezes.

O riacho.

Ian hesitou quando chegamos, olhando ao redor como se esperasse que um tiranossauro saísse detrás das moitas gritando *buuuu*!

— Meu amor, creio que estamos longe demais. Não prefere fazer o piquenique em casa? — sugeriu esperançoso.

— Um piquenique no meio da sala com a sua tia reclamando de qualquer coisa? Não, obrigada.

— Poderíamos fazer no escritório, ou talvez em seu quar... — Estreitei os olhos. Ele se corrigiu, clareando a garganta: — No nosso quarto.

Segurei a cesta com as duas mãos, estudando sua expressão.

— Por que é que você não quer ficar sozinho comigo, Ian?

— Meu Deus, Sofia! Como pode pensar um absurdo desses? — ele esfregou a testa. — É tudo que quero, apenas temo que chova e você acabe se resfriando outra vez.

Ah! Agora aquela olhada que ele tinha dado para o céu um pouco antes fazia certo sentido. Eu pegara um baita resfriado em meu primeiro baile, depois de passar boa parte da noite debaixo de chuva. Ian quase enlouquecera de preocupação.

— É só isso, então? — Ele não estava escondendo nada. Estava apenas preocupado com a minha saúde. O alívio varreu meu corpo.

— Claro que sim. — Ele tomou a cesta das minhas mãos enquanto me beijava, criando aquela bruma de confusão em minha cabeça. — Adoro sua companhia e não tenho a intenção de dividi-la com ninguém. Apenas me preocupo com sua saúde. Se o que deseja é estar aqui, então vamos ao piquenique, mas ao menor sinal de nuvens...

— Ok, ok — interrompi, erguendo as mãos e rindo. — A gente volta pra casa voando.

— No mesmo instante — emendou ele, muito sério.

— Mas você sabe que tá exagerando, não sabe?

— Não vejo como me preocupar com a sua saúde possa ser um exagero. Na verdade, creio que eu me preocupo mais com isso do que você mesma.

Ele estendeu a toalha no chão, perto da margem, e acomodou a cesta numa das pontas, para que o tecido não fosse levado pelo vento. Estávamos em maio, a temperatura já havia caído, e eu sabia bem como aquela água podia congelar os ossos, mas, mesmo assim, estava empolgada com a ideia de mergulhar nela com Ian ao meu lado. De preferência sem tanta roupa. Para nossa segurança, é claro. Não que eu estivesse doida para vê--lo sem tanto tecido nem nada disso.

Mas, em vez de começar a *festa*, por assim dizer, Ian me fez sentar sobre a toalha e me serviu um pouco de vinho. Depois investigou o conteúdo da cesta, retirou uma tábua, uma faca pequena, desembrulhou o queijo redondo de uma toalhinha branca e se pôs a picar quadradinhos perfeitos. Storm pastava ali perto.

— Isso é o mais próximo do paraíso que consigo imaginar — falei, erguendo o rosto para o céu e deixando o sol aquecer a minha pele.

— Eu discordo, e acho que já sabe disso. — Ele estendeu a mão para colocar um pedacinho de queijo em minha boca. Era delicioso.

— Você entendeu o que eu quis dizer. Apenas você e eu, sem ninguém se metendo na nossa vida ou batendo na porta do nosso quarto no meio da noite.

Ele se deteve e soltou um longo suspiro.

— Sofia, eu realmente lamento pelo comportamento de minha tia. Quando Elisa enviou o convite, jamais imaginei que ela pudesse aceitar. Ela e Thomas moram muito longe, e tia Cassandra vive reclamando de dores nas juntas. Deduzi que a viagem seria demais para ela. Mas, infelizmente, me enganei.

— Ela foi casada com o irmão do seu pai?

Ele fez que sim.

— Thomas, assim como o filho, era o irmão mais velho do meu pai.

— E a Cassandra sempre foi assim tão... insuportável?

— Desde que consigo me lembrar — ele cravou a faca na tábua. — Meu pai gostava muito de visitar o irmão, obviamente, desde que tia Cassandra não estivesse por perto.

Eu ri.

— Então seu pai era um homem de muito bom senso.

— Era sim. — E atirou um quadradinho de queijo na boca. — E bastante paciente também. Quando tia Cassandra resolveu passar uma temporada conosco, logo depois de ficar viúva, meu pai quase enlouqueceu. Esteve em via de chamar o cocheiro e colocar tia Cassandra dentro da carruagem à força, mas minha mãe conseguiu dissuadi-lo, e, por fim, ele sentiu pena da cunhada e suportou todos os seus desmandos por quase cinco meses.

— Só espero que desta vez ela não pretenda ficar tanto tempo. — Beberiquei o vinho. — Quantos anos você tinha na época?

— Onze. Thomas é um ano mais velho. Deixamos a criadagem em pânico. — Um brilho travesso iluminou seus olhos.

— E eu aqui pensando que você já tinha nascido um cavalheiro... — sacudi a cabeça. — Nos últimos tempos descobri que você foi uma criança terrível, propensa a se machucar, e que chutava o balde na balada.

Sua testa vincou.

— Perdão?

— Bebia demais em festas e bailes — expliquei.

— Não foram tantas vezes assim. Apenas alguns deslizes. O senhor Gomes foi de muita ajuda nessa época. E a senhora Madalena...

— Quase arrancou seu couro? — arrisquei.

— Algo assim — ele riu. — E, pelo olhar dela pouco antes de sairmos, estava prestes a arrancar o seu também.

Fiz uma careta, repousando sobre os cotovelos.

— Eu sei. Ela até me chamou de Sofia! Só não sei bem o que fiz de errado. Pedi para ela e o seu Gomes levarem suas coisas para o nosso quarto, e aí eles surtaram.

Ian inclinou a cabeça.

— Entendo que não é o costume, mas me parece uma reação exagerada.

— Eu também achei. Ah, eu perguntei também sobre uma bolsa esquisita e umas esponjinhas que encontrei numa gaveta da cômoda.

Ian engasgou, quase cuspindo o vinho.

— Você perguntou o *quê*?

— E aparentemente eu não devia.

Ian começou a gargalhar, e, por mais que eu adorasse vê-lo daquele jeito, relaxado e feliz, meu rosto esquentou. Eu amava ouvir a risada dele, me aquecia por dentro e por fora, mas naquele momento não foi assim. Eu me senti envergonhada, sem graça e fora de lugar.

— Imagino quanto o senhor Gomes... Meu Deus, Sofia! — exclamou ele entre risos.

Minhas bochechas arderam ainda mais, e desviei o olhar para meus sapatos baixos inacreditavelmente desconfortáveis.

— É muito chato alguém ficar rindo à sua custa quando você não tem ideia do que fez de errado. — Eu me sentei, abraçando os joelhos.

Ian parou de rir no mesmo instante.

— Perdoe-me, meu amor. Lamento muito. — Ele alcançou a minha mão e beijou o dorso. — Não tive a intenção de zombar de você. De maneira alguma. Apenas achei a situação... engraçada. Gostaria de ter visto a cara de meu mordomo quando abordou tal assunto.

— Qual assunto?

— As esponjas femininas — ele falou sem jeito.

— Que servem para... — instiguei.

— Bem... são usadas para... — clareando a garganta, ele desviou o olhar para sua taça. — No caso de... hã... quando um casal não deseja ter filhos imediatamente, a mulher faz uso das esponjas.

— Jura? De que jeito?

Foi a vez dele de corar. Corar muito!

— Pelo que ouvi dizer... — começou, muito embaraçado. — Embebendo a esponja em vinagre.

— Tipo uma simpatia ou coisa assim? Coloca as esponjas no vinagre e a mulher não engravida?

Ian coçou a cabeça, olhando para os lados, parecendo louco para mudar de assunto.

— Bem... não exatamente. Para ter eficácia, a esponja deve... Veja bem... É necessário que exista uma barreira para que as... sementes não criem raízes e... a esponja serve para isso.

Meus olhos ficaram do tamanho de um pires enquanto eu me lembrava das esponjas com mais detalhes. O cordão amarrado ao centro. Longo e duplo, parecido com um...

Ah. Meu. Deus.

— Você quer dizer que devo colocar aquilo encharcado de vinagre *dentro* de mim? — Ah, não. Não mesmo. De jeito nenhum! Havia um limite para tudo, e aquele era o meu.

— É o que as damas utilizam quando não querem gerar um herdeiro — Ian deu de ombros, voltando a picar o queijo.

— Mas isso é um absurdo! A taxa de eficácia deve ser ridícula de tão... *ridícula!* — resmunguei revoltada. — Eu não vou usar as esponjas, Ian.

— Não é obrigatório. Mais vinho? — ele ergueu a garrafa.

— O que você quer dizer com não é obrigatório? Que a gente devia ter filhos, tipo, já?! — perguntei em pânico, estendendo a taça.

Tudo bem. Ter filhos era o meu limite. Como uma mulher poderia engravidar ali naquele fim de mundo sem recursos médicos? Por causa de uma simples sutura me drogaram com heroína. Uma cesariana devia ser quase impossível, o que só deixava a alternativa aterrorizante, cheia de gritos e muito sangue de o bebê sair pelo mesmo orifício por onde entrou. E *isso* estava completa e totalmente além dos meus limites.

Não que Ian precisasse saber de nada disso.

Esvaziei minha taça.

— Ian, eu... — comecei, cautelosa. — Eu ainda preciso me adaptar melhor a tudo isso, aprender a cuidar de mim primeiro, para depois pensar em... Eu não...

— Pode, por favor, tentar relaxar um pouco? Eu não quis dizer nada disso. Negligenciei meus negócios por muito tempo, e agora estou soterrado em trabalho. Muito ainda tem de ser feito antes de aumentarmos nossa família.

Aquilo me surpreendeu. Ian estava sendo franco, não restava dúvidas. E o fato de ele não estar planejando uma gravidez me deixou aliviada, porém o restante de sua explicação fez meu cérebro trabalhar depressa e entender o que ele realmente estava dizendo.

— Você não estava mentindo — falei sem pensar. — Você está mesmo cheio de trabalho e problemas, por isso não podemos viajar agora.

Tudo bem, confesso que não acreditei nele quando disse que nossa lua de mel seria adiada por problemas no estábulo. Como é que eu poderia acreditar? Na véspera do nosso casamento, tudo estava em ordem, e no dia seguinte não estava mais? Mas, droga, ele tinha sido sincero! Problemas acontecem da noite para o dia, certo? Ele não desviara o olhar quando me contou sobre o adiamento por estar escondendo alguma coisa de mim. Não, longe disso. Ele não me olhara nos olhos por vergonha. Ian estava em dificuldades financeiras!

E ele não precisava me dizer — e eu podia apostar minha vida que jamais diria — que eu fora a culpada por seus prejuízos. O período em que fomos forçados a nos separar, logo depois de nos apaixonarmos loucamente, fora terrível para nós dois. Eu não fiz nada além de procurar um jeito de voltar para ele, e Ian passara os dias trancafiado em seu quarto na companhia de uma garrafa de conhaque. Ele abandonara os negócios por mais de dois meses. Um nó na boca do meu estômago fez minha cabeça girar.

— Não, eu não estava — ele respondeu, se concentrando muito na taça na qual servia mais vinho.

— Por que não me contou antes? — murmurei.

Ele me entregou a bebida e, por fim, ergueu os olhos.

— Não quis perturbá-la com assuntos enfadonhos. E não há razão para me olhar desse jeito, Sofia. Está tudo bem.

— Você teve prejuízos, não teve?

Com um suspiro aborrecido, ele respondeu:

— Alguns, mas nada que eu não possa suportar.

— Ai, que droga, Ian! Você comprou meio mundo pra mim, deve ter gastado uma fortuna com o casamento, isso sem falar na conta do telhado da igreja que será astronômica, aposto! — E eu ainda comprei o maldito relógio, que seria pago com as economias da casa. Merda. — Por que não me avisou que estava em dificuldades?

— Não estou em dificuldades! E pare de pensar que meus prejuízos estão relacionados a você. Ninguém me obrigou a abandonar meus negócios. Foi uma decisão minha, Sofia. — Ele nem ao menos piscou para responder, exatamente como eu sabia que faria.

— Decisão sua o cacete! — Tentei me levantar, mas ele me impediu, passando um braço pela minha cintura, me prendendo a ele. Nós nunca chegaríamos a um consenso, percebi pela forma teimosa como ele erguia o queixo. Descansei as mãos em seus ombros. — E agora, o que faremos? Precisamos fazer alguma coisa! Cortar gastos, reduzir custos onde der... Ei! Posso te ajudar com isso, não quero me gabar, mas sou muito boa com números.

Ian sorriu.

— Fico muito grato por sua preocupação, mas, eu já disse, não é nada. Não permitirei que lhe falte coisa alguma.

— E você acha que é com *isso* que estou preocupada?

— Eu sei — ele soltou o ar com força, focando o olhar no meu. — Ouça-me, Sofia, não se preocupe com o nosso futuro. Não há razão para tal desperdício de tempo. Apenas confie em mim. — Ele ergueu uma das mãos e afastou alguns fios de cabelo que me caíam no rosto.

— Mas, Ian...

— Não quero passar a manhã de hoje discutindo sobre finanças, filhos ou minha tia — atalhou ele. — O que quero é esquecer o restante do mundo e me concentrar em você. Somente em você. Pensei que esse também fosse o seu objetivo.

Àquela altura foi tão difícil formular um pensamento com ele me olhando daquele jeito, me abraçando daquela maneira...

Porém, de algum modo, consegui perguntar:

— Promete que vai me manter a par de tudo daqui pra frente? — Brinquei com as lapelas de seu paletó.

— Prometo. — Ele abaixou a cabeça e pousou um beijo delicado na ponta do meu nariz. — E lhe asseguro que tudo ficará bem. Apenas confie em mim — pediu de novo.

Eu soltei um longo suspiro. Confiava completamente em Ian. Era em mim que não dava para confiar. A ideia de comprar o relógio tinha sido péssima, no fim das contas. Se eu pretendia ajudar meu marido a economizar, como poderia arrumar dinheiro extra para pagar o joalheiro?

Percebendo minha inquietação, Ian se empenhou em afastá-la da minha cabeça usando uma técnica muito eficaz (que consistia em beijos lentos e molhados distribuídos pelo meu ombro e pescoço), e não demorou muito para que uma névoa recobrisse meu cérebro afugentando qualquer pensamento que não fosse ele.

Seus dedos brincaram com um botão do meu vestido, abrindo-o. E depois mais um. E outro. Eu fiz o mesmo com sua camisa, embora sem tanta gentileza, e me livrei dela e do casaco rapidinho, passando-os por seus ombros bem torneados, e em seguida me atirei sobre ele. Um calor súbito se inflamou dentro de mim.

— Meu amor, não creio que possamos fazer isso aqui, em plena luz do dia — ele argumentou com os lábios colados aos meus, mas uma de suas mãos encontrou o caminho por dentro do meu decote, então achei que não tinha problema ignorar seu comentário.

Ian não se opôs mais, em vez disso, inverteu nossas posições, para que eu ficasse por baixo dele. Então nossas peças de roupas foram saindo — as minhas voando —, até que de repente éramos apenas nós dois, sem barreiras, naquele mundo de faz de conta.

Sem motivo algum, Ian se retesou e parou o que estava fazendo em minha barriga.

— Vem vindo alguém — murmurou ele, saindo de cima de mim.

— O quê? Agora? — perguntei, zonza, me apoiando nos cotovelos. A brisa fria tocou minha pele nua, levando embora o calor de Ian. — Tem certeza? Não tô ouvindo nada.

— Tenho. Depressa, vista isso! — ele jogou o vestido em minha direção e as saias cobriram minha cabeça. Puxei a peça e soprei os fios de cabelos que atacaram meu rosto.

E só então ouvi o som de patas pesadas em ritmo acelerado, cada vez mais perto. Ian ainda lutava para entrar em suas calças. Eu fiquei de pé no mesmo instante, procurando o buraco para passar o vestido pela cabeça. Eu já podia ouvir o resfolegar do cavalo agora. Abandonei a roupa.

— Não vai adiantar, Ian! — Peguei sua mão e o puxei para a margem do riacho.

— Sofia, não. Precisamos...

— Não vai dar tempo!

Ele gritou quando o empurrei na água e pulei logo atrás. A temperatura era quase congelante, me deixando com a sensação de que mil agulhas perfuravam minha pele. Subi até a superfície, alisando os cabelos para longe do rosto, e procurei Ian. Ele emergiu logo atrás de mim, mas, em vez de estar furioso como eu temia, ele ria.

— F frria! — gemi.

— Para caralho! — rebateu.

Eu me espantei, mas menos do que da primeira vez em que o ouvi proferir um palavrão. Ian tinha uma bela biblioteca e uma incrível coleção de Bocage. Peguei alguns exemplares emprestados sem que ele soubesse, já que Ian não queria que eu os lesse — e, sério, Bocage deve ter nascido na época errada, porque seus textos tinham tantos palavrões e obscenidades quanto as conversas do Rafa. E, para falar a verdade, fiquei espantada com o realismo das gravuras. Eram lindas, e, pelos desenhos, imaginei que fossem uma distração masculina, tipo uma *Playboy* do século dezenove.

Ian chacoalhou a cabeça, antes de correr as mãos pelos cabelos. A massa negra se tornou quase azul, os pelos macios em seu tórax brilhavam como se minúsculos diamantes estivessem incrustados ali, os pequenos mamilos arrepiados de frio. E havia ainda os bíceps extraordinários, enrijecidos e expostos, e, bom... meu cérebro meio que entrou em curto. Eu tinha algo para fazer, algo importante, mas não conseguia lembrar. Só fiquei ali, admirando aquele homem lindo, ensopado, nu e todo meu. Eu devia ter feito algo realmente formidável para merecer um cara como Ian. Alguma coisa como ter inventado a energia elétrica.

— Sofia, o que está olhando? — murmurou inquieto, me tirando do transe. Com duas rápidas braçadas, ele me alcançou.

— Tô chocada por você ter dito "caralho". Bocage de novo? — perguntei.

— Não posso acreditar que seja *isso* que a preocupa neste instante — ele riu. — Venha cá. Depressa!

Então ele me escondeu atrás de seu corpo. Eu gostei da ideia. Gostei demais. Já estava prestes a deslizar os dedos pelas montanhas e pelos vales de suas costas, esculpidas à perfeição, quando Ian exclamou:

— Padre Antônio!

Reprimi um palavrão, me afundando ainda mais na água, segurando as laterais dos quadris imersos de Ian e colando minha testa no vão de suas costas, como se, com isso, eu pudesse me tornar invisível.

— Estava me dirigindo à sua propriedade, senhor Clarke — disse o homem de um jeito alegre. — Espero que não se incomode em ter mais um convidado para o almoço.

— De maneira nenhuma, padre. Será muito bem-vindo. Por que não vai na frente? Elisa providenciará um refresco para o senhor.

Houve uma breve hesitação.

— Não deveria ser a senhora Clarke? — o sacerdote quis saber.

— Ela... — Ian pigarreou. — Acredito que estará um pouco ocupada.

Eu cobri a boca com a mão e mordi o lábio para não rir.

Depois de uma longa pausa, de Ian se enrijecer da cabeça aos pés, o tom de voz do padre mudou e se tornou gélido, quase brusco:

— Sim, posso ver que ela está mesmo ocupada. Vejo também que seus hábitos mudaram nos últimos tempos, senhor Clarke. Não me recordo de o senhor ser tão... exibicionista. Ousaria perguntar o que poderia ter causado tamanho disparate, mas desconfio de que já conheço a resposta.

— Padre... — começou Ian, mas o homem não permitiu que ele prosseguisse.

— É meu dever alertá-lo de que essa conduta é imprudente e beira a imoralidade. Se me permitir a intromissão e quiser dar ouvidos a um velho, tome cuidado, senhor Clarke. Sua esposa ainda o levará à ruína se persistir com esse comportamento libertino.

Ian soltou um suspiro exasperado.

— Com todo o respeito que lhe tenho, padre Antônio, esse assunto só diz respeito a mim e a ela.

— Está enganado, meu caro. Diz respeito à pobre menina que vive sob seus cuidados e que terá como modelo a jovem irresponsável escondida atrás do senhor.

Praguejei baixinho, mas não me movi. Não dava para simplesmente aparecer pelada na frente de um padre!

— Passar bem.

Permanecendo imóvel feito uma estátua, ouvi o trote do cavalo se afastar, até que Ian relaxou os ombros e se virou, ficando de frente para mim.

— Sinto muito — me apressei.

— Pelo quê? — perguntou confuso.

Pensei um pouquinho a respeito.

— Por ter tirado a sua roupa? — tentei.

— Jamais vou desculpá-la por isso, Sofia. E fui eu que comecei. — Um sorriso cheio de malícia curvou sua boca para cima.

— Não dava tempo de abotoar o vestido. Pensei que ele não fosse me ver aqui atrás.

— E não viu, mas nossas roupas foram evidências mais do que suficientes — ele apontou para a margem com a cabeça.

— Ah! — Eu não tinha pensado nisso. — E o que a gente faz agora? Ele enroscou o dedo em uma mecha do meu cabelo.

— Vamos sair dessa água fria para que você não adoeça de novo.

— Tô falando do padre Antônio, Ian!

— Não faremos nada. Somos casados e ninguém pode nos condenar por estarmos apaixonados. Venha. — Ele me tomou pela mão, me conduzindo até a margem e me ajudando a sair da água.

Enquanto ele me secava usando a camisa, me peguei estudando sua expressão. Ele não estava nada satisfeito com o flagrante do padre Antônio, mas fazia o melhor que podia para não deixar isso transparecer. Eu o conhecia bem o suficiente e sabia que as palavras do homem a respeito de Elisa o afligiam profundamente. Ian era responsável por ela e sempre agira como tal.

Até eu aparecer na vida dele.

Seu empenho em encobrir a preocupação me alertou sobre algo que eu deveria ter notado havia muito tempo. Ele sempre assumia a culpa para si e, por consequência, me isentava dela. Percebi também que as coisas poderiam ficar ruins para Elisa se eu não fizesse nada a respeito.

Já vestida e ainda observando Ian, que agora abotoava a camisa praticamente ensopada, decidi que precisava me esforçar mais para não colocá-los naquela posição outra vez. Não permitiria que Ian se sentisse culpado por meus atos impensados e que Elisa tivesse uma mancha em sua reputação. Ela era uma princesa e sempre se comportava como tal. E Ian merecia uma boa esposa. A melhor! Eu precisava a todo custo me tornar essa mulher perfeita, o exemplo de que Elisa precisava.

Mas como diabos eu faria isso?

18

Na manhã seguinte, eu estava na cozinha amassando uma grande quantidade de abacate e banana. Madalena cuidava da comida e Elisa me ajudava com a papa, já que meu braço ainda doía um pouco.

Ian descera ao estábulo para se assegurar de que o potro recém-nascido e Princesa estavam bem. Mas, antes de sair, ele me pedira que escolhesse um nome para o cavalinho.

— Qualquer nome? — perguntei.

— Qualquer um.

Pensei no pouco que conseguira ver do animal, a pelagem castanha, a longa mancha branca que ia do focinho à testa.

— Olho de Sogra. Ele parece o docinho, só que ao contrário.

Ian não sabia se ria ou se me sacudia. Bom, ao menos foi o que eu achei.

— Sofia, entende que em algum momento negociarei esse animal? — Ele optou por rir, coçando a nuca.

— E o que é que tem?

— Não posso dar a ele o nome de um doce — falou, tentando conter a diversão. — O pobrezinho teria de andar cabisbaixo diante de seus pares pelo resto da vida.

— Pois eu acho bastante original. E até pretendia sugerir que você desse nome de doces a todos os que nascerem este ano. Os cavalos modelo 1830 seriam Olho de Sogra, Chantili, Chocolate, Caramelo, Quindim, Paçoca, Doce de Leite...

Ian comprimiu os lábios, fazendo força para conter a gargalhada, mas seus ombros sacudiam de leve.

— Tento imaginar o marquês, um homem do tamanho de uma carruagem, cavalgando no Doce de Leite...

— Não ia rolar?

— Ah, muitos iriam, certamente — garantiu. — Rolar de tanto rir!

— Ah... Então não é bem qualquer nome, né?

Tentei lembrar os nomes que ouvira Ian mencionar. Storm, Meia-Noite, Lua, Princesa, Diamante. Olho de Sogra soava tão bom quanto qualquer um deles, mas muito mais original! No entanto, talvez Ian tivesse razão, e o futuro comprador preferisse algo como... como...

— Eclipse? — sugeri, insegura.

— É um bom nome — garantiu ele com um sorriso. — Gosto de Eclipse. É promissor. — E me beijou com intensidade antes de sair. Eu segui para a cozinha.

Por sorte, Ian e eu nos desencontramos do padre Antônio na tarde passada, mas Elisa deixou transparecer que a visita não fora nada agradável.

— Padre Antônio trancou-se na sala de leitura com tia Cassandra — contou ela, esmagando as bananas. — Não sei o motivo, mas posso garantir que minha tia não estava nada satisfeita quando saiu de lá.

— Eu posso imaginar — resmunguei, evitando contato visual.

— Em seguida, o padre quis falar comigo em particular. Discursou sobre moral e bons costumes, e eu estranhei um pouco. — Ela parou de amassar as frutas e suspirou. — Sofia, acha possível que minha conduta tenha sido reprovável em algum momento?

Eu ergui a cabeça, derrubando acidentalmente um pouco de água de coco na mesa de madeira maciça.

— Não, de jeito nenhum! — garanti. — Você é uma princesa, Elisa. Nada em você é reprovável, muito pelo contrário! Não conheço nenhuma garota com melhores modos que você. E Teodora. Mesmo ela falando pelos cotovelos de vez em quando — adicionei rapidamente.

Elisa franziu o cenho.

— Então não consigo entender o que levou o padre Antônio a me procurar para discorrer sobre recato, obediência e limites que uma dama jamais deve ultrapassar.

Eu posso.

— A culpa é toda minha — admiti. — Ele acha que eu sou uma péssima influência pra você. Eu sinto muito.

— Mas por que padre Antônio pensaria um absurdo desses? — perguntou ela, ofendida. — Você é adorável!

— Ah, Elisa — limpei as mãos em um pano encardido e a abracei com força. — Você não existe! Mas eu sei bem o que sou. E o que não sou também. O padre tem razão em alguns pontos. Não sou um bom exemplo pra você, por... por ter crescido em um mundo diferente, por ter outras crenças. Você jamais deve imitar o que eu faço, tá?

— Mas você é minha irmã agora! — ela me olhou com gravidade.

— Uma irmã bem meia-boca no quesito educação do século dezenove. Você devia ouvir o que a Madalena diz.

Elisa abriu a boca para falar alguma coisa, mas mudou de ideia e acabou fazendo a única pergunta que eu não queria responder. Não sem mentir para ela.

— Por que sempre menciona o século em que estamos?

Eu me afastei e me ocupei com o creme de abacate.

— É mania, Elisa. Deixa pra lá.

— Como quiser. Mas ainda não compreendo. O que você pode ter feito de tão terrível para que o padre Antônio a censure?

Suspirei desanimada.

— A lista é infinita. Mas eu basicamente não sou uma dama.

— Mas é claro que é! — ela objetou sem hesitar. — E única! A forma como pensa, como vê a mulher em pé de igualdade para com os homens...

— Jesus Cristo! — Madalena, ao lado do fogão de lenha, fez o sinal da cruz.

— É o que a torna uma dama tão forte, tão extraordinária! — prosseguiu minha cunhada adolescente, com um brilho no olhar que não achei nada bom. — Alguém que me inspira a ser uma pessoa melhor. Meu desejo é um dia me tornar uma dama culta e inteligente como você.

Acabei rindo, mesmo sem querer.

— Seu irmão vai me matar se te ouvir dizendo essas coisas.

— Por quê?

— Acredite no que a senhora Clarke diz — aconselhou Madalena, cabisbaixa. Ela ainda não superara a conversa das esponjas. — Dessa vez ela tem razão.

— Cadê a Teodora? — perguntei, voltando a mexer o creme.

— Deve estar chegando — suspirou Elisa, amassando mais bananas. — Thomas saiu ainda agora para uma caminhada. Ele me convidou para acompanhá-lo, mas eu quis esperar você.

— Eu achei seu primo um gato.

Isso a fez sorrir.

— O primo Thomas é um homem muito distinto. Sinto muito apreço por ele — ela endireitou a fita lilás presa à cintura de seu vestido verde-água.

Não sei se foi o tom de sua voz ou o sorriso doce, mas o que ela acabara de dizer me incomodou. No entanto, não tive tempo para fazer conjecturas, pois um bolo de tecido roxo entrou na cozinha.

— Ora, que apropriado. A nova senhora Clarke na cozinha, amassando frutas como uma criadinha.

— Bom dia pra senhora também, dona Cassandra — sorri petulante para ela.

Ela me fitou com desprezo e ignorou meu comentário, então se dirigiu à sobrinha:

— Elisa, pare de sujar seu vestido e vá para a sala de artes agora. Você não terminou o trabalho que começou pela manhã. Displicência é algo que não tolero.

— Mas, tia Cassandra...

— Vá, Elisa! — ordenou ela, como se a garota tivesse três anos.

Isso me deixou bastante irritada. Eu ainda me lembrava de como era horrível esse período da adolescência, tentando me encaixar no mundo adulto e não sendo levada a sério.

— Elisa, fique onde está! — eu falei quando ela fez menção de sair. — A casa é sua, e você não tem de obedecer a ninguém. — Eu me inclinei de leve para sussurrar pelo canto da boca: — A não ser ao seu irmão.

— Como ousa afrontar minha autoridade? — cuspiu a mulher.

Eu sei que eu devia ter ficado de boca fechada. Eu sei. Mas não pude. Não quando Elisa pareceu tão mortificada.

— Elisa não é mais uma criança — repliquei. — E uma *adolescente* e sabe muito bem como deve se comportar, o que precisa ou não fazer. A senhora não é a mãe dela.

A mulher deu três passos em minha direção, os olhos enrugados grudados aos meus, e tive de lutar para não estremecer. Ela chegou tão perto que eu podia ver os poros dilatados na pele de seu rosto severo, exageradamente maquiado.

— Eu realmente lamento não ter chegado a tempo de impedir que essa catástrofe se concretizasse. Algo me diz que a senhora levará o nome de minha família para a lama. Talvez então Ian consiga se libertar de seu feitiço e me dê razão.

Se ela tivesse me dado um tapa teria doído menos.

— Pode ser que esteja certa — comecei e fiquei satisfeita por minha voz não ter estremecido. — Mas, se por acaso isso acontecer, terá sido um acidente, não de propósito. Ian e Elisa sabem disso.

— A senhora Clarke é uma boa pessoa, senhora Cassandra — Madalena correu em minha defesa. — Apenas foi criada em um lugar um pouco diferente, e seus modos... — ela se deteve quando Cassandra girou sobre os calcanhares e a fuzilou com os olhos.

— Desde quando dei permissão para a criadagem se dirigir a mim? — esbravejou a mulher.

Abaixando a cabeça e encolhendo os ombros, Madalena se voltou para o fogão de lenha. Aquilo foi a gota d'água para mim.

— Escuta aqui, dona Cassandra, você não vai falar assim com a Madalena... — comecei, mas uma gargalhada ecoou no ar.

Teodora e Thomas subiam as escadas de braços dados, alheios ao clima pesado ou a qualquer outra coisa ao redor. Teodora ria de algo que ele dissera.

— Juro que aconteceu de verdade — dizia Thomas. — Pode perguntar ao...

— Thomas! — Cassandra rugiu assim que eles puseram os pés na cozinha.

Ao notar o tom zangado da mãe, o rapaz congelou. O aborrecimento que se abateu sobre o seu rosto me causou pena.

— Ora, boa tarde, senhora — ele se recompôs, fazendo uma profunda reverência para a mãe. — Senhora Clarke, senhorita Elisa.

— Onde esteve? — Cassandra exigiu saber. — Eu o procurei pela casa toda! Preciso que me leve até a vila.

— Saí para uma caminhada revigorante e, por sorte, tive o prazer de encontrar a senhorita Teodora no caminho, mas estarei pronto assim que a senhora estiver.

— Eu já estou! — ela berrou, sacudindo as saias. — Preciso respirar ares melhores. Vamos antes que eu enlouqueça nesta casa.

Thomas comprimiu os lábios, mas concordou com a cabeça uma vez.

— Até mais ver, senhorita Teodora. — Ele levou a mão dela aos lábios e beijou de leve os nós de seus dedos.

Teodora balançou ligeiramente, como se tivesse perdido o equilíbrio por um instante, mas se recompôs a tempo de fazer uma graciosa mesura. Thomas seguiu a mãe para o interior da casa, e eu me perguntei por que ele lhe obedecia com tanta presteza.

— Thomas é um bom filho — me explicou Elisa, como se adivinhasse o rumo dos meus pensamentos. — E tia Cassandra se aproveita disso.

— Não entendo como ele pode ser tão gentil.

— E galanteador — adicionou Teodora.

— Thomas adora agradar. Faz o possível para que todos ao seu redor se entretenham da melhor maneira possível. O oposto da mãe. Mas tio Thomas era a gentileza em pessoa.

E talvez por isso tenha partido desta pra melhor, pensei com os meus botões. *O coitado deve ter morrido de desgosto.*

Não sei bem a razão, mas meus pensamentos tomaram outro rumo, e eu me perguntei quantos aborrecimentos ainda causaria a Ian. Eu não queria saber a reposta.

Ajudei Madalena a encher as garrafinhas vazias de xampus com o condicionador. Oito frascos foram divididos entre Teodora, Elisa e Madalena, e eu fiquei com os outros quatro. Ao menos não precisaria me preocupar com meu cabelo no próximo mês. Tinha sido uma verdadeira bênção conversar com o boticário e encontrar aqueles óleos. Minhas garrafas experimentais estavam ótimas, o creme parecia ter sido feito havia poucos minutos, e não dias.

Ao notar que Elisa queria ficar a sós com a amiga, juntei minhas garrafinhas e segui para o quarto. Ao passar em frente ao escritório de Ian, vi a porta aberta, embora o cômodo estivesse vazio. Entrei e corri os olhos pela mobília. Ali no canto, a tela ainda em branco esperava o artista, como uma amante. A mesa organizada, os cadernos com capa de couro de diversos tamanhos, a caneta Bic que eu dera a Ian sobre eles. Com cuidado, coloquei os frascos em cima da mesa e peguei o primeiro caderno da pilha, o menor, parecido com uma caderneta, e virei algumas páginas.

Eram anotações de Ian sobre vendas, compras de suprimentos para o estábulo e outras coisas que não consegui compreender. Peguei o caderno grande, um tipo de livro-caixa organizado mês a mês, com custos e lucros separados em colunas e minuciosamente descritos. Folheei as páginas, à procura dos últimos três meses. Encontrei apenas janeiro. Fevereiro, quando eu aterrissei na vida de Ian, março e abril ainda não haviam sido lançados.

Com a ajuda da caderneta, revirei as páginas até encontrar o que precisava. Fui anotando no livro-caixa tudo que se referia a fevereiro. Os lucros tinham sido bons naquele mês. Segui para março. Com o coração na mão, relancei as colunas de gastos e ganhos. Não batiam. Embora eu ainda não tivesse muita afinidade com o dinheiro da época, não precisava de uma calculadora para entender os números. Os custos eram quase o dobro dos lucros.

— Droga, Ian!

Deixei-me cair na cadeira. Se março fora um desastre, eu era capaz de jurar que o mês seguinte havia sido ainda pior. Não queria nem pensar em maio, com toda aquela gastança desenfreada com o casamento.

Arrumei tudo exatamente como tinha encontrado e segui para o quarto. Guardei os frascos no toucador e me sentei na cama. Eu não tinha nada para fazer. Elisa e Teodora estavam ocupadas, Madalena só me deixava chegar perto da cozinha para preparar o creme de cabelo, Ian estava no estábulo, e eu ali, com o resto do dia à minha frente e sem nada útil para fazer.

Levantei-me e fui até o guarda-roupa. Abri as portas para verificar o conteúdo e bufei ao perceber que Gomes e Madalena ainda não haviam feito a mudança. Chutando o piso, abri a porta do quarto conjugado para levar alguns cacarecos de Ian para o lugar certo. No entanto, quando peguei uma braçada de roupas em seu armário, uma ideia me ocorreu.

Abandonei o que tinha nas mãos sobre a cama que ninguém jamais usaria e puxei uma de suas calças. Fui para o outro quarto e revirei tudo até encontrar as roupas com as quais eu chegara ao século dezenove. Livrei-me do vestido em um ritmo frenético e o substituí pela regata e pela calça preta de Ian. A peça ficou comprida demais e foi um custo fazê-la passar pelos quadris, mas, assim que o cós chegou à cintura, precisei pegar um cinto nas coisas dele para ajustá-lo. Fui até o espelho e puxei os cabelos para trás, prendendo-os num rabo de cavalo alto e firme. Em seguida, procurei sapatos adequados, mas quase tudo tinha salto.

— Merda. — Eu daria um dos meus rins para ter meus tênis de volta.

Precisei me contentar com as botas vermelhas que usara no casamento. Era a que tinha o menor salto. Assim que amarrei o cadarço, saí dali.

Desci para o estábulo e não encontrei ninguém pelo caminho. Estava feliz por me sentir eu mesma, dentro de minha própria pele outra vez. Um sorriso imenso brotou em meus lábios quando passei por um pequeno arbusto perto da entrada da casa e não tive que desviar dele ou suspender a saia.

Tudo bem, eu sabia que os vestidos eram a onda do momento naquele século, e até bem pouco tempo atrás eu pensava que o computador tinha sido a melhor invenção da história, mas estava errada. Mulheres usarem calças era a melhor.

Avistei Ian no centro do estábulo segurando uma corda. Na outra ponta, um enorme cavalo amarelo, de crina longa e patas esguias, girava ao seu comando. Ian estava com as mangas da camisa enroladas até os cotovelos, os cabelos ligeiramente despenteados, uma expressão concentrada no rosto perfeito. Eu suspirei e tive de me conter para não correr ao seu encontro.

Isaac e outros dois empregados estavam empoleirados na cerca — observando e aprendendo, desconfiei —, concentrados em cada gesto de Ian. Isaac virou a cabeça e me viu. Sua boca se escancarou e a reação dos demais foi parecida.

Como se um dispositivo tivesse soado em sua cabeça, Ian olhou em minha direção. Um sorriso espetacular esticou sua boca, mas congelou conforme seus olhos desciam por minha silhueta. Estancado no chão como se tivesse criado raízes, Ian perdeu o ritmo do que estava fazendo, e o cavalo amarelo continuou girando ao seu redor.

— Cuidado! — gritei ao ver que a corda que ele ainda segurava se enrolara em seu tronco.

Mas era tarde demais. Ian foi puxado com um tranco violento, caiu e começou a ser arrastado na areia.

19

Corri para a entrada do estábulo com o coração na garganta. Os empregados foram ao socorro de Ian detendo o animal, que resistiu, mas acabou por fim cedendo e parando tempo suficiente para que Ian se desenroscasse e levantasse. Minha pulsação retornou a um ritmo quase normal quando o vi se pôr de pé, mas o alívio durou pouco. Apenas até que eu pudesse ver seu rosto sujo de terra distorcido numa careta feroz.

— O que pensa que está fazendo, Sofia? — ele exigiu saber, parando bem à minha frente, as mãos nos quadris estreitos.

— Eu que pergunto. Machucou alguma...

— Por que está usando minhas calças? — ele me interrompeu, furioso.

— Não acredito que está tão bravo só porque peguei sua roupa emprestada. — Tentei brincar para aliviar o clima. Não funcionou. Na verdade pareceu irritá-lo ainda mais. — Ei, o que você tá fazendo? — objetei, quando ele começou a desabotoar a camisa.

— Cobrindo você — disse com o maxilar trincado. Assim que terminou com os botões, ele jogou a camisa em meus ombros.

— Eu já estou coberta, Ian — reclamei, devolvendo-lhe a camisa. — Você não.

— Sofia... — E foi mais que um alerta.

— O quê? — empinei o queixo. — Não precisa de tanto estardalhaço. Você sabia que eu usava calças. Já te contei isso!

Sua mandíbula se contraiu.

— O que não significa que poderá usá-las aqui.

— Você pensa que vai decidir o que eu vou usar, é? — cutuquei seu peito nu com o dedo. — Porque não vai funcionar. Não vou deixar que seja abusivo nem...

— Nem o quê? Antiquado? — completou, jogando a camisa novamente sobre mim. — Caso ainda não tenha reparado, você se casou com um homem do século dezenove. Isaac — ele chamou, sem desviar os olhos dos meus. — Vá cuidar da cerca quebrada. Leve Joaquim e Sebastião com você.

— Sim, senhor Clarke — o garoto respondeu de pronto.

Fiquei encarando Ian, revoltada e indignada, enquanto os três se retiravam. Dessa vez eu não estava expondo nem um único centímetro de pele. Era tão injusto ele mandar os empregados se retirarem por pensar que eu não estava vestida de forma apropriada.

Outra vez.

— Você não é antiquado — assegurei. — Você nunca se comporta assim a menos que o assunto seja... — Ah, inferno! — Minhas roupas — me dei conta, tarde demais.

— Se sabe de minha relutância, por que ainda insiste?

— Porque é assim que eu sou! — Eu me livrei da camisa e abri os braços para que ele examinasse meu corpo. — Essa é a mulher que conheceu. Passei a vida toda vestindo calças! Eu sei que não é a moda por aqui, mas não estou exibindo pele alguma, estou decente, e muito mais confortável, se quer saber. Eu adoro calças.

Ele inspirou fundo, sacudindo a cabeça e apertando a ponte do nariz entre o polegar e o indicador.

— Você está tudo menos decente, Sofia.

— Não estou pedindo permissão, Ian. Além do mais, como vou aprender a cavalgar usando aquelas porcarias de vestido? Vou acabar me matando, e com certeza vou mostrar muito mais pele com eles do que com as calças.

Isso o pegou de surpresa. Suas sobrancelhas se arquearam.

— Não sabia que desejava aprender a montar.

— Já tá na hora de eu aprender a me virar sozinha. Portanto, preciso das calças. Não foi por isso que você parou e me colocou na sua frente quando voltávamos da confissão? Porque minhas canelas ficaram de fora?

Ian prendeu o fôlego e arregalou os olhos.

— Você pretende montar como um cavalheiro? Com as pernas escarranchadas?

— Como assim? — perguntei, inclinando a cabeça sem entender. — Há diferença no jeito de montar entre homens e mulheres? — Porque até então eu não vira nenhuma garota sozinha sobre um cavalo.

— As damas usam uma sela especial na qual as pernas ficam posicionadas em apenas um dos lados.

Chocada, me obriguei a perguntar:

— E como é que param em cima da sela? — Eu era a única que via o absurdo daquilo? — Não me parece seguro. E com certeza não é natural. Eu quero aprender a montar do jeito certo, com uma perna de cada lado, e terminar viva no fim do percurso.

Ian bufou, passando a mão pelos cabelos, como se isso o ajudasse a clarear as ideias.

— Isso está fora de cogitação.

— Eu preciso aprender a montar, Ian. Quero poder me locomover sem a ajuda de ninguém. Não posso depender de alguém sempre que quiser ir à costureira ou à farmácia... ao boticário, quer dizer. A questão é que eu dirijo desde os dezoito anos. Nunca bati o carro, sou uma boa motorista. Estarei segura. — Ao menos eu estava tentando me convencer disso.

Ficamos nos encarando por um longo instante. Eu não podia ceder. E ele não parecia nada disposto a largar o osso. Por fim, algo em seu olhar mudou.

— Muito bem — concordou. — Se sua vontade é aprender a cavalgar, terei o maior prazer em lhe ensinar, desde que use roupas e a sela adequadas.

— Mas eu não quero cair! E quero usar calças! — bati o pé e minha bota se encheu de areia.

— E eu não quero seu corpo exposto dessa maneira! — ele explodiu.

— Meu corpo não está exposto, droga!

Ian riu, mas não era um riso feliz. Longe disso.

— Posso ver cada contorno dele, Sofia.

— Ah, pelo amor de Deus — joguei os braços para cima. — Implicar com a minha saia vá lá, mas com as minhas calças...

— *Minhas* calças — ele frisou.

— Já é demais. Você vai me ensinar a cavalgar ou não?

— Não enquanto não trocar de roupas.

Furiosa, empinei a cabeça para poder olhar em seus olhos.

— Tudo bem. Então vou procurar alguém que não se importe com o que estou vestindo. — E lhe dei as costas.

— Não, não vai!

— Você não pode me imp... Ei! Me solta! — gritei surpresa quando Ian me agarrou pelos quadris e me jogou por sobre o ombro nu, como se eu não pesasse mais que um pacote de Ruffles. — Que inferno, Ian! Me solta!

Ele não me deu a menor atenção e começou a andar. Eu me debati, socando suas costas e esperneando, mas tudo que consegui foi uma pressão mais firme ao redor de meus quadris.

— Tá, tudo bem — desisti, soltando os braços, que sacudiam como os de uma boneca de pano. — Eu não vou procurar outra pessoa pra me ensinar a montar. Pode me pôr no chão agora.

Ian ergueu um ombro, me acomodando melhor.

— Não acredito em você nem por um minuto. Nem mesmo você acredita no que disse. Por que é sempre tão teimosa, Sofia?

— Acho muito engraçado você ter um ataque por causa das minhas roupas quando você mesmo tá pelado! Vai matar a Madalena do coração se entrar assim.

Isso o fez interromper sua passada e me colocar no chão. Atirei a camisa para ele com raiva e marchei furiosa em direção à casa. Ele não podia estar falando sério sobre cavalgar com as pernas de um mesmo lado. Como isso seria possível? Tudo bem que era assim que eu estava acostumada a montar, porém Ian sempre ia atrás, com seus braços fortes me mantendo no lugar. Mas sozinha? A chance de acabar com a cabeça rachada ao meio era enorme. E, se ele estava pensando que mandaria no meu guarda-roupa, era melhor pensar direito.

Entrei em casa bufando, mal ouvindo a reclamação de Cassandra quando passei pela sala. Ian estava me seguindo — não que eu tivesse me virado para ver, mas a voz irritante da tia chamando seu nome me deu a dica. Eu não sabia para onde ir. Queria falar com alguém que me entendesse, mas essa pessoa estava no século vinte e um, provavelmente brigando com o marido também.

Estúpido século dezenove sem telefone!

— Sofia — chamou Ian.

Eu segui em frente, vendo tudo borrado, e acabei na porta do escritório dele. Entrei e esperei impaciente, andando de um lado para o outro como um bicho enjaulado. Ele entrou instantes depois.

— Não acredito nisso, Ian — despejei de vez. — Não acredito que você possa ser tão... Nosso relacionamento só deu certo porque você é um cara de cabeça aberta, moderno até. Compreendo seus motivos para não querer que eu use minha saia por aí, mas as calças? Não, isso eu não posso aceitar. É puro capricho!

Ele fechou a porta e se encostou nela, cruzando os braços sobre o peito, me avaliando a distância, sexy pra diabo, com alguns botões da camisa abertos.

— Por que insistiu tanto para que eu vestisse a camisa?

— Porque não gosto que se exiba assim!

— Também não gosto que você se exponha — disse ele calmamente, sem tirar os olhos de mim.

— Mas é diferente. Eu... — Fiz uma careta quando me vi sem argumentos. — Eu não estava me expondo, estava querendo te ajudar, caramba! É tão errado assim querer usar calças?

Seu olhar escorregou pelo meu corpo, se detendo nas malditas calças.

— Fora do nosso quarto, sim, será um problema. Um que pode acabar me levando a contar passos ao amanhecer. — Seu rosto exibia um misto de fúria, indignação e... bom, desejo.

Foi aí que eu entendi. Todo aquele estardalhaço a respeito das calças não era porque Ian não gostava de me ver dentro delas. O grande problema era ter gostado demais!

Uma parte de mim se regozijou, aliviada. A outra ficou preocupada com a tal ideia de contar passos. Ele estava falando dos duelos?

— Eu só queria aprender a montar para poder te ajudar a treinar os cavalos — murmurei, derrotada.

Eu pensei que nada pudesse deixar Ian mais irritado que as calças. Mas estava enganada.

— No estábulo? — ele deu um passo à frente. Sua postura blasé foi para o espaço. — Você perdeu o juízo? Ali não é lugar para uma dama.

— Você precisa de ajuda — apontei-lhe um dedo imperioso. — Você mesmo disse que está atolado.

— Sempre cuidei de tudo sozinho, Sofia. — Ele empinou o queixo, e eu desejei que fosse menos atraente para que eu pudesse ignorar aquele maxilar teimoso.

— Mas agora você tem a mim, e eu quero ajudar. Quero ser útil, Ian!

— E você é! — ele suspirou exasperado, esfregando a testa. — Deus, não acredito que estamos discutindo isso!

— Quando, Ian? Quando fui de alguma utilidade desde que cheguei aqui? Tudo o que fiz foi atrapalhar você e tomar seu tempo pra ficar me pajeando por aí. Eu não sou dessas, Ian. Gosto de me sentir útil. Quero fazer alguma coisa pra te ajudar.

— Eu agradeço a preocupação, mas o estábulo não é adequado para uma dama. É perigoso demais. Assunto encerrado.

— *Argh!* Odeio quando você separa as coisas por gêneros. — Voltei a andar. — Mas tudo bem, se não vai me deixar ajudar lá embaixo, então quero ajudar na administração. Fiz faculdade pra isso e, apesar de não ter computador por aqui, posso dar conta do recado. Encontrei seus livros-caixa mais cedo e dei uma olhada. Montei umas planilhas... — Então corri até a mesa, peguei o caderno onde fizera as anotações e entreguei a ele.

— Você andou mexendo nos livros de contabilidade?

Se eu estivesse menos irritada, teria notado a frieza e a nota de cautela embutidas naquele comentário e ficado calada em vez de dizer:

— É. E consegui separar todos os gastos que achei dispensáveis. — Eu o fiz abrir a brochura na página certa. — A gente pode enxugar um pouco os gastos supérfluos até você pôr os lucros em ordem. Andei pensando a respeito e acho que deveríamos...

— Não — disse ele, fechando o livro depois de ter dado uma rápida olhada nas minhas anotações.

— Mas você ainda nem ouviu o que eu...

— Não existe *nós* aqui. — Soltando o caderno sobre a mesa, ele ergueu os olhos para me encarar. Havia tanta coisa neles. Orgulho, porém, era a mais proeminente. — Este é o meu trabalho, Sofia. *Minha* responsabilidade. Você não devia ter mexido nas minhas coisas, nem deve se preocupar com a nossa situação financeira quando *não há* motivos para isso.

Finalmente percebi quanto ele estava ofendido. Recuei um passo.

— Mas, Ian, eu sou boa!

— Isso não está em discussão, Sofia.

— Mas... eu quero cuidar de você. É o que uma esposa faz, não é? Além disso, não sei ficar à toa, sem fazer nada. Vou enlouquecer!

Ele fechou os olhos e esfregou a testa outra vez.

— Por que é tão teimosa? — exalou com força.

Frustrada, me deixei cair no sofá, enterrando a cabeça nas mãos. O couro rangeu. Aquela discussão não nos levaria a lugar nenhum. Passaríamos o resto da vida discutindo sem chegar a um consenso.

Recostei-me no sofá e deixei a cabeça pender para trás, fitando o teto.

— Não foi assim que planejei passar a lua de mel.

— Acredite quando digo que nem eu. — Sua mágoa era tão difícil de ouvir quanto de ignorar.

Percebi que ele não fazia por mal. Apenas seguia à risca os padrões segundo os quais fora talhado. Eu teria um trabalho árduo pela frente.

Alguém bateu à porta.

— Entre. — Ian soltou um suspiro agastado.

Gomes entrou e fez uma mesura. Avisou que o dr. Almeida acabara de chegar. Ian disse que já iria recebê-lo, e o mordomo partiu logo em seguida.

— Gostaria de estar presente enquanto ele examina o curativo — falou, mas ainda estava irritado.

— Não tenho certeza se é isso mesmo o que você quer. Aliás, estou tentando entender sua atitude nos últimos minutos, e, quanto mais penso, menos compreendo.

Ele me lançou um olhar duro, mas, de certa forma, magoado.

— Posso acreditar nisso. Tento entendê-la sempre, mas a recíproca não é verdadeira. Procure pensar como alguém deste século e talvez compreenda que o que peço é razoável: apenas me deixe cuidar de você, protegê-la.

Você esquece que nem todos os homens deste século são dignos de receber o título de cavalheiro. Fique com as malditas calças, se é o que deseja. Mas não espere que eu me sinta feliz com isso. — Ele deixou o escritório, batendo a porta com tanta força ao passar que eu estremeci.

20

Terminei de abotoar o vestido verde de mangas curtas e me olhei no espelho, pensando no que Ian dissera havia pouco. Era difícil para mim compreender aquele século. Muita coisa no mundo havia mudado desde que eu nascera. Mas não era tão incomum assim ouvir uma mulher dizer que o marido preferia que ela ficasse em casa cuidando dos filhos a trabalhar e ajudar no orçamento familiar. Ian não estava exigindo nada de que eu já não tivesse ouvido falar. Ainda assim, eu esperava que ele compreendesse que eu não era aquele tipo de garota. O problema era que ele não conhecia o "meu" tipo. Tive que lembrar que ele conhecia apenas um mundo, o seu, e, apesar de eu lhe contar como o meu funcionava, sabia que ele não o compreendia completamente. Eu mesma não entendia muitas coisas do século vinte e um.

Os homens se puseram de pé assim que pisei na sala. Ian pareceu surpreso ao ver que eu havia trocado de roupa. Já não parecia furioso, mas algo ainda o incomodava muito. Rezei para que fosse a mesma angústia que me corroía por causa da nossa discussão.

O dr. Almeida me aguardava na companhia do sobrinho e de Lucas. Júlio era um pouco parecido com o tio, mas muito sério, e eu não me lembrava de alguma vez ter ouvido sua voz. Já Lucas empregava todos os seus esforços para fazer Elisa sorrir e estava conseguindo. A garota, sentada ao lado do primo, mantinha os olhos fixos no chão, mas exibia suas covinhas, e, pelo tom rosado em seu rosto, eu podia jurar que Elisa era capaz de sentir o olhar de Lucas sobre ela.

Infelizmente, Cassandra também estava presente.

— Ora, já era tempo — disse ela, encantadora como sempre. — Quanto mais as visitas teriam de esperar para que a senhora se desse ao trabalho de vir recepcioná-las?

— Tia Cassandra... — resmungou Ian, num tom sombrio, vindo ao meu encontro.

— Toda espera vale a pena quando se é recompensado com uma visão encantadora como a senhora Clarke. — O médico se aproximou e pegou a minha mão. — Como tem passado, minha querida?

Tudo bem, eu admito. Ficava cada vez mais difícil odiar aquele homem.

— Tô bem, dr. Almeida. E o senhor?

Seu humor mudou e, de súbito, pareceu cansado, velho, desolado.

— Sentindo-me de pouca utilidade em dias como este — murmurou ele, infeliz.

Ian se retesou ao meu lado, lançando um olhar aflito para o amigo e me deixando confusa.

— Como assim, dr. Almeida? — eu quis saber.

— O senhor não prefere refazer o curativo no quarto? — Ian perguntou depressa. Depressa demais! Ele parecia em pânico, a ponto de me lançar sobre os ombros e sair correndo. O que era totalmente injusto, porque eu tinha quase certeza de que não tinha cometido gafe nenhuma.

— Sim, senhor Clarke. Um pouco de privacidade será bom para sua esposa — concordou o homem, e se abaixou para pegar a maleta sobre a mesa de centro escura.

Não me escapou a troca de olhares entre eles. Meu marido parecia enviar uma mensagem ao médico. E eu não consegui entender.

— O que tá acontecendo? — insisti, olhando de um para o outro.

— Meu tio perdeu uma paciente hoje — Júlio contou, abrindo a boca pela primeira vez. Sua voz era um tantinho aguda demais.

— Um terrível acidente — completou Lucas. — Não havia mais nada que o bom doutor pudesse fazer.

— Quando uma tragédia dessas acontece, me questiono sobre a justiça da providência divina — disse Thomas com pesar.

— Compreendo o que quer dizer — comentou Elisa. — Às vezes me flagro refletindo sobre isso também.

— Deve ser culpa da sensibilidade dos Clarke. O mundo nos deprime, o tempo todo.

— Não me parece um julgamento acertado de seu caráter, primo.

— Ah, mas é, querida Elisa. Sou uma alma atormentada. Trata-se de uma maldição — brincou Thomas, e Elisa riu.

Lucas estudou minha cunhada, depois observou Thomas demoradamente, o cenho franzido.

Ian deu um passo para o lado, bloqueando a cena e ficando de frente para mim.

— Podemos ir? O dr. Almeida ainda precisa visitar outros pacientes.

Fiz que sim, ainda incomodada com alguma coisa que eu não conseguia nomear. Além do mais, eu tinha a sensação de que Ian não queria que eu soubesse do acidente da garota. Mas por quê, se eu nem a conhecia?

Assim que chegamos ao quarto, o médico começou a trabalhar nas ataduras e depois nos pontos. Ian evitava meu olhar e puxava conversa fiada com o médico a todo instante. Minha intuição gritava àquela altura e me peguei pensando na melhor maneira de abordar o assunto. Optei por ser direta.

— Então — comecei quando a conversa dos dois cessou por um breve instante. — Quem morreu mesmo?

O médico ergueu a cabeça para Ian. Meu marido manteve a expressão impassível.

— Ninguém que você conheça — Ian se apressou em responder.

— Isso eu já sabia, mas quem era ela? Você a conhecia? Como foi o acidente?

Ele pressionou os lábios até se tornarem uma linha quase invisível.

— Por que quer saber, Sofia? — Sua rispidez foi mais um sinal de que algo ali estava errado.

— Porque você ficou todo esquisito quando mencionaram a morte da mulher. Você a conhecia, não é?

Ai, meu Deus! Só podia ser isso! Ian a conhecia. Talvez em algum momento ele tivesse amado essa mulher. Na adolescência, por exemplo. E agora ela havia morrido e ele se sentia mal com isso, e não podia me contar porque pensava que eu não entenderia.

E é claro que eu entendia. Eu tinha a minha história, era natural que ele também tivesse uma. Claro que eu o compreendia. Até poderia acompanhá-lo, se ele quisesse se despedir. Desde que ela não tivesse sido muito bonita e que seu nome nunca mais fosse pronunciado, tudo bem para mim.

— Não, eu não a conhecia — Ian esfregou a testa, fechando os olhos.

— Não? Então... por que não quer que eu saiba o que aconteceu?

— Porque não há nada a ser dito. — Ele ergueu os ombros e examinou o trabalho do dr. Almeida mais de perto. — Foi uma fatalidade, apenas isso.

— Que tipo de fatalidade? — insisti. — Ela foi atropelada? Rolou da escada? Caiu um raio na cabeça dela?

Ian prendeu a respiração, o médico ergueu os olhos de súbito, ambos me encarando com espanto.

— Caiu um raio na cabeça dela?! — perguntei atônita.

Muito contrariado e ainda alterado, Ian assentiu uma vez.

— Meu Deus — exalei com força. — O século dezenove não é o lugarzinho calmo e tranquilo que eu imaginava.

— Perdão, como disse, senhora Clarke? — O dr. Almeida tinha os olhos fixos em mim.

— É... nada. — Voltei-me para Ian: — Como foi que isso aconteceu?

Ele hesitou por um momento, esfregou o rosto com força e acabou deixando seu corpanzil cair aos pés do colchão.

— A jovem foi atingida por um raio duas noites atrás. Ela procurou abrigo sob uma árvore durante a tempestade e então...

— Ah, não! — gemi. — Ninguém avisou para garota que não se deve ficar debaixo de uma árvore se estiver chovendo?

Ele me lançou um olhar estranho.

— E por que alertariam?

Foi a minha vez de ficar confusa.

— Ué, as árvores atraem raios, não se deve ficar perto de uma durante uma tempestade. Todo mundo sabe disso.

Mas, pela cara do Ian e do médico, nem todo mundo sabia.

— Tem certeza, minha querida? — perguntou o dr. Almeida. — Sua teoria se baseia em quê, precisamente?

— Bom, no que a minha mãe me disse. Não sei bem como funciona, mas acho que a árvore meio que serve como um para-raios, por causa das raízes.

— Espantoso! — ele exclamou de olhos arregalados.

— E explicaria algumas coisas... — Ian fitou o médico, buscando respostas.

Examinei atentamente sua expressão e tentei entender por que ele se esforçara tanto para evitar que eu soubesse daquela história se nem conhecia a tal garota.

Depois de refletir por um instante, cheguei à conclusão de que não quisera me assustar, assim como fizera com suas finanças.

Não gostei daquilo. Sua vontade de me proteger era bacana e tal, mas o fato de esconder coisas de mim me deixou em pânico. Não era esse tipo de casamento que eu pretendia ter. Honestidade sempre viria em primeiro lugar. Era assim que eu sempre agira com ele.

— Não posso me demorar — disse o dr. Almeida, removendo o último ponto. — Preciso ir à casa do senhor Albuquerque antes do jantar. Que horas são?

Ian retirou o relógio que eu lhe dera do bolso da calça e checou as horas.

Ao ver o relógio, algo desagradável ferroou meu cérebro, cravando suas garras ali e querendo emergir. Mas eu logo trancafiei o pensamento no fundo da mente, de onde eu esperava que ele jamais saísse.

21

Ian acompanhou o médico até a porta e não voltou para o quarto. Porém, alguns segundos depois, Madalena me chamou, avisando que ele estava no escritório com um tal senhor Domingos e que desejava que eu me juntasse a eles. Passei as mãos nos cabelos, tentando deixá-los quase decentes, e fui procurá-los.

Eu não tinha a menor ideia de quem era aquele homem, e fiquei um pouco triste por Ian não ter ido me procurar pessoalmente. Parecia que a briga das calças ainda o incomodava. No entanto, encarei seu convite como um pedido de trégua, respirei fundo e bati à porta do escritório.

Ian atendeu quase que no mesmo instante.

— Oi. Você queria me ver? — perguntei.

— Definitivamente. Estávamos aguardando sua presença para darmos início à reunião. — Ele me pegou pela mão e me levou para dentro. — Sofia, esse é o senhor Domingos Pereira.

O homem de cabelos ralos e com um aspecto de que acabara de se empanturrar e necessitava de uma soneca se levantou e fez uma mesura.

— Encantado em conhecê-la, senhora Clarke.

— É... eu também. — Eu me virei para Ian e sussurrei: — O que é que tá pegando?

Ele me conduziu gentilmente até o sofá de couro negro. Se por pura cortesia ou apenas para ter uma desculpa para me tocar, eu não sabia.

— Creio que nada. — Mesmo com aquela sombra anuviando seu olhar, uma faísca de diversão reluziu em seus olhos.

Olhei para o homem no centro do ambiente, depois para o meu marido.

— E você precisa de mim pra não fazer nada?

Dessa vez ele sorriu, ainda que um sorriso cauteloso.

— O senhor Domingos é mestre de obras. Nós temos nos falado há algumas semanas. Ele cuidará do projeto do seu banheiro.

Eu abri a boca, mas tudo o que saiu foram engasgos surpresos e incoerentes.

Ian riu.

— Pensou mesmo que eu não cumpriria minha parte no acordo?

— Bom... pensei, pra falar a verdade — respondi assim que consegui recuperar a fala. — Não por falta de vontade — me apressei —, mas de tecnologia.

— Vamos descobrir isso agora. — Ian me ajudou a sentar, atravessou o cômodo, contornou a mesa e se acomodou na cadeira de espaldar alto. — Então, senhor Domingos, como expliquei ainda agora, minha esposa teve uma ideia... humm... modernista. Quero que preste muita atenção aos detalhes e, se possível, atenda aos desejos dela.

— Farei o melhor que puder, senhor Clarke. Basta que o senhor me diga o que deseja.

— Não, não. O senhor não entendeu. O projeto não é meu, mas dela. Sofia estará à frente de tudo.

Eu pisquei sem entender. Domingos fez o mesmo.

— Senhor Clarke, eu pensei que o senhor... — o homem balbuciou, incomodado.

Ian sacudiu a cabeça, interrompendo-o.

— De maneira nenhuma. Esse é um projeto da senhora Clarke. — Ele me fitou com diversão ao se referir a mim da forma que a todo custo eu evitava, por me sentir uma velha de 678 anos. — Estou aqui apenas para tentar traduzir as percepções de minha esposa em um esboço que, creio eu, facilitará a construção do banheiro. Podemos começar, Sofia?

Não sei ao certo por que aquilo fez meus olhos pinicarem. Talvez porque usar a casinha fosse um pesadelo constante, talvez porque eu não precisaria mais pensar em alface. Ou talvez fosse por Ian ter me deixado no comando, confiando em mim. Seu gesto era tão significativo quanto romântico.

Olhei para ele, para as duas íris negras profundas que me analisavam com expectativa.

— Imagine um. . — clareei a garganta. — Imagine um vaso de flor, não muito baixo, nem muito largo...

Comecei a descrever uma privada da melhor maneira possível, mas meus pensamentos estavam voltados para o homem alto e atraente debruçado sobre a mesa com um toco de grafite nas mãos, rabiscando o papel com precisão.

Ian estava se esforçando para me entender. Eu só tinha que fazer o mesmo por ele, me empenhar mais e enfiar na cabeça de uma vez por todas que aquele agora era o meu tempo, e que mulheres não usavam calças nem trabalhavam. Ian não criara as regras, apenas as seguia, e, vez ou outra, as quebrava somente para me agradar, como naquele instante.

Quando terminei o relato, Ian se endireitou e me mostrou o desenho.

— Parecido com isso? — perguntou.

Fiz uma careta. O pote grande e gordo que ele ilustrara estava longe de parecer uma privada. Mas não era culpa de Ian. Ele se empenhara um bocado para recriar algo que só existia na minha cabeça — e no século vinte e um —, mas minhas explicações foram tão confusas quanto seus desenhos demonstravam.

— Quase — falei devagar. — Agora imagine... um trono misturado com isso aí.

Ele coçou a cabeça, franzindo a testa, mas assentiu uma vez.

— Tem certeza que sabe do que está falando, senhora Clarke? — seu Domingos me encarou como se eu fosse doida.

Não fui muito com a cara dele, mas podia mudar de opinião caso ele construísse meu banheiro logo.

— Sei sim, pode acreditar — lancei-lhe um olhar cortante. — E sim, funciona, eu já usei antes.

— Curioso — comentou o homem, nada convencido. — Talvez se a senhora me dissesse onde viu um desses...

— Fica muito longe daqui, senhor Domingos — Ian se apressou em dizer, sem erguer o olhar de seu novo esboço. — A viagem é impraticável, acredite.

Eu me soltei na poltrona perto da janela. A saia do vestido verde se inflou ao meu redor e, aos poucos, foi esvaziando, como um balão.

Claro que eu sabia das dificuldades de se construir um banheiro no século dezenove, mas não desistiria nunca da ideia. A casinha era meu purgatório, e, por mais que eu adiasse, a natureza agia e eu era obrigada a entrar lá, gostasse disso ou não.

— E agora? — Esperançoso, Ian ergueu o papel.

Eu arregalei os olhos.

— Isso! Tá quase lá! — saltei da poltrona, eufórica. — Só precisa tirar o encosto e os braços. E adicionar uma tampa. E bolar um jeito de fazer a parte hidráulica funcionar e tá feito!

Ian mostrou o esboço para o seu Domingos, com um sorriso satisfeito no rosto. O sujeito analisou o papel por um bom tempo, girando-o várias vezes. Aquele V que lhe surgiu entre as sobrancelhas não foi muito animador.

— Humm... O que a senhora quis dizer com "hidráulica"? — perguntou por fim.

— Canos, captação de água e essas coisas. Não precisa ser nada muito hightech, uma torneira simples e descarga já servem.

— Hightech — ele repetiu, olhando de esguelha para Ian.

Ah, pelo amor de Deus.

— Faça o que tiver de fazer, senhor Domingos. Assim que conseguir dar andamento ao projeto, volte aqui. Minha esposa o ajudará com isso. — E havia autoridade em sua voz agora.

— Bem, preciso estudar esse... isso, tentar entendê-lo melhor. Mas farei o melhor que puder para atender às exigências de sua esposa, senhor Clarke. Gostaria de levar esta gravura e mostrá-la a um amigo arquiteto. Talvez juntos possamos criar o que sua esposa deseja.

— Fico muito agradecido — Ian meneou a cabeça. — Não se preocupe com as despesas, apenas construa o que minha esposa deseja.

— Ei, peraí! Também não é assim — me apressei, ainda mais depois de ter descoberto os problemas financeiros que atormentavam Ian. — O senhor deve apresentar um orçamento e aí a gente analisa se vai ser viável.

Domingos se espantou e olhou para Ian. Meu marido apenas sustentou o olhar sério, deixando claro que a decisão era minha.

— Bem... está certo. Examinarei o caso com a máxima urgência. Boa tarde, senhor Clarke. Senhora Clarke. — Com uma mesura, ele deixou o escritório.

Ian contornou a mesa e foi até a porta para fechá-la. Ainda estávamos meio sem jeito por conta da discussão, e eu não sabia ao certo a quem cabia dar o primeiro passo.

— Poderia ter sido pior — Ian comentou.

— Não sei, não. Esse Domingos é pouco aberto a novas tecnologias.

— Isso porque elas não existem ainda. — Ele atravessou o cômodo.

— Detalhes... — tentei brincar. Então o encarei. — Obrigada, Ian. Significa muito pra mim.

— Eu sei — ele exalou com força.

Droga, quando aquela tensão iria embora?

Virei-me para a janela. Minha saia esbarrou de leve na tela sobre o cavalete. Eu a amparei, depois corri os dedos pelo tecido branco, sentindo sua textura.

— Pretende pintar? — ele quis saber.

Peguei uma bisnaga de tinta e a bati de leve na palma da mão.

— Talvez. — Eu o observei por sobre o ombro — Nunca tentei, mas, sabe, suspeito de que sou um espetáculo como artista.

Minha tentativa de quebrar o gelo que nos distanciava funcionou.

— É mesmo? E o que pretende retratar? — Ele se aproximou, se esforçando para não sorrir. Então, abriu uma caixa de madeira e começou a ajeitar os pincéis sobre o aparador estreito ao lado do cavalete.

— Humm... Não sei. O que você indicaria?

— Como não você tem muita prática, sugiro que comece com algo simples, de traços fáceis e poucos detalhes.

— Que tal... aquele troço ali? — apontei para um toco de madeira com um puxador curto (lembrava o casco de um navio) sobre a mesa.

— Um mata-borrão. Excelente escolha — ele aprovou.

Contemplei as bisnagas prateadas, tentando adivinhar a cor das tintas.

— Não prefere fazer um esboço antes? — ele indicou com a cabeça o toco de grafite que usara pouco antes.

— Ah, é verdade.

Peguei o pequeno lápis e observei o mata-borrão. Comecei a rabiscar, mas, mesmo parecendo ser uma peça fácil de desenhar, não era. No entanto, fiz o melhor que pude.

— Pronto — exclamei e franzi a testa. Meu mata-borrão parecia um nariz e um sorriso de palhaço.

Ian deu um passo para trás para analisar o rascunho, como se fosse um profissional. E, no caso, era mesmo.

— A visão do artista é algo que sempre me fascina — comentou, observando meus rabiscos. Pude notar que ele fazia um grande esforço para não rir.

Eu abri um dos tubos de tinta — vermelha, constatei então —, mas me detive, sem saber bem o que fazer a seguir. Ian percebeu e se adiantou.

— Permita-me auxiliá-la — ofereceu, pegando a bisnaga.

Ele retirou o casaco e a gravata e os jogou sobre a mesa. Então desabotoou os primeiros botões e começou a enrolar as mangas da camisa branca imaculada.

— Eu te ajudo — ofereci, uma desculpa para me aproximar. O sorriso que surgiu em seus lábios e iluminou seus olhos fez tudo sacudir dentro de mim.

Ian espalhou várias minhocas de tintas coloridas sobre a caixa de madeira.

— Talvez, prefira começar com este — ele me entregou um pincel gordo de cerdas duras.

— Beleza.

Contemplei as minhocas coloridas e escolhi uma delas, a marrom, já que o mata-borrão era bem escuro. Estiquei o braço e minha mão tremeu de leve, de modo que meu traço serpenteou pelos limites do crayon. Tentei limpar o borrão com o dedo, mas ficou ainda pior. Peguei um pouco de tinta branca, esperando que funcionasse como um corretivo, mas ainda havia tinta marrom nas cerdas do pincel, e a mistura acabou resultando em cor de coisa estragada.

Percebendo minha dificuldade em me manter dentro do traçado, Ian chegou mais perto, se posicionando meio de lado meio atrás de mim, e segurou a minha mão, guiando-a como se eu fosse uma criança aprendendo a rabiscar as primeiras letras. Com a ajuda de seus dedos experientes, os meus se moveram sobre a tela com uma facilidade impressionante.

Ian continuou me ajudando, mas, depois de um tempo, percebi que minha mão era um mero enfeite. Ele estava pintando! E eu não conseguia tirar os olhos do pincel. Havia tempos que eu desejava vê-lo pintar, mas, desde que eu voltara, ele tinha se dedicado muito pouco à sua arte. Seus dedos longos encobrindo os meus eram delicados nos movimentos, porém operavam com uma precisão quase cirúrgica. As linhas surgiam e me fascinavam; era incrível ver o desenho ganhando vida sob seu toque. Muito parecido com o que acontecia comigo, pra falar a verdade.

O pincel escorregou na linha uma vez, deixando um borrão esquisito, e nem foi culpa minha. Outra mancha surgiu a seguir. Olhei para Ian e então entendi por que aquilo estava acontecendo. Sua atenção estava em minha boca.

— Com problemas para se concentrar, senhor Clarke? — brinquei.

A resposta de Ian foi me estreitar contra seu corpo, moldando seus contornos rijos às minhas curvas, abaixar a cabeça e me arrebatar com um beijo. Ergui o braço para enlaçar seu pescoço, mas acabei esbarrando o cotovelo em alguma coisa.

O cavalete balançou e a tela sobre ele oscilou, pendendo para o lado, e só não caiu porque o aparador impediu. A caixa de pincéis, aquela que tinha minhocas de tinta na tampa, não teve tanta sorte. Antes que eu pudesse apanhá-la, ela despencou com as minhocas para baixo direto no tapete — que eu podia jurar que custava uma grana —, aterrissando com um *gloooosh*.

— Ai, droga! — Soltei Ian e me agachei rapidamente para pegar a caixa, mas ele foi mais rápido. — Merda! — resmunguei quando ele ergueu a peça e eu vi o estrago. Esfreguei as mãos na meleca bem no centro do tapete tentando limpá-lo, mas só fiz mais sujeira. — A Madalena vai me matar!

— Não se preocupe com isso. É apenas um tapete, Sofia.

Certo, não me preocupar. Claro.

Às vezes eu desconfiava de que Ian não conhecia Madalena tão bem assim. Sobretudo quando o assunto era destruir a mobília. Com as mãos sujas de tinta, minha primeira reação teria sido esfregá-las no vestido, mas pensei melhor e acabei limpando-as na tela inacabada. A bagunça em meus dedos se misturou ao suposto mata-borrão, criando padrões esquisitos e nada bonitos.

Ótimo. Detonei a tela também.

Como já estava perdida, continuei tentando limpar o tapete e friccionando os dedos por toda a tela em um ritmo frenético.

— Talvez, se a gente colocar o sofá aqui, a Madalena nem perceba — sugeri esperançosa.

— No meio do escritório? — ele arqueou uma sobrancelha.

— Ué, o que é que tem? O sofá é seu, você coloca onde quiser.

— Sofia, pare com isso — ele ordenou gentilmente.

— Não dá! Vai secar! — Eu já estava prestes a me ajoelhar outra vez quando ele me deteve, segurando minhas mãos sujas com seus dedos firmes. Bom, não tão firmes assim, já que a tinta funcionava como lubrificante.

Ian esperou até meu olhar se fixar ao dele.

— Sofia, a quem este tapete pertence?

— É seu, mas a Madalena...

— Resposta errada — ele me interrompeu, sacudindo a cabeça. — Esta casa, a mobília, o homem à sua frente... A quem tudo isso pertence?

Percebi aonde ele queria chegar com aquilo.

— Não é bem assim, Ian.

— Responda à minha pergunta — exigiu, paciente.

Suspirei, vencida.

— Acho que você quer que eu diga a mim.

— Tudo isso *é* seu — ele disse com veemência, deslizando os dedos escorregadios pelo meu braço até entrelaçá-los aos meus. — Se quiser jogar tinta no tapete, nas paredes, em *mim*, você pode. Pode fazer o que quiser!

— Inclusive colocar o sofá aqui? — insisti.

— Se é o que deseja — garantiu olhando para nossas mãos unidas numa bagunça de branco, verde, amarelo, vermelho e marrom. — Sei que a situação ainda é recente, mas precisa se habituar à ideia de que essa é a sua nova vida. Você é a senhora desta casa.

— Mas... — tentei retrucar, porém ele me impediu, alojando nossas mãos em seu peito e me puxando mais para perto.

— Nada de "mas". Ela é *sua*, Sofia, assim como tudo que está sob este teto. Foi assim desde que entrou aqui pela primeira vez. Tudo esperava para ser reclamado por você. Inclusive eu.

Ele se inclinou, as pupilas negras como uma noite sem luar faiscavam reflexos prateados. Inclinei o rosto para recebê-lo, e, quando nossas bocas se encontraram, foi como se as entranhas da Terra explodissem.

— Odeio brigar com você — ele murmurou com os lábios colados aos meus. Minha pele inteira se eriçou. — Detesto não poder dar tudo de que você precisa.

Eu recuei apenas o suficiente para poder encará-lo.

— Você é *tudo* que eu desejo, Ian. E eu também odeio brigar com você. Mas acho que você tem razão. Tenho dificuldade em compreender o jeito de pensar deste século.

— Não é isso. Eu me descontrolei. Ando um tanto tenso. Creio que poderia ter exposto meu ponto de vista de maneira mais... menos eloquente. Mas entenda, meu amor, eu quero lhe dar o mundo, no entanto... — ele exalou pesadamente. — No entanto, agora não posso arriscar... Não enquanto as notícias são tão... E isso tem me deixado louco! Eu não sei no que acreditar! Eu queria... — Ele sacudiu a cabeça, esfregando a testa com as costas da mão e sujando-a. Com algum custo, forçou um sorriso. Qual era o problema? — Não estou fazendo sentido. Creio que brigar com você me deixou um pouco confuso.

Mas ele não parecia nada confuso. Parecia preocupado.

Analisei sua expressão, tentando entender o que o deixaia tão aflito de repente.

— Do que você tá falando? O que tá acontecendo?

Ele sacudiu a cabeça, e um misto de desespero e confusão transformou suas feições. Em vez de me dizer o que tanto o atormentava, Ian me beijou. E o jeito como ele me segurou, a maneira como sua boca dominou a minha, foi assustador. Era como se ele não fosse me ver nunca mais, como se estivesse prestes a me perder, e isso o destruía. Eu já o vira assim antes, em nossa noite de núpcias, depois do pesadelo.

— Ian... — tentei interromper o beijo para entender o que estava acontecendo, mas ele não permitiu.

— Faça amor comigo — ele sussurrou em meu ouvido, em um tom rouco desesperado.

A súplica aliada ao calor de seu corpo e ao aroma que exalava de sua pele inflamaram meus sentidos. Todas as minhas células reconheceram aquela fragrância masculina tão peculiar e deram início a um arrepio delicioso que começou nos dedos dos meus pés e atingiu a minha nuca. Deduzi que as células dele também reconheceram meu toque, pois ele gemeu e abaixou a cabeça para alcançar a minha boca.

Ian me agarrou pela cintura e me ergueu, tirando meus pés do chão. Então me colocou sobre a mesa e se posicionou entre as minhas coxas. Alguns objetos caíram da mesa ou sobre ela, não sei bem. Eu estava perdida demais nas sensações para me preocupar com qualquer outra coisa. O frenesi que dominava Ian logo o deixou impaciente, e não demorou muito para que ele suspendesse minha saia. Sem esperar, mergulhou completamente em mim. Eu sentia o desespero que o dominava, consumido não só pelo desejo, mas por algo mais. Um terror puro e absoluto que eu não conseguia entender, mas que parecia alquebrar sua alma.

Com as pernas ao redor de seus quadris e enroscando os dedos nos fios sedosos em sua nuca, eu o trouxe ainda mais para perto, ansiando fazê-lo se sentir tão seguro em meus braços quanto eu sempre me sentia nos dele.

No entanto, uma pequena parte de mim não deixou de notar que Ian me amava como se fosse a última vez.

22

Querida Nina,

Sinto demais a sua falta. Tanto que às vezes mal consigo respirar. Queria ter notícias suas, mas tudo o que posso fazer é imaginar como estão as coisas por aí.

A esta altura, se você pudesse ler esta carta, já teria se dado conta de que consegui voltar para Ian. Mas o meu "felizes para sempre" não anda lá muito bem. Até o momento eu quase fui atropelada, levei ponto, usei droga sem saber e causei um incidente envolvendo mais de uma centena de garrafas de champanhe.

Ah, e o Ian tem uma tia que anda fazendo da minha vida um verdadeiro inferno. Imagine uma Lady Catherine de Bourgh, só que cheia de peruscas e duas vezes mais venenosa. Pois é.

Além disso, Madalena e Gomes me perseguem diariamente com perguntas que eu não sei responder. Se quero que matem frango ou porco para o jantar (e desde então meu apetite por carnes desapareceu). Se desejo que arrumem o quarto pela manhã ou à tarde. Se devem servir café, chá ou *suco quando alguém aparecer. Quantos sacos de arroz devem comprar?*

Como é que eu vou saber tudo isso, Nina? Eu nunca fui muito boa com essa coisa de cuidar da casa, e olha que o meu apartamento era tão minúsculo que se eu estirasse os braços tocaria as paredes de todos os lados. A casa do Ian é uma mansão!

Para completar, Ian e eu tivemos nossa primeira briga de verdade dias atrás. Ele não quer minha ajuda para nada, e eu não sei o que fazer. Compreendo que ele não faz por mal, que foi criado para ver a mulher como um bibelô, mas eu preciso me sentir útil e necessária, e, exceto quando estamos juntos, me sinto inútil o tempo todo. Um peso a ser carregado, e você sabe melhor do que ninguém como eu odeio me sentir assim.

Estou preocupada com Ian. Ele está diferente. Mais tenso e explosivo, como se estivesse sob muita pressão ou alguma coisa assim. Sei que ele está enfrentando problemas financeiros, mas não acho que seja isso a causa de tanto pânico. Às vezes sinto um pavor descabido crescer em seus olhos, mas ele nunca conversa comigo, só me abraça e me beija como se o mundo estivesse acabando. Na noite passada ele...

Interrompi o fluxo contínuo da caneta e observei o papel, sem saber como colocar em palavras o que acontecera naquela madrugada.

Chovia muito e eu acordei com o barulho de um trovão. Então me remexi na cama, buscando o calor de Ian, mas encontrei apenas os lençóis amarfanhados. Eu me apoiei nos cotovelos e procurei pelo quarto. Ele estava nu em frente à janela e fechou as cortinas de forma brusca, para logo em seguida recuar, como se tivesse se deparado com um terrível monstro.

— O que foi? — perguntei com a voz enrouquecida pelo sono.

Ian se assustou, girando sobre os calcanhares. Seu rosto tinha uma palidez atípica.

— A claridade estava me incomodando. Eu não queria acordá-la. Volte a dormir.

— Então volta pra cama.

Ele fez o que pedi. Subiu no colchão, deitou-se ao meu lado e encaixou o peito em minhas costas. Um estrondo ecoou perto dali, e Ian me segurou com mais força.

— Você tem medo de tempo ruim, Ian?

— Creio que agora tenho — ele admitiu sem vergonha alguma. Supus que a história que ouvira mais cedo, sobre a garota atingida por um raio, o tivesse impressionado.

— Relaxa, eu te protejo. — E me aconcheguei mais a ele.

Ian deu um beijo no ponto sensível logo atrás da minha orelha.

— Me sinto seguro com você — murmurou ao meu ouvido. — Agora durma. É tarde.

Eu fechei os olhos, mas permaneci acordada acariciando o braço dele até a tempestade se dissipar, quase pela manhã, quando então a respiração dele se tornou cadenciada e profunda.

Era raro Ian se mostrar tão vulnerável, e, por mais que parte de mim estivesse em êxtase por ser capaz de acalmá-lo em um momento como aquele, a outra se preocupava com o que podia estar se passando em sua cabeça. Não podiam ser apenas os problemas financeiros. Tinha de haver mais.

— Mas o que é isso?! — exclamou Madalena, me trazendo de volta ao presente. Larguei a Bic sobre a mesa e olhei para a mulher do outro lado da cozinha. Boquiaberta, Madalena examinava o vestido verde manchado de tinta. — O senhor Clarke perdeu o juízo? Ele agora resolveu pintar seus vestidos?

— Mais ou menos... — Minha pele esquentou com a lembrança de como aquelas marcas tinham ido parar ali. O desenho do mata-borrão teve um destino ainda pior.

— Oh, céus! — Ela o largou ao lado da cesta e continuou separando as roupas que pretendia lavar. A camisa de Ian veio em seguida. Depois as

calças. Ambas tinham marcas de dedos coloridos. Madalena engasgou. —
O que... o que vocês dois...

Dobrei a carta inacabada e fiquei de pé. A cadeira protestou, rangendo contra o piso.

— Não pergunta, Madalena. Ou você vai ficar maluca com a resposta.
E... humm... acho que eu devia avisar que houve um pequeno acidente
com o tapete do escritório outro dia. Mas foi sem querer. Juro!

— O que quer dizer com... — ela sacudiu a cabeça. — Não, a senhora
tem razão. É melhor não saber.

— Com licença, senhora Madalena — disse um garoto franzino ao passar pela porta da cozinha. Suas calças eram curtas demais, e o rosto estava manchado de fuligem. Não era um empregado da fazenda. — Oh, bom
dia, senhora Clarke — ele se inclinou de leve assim que me viu.

— Oi.

— Bom dia, Quinzinho — Madalena abandonou as roupas sujas. —
O que o traz à propriedade dos Clarke?

— Um recado para a senhora Clarke — disse, erguendo um pequeno
retângulo branco.

Eu franzi a testa. Quem me mandaria recados? Eu não conhecia praticamente ninguém. Só podia ser da Najla ou da Suelen. Ou talvez do padre Antônio, com a conta do telhado.

— Quinzinho serve a família Albuquerque, senhora — explicou Madalena ao notar minha confusão.

— Ah. — Mas não foi nada consolador. O que a Valentina podia querer comigo?

Doida e ao mesmo tempo temendo o que descobriria, atravessei a cozinha e peguei o bilhete. Como era de esperar, a caligrafia de Valentina era
pequena, perfeita e cheia de rococós, mas ao menos ela não fazia coraçõe-
zinhos nos is.

Querida Sofia,

Soube do adiamento da viagem e pretendo visitá-los em
breve para ouvir as boas novas que decerto terão. No entanto,
como a senhorita Najla não soube me informar a nova data

de partida, temi desencontrá-la, e, por esse motivo, estou sendo impertinente e a incomodando agora. Lamento muito pela intromissão, mas seria bondosa e entregaria ao criado um daqueles vidros do produto miraculoso para os cabelos antes de partir? Suelen não fala em outra coisa, e eu gostaria de ter a chance de experimentá-lo.

Sinceramente,
Valentina

Caramba! Meu condicionador estava bombando no século dezenove! Ainda que as pessoas me achassem esquisita, meu creme não era.

— Espera só um minuto — falei ao rapazote. — Vou pegar o que ela quer e já volto.

Fui até o quarto e levei a carta de Nina comigo, colocando-a dentro de um livro — nada menos que *Emma*, uma edição belíssima em três volumes com capa de couro almofadada. A biblioteca de Ian era mais valiosa que os tesouros de Alexandria! —, que deixei sobre a cômoda. Peguei a última garrafinha de condicionador sobre o toucador e me apressei.

Quando fazia o caminho de volta para a cozinha, encontrei Ian deixando o escritório. E imediatamente escondi o frasco atrás das costas.

— Estava indo procurá-la — avisou ele, com um sorriso. — Terei de ir até a vila entregar o garanhão ao senhor Albuquerque e gostaria de sua companhia.

— Ótimo! Sua irmã saiu com a Teodora e eu tô morrendo de medo que sua tia me encontre. Eu tava escondida na cozinha até agora. Ela ainda não disse quando vai embora?

Ele quase riu.

— Não. Temo que a visita seja muito mais longa que minha paciência — suspirou. — Ah, esqueci de lhe entregar isso. — Ian meteu a mão no bolso do paletó e retirou uma trouxinha marrom amarrada por um cordão fino e preto. Era pesada, e o metal ali dentro tilintou quando ele a colocou em minha palma. — Para as despesas da casa e as suas. Avise-me se precisar de mais.

— Certo. — E mordi o lábio para não gritar. Eu ainda não tinha conseguido me adequar ao cargo de administradora da casa. Não era justo aceitar o dinheiro quando Madalena e Gomes estavam fazendo todo o serviço.

Ian me enlaçou pela cintura, chegando bem perto.

— Não faça essa cara, por favor. Nós já tivemos essa conversa antes. — Os cantos de sua boca se curvaram para cima. — E, se bem me lembro, sua alegação era sobre um homem oferecer dinheiro a uma mulher que não era sua. Você é minha, Sofia.

Não sei se foi a voz aveludada ou o tom sexy que ele empregou no final, ou se simplesmente eu não conseguia resistir àquele olhar. Fosse o que fosse, minha inquietação desapareceu.

Ainda me abraçando, ele deu alguns passos para trás e fui obrigada a segui-lo e, bom, eu tinha algo para fazer, mas meu cérebro se recusava a me dizer o que era. Não que isso fosse novidade quando Ian estava por perto. Apesar de termos passado o comecinho daquela manhã perdidos um no outro, eu não conseguia me cansar de tocá-lo ou ser tocada por ele. Porque era a coisa mais certa em todo o universo.

Assim que passamos pela porta, Ian a fechou com um chute e continuou me arrastando para o sofá no canto. Ele se deixou cair de costas e me desequilibrei. Eu ri ao esmagar seu corpo com o meu, passei as mãos nos cabelos, agora não tão rebeldes, que me caíram no rosto. Ian esticou o braço para pegar o frasco que eu *deveria* manter escondido. Merda.

— Aonde vai com isso? — ele quis saber.

— Hã... levar pra Madalena. O dela acabou. — Fixei os olhos naquele V entre as suas sobrancelhas até que se suavizasse.

Ele depositou o frasco no chão e voltou a envolver minhas mechas nos dedos.

— Seus cabelos são lindos.

— Ultimamente a gente até que anda se dando bem.

Seus olhos se estreitaram, divertidos, antes de ele enterrar a cabeça no meu pescoço e inspirar fundo. Virei o rosto para o lado, ansiando por desfrutar melhor a carícia, mas então, bem atrás da mesa dele, pendurada como uma obra de arte, estava a tela suja e borrada por meus dedos.

Segurei os ombros de Ian e me ergui o suficiente para olhar em seus olhos.

— Por que aquela coisa horrorosa tá pendurada na sua parede como se fosse um quadro de verdade?

— É um quadro de verdade — ele riu, colocando meus cabelos atrás dos ombros.

— Não, é uma porcaria que qualquer criança de dois anos faria melhor.

Ian observou a tela, descansando a mão grande na curva de minhas costas. Um sorriso orgulhoso brotou em sua boca perfeita.

— Eu gosto. Observe a assimetria, a imprecisão nos traços, nenhum domínio das técnicas sobre a tela. Numa primeira interpretação de caráter geral, esse quadro apresenta total falta de cosmovisão, não há reflexão sobre os valores fundamentais em torno dos quais gira a vida humana. É difícil encontrar uma linguagem pictórica ou simbólica, até mesmo discursiva ou conceitual. Se dermos mais importância ao fator "Onde está o mata-borrão?", chegamos à conclusão de que a negligente artista sente dificuldade em se adequar aos padrões e a expressa em cada pincelada.

— Tá legal — falei lentamente, olhando-o com a testa encrespada. — Não entendi mais da metade do que você disse, mas tenho a impressão de que acabou de dizer que sou uma porcaria de artista.

Ele riu.

— Ainda não terminei. — Então se obrigou a retomar a fachada de crítico de artes. — Porém, se deixarmos tudo isso de lado e nos concentrarmos na relação estabelecida entre a figura oculta e as marcas de dedos, vemos que a qualidade do trabalho é significativa, e a mensagem, rica e engenhosa.

— Ah, é mesmo? — Pressionei os lábios para não rir

Ele fez que sim, mantendo a expressão séria.

— Perceba a riqueza com que o amarelo e o vermelho se entrelaçam, criando a ilusão de luz e profundidade. Como aquela torção ali no canto nos remete a um vórtice em constante movimento. Nesta perspectiva, percebemos que a negligência é proposital, ouso dizer, sofisticada, para que os traços representem a liberdade da alma da artista. Observe aquela mistura de marrom e verde bem ao centro.

— Que lembra uma batata podre?

— Precisamente! — Ele lutou contra um sorriso. — A batata é o símbolo máximo do livre-arbítrio, e a independência triunfando sobre as adversidades causadas pelo mata-borrão.

Eu gargalhei tanto que teria caído do sofá se Ian não estivesse me segurando com tanta firmeza. Ele ria também.

— Sério, Ian, é feio demais. Acabou com a decoração do seu escritório. Você devia jogar essa coisa no lixo.

— Meu amor, eu jamais poderia fazer isso. Quando olho para a tela, me lembro da forma como foi criada. A razão daquela confusão de cores e marcas de dedos. Seus e meus. Não há outra que seja mais preciosa ou bela para mim. Recentemente adquiri muito apreço também por aquela magnífica mesa de carvalho. E agora desejo acrescentar este confortável sofá à lista.

Ele esticou o pescoço para alcançar meus lábios.

— Senhor Clarke? — chamou Madalena, socando a porta.

— Shhhh! Vamos fingir que não tem ninguém — sussurrei para ele.

— Duvido que vá funcionar — ele murmurou de volta com um suspiro exausto.

— Senhora Clarke, sei que estão aí dentro. O criado dos Albuquerque está esperando. Não posso deixar o menino na minha cozinha o dia inteiro.

Toc-toc-toc!

Ian deixou a cabeça tombar no braço do sofá e bufou de leve, fechando os olhos. Também gemi de frustração, mas saí de cima dele, arrumando a saia e os cabelos.

— Te vejo daqui a pouco para irmos à vila?

Ele ajeitou as lapelas do paletó.

— Partiremos assim que estiver pronta. Mas estou curioso. Por que um dos empregados dos Albuquerque está à sua espera?

— Ah... É que... humm... — Revirei o cérebro em busca de alguma desculpa, mas não encontrei nada. Acabei dizendo a primeira coisa que me veio à cabeça: — Valentina quer umas dicas de leitura. Aí me mandou um bilhete — Não me atrevi a piscar.

— Bom — ele beijou minha boca de leve. — Fico contente que esteja aumentando seu círculo de amizades.

— Senhora Clarke! — *Bam! Bam! Bam!* — Eu posso ouvi-los! Abra!

— Já tô indo, Madalena.

Ian se adiantou para abrir a porta, fazendo uma mesura galante. A cara de Madalena não era das melhores.

— Quinzinho ainda está esperando! — disse ela, irritada.

— Eu sei, desculpa. Me distraí — dei de ombros. Acenei para Ian e comecei a segui-la.

— A senhora sempre se distrai quando seu marido está por perto. Precisa fazer algo a respeito.

— Fala sério, Madalena. Você também não se distrairia se tivesse um marido como o meu? Ian é lindo como o pecado.

— Senhora Clarke! — ela ralhou, se detendo. Suas saias volumosas chiaram.

— Vai continuar me chamando de senhora até quando, Madalena? Vocês prometeram ao Ian que não fariam isso. Poxa vida, é tão difícil assim me chamar só de Sofia?

— Às vezes penso que tem razão. — Irritada, ela voltou a andar. — Pois se comporta como uma jovem desajuizada, e não como uma senhora casada.

— É isso aí! — concordei animada. — Se seguir essa linha de raciocínio, ficaremos bem. Talvez eu até te chame de Madá.

Ela ruborizou, alisando o avental amarrado à cintura, sem saber bem o que dizer.

Chegamos à cozinha, e Quinzinho me esperava um pouco impaciente. Mas, assim que lhe entreguei o frasco, sua inquietação desapareceu.

— Diz pra Valentina perguntar pra Suelen como usar — expliquei.

— Sim, senhora. Muito agradecido por sua atenção. — Então ele enfiou a mão no bolso da calça curta para tirar dali uma moeda cobre, com uma coroa em alto relevo em um dos lados.

— Ah... Acho que ninguém entendeu muito bem. Eu não vendo esse creme. — E tentei devolver-lhe a moeda.

— Por Deus, senhora — suplicou, subitamente nervoso, erguendo as mãos na altura dos ombros. — Não posso voltar com a moeda. Minha patroa pensaria que eu não quis dá-la à senhora. Eu cumpro ordens, sabe? Se a senhorita Valentina souber que este dinheiro não chegou às suas mãos, posso ser mandado para a rua! Boa tarde. — Ele se despediu com uma mesura desajeitada e se precipitou para fora da cozinha, quase trombando em Elisa, que chegava com Teodora. Thomas vinha logo atrás.

— O que aconteceu para Quinzinho sair com tanta pressa? — a menina quis saber, soltando as fitas do chapéu presas ao queixo. — Há algo errado com a senhorita Valentina?

— Não, ele só veio... buscar uma coisa pra ela.

— Faremos um piquenique às margens do riacho, senhora Clarke. Gostaria de nos acompanhar? — perguntou Thomas, todo galante.

— Ah, não vai dar. Eu vou sair com o Ian.

— É uma pena — lamentou o rapaz. — Quem sabe então em uma ocasião mais oportuna.

— Beleza, Thomas.

O rapaz fez uma careta engraçada, como se não tivesse entendido meu comentário, mas não houve tempo para que pudesse perguntar alguma coisa, pois um dos empregados de Teodora irrompeu à porta, um tanto esbaforido.

— Senhorita Teodora! Que bom que a encontrei. A senhora me mandou buscá-la, senhorita. Diz que é urgente!

Teodora ficou pálida. Quer dizer, ainda mais pálida.

— Mamãe está passando bem? — ela perguntou num fiapo de voz.

— Ah, sim, não precisa se alarmar. Parece que ela recebeu um convite para esta noite. De um baile! A senhora exige sua presença para dar início aos preparativos. A carruagem já está à sua espera.

— Oh! Tão em cima da hora. — E, diferentemente do que aconteceu em outras ocasiões, Teodora não ficou radiante ao ouvir a palavra baile. Na verdade, parecia arrasada. — Bem, creio que não poderei participar do piquenique.

— Marcaremos outro. Não se aflija. — Thomas levou a mão da garota aos lábios. — Divirta-se no baile.

Ela tentou sorrir, fazendo uma reverência geral para todos ali, e partiu com o seu empregado.

Thomas caminhou até a porta e ficou observando a garota entrar na carruagem.

— Parece que teremos de encontrar algo com o que nos distrair esta tarde, Elisa — ele comentou, se virando para a prima.

Elisa!

Ele a chamava de Elisa! Como não percebi isso antes? A intimidade decorria do parentesco ou de algum outro interesse? Não era segredo que Cassandra queria ver aqueles dois se acertando. Ela desejava que o filho se casasse com a sobrinha. Uma menina de quinze anos! Tudo bem que, pelo que ouvi falar, era normal para a época uma garota casar tão cedo. Na minha opinião, qualquer mulher deveria pelo menos ter vinte e um anos e ser dona do próprio nariz antes de tomar uma decisão dessas.

O problema era que Elisa parecia encantada com Thomas. E eu não sabia até que ponto esse encantamento chegava. Na minha cabeça, o futuro de Elisa era sólido e feliz ao lado de Lucas...

Um pensamento sinistro me ocorreu, e foi por causa disso que me peguei sugerindo:

— Por que vocês não vêm com a gente? Ian precisa entregar um cavalo para os Albuquerque e depois acho que ficaremos de bobeira pela vila.

— Perdão? — Thomas arregalou os olhos.

— À toa, dando um tempo. Tipo, vagando por aí.

— Ah! Então suponho que todos poderemos ficar bobos juntos.

Ian, no entanto, não pareceu muito contente com o arranjo. Ao me ver passar com o primo e a irmã pela porta da frente, ele me lançou um olhar questionador.

— Depois eu explico — falei ao alcançá-lo, aceitando sua mão para entrar na carruagem.

Eu pretendia avaliar aqueles dois, descobrir se havia algo entre eles ou se eu estava fantasiando, mas Elisa se sentou ao meu lado, de modo que Ian teve de se acomodar ao lado de Thomas, que decidiu monopolizar a conversa e fazer ao primo diversas perguntas sobre as propriedades à venda naquela região, sem lançar um único olhar para a menina.

Eu levava as três moedas no bolso do vestido e me perguntava se Elisa me ajudaria a distrair Ian para eu dar um pulo na joalheria sem ele perceber.

Ao chegarmos à vila, Ian soltou o cavalo preso à traseira da carruagem e me pegou pelo braço, me impossibilitando de puxar Elisa para um canto e pedir sua ajuda.

— Por mais que eu adore minha irmã — murmurou ele —, pensei que teríamos um tempo para nós dois.

— Eu sei, desculpa. Mas Teodora precisou ir pra casa, e eu não queria deixar Elisa sozinha com o Thomas. Sua tia quer casar sua irmã com seu primo! Aos quinze anos! Por favor, diga que você jamais permitiria uma loucura dessas.

— Não permitirei, ao menos pelos próximos três ou quatro anos. Elisa é muito madura, mas é jovem demais.

— Você acha que ela gosta dele? Tipo, gostar dele como homem, e não como primo?

— Sofia, prefiro não pensar nos interesses amorosos da minha irmã. Sobretudo quando um possível pretendente está hospedado em minha casa. Por que está tão preocupada?

— Por nada — dei de ombros.

Ele começou a andar, imerso em pensamentos, então se deteve.

— Não é Thomas.

— O quê?

— Não se faça de desentendida. Não é Thomas o homem por quem minha irmã se apaixonará. Você é a única que sabe quem será esse homem. Porque conheceu o tataraneto de Elisa — apontou ele, sua curiosidade subitamente inflamada. A inteligência de Ian era algo que sempre me extasiava. — Quem é ele, Sofia?

— Por que quer saber? — questionei, cautelosa.

— Apenas gostaria de saber. Avaliar se ele a merece — ele deu de ombros.

Não acreditei naquele desinteresse nem por um minuto.

— Ah, não, nem vem dar uma de irmão mais velho ciumento. O cara é legal e vai fazer sua irmã feliz. — Ou faria. Eu já não tinha tanta certeza se o que eu sabia ainda ia acontecer.

Quando estive na casa de Ian, em 2010, conheci Jonas, o sobrinho-tataraneto de Elisa e Lucas. Jonas me contara um pouco da história da família Clarke, como Elisa e Lucas se apaixonaram, casaram, tiveram lindos filhos e foram felizes para sempre. Contudo, eu também fora informada do que acontecera a Ian. Naquele momento, estávamos separados, cada um em um tempo, e seu futuro tinha sido obscuro e fatal. Ao voltar para aquele século, eu tinha conseguido mudar o destino dele, e o futuro havia se alterado. Nunca me ocorrera que meu retorno podia ter modificado algo mais. E eu não estava disposta a arriscar o futuro de Elisa.

Já estávamos próximos à igreja, Elisa e Thomas nos seguiam, um pouco mais atrás, quando avistei o padre Antônio saindo da capela. Ele nos viu também e acenou para Ian. Eu não estava pronta para falar com aquele homem. Não depois do flagrante no riacho.

— Humm... eu tenho que... comprar uma coisa ali na botica! — E larguei o braço do meu marido.

— Sofia, não precisa fugir...

— Não estou fugindo, preciso mesmo comprar um... hã... óleo que só tem lá. Vai indo, eu te alcanço. Vem, Elisa! — Eu a peguei pela mão e saí correndo, mas me detive para olhar para os dois lados antes de atravessar a rua estreita.

— O que está acontecendo? Por que está com tanta pressa? — perguntou ela, meio sem ar, tentando me acompanhar.

— O padre Antônio tá vindo aí! Não quero me encontrar com ele.

— Por que não?

— Porque... ele viu uma coisa que não devia ter visto. Vem, entra antes que ele nos chame de volta. — Empurrei a menina para dentro da lojinha e nos escondemos atrás de uma prateleira alta.

Espiei por entre os frascos e vi o padre abordar Ian e Thomas dando início a uma conversa.

— Senhorita Elisa, senhora Clarke, que oportuno voltar a encontrá-las! — exclamou o boticário. Como era mesmo o nome dele?

— Como tem passado, senhor Plínio? — Elisa o cumprimentou.

— Muito bem, querida — respondeu ele. E, se voltando para mim, acrescentou: — Senhora Clarke, pensei que estivesse viajando.

— Ian decidiu adiar por uns dias. Muito trabalho.

O homem assentiu.

— Fez bem. Ao menos até que tudo se acalme — comentou num tom sombrio. — Mas, minha querida senhora Clarke, eu pretendia ir vê-la assim que voltasse de viagem. Nunca recebi tantas visitas neste estabelecimento à procura de um produto específico. Parece que houve algum equívoco, e as damas da vila agora pensam que comercializo certo creme miraculoso para deixar os cabelos sedosos.

Eu gemi.

— Desculpa, seu Plínio. Foi uma confusão. Nem era pra tanta gente assim ficar sabendo. Eu não comercializo nada. Sou eu que faço o creme para os cabelos, só que não para vender. É para uso pessoal.

Um brilho estranho fez o rosto do homem parecer dez anos mais jovem. Ele ficou em silêncio por alguns instantes, os olhos dardejando, um quase sorriso em sua boca. Então deu um passo à frente.

— Senhora Clarke, sei que estou sendo ousado, mas gostaria de propor-lhe um acordo. Parece-me que este produto é bastante desejado pelas damas, e eu gostaria de tê-lo em minha loja.

Eu pisquei, tipo, umas dez vezes.

— Como é que é? — arregalei os olhos. Ao meu lado, Elisa arfou.

— Posso lhe dar um adiantamento — ele se apressou, se dirigindo ao balcão e abrindo uma caixa. Então voltou e depositou muitas moedas em minha mão paralisada. — A outra parte receberá na entrega do produto. Trinta frascos?

Eu estava pronta para lhe devolver o dinheiro, tinha toda intenção de fazer isso, mas algo me impediu. Talvez meu orgulho, não sei bem. O fato é que a discussão com Ian retornou com força à minha mente. Ele não permitiria que eu o ajudasse, por mais que eu insistisse ou esperneasse. E ali estava uma chance real de poder retribuir de algum jeito tudo o que ele fizera por mim, de aliviar um pouco as coisas para ele. Talvez não resolvesse toda a situação financeira, mas qualquer ajuda certamente seria bem-vinda.

Elisa me estudava com o cenho franzido, como se desaprovasse o que estava vendo. Ela tinha razão. Eu não estava pensando direito. Nem devia ter cogitado uma bobagem dessas.

Foi por isso que fiquei tão surpresa quando ouvi uma voz muito parecida com a minha perguntar:

— Quando devo entregá-los?

— Sofia! — Elisa se sobressaltou, mas o que ela entendia de negócios, afinal?

O homem sorriu em resposta.

— O quanto antes, minha querida. Estamos perdendo um bom dinheiro neste exato momento. Planejo dispor a mercadoria ali na frente para que as damas possam avistá-la de longe quando estiverem passando a caminho da... — ele continuou falando, mas eu já não prestava atenção.

A chance de ajudar Ian caíra no meu colo, e, mesmo que ele não soubesse de nada — ao menos por enquanto; eu pretendia contar a ele um dia, claro —, não tinha problema nenhum para mim. Eu não queria glórias nem agradecimentos, apenas a chance de aliviar suas preocupações. E, se grana era o que o andava preocupando tanto, então seria assim que eu o ajudaria. Não nos estábulos, nem auxiliando na contabilidade, mas contribuindo de fato para que nosso orçamento crescesse, mesmo que fosse às escondidas.

Eu seria tipo o Robin Hood!

Isso é, depois de pagar pelo relógio que comprei para Ian, claro. Talvez com duas ou três remessas de condicionador caseiro, eu conseguisse quitar a dívida e aí começaria a colocar dinheiro em casa.

Então me dei conta de que precisava arranjar mais frascos vazios. E frutas. Se bem que a cozinha estava repleta delas e...

Ai, meu Deus! Eu ia mesmo começar meu próprio negócio no século dezenove e esconder isso do meu marido só para poder ajudá-lo já que ele recusava meu auxílio?

Ah, sim! Eu ia mesmo! Não havia limites que eu não ultrapassasse por aquele homem.

23

— Há algo errado? — sussurrou Ian ao meu ouvido enquanto voltávamos para casa. Dessa vez ele se sentou ao meu lado dentro da carruagem.

Não sei, eu quis responder.

— Claro que não, tô ótima.

Tudo bem, eu estava disposta a tudo para ajudar Ian, mas isso não significava que eu me sentisse bem escondendo dele uma coisa grandiosa como começar meu próprio negócio.

Eu tinha ficado tão chocada que me esquecera de ir à joalheria dar as moedas ao seu Estevão. Depois de deixar a botica com os bolsos cheios delas, eu fora direto para as bancas de frutas pedir que entregassem uma grande quantidade de bananas, abacates e cocos na propriedade de Ian. Seu Plínio resolvera a questão da embalagem, cedendo frascos e rolhas.

A culpa estava me devorando como um verme enterrado em minha carne, e só meia hora havia se passado desde que eu acertara tudo com o boticário. Logo que aquela sensação nauseante me atingiu, eu decidi que contaria a Ian assim que botássemos os pés em casa. Diria que tinha um empreendimento próprio e que ajudaria nas despesas. Ele não ficaria muito contente no começo, mas talvez, se eu explicasse tudo com calma, ele poderia acabar entendendo.

Não que Elisa tivesse a mesma opinião que eu.

— Não posso acreditar que concordou com uma coisa dessas — dissera Elisa ao deixarmos as bancas, num tom zangado que eu nunca tinha ouvido antes. Isso dizia muito sobre o tipo de problema em que eu me metera. — Meu irmão não a provê de tudo o que necessita?

— Claro que Ian me dá tudo que eu quero, Elisa, mas ele...

— Então não há razão para se meter numa sandice dessa! — ela me interrompeu, zangada. — Onde está com a cabeça, Sofia?

— Você não entende! Eu... — Não pude dizer a ela que Ian tivera prejuízo nos últimos meses sem alarmá-la. Então, menti. Bom, quer dizer, mais ou menos. — Eu... não quero ter de pedir dinheiro a ele toda vez que quiser comprar uma agulha.

Ela me lançou um olhar enviesado.

— Você não sabe bordar, Sofia.

— Mas, se eu soubesse, teria que pedir a ele.

— Temos uma infinidade de agulhas em casa.

— Elisa, para com isso! Eu sempre trabalhei, sempre tive meu próprio dinheiro para usar como bem entendesse. Nunca precisei dar satisfações a ninguém, nem pedir permissão.

— Duvido muito que Ian espere que lhe peça permissão para gastar o dinheiro que ele lhe dá.

— É isso aí! O dinheiro que ele *me dá*! Me dá, Elisa! — Tudo bem, talvez o trato com o seu Plínio não fosse apenas por Ian.

— E o que há de errado nisso? — ela indagou. — Ele é seu marido! O marido sempre arca com as despesas da esposa.

— Eu não me sinto bem com isso. Desde a primeira vez em que seu irmão quis pagar vestidos para mim foi assim. Eu sempre cuidei de mim. Ian sabe que eu era financeiramente independente.

Ela cruzou os braços sobre o peito.

— O que não significa que ele vá gostar de saber que sua mulher anda negociando com o boticário da vila.

E uma parte de mim sabia que ela estava certa, mas a outra insistia no fato de que Ian era diferente. Ele sabia que eu tinha vindo do futuro e, mesmo assim, fora capaz de entender.

Numa segunda tentativa, é verdade. Ele pirou geral quando lhe contei a razão de eu ser tão diferente de tudo que ele conhecia. Mas o que importava era que ele compreendera. E poderia entender de novo, desde que eu explicasse com jeitinho.

Era tão errado assim eu desejar ser a mesma garota de sempre? Era feio querer ter algo com que me ocupar, um pouco de independência e, de quebra, aliviar só um pouquinho as costas de Ian? Ele já cuidava da fazenda sozinho, dos arrendatários, de Elisa, dos empregados e, agora, de mim, que lhe dava mais trabalho que todas as outras coisas juntas.

Alguém tinha que cuidar dele, e eu queria muito, muito mesmo, ser esse alguém. Ele não podia me condenar por isso.

Então ali estava eu, olhando pela janela da carruagem sem ver de fato nada, com a testa franzida e tentando bolar um plano que não incluísse embebedá-lo ou distraí-lo com sexo para fazê-lo entender que aquilo era importante para mim.

Soltei um longo suspiro desanimado e me recostei no banco da carruagem.

— Você parece triste — Ian passou o braço por meus ombros, me trazendo para mais perto. — O que aconteceu na botica? Alguém fez...

— Não aconteceu nada — me apressei, interrompendo-o e lançando um olhar furtivo para Elisa, que olhava distraída pela janela. Thomas estava numa posição muito parecida com a dela. — Só estou com saudades da Nina. — E era verdade.

— Sinto muito — ele me apertou mais forte, pousando o queixo no topo da minha cabeça. — O que posso fazer para que se sinta melhor?

O oposto do que está fazendo agora!

— Só me abraça, Ian. Me abraça pra sempre e não me solta nunca mais.

Ele me segurou com mais força.

— Pensei que pediria algo impossível. — E beijou minha testa.

Envelopada e segura em seus braços, percebi que não conseguiria — e, mais importante, não *queria* — esconder a verdade de Ian por muito tempo. Não por temer que Elisa contasse, mas porque sentia como se estivesse me afogando, sufocando. Eu queria falar com alguém. Queria que Nina me ouvisse e me dissesse o que fazer.

A carruagem parou e eu fiquei surpresa ao notar que havíamos chegado tão depressa. Ian esperou Isaac abrir a porta e desceu, para então estender a mão e me ajudar a sair do veículo. Seus olhos buscaram os meus para se assegurar de que eu estava bem. Aquele olhar, mais do que qualquer outra coisa, me fez tomar uma decisão. Eu não mentiria para ele por nem mais um minuto.

Inspirei fundo, tomando coragem.

— Tem um tempinho agora? — perguntei ao alcançar o primeiro degrau da escada.

— Sim, por quê? — Ele ajeitou minha mão na dobra do seu cotovelo.

— Preciso falar com você. Podemos ir até o quarto.

Quase que instantemente, sua preocupação foi substituída por outra coisa.

— Tem certeza de que quer fazer isso lá? No passado não funcionou muito bem...

Eu ri, muito embora quisesse chorar. Na última vez em que tentei lhe contar algo importante, acabamos nos embolando na cama como dois... bem, dois amantes apaixonados.

Mal entramos na sala e Gomes nos interceptou:

— Senhor Clarke, a senhora Cassandra mandou informá-lo de que têm um compromisso esta noite, e que a carruagem deve partir às seis.

— Que compromisso? — perguntou Ian.

— Um baile, senhor. Na propriedade de lady Catarina Romanov. O convite chegou pouco depois que os senhores saíram.

Ian enrijeceu da cabeça aos pés. Dava para sentir a irritação emanando de seus poros.

— E minha tia se julgou no direito de aceitá-lo em meu nome. — Não tinha sido uma pergunta.

— Sim, senhor. — Gomes parecia tão aborrecido quanto Ian.

Thomas, logo atrás, praguejou.

— Lamento muito, primo. — Colocou a mão no ombro esquerdo de Ian. — Vou falar com mamãe.

Ian sacudiu a cabeça, negando.

— O compromisso já foi assumido e deve ser honrado, mas amanhã eu mesmo discutirei o assunto com sua mãe. — E, pelo tom falsamente calmo, quase cheguei a ter pena de Cassandra.

— Bem, então devemos nos apressar! — exclamou Elisa. — Não temos muito tempo.

Um baile. Meu histórico com eles não era lá essas coisas.

Que ótimo. É tudo o que eu preciso neste momento.

O mordomo assentiu para Elisa.

— A senhora Madalena já preparou seu banho, senhorita. E o seu também, caríssima Sofia — completou, corando um pouco.

Um sorriso largo se espalhou pelos meus lábios ao ouvir meu nome desacompanhado do verbete odioso.

— Até que enfim! — Soltei Ian e abracei Gomes com força. — Valeu, seu Gomes. Caríssima Sofia tá ótimo pra mim.

— Fi-fico feliz por agradá-la — ele respondeu sem jeito.

— Devo começar a me preocupar com a concorrência, senhor Gomes? — perguntou Ian, fazendo o sujeito enrubescer ainda mais. Ian acabou rindo. — Estou brincando, meu amigo. Avise a Isaac para não desatrelar os cavalos. Partiremos em breve.

— Como quiser, senhor Clarke. Com a sua licença. — Ele se inclinou e se retirou, arrumando o casaco, como se isso pudesse fazê-lo recuperar a compostura.

Elisa logo foi para o quarto, e Ian me conduziu até o nosso. A banheira já estava cheia, e o vapor quente deixou o ar saturado com o aroma das pétalas que boiavam graciosamente na água. Madalena era ótima com banhos.

— Sei que detesta eventos como esse — disse Ian, fechando a porta calmamente —, mas será nosso primeiro baile depois de casados e...

— E você quer me exibir um pouco. — Alcancei os botões em minhas costas e comecei a abri-los.

— Bem... sim, quero mesmo. Eu cuido disso — ele se colocou atrás de mim para me ajudar com o vestido. — Mas não quero que se sinta obrigada a nada. Entenderei perfeitamente se não se sentir inclinada a comparecer. Posso inventar uma indisposição qualquer e enviar uma mensagem de desculpas a lady Catarina.

— Não precisa, você vai estar lá — dei de ombros. — Então tá tudo bem.

— Tem certeza? — Ele deslizou minhas mangas para baixo, desnudando meus ombros. Lábios quentes me tocaram bem ali. Então enrolou meus cabelos em uma das mãos e os acomodou no ombro para traçar um caminho de beijos que terminou em minha nuca. Estremeci em seus braços, fechando os olhos. — Porque, pensando bem, eu não me importaria.

— Ian, espera, eu tenho que... eu...

Subitamente, toda a agitação daquela tarde desapareceu no instante em que ele me tocou. Não, eu não tinha esquecido o assunto, mas não podia abordar algo tão sério com o tempo cronometrado. Quem sabe pudéssemos conversar quando voltássemos para casa?

— Você? — ele instigou. E correu os dedos longos pela pele sensível do meu estômago e continuou subindo, subindo, subindo, aniquilando qualquer pensamento coerente, além da certeza de que nos atrasaríamos.

24

— Lady Catarina é filha de um conde russo — dizia Thomas, sentado ao lado da mãe na carruagem de Ian. Elisa, Ian e eu nos espremíamos no outro assento. — Apesar de não ter herdado o título, que foi para o irmão, e de ter nascido em terras brasileiras, ela é parte da nobreza moscovita.

— Espantoso! — resmungou a mulher. — Pensei que conhecesse todas as boas famílias da região. Ainda mais depois que...

Eu me desliguei da conversa quando os dedos de Ian acariciaram minha cintura, trazendo à minha mente a lembrança daquela tarde com uma nitidez impressionante. Foi praticamente impossível me arrumar com ele por perto. Eu tentei prender os cabelos, mas isso se mostrou uma tarefa inútil, já que a todo momento Ian sapecava beijos aqui e ali, de modo que meu coque agora estava mais solto que preso. Fazer a maquiagem foi um sufoco também. Me vestir, ainda mais trabalhoso, pois a cada peça de roupa que eu colocava, ele logo tentava me livrar dela. Não que eu estivesse usando muitas. Sutiã, calcinha e o vestido azul-marinho de mangas longas, em cetim, tafetá ou qualquer outro tecido brilhoso — eu não entendia nada do assunto —, com decote em u na frente e nas costas, terminando bem em cima dos ombros e deixando uma grande quantidade de pele exposta para os lábios de Ian.

Ele só parou de brincar para me ajudar a colocar as joias que me dera no dia do nosso casamento. Então se posicionou atrás de mim e endireitou a coluna para me olhar pelo espelho. Minuciosamente. Nem uma única palavra deixou seus lábios, mas o brilho em seus olhos — orgulhoso, lascivo, fascinado — falava por ele e, desde então, eu não era capaz de parar de sorrir.

Virei a cabeça para admirá-lo em seu traje de gala. Um dos cantos de sua boca estava curvado para cima, e eu podia apostar que ele também não ouvia o tagarelar de Thomas e Cassandra.

Cerca de uma hora depois, adentramos a propriedade de lady Catarina. A casa era colossal. Uma fileira de tochas iluminava o caminho atravancado por uma imensidão de carruagens de todos os tamanhos, o que só podia ser indício de que haveria muitos convidados e, consequentemente, muita aporrinhação. Quer dizer, era difícil me socializar com as mulheres da época porque não tínhamos assuntos em comum. E os homens preferiam a companhia de pessoas do mesmo sexo, de modo que Elisa e Ian eram minhas únicas esperanças. E Teodora, se eu estivesse com sorte.

Depois de o mordomo indicar o caminho, fomos recebidos pela própria lady Catarina e por seu filho, Dimitri, o ruivo de conversa mole que certa vez despertara o interesse de Teodora. Mas agora, comparando a forma como os olhos da moça voaram para a entrada assim que Thomas pisou no salão, achei que o pobre Dimitri não teria a menor chance.

— Boa noite, senhor Clarke. Senhora Clarke. Sejam bem-vindos à nossa casa. Espero que tenham uma noite agradável. — A mulher, tão elegante quanto uma bailarina só que recoberta de joias, nos cumprimentou com um ligeiro inclinar de cabeça.

— É um prazer revê-la, lady Catarina — disse Ian, e eu fiquei quieta e apenas inclinei levemente a cabeça para não acabar dizendo besteiras.

Ao fazer isso, os olhos de Dimitri se fixaram em meu busto.

— Vejo que o casamento lhe caiu muito bem, senhora Clarke — comentou, com um sorriso esquisito. — Sua beleza é estonteante.

Ian fechou a cara no mesmo instante, a mão em minhas costas se tornou rígida.

— Humm... Obrigada, eu acho — respondi um pouco sem graça. Ele não podia estar me paquerando na frente do meu marido. Simplesmente não podia. Eu devia ter entendido errado.

— Eu que lhe sou grato por permitir-me admirar uma beleza tão exótica e encantadora. Senhor Clarke. — Dimitri saudou depressa.

— Senhor Romanov — Ian devolveu num tom intimidante.

Os olhos do meu marido faiscavam conforme nos dirigíamos para o salão onde acontecia o baile.

— Ele estava mesmo dando em cima de mim, não estava? — perguntei.

Ian cerrou os dentes, e seu olhar se tornou ainda mais duro.

— Se "dando em cima" significar ser um sujeito asqueroso que gosta de flertar com mulheres casadas e que precisa tomar uma boa surra para aprender a manter os olhos longe do que não lhe pertence, então, sim, ele estava dando em cima de você.

A fúria em sua voz me fez encolher os ombros.

— Mas... você não vai fazer isso, né? Tipo, numa festa e tal, só porque o cara disse umas gracinhas e...

— Quase mergulhou em seu decote? — completou ele, zangado. — Espero não ter que chegar a tal ponto. Mas, Sofia, se ele se atrever a respirar um pouco mais fundo perto de você...

— Ei! Eu sei lidar com tipinhos feito ele. Relaxa. — Toquei a lateral de seu rosto. Os olhos dele se suavizaram. — E já que estamos aqui e eu tô toda arrumada, vamos tentar aproveitar a festa, beleza?

Ele assentiu, mas olhou por sobre o ombro, na direção de Dimitri, que agora bajulava Elisa. No entanto, Thomas agiu bem rápido e afastou a menina do ruivo.

Ao nos aproximarmos do grande salão, meu estômago começou a se retorcer, e ficou muito pior quando paramos na entrada e todas as cabeças se viraram. Eram uns cinquenta pares de olhos me examinando da cabeça aos pés!

— Tudo bem, Sofia, apenas respire fundo — Ian se curvou e sussurrou no meu ouvido, pousando a mão livre sobre a minha, que agarrava seu bíceps com força. — Você vai se sair bem. Estou aqui, e não sairei do seu lado.

Assenti uma vez e acreditei nele. E esse foi o primeiro erro daquela noite.

O salão, iluminado por centenas de velas, reluzia com tantas joias e tecidos brocados. Depois de cumprimentar alguns conhecidos, paramos em um canto. Elisa e Thomas se juntaram a nós, e, para meu alívio, Cassandra encontrou algumas amigas, melhorando substancialmente a perspectiva daquela noite.

Ao menos até a hora de a comida ser servida, quando fomos encaminhados para a imensa sala de jantar e eu fui informada de que me sentaria do lado oposto ao de Ian. Entre Dimitri e o padre Antônio!

Ian gostou ainda menos da notícia que eu.

— Não — disse ele, sucinto. — Minha esposa se sentará ao meu lado. Acabamos de nos casar. As pessoas entenderão.

— Ah, meu sobrinho. — Cassandra surgiu do nada e me pegou pelo braço, me arrastando para longe dele. — Não seja egoísta e permita que outras pessoas desfrutem da companhia de sua esposa.

— Mas eu quero ficar perto do Ian, dona Cassandra — resmunguei apavorada. E dessa vez nem era por causa dela. — Não tenho muita experiência com este tipo de festa.

Seus olhos se estreitaram em minha direção.

— Não seja desagradável e não crie uma cena. Por que tem tanta dificuldade em seguir a etiqueta social? Vá se sentar no lugar ao qual foi designada — sussurrou ela. Então se voltou para Ian e acrescentou: — Nenhum dos casais se sentará junto, querido.

— Não me importo — ele retrucou, tentando me alcançar. Mas a mulher se interpôs entre a gente.

— Não se importa que sua esposa se torne alvo de chacota? — questionou, inocente.

Isso o fez hesitar. Ian correu os olhos pela sala e se deu conta, assim como eu, de que éramos a atração do jantar. Algumas mulheres abafaram risinhos atrás de leques. Ainda que eu odiasse admitir, Cassandra tinha razão. Eles já se divertiam à nossa custa. Eu não tinha problemas com isso, mas colocar Ian e Elisa naquela situação estava fora de questão.

— Sua tia tem razão, Ian. — Eu me esforcei ao máximo para sorrir. — Vou ficar bem. Sério. Pode ficar tranquilo.

Mas ele não se convenceu, e eu tive a impressão de que ia insistir, entretanto, Cassandra não lhe deu chance e tratou de me puxar para o outro lado da sala. Por um instante, achei que ele viria atrás de nós, mas então Elisa tocou seu braço e lhe disse algo que o fez mudar de ideia.

— Não entendo por que tanto estardalhaço! — reclamou Cassandra, ainda me puxando.

Todos os olhares me seguiam enquanto eu contornava a mesa. E juro por Deus que aquela coisa devia ter um quilômetro, me fazendo pensar que, se lady Catarina tinha uma daquelas, com cinquenta lugares ou mais, qual seria o tamanho da mesa de um rei? Mas isso acabou atrapalhando minha coordenação motora, e pisei na barra do vestido mais de uma vez.

— É que o padre Antônio não foi com a minha cara e o Dimitri fica... meio que flertando comigo.

— Nada mais saudável que um flerte em uma reunião entre amigos.

Eu apenas olhei para ela, chocada.

Não sei bem qual era a daquele povo do século dezenove. Sério. Eu me esforçava para entender aquela gente, mas era impossível. Simplesmente não dava.

— Agora se sente e tente não embaraçar a si mesma — ela alertou, quase me empurrando em direção à cadeira.

Ela seguiu em frente e se acomodou quatro assentos depois. Ian, do lado oposto, parecia prestes a saltar a mesa, mas sacudi a cabeça para ele, ainda que também estivesse aflita. Então só me restou sentar ao lado do homem que eu vinha evitando desde o encontro no riacho, e não era ali, cercada de estranhos, que eu pretendia levar uma bronca por nadar pelada.

Se os filmes estivessem certos, me animei, o padre pouco falaria, pois na telona eles adoravam comer. Tudo bem que sempre eram roliços e bem pançudos, e o padre Antônio nem tanto, mas ele podia ter um metabolismo fantástico, não podia?

Tá legal, não fique nervosa. É só um padre que a flagrou pelada com um Ian igualmente despido numa manhã qualquer.

Assim que alcancei a cadeira, os dois homens ao lado se puseram de pé.

— Senhora Clarke — o padre disse ao mesmo tempo em que Dimitri puxava a cadeira e gracejava:

— Ora, se não sou o homem de maior sorte esta noite.

Eu sorri de leve para os dois e me acomodei no meu lugar. Lancei um rápido olhar para Ian. Ele fuzilava o rapaz com o rosto coberto de sardas.

— Fiquei muito satisfeito ao vê-la esta noite, senhora Clarke — comentou o padre. — Ainda mais quando soube que teria sua companhia no jantar.

— Eu bem posso imaginar o motivo.

— Creio que pode mesmo, o que é um bom sinal — o padre Antônio sorriu. — A culpa é sempre o primeiro passo para a redenção.

Os empregados começaram a servir os convidados, e tive de me inclinar em direção a Dimitri para dar espaço a um deles, que se debruçou sobre mim para colocar o prato à minha frente. Havia tanta coisa sobre a mesa — arranjos de flores, castiçais, fileiras de taças, talheres incontáveis — que não sobrara muito espaço para a comida. Apenas algumas travessas de caldos e purês se espalhavam em alguns trechos.

E aquela coisa no meu prato era um pombo?

— Espero que a perdiz esteja de seu agrado, minha senhora — disse Dimitri.

Eu me virei para ele.

— Ah, pensei que fosse pombo. — Não que perdiz fosse muito melhor. Dava aflição olhar para a ave minúscula com as pernas apontando para o teto e o pescoço retorcido em um caracol.

Pelo menos não tem cabeça e não se mexe, me consolei.

Padre Antônio pegou os talheres assim que seu prato foi servido, e eu quase gemi de alívio. Mas bastou colocar um pouco de carne na boca para começar a falar:

— Então, como tem se saído a nova senhora da propriedade dos Clarke?

Eu ri sem vontade.

— Não muito bem, e acho que o senhor já esperava e torcia por isso.

— Dizem que perdiz é afrodisíaco — cochichou Dimitri, se aproximando de mim e me fazendo recuar no assento. — Alguns homens sentem o efeito quase que imediatamente.

Lancei-lhe meu sorriso mais brilhante.

— Que pena que nas mulheres o efeito é oposto. Agora, sabe o que faz mesmo a cabeça de uma garota? Homens de uniforme. E artistas. Sabia que o Ian é um pintor incrível?

Dimitri fechou a cara.

— Ouvi por alto.

— Está enganada, minha cara — o padre chamou minha atenção. — Meus votos são de felicidade e prosperidade. E que a moral seja respeitada. E, já que mencionou, creio que devo lembrá-la de seus votos.

— Eu não mencionei nada, padre — me defendi. — E nunca me esqueço dos meus votos.

— Ah, meus ouvidos ainda funcionam muito bem. — Ele arqueou uma sobrancelha. — E, se me permite, devo dizer que seu comportamento naquela tarde foi muito inadequado. E o mesmo vale para seu marido, porém, devo confessar, é esperado tamanho disparate por parte de um cavalheiro, mas de uma dama? — ele pegou uma coxinha de sua perdiz e mordiscou a pele. — Ah, não, de modo algum, senhora Clarke.

— A arte é excessivamente valorizada nos dias de hoje — falou Dimitri, invadindo meu espaço mais uma vez. — E, sem dúvida, é usada na sedução por certos cavalheiros incapazes de cativar o coração de uma dama sem tais artimanhas. Agora que está casada, creio que já não esteja assim tão encantada com o talento do senhor Clarke.

Eu girei a cabeça.

— Ah, muito pelo contrário, Dimitri. O *enorme* talento de Ian me cativou ainda mais. Ele é ótimo em tudo que faz. Domar cavalos, pintar retratos, socar a cara de quem folga comigo. Não que isso seja necessário, porque sou capaz de cuidar de mim mesma, mas acho tão fofo da parte dele querer me defender. Você não acha? — Beberiquei um gole de vinho.

— A questão, senhora Clarke — o padre retomou o assunto e eu me virei para ouvi-lo —, é que a situação que presenciei foi lamentavelmente embaraçosa. E imagine se a menina Elisa os tivesse flagrado, ou mesmo um dos empregados? É meu dever mostrar-lhe o caminho certo, por isso creio que deve prestar mais atenção ao que digo, minha jovem. Seu marido pode acabar se envolvendo em um duelo mortal para salvá-la da desgraça.

— Ele me prometeu que não vai fazer isso, padre. Duelar, quer dizer.

— E a senhora acreditou? — o sacerdote quis saber.

Franzi a testa.

— Bom, sim. Ian não mente pra mim.

Isso fez o padre rir com prazer.

— Acredito nisso. Mas responda-me com franqueza. Acha mesmo que seu marido se manterá impassível caso sua honra esteja em perigo? Crê que o senhor Clarke deixaria o assunto de lado? — E, muito discretamente, apontou a faca para Ian.

Ele estava entre a senhora Almeida e Valentina. A mulher mais velha falava alguma coisa, mas ele não parecia ouvir. Seus olhos estavam travados em minha direção, e seu ligeiro franzir de sobrancelhas o deixou com uma expressão irritada, quase perigosa. E aquilo era destinado a Dimitri.

Lembrei-me do jeito furioso como ele encarara Dimitri pouco antes e do modo como agira no episódio com Santiago — um idiota que confundi com alguém que poderia ter vindo do século vinte e um, mas que não passava de um aproveitador de mulheres. Ian o ajudou a ver a luz. Bom, mais ou menos isso, já que os olhos de Santigo terminaram bastante inchados —, e entendi o que o padre queria dizer. Ian não pensaria duas vezes para se meter em uma briga por minha causa. Ou em um duelo.

Estremeci na cadeira.

— Talvez o senhor tenha razão, padre — admiti com a voz baixa.

O sujeito levantou a cabeça, parecendo surpreso.

— Sei que tenho. Acredite, muitos cavalheiros perderam a vida por ter entregado o coração a uma dama que não o merecia. Não estou dizendo que seja seu caso, mas suas atitudes não contribuem para que minha opinião a seu respeito mude.

— Seu marido não poderia agir de outra maneira — Dimitri sussurrou ao meu ouvido. Ele estava ouvindo a conversa? — Tendo uma joia tão preciosa sob seus cuidados. Mas uma dama não precisa contar ao marido tudo o que se passa em seu coração ou... em seus lençóis. — E chegou perto demais.

— Se invadir meu espaço outra vez, Dimitri — avisei, mantendo os olhos em minha taça de vinho —, direi a todas as mulheres que conheço que você gosta de usar as saias da sua mãe quando ninguém tá olhando.

— Perdoe-me, o que disse, senhora Clarke? — perguntou o sacerdote, encrespando a testa.

— Nada, padre.

— Bem, só queria que soubesse que não condeno sua conduta por diversão — prosseguiu. — E, a propósito, a aconselho a se confessar outra vez, pois gostaria de orientá-la adequadamente quanto ao ato de união para fins exclusivos de procriação. — Ele abaixou a cabeça e corou tanto que cheguei a ficar preocupada.

Foi impossível conter o risinho infantil que me escapou dos lábios.

— Quase valeu a pena passar tanta vergonha naquele riacho só pra ver o senhor corar desse jeito — brinquei.

— Senhora Clarke! — censurou o velho, indo do vermelho ao roxo.

Do meu outro lado, Dimitri pigarreou.

— Posso lhe assegurar, senhora Clarke, que nunca houve reclamações a respeito de minha virilidade. E, se me permitir, será uma honra conceder meus favores a uma dama tão adorável e fascinante quanto a senhora, minha deliciosa Sofia. — E uma mão grande pousou em minha coxa, me apertando.

— Senhora Clarke pra você, babaca! — Eu me levantei muito rápido, com a mão já em punho, pronta para acertar a cara de Dimitri, no entanto várias coisas aconteceram ao mesmo tempo.

O padre Antônio se sobressaltou e se afastou, empurrando Suelen, que ocupava o lugar do outro lado dele. Ela, por sua vez, derrubou a taça de vinho no vizinho, cujo nome não lembrava, mas que tinha um bigode imenso e preto. Dimitri também recuou e parecia perdido, olhando para mim com cara de quem não estava entendendo nada. Ian pulou do seu lugar feito uma rolha de champanhe, e Elisa o acompanhou por reflexo. Minha cadeira acabou escorregando no piso polido de madeira, indo de encontro a um empregado que passava bem atrás de mim com uma tigela enorme nas mãos. Um outro empregado, que vinha logo atrás, tentou desviar, mas acabou colidindo em cheio com o colega, conseguindo piorar tudo, e o que quer que estivesse dentro daquela tigela se espatifou no chão. Numa tentativa de salvar ao menos a tigela de porcelana, o rapaz se inclinou e, com isso, atingiu o flanco do outro, fazendo decolar o porco assado que ele trazia. Por um momento, o tempo pareceu congelar, e meus olhos seguiram a trajetória em câmera lenta do porco voador. O assado aterrissou com um estrondo sobre a mesa. Bem dentro da travessa de purê de cenoura, espirrando gosma laranja em todos os convidados que estavam por perto, inclusive em mim, e, para minha completa mortificação, na cara horrorizada de lady Catarina.

25

— Ai, meu Deus! — gemi, e me aproximei de uma lady Catarina coberta de purê. — Caramba, foi sem querer! Eu só me levantei e... Deixa eu te ajudar com...

— Você já fez o suficiente. — A mulher se esquivou de minhas mãos apatetadas, e uma comoção tardia se abateu sobre a sala.

Todo mundo se apressou para junto da anfitriã, mesmo os que tinham sido atingidos pelo purê explosivo, tentando ajudá-la como podiam. Fui empurrada para trás e desejei com todas as forças que o chão se abrisse e me engolisse. Não era pedir muito.

— Lady Catarina, oh, por Deus, seu vestido está arruinado! — alguém arfou.

— Que tragédia! A seda era tão adorável — lamentou uma mulher.

— Deixe-me acompanhá-la até a sala das damas. Pedirei à sua criada que prepare outro traje.

— Oh, querida Cecília, você é um conforto para mim — disse Catarina. — Vamos antes que mais alguma comida seja arremessada.

A mulher me lançou um olhar mortal por entre as cabeças sujas. Eu corei e quis explicar que na verdade a culpa tinha sido do filho dela, que me tocara onde não devia, e não pude fazer outra coisa além de reagir como se esperava. Ao menos no século vinte e um. Mas me dei conta de que ela estava irritada demais e isso só pioraria tudo.

— É isso o que acontece quando se convida a plebe para o banquete — Cassandra comentou ao meu lado, alto o bastante para que todos ouvissem. Ela tinha purê nos cabelos.

Não tive coragem de olhar para onde estava Ian. Não queria ver o constrangimento em seus olhos.

— Oh, querida, não chore. — O padre, muito gentil, me pegou com todo o cuidado pela cintura e me levou para longe da muvuca. — Venha, vamos tomar um pouco de ar.

Eu não via muita coisa à minha frente, mas, com purê grudado na sobrancelha esquerda, isso até era compreensível. Não tinha nada a ver com lágrimas como ele sugerira. Nada mesmo!

Não nos afastamos muito no entanto, apenas até o salão onde aconteceria o baile.

— Sofia! — Ian chamou da sala ao lado tentando se livrar do mar de gente que o rodeava, se esticando para me ver.

— Pronto, pronto. Agora tudo vai ficar bem. — O padre tentou me acalmar retirando um lenço da batina decorada por bolotas gosmentas.

— Valeu, padre. — Eu esfreguei o tecido no rosto, me livrando da comida, e o devolvi a ele.

O homem olhou para o lenço e fez uma careta.

— Pode ficar. Ainda tem um pouco de... — E apontou para minha têmpora.

— Eu pensei que o senhor fosse me odiar pra sempre. Tipo, porque eu meio que forcei a barra e te obriguei a me casar em português.

Ele riu de leve.

— E foi justamente o que me fez reconsiderar. Uma dama que se dispõe a mentir tão fervorosamente a um sacerdote deve amar muito seu noivo.

— Eu não estava mentindo.

— Eu sei — ele anuiu com a cabeça uma vez, e os lábios se curvaram para cima de um jeito inesperado.

— Sofia! — Ian atravessou a porta e não parou até me envolver em seus braços. Não havia constrangimento em seu semblante, e sim uma preocupação genuína. — Você está bem?

— Ah, Ian, eu sinto muito. Muito mesmo! Não queria te envergonhar, mas eu não pude fazer nada. A cadeira...

— Shhhhh... — Ele acariciou meu cabelo, afundando minha cabeça em seu peito forte. Isso sempre fazia eu me sentir melhor. Sempre. Não foi diferente naquele momento. — Você não me envergonhou, foi um acidente. Todos sabem disso. — Nem todos, eu quis dizer, mas fiquei quieta. — Não é mesmo, padre Antônio?

— Certamente! O criado foi muito desastrado.

— Não acredito que joguei comida numa mulher! — gemi. — Não faço isso desde os cinco anos!

Ian riu, tocando meu rosto com o indicador e me obrigando a olhar para ele. A diversão em seu rosto desapareceu, dando lugar a outra coisa. Uma perigosa.

— O que causou o sobressalto? Eu estava olhando, Sofia, e a vi saltar da cadeira pouco antes de tudo acontecer. Como se alguém a tivesse ofendido. *Gravemente*. — Uma nuvem obscura de fúria encobriu suas íris.

— Ah! — Merda. A promessa que fizera, de ensinar Dimitri a manter os olhos longe de mim, ecoou dentro da minha cabeça. O que Ian faria se tivesse de ensiná-lo a manter as mãos também? — Foi... hã...

As imagens do rosto inchado de Santiago se misturaram à conversa com o padre sobre os duelos, à visão do ciúme de Ian logo que chegamos e embaralharam meus pensamentos. De modo que, pela primeira vez, menti para Ian de maneira descarada.

Certo, tinha a coisa do condicionador também. Mas isso não era mentir. Era omitir informações, e tinha prazo para terminar. Aquilo ali não — ou eu mentia, ou pagava para ver. E suspeitava de que, se não fizesse algo, Ian terminaria contando sete passos ao amanhecer. Ou ao entardecer. Pouco importava o horário dos duelos. Eu não queria Ian num desses e ponto-final.

— Hã... uma... abelha me picou — acabei dizendo.

Ian me fitou desconcertado e friccionou o polegar em minha testa, provavelmente para limpá-la.

— É mesmo? — perguntou numa voz desconfiada.

— É sim, bem... humm... aqui, tá vendo? — e apontei para o meu ombro.

Suas sobrancelhas quase se uniram quando ele disse, sem entonação alguma:

— Isso é uma pinta, Sofia.

— Parece, né? Mas não é. É uma picada de abelha. Sou alérgica e fica assim, meio marrom, na minha pele. — Achei que era uma explicação boa o bastante, mas resolvi adicionar, caso ele voltasse ao assunto no futuro: — E... hã... a marca não desaparece nunca mais! É permanente. Tipo, daqui uns cinco anos ela ainda vai estar aqui.

— Como uma pinta — ele insistiu.

— É, só que é uma picada. — Pressionei os lábios e fixei o olhar no pequeno V que se formara entre as suas sobrancelhas. Se eu olhasse em seus olhos, estaria perdida.

— E todas essas pequenas marcas. — Ele correu o dedo pelo meu ombro seguindo para o meu pescoço. — Foram picadas de abelha também?

— Ãrrã — engoli em seco. — Poucas são pintas mesmo. Na verdade, acho que são só picadas. Todas elas.

Ele bufou, cravando os olhos no padre.

— O senhor também vai me dizer que foi uma abelha, padre?

— Um velho como eu não enxerga muito bem, caro Ian. Se sua esposa diz que foi um inseto, devia acreditar. Agora, se me derem licença, vou me livrar desse purê. — Ele fez uma mesura, à qual Ian respondeu com elegância, e se retirou.

Ian me conduziu até um pequeno sofá de madeira forrado com um tecido em tons que iam do amarelo ao dourado e me fez sentar. Retirou um lenço do bolso e começou a limpar meu rosto com uma delicadeza comovente.

— Desculpa mesmo, Ian. Juro, eu não sabia que estavam passando atrás de mim com a comida. Alguém devia ter dito a eles que esse tipo de coisa é perigosa.

Ian desatou a rir, mesmo tendo se esforçado para se manter sério.

— Não tem graça — reclamei.

— Discordo. Havia purê por toda a cabeça de tia Cassandra. Até agora, sem dúvida, foi a melhor parte da festa.

Eu escrutinei sua expressão e percebi que ele realmente se divertia. Acabei rindo também, e Ian se inclinou para me beijar de leve. Nesse momento, Elisa cruzou a porta, escoltada por Thomas e Teodora.

— Ah, querida Sofia! — A menina se ajoelhou diante de mim, colocando minhas mãos entre as suas. — Lamento tanto!

— Um terrível trabalho da criadagem. Não se culpe — Teodora se apressou em acrescentar.

— Eu até que gostei — comentou Thomas com um meio sorriso. — Esse jantar estava tão animado quanto um velório.

— Foi o que acabei de dizer a ela — Ian disse divertido.

— Não espirrou nada em vocês? — Examinei os três. Eles tinham sobrevivido.

— Não, mas você precisava ter visto como a tia Cassandra ficou — Elisa brincou, exibindo suas covinhas, então parou de sorrir. — Desculpe-me, Thomas.

— Não se desculpe, prima. Achei que a adição de purê lhe caiu muito bem.

— Não precisa se constranger, querida Sofia. — Teodora tocou meu cabelo e se pôs a ajeitar alguma coisa por ali. — Todas já passamos por isso em algum momento.

— Verdade, Teodora? — olhei para ela, esperançosa.

Seu rosto se contorceu um pouco.

— Bem, sim. Talvez fôssemos mais jovens...

— Tipo uns quinze anos mais jovens — completei, e Ian riu.

— Por que está tão preocupada? — ele exigiu saber. — Você me disse certa vez que não se importava com o que os outros pensavam a seu respeito.

— É, mas isso foi antes de você se casar comigo e as pessoas ficarem me chamando de senhora Clarke. Aliás, acho que você vai ter que falar de novo com os empregados, porque ninguém anda cumprindo o que prometeu.

— Falarei, prometo. Agora, por favor, esqueça o ocorrido e vamos nos divertir.

Como se isso fosse possível com aqueles sapatos não anatômicos idiotas. Mesmo assim me levantei e aceitei seu braço.

Subitamente a sala se encheu. Instrumentos começaram a ser tocados, talvez para distrair os convidados. Lady Catarina retornou, limpa e linda, em um vestido fúcsia, rodeada de gente, conversando e rindo como se nada tivesse acontecido. Pelo menos até ela cravar os olhos em mim. O desagrado em seu rosto chegava a ser cômico, e não foi surpresa alguma ver Cassandra se inclinar no ouvido da mulher e dizer alguma coisa que a fez franzir a testa.

Nunca pensei que um dia diria isso, mas fiquei aliviada quando Ian se dirigiu para perto do dr. Almeida e de sua família. Os Moura fizeram o mesmo.

— Minha cara senhora Clarke — saudou o senhor Moura, fazendo seu bigode dançar. — Que bom vê-la recuperada do susto. Os criados de hoje em dia já não são como os de antes.

Eu não queria colocar a culpa nos empregados, porque na verdade a culpa era do Dimitri, mas não podia dizer isso com Ian ali. Então, eu apenas sorri para o pai de Teodora e esperei que ele aceitasse aquilo como sinal de embaraço e deixasse o assunto para lá.

E funcionou. Graças a Ian e ao médico, que mudaram de assunto. Júlio e Lucas se juntaram a Teodora, Elisa e Thomas, um pouco mais atrás. Reparei no jeito como Lucas olhava para Thomas, ainda de braços dados com Teodora e Elisa, como se o sujeito fosse desprezível e digno de repulsa.

— E ando sentindo uma dor na lombar que me mata! — dizia o senhor Moura.

— Ora, mas quanta lamentação! — zombou a senhora Moura, uma mulher magra de traços elegantes e os mesmos cachos avermelhados da filha. — O senhor esteve indisposto por um dia apenas!

— Para um homem da minha idade, querida Bernadete, um dia pode ser tudo o que lhe resta.

— Na verdade, para qualquer um de nós, senhor Moura — acrescentou o médico. — Um dia pode mudar tudo.

— Sim, de fato, Almeida — concordou o bigodudo.

— Especialmente para as jovens. Os ventos não andam soprando a favor delas — a senhora Moura suspirou, se abanando com um leque preto de renda. — As recém-casadas devem estar aflitas.

Seu comentário chamou minha atenção. Isso e o fato de Ian ter se enrijecido da cabeça aos pés, devo ressaltar. Eu me voltei para a mulher.

— E por quê, dona Bernadete?

— Por causa da maldição.

— Que maldição?

A mulher se benzeu, os olhos arregalados como pires.

— A maldição das recém-casadas. Jovens damas estão morrendo logo após o casamento!

26

— Senhora Moura! — repreendeu Ian, fechando os olhos e esfregando a testa, visivelmente abalado.

O clima ao nosso redor ficou tenso, e todos se calaram. Confusa, Bernadete trocou olhares com o marido e o médico. Então dá para imaginar como eu me senti naquele momento.

— Que maldição? — insisti.

— Não dê ouvidos, senhora Clarke. — O bigodudo olhou torto para a esposa. — Bernadete não quis dizer nada. Minha esposa bebeu um pouco a mais de vinho, por favor a perdoe.

— Desculpa, seu Moura, mas não acredito no senhor. — Fiquei de lado e encarei Ian. — Você sabe sobre essa maldição?

Ian inspirou fundo e soltou o ar com força.

— São apenas crendices populares, Sofia.

Ele sabia. Cruzei os braços sobre o peito.

Todas as minhas células se agitaram e meu instinto gritava que alguma coisa estava muito errada. Ian percebeu que eu não desistiria até que ele me dissesse tudo. E soltou um grunhido antes de começar:

— Uma jovem... — Ele olhava para todos os lados, menos para mim.

— Quatro agora — corrigiu Bernadete.

Ian a fuzilou com os olhos.

— Obrigado, senhora Moura.

— Disponha, querido — falou ela, alheia à irritação que borbulhava dentro dele.

Ele recomeçou:

— Quatro jovens... Não podemos conversar sobre esse assunto quando chegarmos em casa?

— Seria mais adequado — concordou o dr. Almeida.

— Não! — disse eu. — Lá você vai me distrair e eu vou acabar esquecendo. Eu quero saber agora.

Ian esfregou o rosto algumas vezes.

— Essas jovens foram vítimas de acidentes logo após se casarem. — Ele falava rápido demais. Tive de me inclinar para não perder nada. — As quatro foram atingidas por raios. Ontem à noite aconteceu de novo, na cidade. Algumas pessoas insistem em acreditar que se trata de uma maldição.

— Ora, senhor Clarke — a mãe de Teodora o interrompeu. — Quatro jovens não são suficientes para que o senhor creia na maldição?

— Bernadete! — o senhor Moura gemeu. — Esse assunto não é apropriado. Ainda mais na presença da senhora Clarke.

— Eu sei, querido! Mas achei pouco prudente o senhor Clarke não ter alertado a esposa para que ela se pre...

— Será que podemos mudar de assunto? — Ian implorou, parecendo desesperado para me tirar dali.

— Você acredita nessa maldição?

— Não. — Mas hesitou. — Talvez. Não sei. — E sacudiu a cabeça com veemência. — Não vou arriscar, Sofia.

— Arriscar o quê?

Ian apenas me fitou com uma determinação desconcertante, e percebi que ele não tinha a menor intenção de me contar mais nada.

Ainda bem que havia mulheres ali.

— O mais assustador é que apenas as jovens estão morrendo — explicou Bernadete, arregalando os olhos. — Note que todas estavam acompanhadas do marido. Eram casamentos que as famílias desaprovavam! Dizem que foi a mãe de um dos noivos que rogou a praga. O jovem barão se encantou pela bela atriz, e todos sabemos que tipo de mulheres elas são... — A mulher revirou os olhos. — Enfim, a baronesa só soube do casamento do filho depois que já tinha acontecido. No dia seguinte, a nora morreu! Pobrezinha, tinha apenas dezessete anos.

— E deixaram ela se casar com dezessete... — Parei de falar. A questão não era essa. — Deixa eu ver se entendi direito. Elas estavam com os respectivos maridos no local do acidente, mas só elas foram atingidas?

Ela assentiu uma vez.

— Nenhum dos cavalheiros se feriu.

— Hummm! — foi minha resposta superarticulada.

— No que está pensando? — Ian quis saber, finalmente me encarando.

— É muito esquisito. Essa coisa de raios só atingirem mulheres. Quer dizer, a menos que o clima seja sexista por aqui, e não acho que seja o caso, deve existir uma explicação para apenas as garotas serem atingidas.

Algo estava mesmo acontecendo, mas com certeza não tinha nenhuma relação com a suposta maldição. Só queria que Ian me falasse mais sobre ela, como cada uma das...

Então um pensamento sinistro me ocorreu.

Empurrando Ian para longe dos conhecidos, para que pudéssemos ter um pouco de privacidade, me atrevi a perguntar:

— Onde essas garotas estavam quando morreram?

— Cada uma em uma situação diferente. Uma estava sob uma árvore. Outra andava a cavalo, a terceira...

Sacudi a cabeça, depressa.

— Em casa? Elas estavam em casa ou tinham viajado?

Ian não respondeu, e, pelo olhar sombrio, nem precisava. Naquele instante tudo fez sentido: o falatório a que Madalena e Gomes se referiram, os olhares estranhos que recebi no dia do casamento. Anelize dizendo que rezaria por mim. Todo mundo sabia sobre a maldição, menos eu! Até a Cara de Cavalo, que mencionara um funeral. No caso, o meu!

E Ian sabia também. Aquelas conversas sussurradas com o médico eram sobre isso, não eram? O pesadelo. A noite em que pensei que ele estivesse com medo da tempestade. Aquele desespero que às vezes o dominava e o fazia me agarrar com uma fúria desmedida. O cancelamento da nossa lua de mel.

Ian percebeu o momento exato em que compreendi o que ele tinha feito.

— Sofia, por favor, tente entender — murmurou.

— Você mentiu pra mim. — Ele tinha inventado uma desculpa, usando suas finanças como pretexto, e eu acreditei nele, mesmo quando todos os meus instintos gritavam que havia algo errado. Até tentei ajudá-lo! E agora...

Ai, meu Deus!

— Suas finanças? — exigi saber, com o coração na mão.

— Nunca menti quanto a isso — ele se apressou em dizer, me fitando angustiado. — Tive prejuízos sim, mas foram poucos. Foi você quem preferiu não acreditar quando lhe garanti que estava tudo bem.

— Como eu podia acreditar se você sempre vinha com meias palavras? Eu sentia que você estava escondendo alguma coisa, mas me recusei a crer nisso. Por que não me contou sobre a maldição? Por que preferiu mentir pra mim? — cuspi furiosa.

— Não queria preocupá-la. Já estou apavorado o bastante por nós dois. — Ele ergueu o braço para acariciar minha bochecha.

Ergui o queixo para poder encará-lo, me afastando assim de seu toque. Ele se encolheu.

— Droga, Ian! Você precisa parar com isso! Eu *quero* me preocupar, quero saber o que anda se passando na sua cabeça e te contar o que acontece na minha. Não tente me manter do lado de fora, tá legal? Não vê que com isso você se afasta de mim?

A orquestra começou a dar o tom certo e pude ouvir um burburinho, mas estava focada demais em Ian para notar qualquer outra coisa.

— Acredite quando digo que nunca quis... — começou Ian, sendo logo interrompido.

— Sua esposa pode esperar para ter esta conversa — disse Cassandra, vindo sabe-se lá de onde. Do inferno seria o mais provável. — Sabe bem que é tradição em um baile como este dançar primeiro com a mais velha da família.

Uma veia pulsou no maxilar de Ian.

— A senhora jamais me deixaria esquecer.

— Certamente não. E aceito o convite com muito gosto, meu belo sobrinho. — Ela enlaçou o braço ao dele e o puxou.

Ian se desvencilhou dela como pôde.

— Tia Cassandra, agora não é um bom momento. Preciso terminar esta conversa com Sofia. Dançaremos mais tarde.

— Não, tudo bem — eu lhe assegurei, irritada. Se com ele ou comigo mesma, eu não tinha certeza.

Ian mentira para mim, me fazendo crer que estava em dificuldades. E, na tentativa de ajudá-lo, eu menti para ele, por ele ter mentido para mim.

E agora, o que eu faria? Se as minhas chances de ser absolvida por causa do trato com o boticário já eram mínimas quando eu pensava que ele estava ferrado, naquele instante elas se tornaram nulas.

Em contrapartida, ele mentira para mim e perdera o direito de me condenar.

— Vai dançar com a sua tia — recuei um passo quando ele tentou me tocar. — Esta conversa pode esperar.

Sem desviar os olhos do meu rosto, ele disse:

— Preciso de um momento, tia Cassandra. — Ele não esperou pela resposta dela e me pegou antes que eu pudesse me esquivar. Então me segurou pelo cotovelo e me conduziu para perto das altas vidraças. — Odeio quando tenta se afastar de mim.

— É mesmo? O que achou que conseguiria quando decidiu mentir para mim? Além do mais, acho que já envergonhei sua família o suficiente por uma noite e você devia dançar com a Cassandra antes que as pessoas comecem a falar.

— Você não me envergonhou porra nenhuma! — ele esbravejou.

Duas senhoras que passavam engasgaram ao ouvi-lo praguejar e praticamente saíram correndo com os semblantes da cor de um morango.

Eu apenas olhei para ele.

Ian bufou, correndo os dedos pelos cabelos negros, que sob a luz das centenas de velas adquiriram um brilho acobreado ímpar.

— Perdoe-me, eu me excedi. Você de fato aniquila minha sanidade.

— Ah, é? Você mentiu pra mim, Ian! Tem noção de como isso me machuca? Como vou saber se você não está escondendo mais algum grande segredo?

— Você sempre soube que eu estava escondendo alguma coisa. Como pode me perguntar uma coisa dessas?

— Porque suspeitar é diferente de confirmar! Eu sempre confiei em você, agora... agora não sei mais.

Ele assentiu uma vez, me fitou por um longo instante e então endireitou a coluna.

— Gostaria de lhe dizer que estou arrependido, mas não posso. Mentiria mil vezes se preciso fosse para manter tais tragédias longe de seus ouvidos. Desde que o dr. Almeida me contou sobre os acidentes, imagens terríveis dessas jovens que eu nem ao menos conhecia me tiram o sono e fico pensando que poderia ter sido... que a próxima pode ser. — Sua voz falhou. Ele engoliu em seco, lutando para se controlar. — Lamento se a magoei. Ver a acusação, a desconfiança em seu olhar me dilacera. A morte certamente deve ser menos dolorosa. Mas, se é esse o preço que terei de pagar por tentar mantê-la a salvo, física ou psicologicamente, então eu o aceito de bom grado. Eu me manterei afastado, se é o seu desejo. — Ele se curvou antes de partir.

Seu tom resoluto, mas ao mesmo tempo dilacerado, me permitiu vislumbrar uma parte de seu desespero. Um desespero que quase se tornara familiar. O mesmo que vi em nossa noite de núpcias. O mesmo da noite da tempestade.

"Mas entenda, meu amor, eu quero lhe dar o mundo, no entanto...", ele dissera com veemência no episódio das tintas. "No entanto, agora não posso arriscar... Não enquanto as notícias são tão... Eu não sei no que acreditar!" Ele tentara me contar a verdade, me dei conta, mas não tinha encontrado palavras para dizer o que sentia e, em completo abandono, me pedira para fazer amor com ele.

Ian acreditava na maldição, a temia. Por mim.

Meu coração se condoeu dele, do terror silencioso que carregava sozinho na tentativa de não me assustar. Tentei me imaginar na mesma situação, e um arrepio gélido percorreu minha espinha. Eu faria qualquer coisa por Ian Fosse a coisa a certa ou não. Não acabara de inventar uma picada de abelha para evitar que ele se metesse em um duelo? Sua mentira não era assim tão imperdoável.

No entanto, negociar com o boticário sem lhe dizer nada era.

Enquanto eu tentava colocar os pensamentos em ordem e minha raiva se dissipava, Ian já estava longe, oferecendo o braço, impaciente, a Cassandra, e juntos eles atravessaram o salão.

O dr. Almeida se aproximou ajeitando as lapelas.

— Se não se importar com a minha falta de jeito... — começou ele.

— Não precisa fazer isso, doutor. Tô numa boa. — Tentei sorrir, mas não fui capaz. As palavras de Ian rodopiavam em minha cabeça me deixando zonza. Ele acreditava na maldição. Ele a temia. Ele se manteria longe...? — Doutor, voltando ao assunto das noivas, o senhor acredita na maldição?

— Como cientista, não. Pessoalmente, não sei o que pensar.

Então éramos dois.

Devia ter uma explicação para o que estava acontecendo com as recém--casadas. Acreditar que tudo era causado por uma maldição era o mesmo que... que... acreditar que uma garota poderia viajar no tempo por um celular.

— Senhorita Elisa? — chamou um rapaz magro e alto, meio encurvado, de pescoço longo, me tirando do redemoinho de pensamentos. Ele fez uma mesura para Elisa. — Me concederia a honra de uma d-dança?

— Lamento, meu rapaz, mas terá de esperar. Esta dança já me foi prometida há tempos, não é mesmo, prima? — Thomas ofereceu-lhe o braço.

— Sim, Thomas. E agradeço o convite, senhor Prachedes.

— A s-segunda, então? — insistiu Prachedes.

— Sim, será um prazer.

— Bem, senhorita Teodora, espero que reserve uma dança para mim — anunciou Thomas, ao se soltar dela.

— É claro, senhor Clarke.

Lucas ficou observando o casal se dirigir para a pista de dança — ou seja lá que nome se dê a isso no século dezenove — com os olhos faiscando de ciúme.

Prachedes se dirigiu à Teodora:

— Concede-me a honra?

— É claro, senhor. — E se obrigou a sorrir.

Era tão óbvio que Teodora tinha se apaixonado por Thomas, e ele era o único que parecia não se dar conta disso. Eu ainda não fazia a menor ideia dos sentimentos de Elisa, muito menos dos do primo. Mas Lucas, ao que parecia, compreendia a situação melhor do que eu e não estava gostando nada do resultado. E Ian, meu marido, o cara que era o meu mundo, não me contava coisas importantes. Nem eu a ele.

Às vezes se apaixonar é uma droga.

Ali perto, logo atrás dos Moura, Suelen e Najla faziam gestos para alguém se aproximar. Dei uma olhada para trás, mas não vi ninguém. Então Suelen apontou para mim e sorriu meio insegura.

— Já volto — avisei ao dr. Almeida, que fez um aceno educado com a cabeça.

Suelen estava linda, de vestido branco e com grandes cachos vermelhos que lhe caíam pelos ombros, presos no topo da cabeça por uma presilha de pedras brilhantes. Najla parecia uma princesa, toda envolta em creme, o que destacava sua beleza e fazia reluzir seus cabelos, agora presos em um coque frouxo e com pequenas molinhas castanhas emoldurando seu rosto delicado em formato de coração.

— Vocês estão lindas! — exclamei assim que as alcancei.

— Sim, e devemos isso a você! — Suelen contou eufórica. — Mas nosso produto está acabando e gostaríamos...

— Se não fosse abusar de sua bondade... — emendou Najla.

— Que nos fornecesse mais! — Suelen pulou e bateu palminhas.

— Pagamos quanto for necessário!

Eu gemi. Agora que sabia que Ian não estava com problemas financeiros, tudo mudara. Ele não precisava da minha ajuda. Em nenhum aspecto. Entretanto, eu ainda tinha que saldar minha dívida na joalheria e não fazia ideia de quanto ainda faltava, apesar do montante que recebera de seu Plínio naquela tarde.

Só até ter toda a grana para pagar o relógio, decidi.

Olhei para os lados, para me certificar de que ninguém ouvia nossa conversa. Todos estavam entretidos com outros assuntos, com bebidas ou com a sobremesa.

— Tá legal, mas vocês não podem contar pra ninguém. Estarei ferrada se alguém lá em casa souber que estou vendendo essas paradas. Então, por favor, não abram o bico.

Suelen olhou para Najla.

— Tenho quase certeza de que não entendi o que ela disse.

— Suelen! — Najla censurou, mas sua testa também estava franzida.

— Perdoe-me, senho... Sofia, acho que também não a compreendi.

Ah, pelo amor de Deus!

— É só fazerem o que estão fazendo agora, se alguém perguntar onde conseguiram o condicionador. Boca fechada.

As duas apertaram os lábios imediatamente, me fazendo rir.

— Tô falando dessa nossa negociação! Amanhã dou um jeito de ir até a vila e mando Isaac chamar vocês, tá bom?

— Será muito gentil de sua parte. — Najla tocou meu braço. — E, por favor, leve três frascos para mim. Assim não precisarei incomodá-la por um bom tempo.

— Para mim também! — pediu Suelen. — Não sei o que farei quando papai vier me buscar. Não quero voltar a ter cabelos espigados.

— Um mensageiro pode levar o produto até você — Najla sugeriu. — Ah, já a importunamos o suficiente. Muito obrigada pela generosidade, senh... Sofia. — As meninas deram aquela abaixadinha e saíram de braços dados, dando risadinhas adolescentes.

Eu me virei para voltar para junto do dr. Almeida, mas dei de cara com um peito engravatado. Um que não era lá muito firme. E cheirava a uísque.

— Que crueldade ver tão bela dama desacompanhada em um baile — falou Dimitri, com a voz arrastada. — Terei muito gosto em acompanhá--la na próxima dança.

— Escuta, Dimitri, eu sei que você deve ser um cara legal e tudo mais, mas, sabe, eu sou casada e não tô a fim de confusão, então se liga e me deixa me em paz, sacou?

Ele piscou algumas vezes.

— Vai atormentar outra pessoa — esclareci.

Dimitri sorriu de um jeito meio embriagado.

— Prefiro atormentar apenas as mulheres de beleza estonteante. E você, minha senhora, é a única aqui que se enquadra em tal categoria.

Revirei os olhos.

— Olha só, deixa eu explicar direito. Eu *não* tô a fim. — E o contornei para alcançar o meu grupo.

Porém ele não aceitou minha recusa. E, antes que eu pudesse escapar, me agarrou pelo pulso.

— Tenho muito a lhe oferecer — falou com intensidade. — Noites inesquecíveis, joias tão caras que nem mesmo a realeza...

— Quer fazer o favor de me soltar? — Girei o braço sem conseguir me livrar dele. Lancei um olhar ao redor e encontrei Ian se contorcendo do outro lado do salão, tentando ver o que estava acontecendo comigo.

Ai, droga, ele não podia presenciar aquilo.

— Tudo que tem de fazer é dispensar-me um pouco de sua atenção — prosseguia Dimitri.

— Qual é o problema com os caras deste século? Me solta, cacete!

A boca de Dimitri se abriu, atônita, e o aperto em meu pulso se afrouxou. Com um puxão me libertei e lancei a ele meu olhar mais assassino.

— Só não vou amassar a sua cara agora porque já joguei purê na sua mãe. Mas nunca mais encoste em mim, entendeu?

— A senhora está tornando tudo muito mais interessante. Adoro um desafio, minha deliciosa Sofia. — Os olhos dele reluziram.

— É senhora Clarke! — corrigi com um berro.

— Senhora Clarke, e a nossa dança? — Lucas surgiu do nada, se interpondo entre nós dois. — Não esqueceu, não é mesmo?

Que dança?, eu quis perguntar, mas percebi a tempo que ele estava tenso e tudo que queria era me livrar de mais uma situação embaraçosa, sem criar um novo escândalo.

— Certo — assenti e dei o braço a ele.

Lucas me levou até a beirada da pista, sem dizer uma única palavra. Ian agora parecia mais tranquilo, mas não muito. Droga, o que eu diria caso ele perguntasse alguma coisa?

— Eu não quis ser impertinente, mas, a distância, tive a impressão de que o senhor Romanov se excedia — ele falou sem jeito. — Espero que não tenha se ofendido.

— Imagina, Lucas. E valeu por me ajudar. Você foi muito bacana, porque, juro por Deus, faltou isso aqui pra eu bater na cara dele e criar um novo rebuliço.

Lucas riu e a música logo terminou. Eu fiquei na ponta dos pés para procurar Ian, preocupada com o fato de que ele tivesse falado sério sobre se manter longe de mim. Mas Lucas começou a me empurrar gentilmente, e, quando me dei conta, estávamos na fileira de casais à espera da próxima música.

— Ei, não precisa dançar comigo — sussurrei. — Você já fez muito.

— Será um prazer, senhora Clarke.

— Sofia. Meu nome é Sofia — corrigi, ainda procurando Ian. Então o encontrei no canto oposto, me observando com um horror crescente. Por que ele estava em pânico?

Lucas me posicionou num canto e ficou ao meu lado. Tipo, ao meu lado mesmo, ombro a ombro.

— Lucas, o que você tá fazendo?

— Esperando a dança começar.

Franzi a testa e olhei ao redor. Os outros casais mantinham a mesma postura.

Então a música recomeçou e as pessoas começaram a se mover. Em passos coreografados à perfeição. Era aquela maldita quadrilha que eu não sabia dançar.

Aquela definitivamente não era a minha noite.

27

Droga, droga, droga!

Eu devia ter prestado atenção no que fazia. Onde eu estava com a cabeça quando aceitei dançar com alguém que não era o Ian?

— Ai! — Lucas reclamou quando pisei no seu pé.

— Foi mal.

— Para o outro lado — uma garota disse depois de trombar em mim.

— Certo, tô indo. — Mas, quando eu girei, tropecei na barra do vestido e teria caído se não tivesse me agarrado ao casaco de alguém ali perto, o que me rendeu um olhar enviesado.

Lucas me ajudou a recuperar o equilíbrio, me segurando pelos ombros.

— Eu não sei dançar assim, Lucas — expliquei mortificada.

— Acabei de notar. — E sorriu de um jeito meigo. Bem diferente dos meus outros companheiros de dança. Alguns riam com gosto, como se assistissem a um palhaço se exibindo (o que era o caso), outros me lançavam olhares severos, como se a culpa de eu não saber dançar fosse minha (e, infelizmente, também era o caso).

Lucas me colocou ao seu lado de novo e tentou outra vez. Mas o resultado foram mais topadas, mais pisões e mais risadas.

— Acho que você podia me levar de volta pra lá — indiquei com a cabeça o extremo do salão, onde estava Ian. Ele me observava com um sorriso torto divertido em vez de constrangido como eu esperava. Ian era muito estranho às vezes.

— Eu jamais cometeria uma indelicadeza dessas! — exclamou Lucas, horrorizado. — Além do mais, há tempos eu não me divertia tanto.

Fiz uma careta.

— Legal ser motivo de piada.

— Não, senhora — ele negou com a cabeça. — Sua companhia é muito agradável, e gosto demais do seu modo de falar. Eu a acho uma mulher fascinante.

— Para o outro lado! — A garota me empurrou de novo.

— Eu tô indo! Não tá vendo que tem gente na minha frente, poxa!

A moça bufou. Lucas riu.

— Seu marido é um homem de muita sorte — comentou, e fiquei na dúvida se aquilo era um elogio ou se ele estava tirando uma com a minha cara. — Ter uma mulher espirituosa e tão autêntica deve tornar os dias inesquecíveis.

— Bom, é bem provável que você tenha razão nisso. Todos os dias faço o Ian passar por alguma situação embaraçosa. Às vezes duas, como nesta noite.

— Ele não parece constrangido. — O rapaz olhou por cima da minha cabeça. Segui seu olhar, e Ian havia se aproximado mais para ver meu vexame bem de perto, se encostando em uma pilastra e cruzando os braços, os olhos fixos em mim. Aquele sorriso de canto de boca ainda estava ali. — Na verdade, o senhor Clarke parece deslumbrado.

— Deve ser porque ele nunca viu alguém dançar tão mal assim antes. — Era isso, ou Ian tinha um padrão muito baixo quanto ao sexo oposto.

Meu comentário fez Lucas gargalhar.

— Não seja tão severa consigo mesma. Está se saindo muito... ai!

— Desculpa — corei, tirando pé de cima do dele.

— Não foi nada — ele gemeu.

Parecia que a música duraria por toda a eternidade. Eu tentei acompanhar os passos, mas não dava, porque não havia uma sequência lógica a ser seguida. E ficar espiando Ian e perceber que ele parecia de fato encantando não ajudava em nada.

— A senhora Cassandra pretende estender sua estadia por muito mais tempo? — Lucas tentou soar desinteressado, mas não funcionou.

— Infelizmente sim, eu acho.

— Humm... — Ele pressionou os lábios e colocou a mão em minha cintura, me impedindo de ir para o lado errado. — Por aqui, senhora.

— Tá.

Então ficou quieto por mais um tempo, apenas tentando me fazer dançar, sem sucesso.

— Notei que a senhorita Elisa e seu primo têm passado bastante tempo juntos — comentou por fim.

— Fica difícil evitar quando se vive sob o mesmo teto.

— Suponho que sim — disse ele, com uma careta tão desolada que me causou pena.

Lucas voltou a cabeça para onde Elisa estava, uns cinco casais atrás de nós, acompanhada por um sorridente e desajeitado senhor Prachedes.

— Imagino que o noivado deles seja esperado para logo.

— De jeito nenhum! Elisa é jovem demais para assumir compromisso agora. Não tem nem dezesseis anos ainda.

Seu humor mudou e ele me mostrou um sorriso divertido.

— A senhora é de fato excepcional, como diz o dr. Almeida. Algumas damas neste salão pensariam que a senhorita Elisa está na idade certa para se casar.

— Ainda bem que eu não sou uma. Dama. Mas Elisa é — me apressei. — Totalmente!

Algo cintilou em seus olhos castanhos, enquanto ele voltava a admirar minha cunhada. Havia neles um misto de fascínio, ternura e desejo. Era melhor ele não olhar para Elisa daquele jeito se Ian estivesse por perto.

— Uma dama encantadora — suspirou. — Aquele que conquistar seu coração será o homem mais afortunado que já pisou nesta terra.

— É. Pena que alguns são muito tímidos e não se expressam claramente — falei como quem não quer nada. — Quer dizer, uma garota não consegue ler pensamentos, sabe? Às vezes é bacana ser um pouquinho direto. Pra ela analisar as opções e tudo mais... Ah, graças a Deus! — exclamei, assim que a música acabou. — Pensei que não fosse terminar nunca!

Lucas riu com gosto, me oferecendo o braço.

— Pois saiba que passei um tempo muito agradável em sua companhia. Vou devolvê-la a seu marido.

Eu hesitei. Quer dizer, é claro que eu queria ficar com Ian, mas depois da discussão... Sua promessa de se manter longe fazia meu pulso acelerar. Ao mesmo tempo, eu sabia que, se ficasse perto dele, teria de lhe contar sobre o que andei escondendo. Nada mais justo. Mas ali não era mesmo o melhor lugar.

Eu ainda hesitava quando vi Ian se antecipar, como se estivesse impaciente para me alcançar. E bem podia ser isso mesmo. Quer dizer, quando a esposa está fazendo um papel ridículo, o marido se apressa em dizer a ela que pare com aquilo.

Ele se aproximou tão depressa que seu movimento produziu uma pequena corrente de vento, sacudindo minha saia de leve.

— Sua esposa é uma dama inigualável! — disse Lucas, admirado. E eu mais uma vez fiquei sem saber se aquilo tinha sido um elogio. Corei e troquei o braço de Lucas pelo de Ian.

Meu marido me olhou cheio de emoção.

— Sim, é mesmo, senhor Guimarães. Não há ninguém como Sofia.

O rapaz fez uma mesura elegante e se afastou.

— Essa foi, sem dúvida, a dança mais adorável à qual já tive o prazer de assistir — comentou Ian com um sussurro.

— Graças à ajuda do vinho, suponho.

Ele voltou os olhos de ônix em minha direção, com intensidade atordoante.

— Estou absolutamente inebriado, Sofia, mas não por conta do vinho. Gostaria de dançar uma vez mais?

Uma nova quadrilha teve início.

— Eu acho que este século não está preparado para isso — respondi, e a gargalhada de Ian fez seus ombros sacudirem. — Pensei que você fosse ficar longe de mim.

Ele ficou sério e voltou os olhos para um ponto fixo nas altas janelas.

— Era o que deveria fazer, já que é o que você quer. — E senti que ele quis adicionar "mas não sou capaz", e isso fez meu coração dançar.

— Eu não quero.

Ele me encarou com a testa encrespada, surpreso. Sorri timidamente, para lhe assegurar que eu havia compreendido tudo.

— Obrigado. — Sua voz estava repleta de emoção conforme ele colocava a mão livre sobre a minha, que se enroscava em seu braço.

— Mas isso não significa que eu concorde com o que fez, Ian.

— Eu sei.

— Promete que nunca mais vai fazer isso? Que nunca mais vai tentar me proteger mentindo pra mim?

Ele fixou os olhos negros nos meus. Estavam límpidos, profundos, solenes.

— Tem minha palavra, meu amor.

Suspirei aliviada, embora algo dentro de mim tivesse se agitado ferozmente, implorando para sair. Mas eu não podia dar vazão àquilo ali no baile, de modo que me obriguei a trancafiar aquele sentimento por mais algumas horas.

Amanhã, jurei. *Vou contar tudo a Ian amanhã.*

Voltamos para perto do médico. Os Moura estavam na pista, e agora o doutor tinha a companhia da esposa e dos Albuquerque. Lucas continuava ali, olhando impaciente para um ponto fixo. Segui seu olhar. Elisa era conduzida pelo rapaz corcunda. Lucas se antecipou, fez uma mesura, disse algo que fez minha cunhada corar e, em seguida, a conduziu para a pista novamente.

Boa, Lucas!

— Não vai dançar com seu marido, senhora Clarke? — perguntou a senhora Albuquerque, um pouco ríspida.

— Sofia está se sentindo um tanto indisposta — Ian se apressou em responder.

— Espero que não seja uma enfermidade. Ainda é jovem demais para se cansar depois de apenas uma quadrilha. — A mulher sacudiu o leque em frente ao rosto.

Nesse momento, Valentina foi devolvida por seu par. E a senhora Albuquerque não gostou de ver a filha ali parada.

— Por que não está dançando, querida?

— Ora, mamãe, porque os cavalheiros já escolheram seus pares — explicou a garota, mortificada.

— Que ultraje! — se exaltou a mãe. — Como pode ter ficado sem par, Valentina? Uma jovem tão adorável não pode ficar sem par em um baile como este. Isso arruinará sua reputação!

— Querida... — O senhor Albuquerque tentou, mas a mulher não o deixou terminar.

— Não, não me venha com querida. Sabe o que as matronas estarão dizendo amanhã, meu senhor? Que nossa menina perdeu o brilho e foi relegada ao canto do salão! Eu disse que precisávamos comprar joias novas para Valentina. Mas você preferiu comprar um cavalo!

Ian se inclinou até sua boca praticamente roçar minha orelha.

— O que o senhor Romanov queria? — sussurrou.

— O quê? Aaaaaah! — Inferno, pensei que depois da minha apresentação ridícula ele tivesse esquecido o assunto. — Ele queria... hã... dançar.

Ian me lançou um olhar intenso e cheio de mágoa.

— Por que está tentando mentir para mim, Sofia? Se sua intenção é me punir por...

— Não é nada disso, Ian. — Sacudi a cabeça depressa. — Só não quero que você morra num duelo.

Ian imediatamente adotou outra postura. Se tornou mais alto, mais forte, intimidador e seus olhos percorreram o salão até encontrarem Dimitri.

— Então há razão para um duelo.

Merda.

— Eu não disse isso!

— Se ficou preocupada com um possível duelo, só posso supor que há motivos para que eu tenha uma conversa em particular com esse suposto cavalheiro — falou, cerrando a mandíbula.

— Não é nada disso, ele só é meio sem noção. Sua tia disse que é normal flertar por aqui, e acho que era isso que ele estava fazendo, só passou um pouco dos limites. Mas eu já resolvi tudo! Não se preocupe mais com ele. Aliás, a gente precisa conversar sobre esse negócio de flerte. Porque, se você der mole pra alguém, e não me interessa quem for, você vai acordar sem... as joias do rei! — Achei que aquele seria o termo adequado para a época. — Fui clara?

A resposta dele veio em forma de sorriso.

— Já mencionei como fica encantadora quando está com ciúmes? Revirei os olhos.

— Eu desisto de...

— Senhor Clarke, o que acha? — perguntou o senhor Albuquerque, me interrompendo.

Ian e eu olhamos para ele sem entender.

— Perdoe-me, não ouvi a pergunta — disse meu marido, educado.

— Já que sua esposa não se sente inclinada a dançar, poderia acompanhar Valentina para que assim minha esposa pare de matraquear nos meus ouvidos? — O senhor Albuquerque fez uma careta.

— Hã... — Ian buscou meus olhos, franzindo a testa.

Com medo de que ele insistisse na conversa sobre Dimitri e duelos, assenti de leve. Ele limpou a garganta, surpreso, e me lançou um olhar repleto de perguntas enquanto respondia ao pai de Valentina:

— Sim, será um prazer, senhor Albuquerque. — Mas seu tom sugeria o contrário. Ele se inclinou para beijar minha mão. — Não me demoro.

Em seguida estendeu o braço a Valentina, que, mortificada, aceitou. Os Albuquerque então se puseram a conversar comigo, mas eu só conseguia admirar o belo par que aqueles dois formavam. E isso foi antes de Valentina começar a dançar os passos coreografados com a mesma graciosidade e elegância de Elisa.

Algo murchou dentro mim. Por mais que tentasse, eu jamais seria uma mulher como ela. Não adiantaria eu me esforçar, nem me iludir. Eu nunca dançaria daquele jeito. Nunca me preocuparia com fitas. Não dava para mudar quem eu era, e Ian uma vez dissera que não queria que isso acontecesse. Só torci para que ele pensasse assim por muito tempo, porque, naquele instante, vendo-o bailar com Valentina, o sorriso educado que ele mantinha nos lábios, a forma inibida como ela se portava, percebi que nunca me adequaria de verdade ao século dezenove. Eu poderia sobreviver a ele, suportá-lo, mas jamais faria parte dele.

— Que tal nos sentarmos por um momento? — O dr. Almeida parou bem ao meu lado, o olhar também preso no casal perfeito que Ian e Valentina formavam.

— Tudo bem, doutor, não precisa se incomodar.

— Ah, Sofia, minha cara, minhas costas estão exigindo.

Eu assenti e aceitei seu braço. Ele me conduziu para o canto, onde vários sofás e poltronas haviam sido dispostos de modo a formar pequenos ambientes para que os convidados pudessem interagir. Sentamos em um que ficava de costas para o salão, porque era demais para mim continuar vendo Ian e Valentina juntos, por mais que eu soubesse — e visse — que ele não tinha interesse na garota.

Duas senhoras estavam sentadas atrás de nós, viradas para o salão. Reconheci uma delas, a Cara de Cavalo, aquela que dissera que eu devia desmaiar, no episódio do quase atropelamento.

O dr. Almeida me estendeu um cálice de vinho.

— Valeu. Sabe, doutor, tô começando a gostar do senhor. É uma das poucas pessoas que não me chamam de senhora.

— Seu marido me disse que isso a desagrada. Como já a aborreci demais no passado, estou tentando corrigir sua impressão de minha pessoa.

— Ah, veja! — falou a mulher atrás de mim. — O senhor Clarke e a senhorita Valentina estão dançando. Que belo par eles formam!

Endireitei as costas, mas mantive os olhos em meu cálice.

— Parecem anjos flutuando pelo salão, Henrieta — concordou a outra.

— A senhorita Valentina é uma preciosidade. E pensar que o senhor Clarke a deixou escapar para se casar com aquela dama sem berço. Soube que nem dote ela tinha!

O dr. Almeida soltou um suspiro exasperado ao meu lado.

— O senhor Clarke não merecia um destino tão cruel — continuou a mulher. — Um jovem tão educado e refinado. Deixou-se fisgar por uma dama que nem sabe qual é o seu lugar. Dizem que foi vista usando as calças do marido. Em público!

— Oh, que horror!

— E é briguenta! Não respeita os mais velhos. A senhora Cassandra Clarke me contou que a nova senhora Clarke não acata sua autoridade.

— Henrieta, não me diga uma barbaridade dessas.

— É verdade! Soube ainda que a jovem faz feitiçarias. E ouvi dizer que ela não usa as... — Ela baixou o tom de voz, e eu não pude ouvir o resto, mas devia ser algo realmente horrível, já que a outra respondeu:

— Virgem Santíssima! Como padre Antônio permitiu que ela entrasse em nossa igreja?

— Parece que o senhor Clarke pagou pela reforma do telhado da igreja.

— Oh!

O dr. Almeida se remexeu no sofá, pronto para interromper a conversa das duas, mas eu toquei seu ombro e balancei a cabeça.

— Quanta infelicidade para essa família — continuou Henrieta —, até então sem qualquer escândalo. Pobre senhor Clarke, perderá o bom nome, a reputação e talvez o coração em um duelo, muito embora sua pontaria seja invejada entre os cavalheiros. Acredita que há pouco eu estava próxima da dama em questão e a ouvi chamar o jovem senhor Guimarães pelo nome de batismo? Diga-me, Ofélia, isso é comportamento de senhora casada?

— O que acha que ela fez para que o senhor Clarke esquecesse a adorável Valentina tão depressa?

Ele não a esqueceu porque nunca lembrou que ela existia!, eu quis gritar. Mas não pude. Já bastava de vexames naquela noite. Engoli meu vinho de uma só vez.

— Entendo o que quer dizer, Ofélia. Suponho que seja uma daquelas damas voluptuosas que *gostam* do que os maridos fazem conosco no quarto! Céus!

Eu abaixei a cabeça, meio que rindo meio que soluçando, porque tudo o que diziam era verdade. Exceto o lance de Ian se meter em um duelo. E a coisa da feitiçaria.

— Certamente! Ela virou a cabeça desse pobre rapaz. Já vi acontecer muitas vezes, mas por que o senhor Clarke não fez a coisa certa, Henrieta? Ele devia ter agido como um cavalheiro honrado. Casar-se com a senhorita Valentina e conservar essa outra dama como sua amante. Aposto que a senhorita Valentina ficaria agradecida se ele reservasse sua natureza libertina à concubina. É o que se espera de um bom marido!

Meus olhos quase saltaram das órbitas e tudo o que pensei foi: *Como é o que é?!* Não me espantava o fato de as duas parecerem tão amarguradas.

— Oh, que pena, a dança acabou. Estou com sede, Ofélia. Vamos pegar mais um pouco de ponche?

Imaginei que elas tivessem se levantado para buscar a bebida, pois o móvel atrás de mim chacoalhou e rangeu. Eu também gostaria de mais um cálice de vinho.

— Não dê ouvidos, Sofia — disse o doutor, pegando a minha mão.

Levantei a cabeça.

— Não, tudo bem. Elas não disseram nada demais.

— O passatempo de algumas senhoras é especular a vida alheia, já que a delas é tediosa. Não permita que essas velhas matronas destruam sua autoestima. Elas não a conhecem. Não sabem o encanto que a senho... que você é. — Ele se corrigiu com um sorriso doce.

— Valeu, doutor. — Dei um soco de leve no braço dele, pegando-o de surpresa. — O senhor é bacana de verdade.

— Fico feliz que não tenha mais medo de mim. — Ele alisou o braço, meio sem entender. — Que tal mais um pouco de vinho?

— O senhor leu meus pensamentos. Uma taça bem cheia, por favor.

— Até transbordar! — Ele piscou um dos olhos e se levantou.

Então eu fiquei ali sozinha, pensando se o que aquelas mulheres tinham dito circulava de boca em boca na vila. Talvez por isso o padre Antônio me olhasse sempre desconfiado, por causa da história da feitiçaria.

Alguém se sentou ao meu lado. Achei que fosse o médico, mas não era.

— Dilacera-me o coração ver uma dama tão encantadora imersa em tamanha tristeza.

Soltei um longo suspiro.

— Dimitri, eu já pedi pra parar com isso. Por que você não me deixa em paz? Caramba! — Escorreguei para a ponta do sofá, me mantendo o mais distante possível dele.

— Estou fascinado com a sua franqueza. Poucas damas ousam dizer o que pensam a um cavalheiro, mas a atração que sinto pela senhora é mais forte que eu. — Ele se arrastou pelo estofado, me imprensando contra o braço de madeira.

— Uma galinha é mais forte que você, Dimitri. — Eu o acertei com o cotovelo direto nas costelas quando ele tentou chegar ainda mais perto.

— Sua recusa só prova que seus nervos ficam à flor da pele quando estamos juntos.

Ele ergueu a mão para tocar meu ombro. Eu saltei do sofá antes disso.

E dei de cara com um peito duro e rijo que eu conhecia em todos os deliciosos detalhes.

— Ian! — Joguei os braços ao redor da cintura dele, afundando a cabeça em seu tórax. Seu cheiro era único, me acalmava na mesma proporção em que aguçava meus sentidos.

— Oi — ele murmurou carinhoso em meus cabelos. Porém sua voz estava áspera quando voltou a falar: — Senhor Romanov.

— Senhor Clarke — cumprimentou o outro, se pondo de pé, como mandava a etiqueta. — Estava fazendo companhia à sua adorável esposa, mas agora que está aqui creio que não seja mais necessário.

— Não — foi a curta e fria resposta de Ian.

— Hã... eu q-queria um pouco de vinho — falei a Ian, que encarava Dimitri como se fosse um lutador de MMA. — Vamos lá pegar?

— Claro, meu amor. Mas antes me deixe ajudá-la com seu penteado. Uma de suas adoráveis ondas se desprendeu da forquilha.

Ian me contornou, se posicionando entre Dimitri e mim. Ele mexeu no meu cabelo, mas, no mesmo instante em que senti seus dedos delicados em minha cabeça, ouvi um *pou*, seguido de um gemido anasalado.

— Ah, senhor Romanov, como sou descuidado — lamentou Ian.

Girei para ver o que tinha acontecido. Dimitri pressionava o nariz que subitamente sangrava. Ian esfregava o cotovelo, sorrindo exultante.

— Pensei que estivesse mais longe. Permita-me ajudá-lo. — Ian segurou o homem atordoado pelo colarinho da camisa, endireitando-o. — Lamento tanto. Não pode imaginar quanto. Espero não ter lhe causado nenhum dano. — Sua voz era amável, mas Ian sacudia o cara com força.

Dimitri teve de soltar o nariz ensanguentado para manter o equilíbrio e começou a ficar meio roxo.

— Não consigo... — ele tentou, lutando por ar.

— Ah, sim, eu ouvi, senhor Romanov. O senhor não consegue deixar minha esposa em paz. É mais forte que o senhor. — Os nós dos dedos de Ian foram ficando brancos feito osso.

— Ian, eu acho que ele tá sufocando — alertei.

Ian voltou sua atenção para mim. Havia doçura em seu olhar, ainda que seu sorriso parecesse selvagem.

— Não, meu amor, ele não está. Essa cor é o resultado do pesar e da vergonha que o senhor Romanov sente por tratá-la como uma dama sem escrúpulos, não é mesmo, senhor Romanov? — E o sacudiu. Quando o rapaz apenas emitiu resmungos indefiníveis, Ian intensificou o aperto, aproximando o rosto do dele, a mandíbula trincada. — Não é mesmo, Dimitri?

— Si-sim. — O rapaz se debatia contra os punhos implacáveis do meu marido.

Ian assentiu uma vez, apreciando a resposta, mas não o soltou.

— E, de agora em diante, tenho a impressão de que sua fraqueza milagrosamente será curada, e o senhor pensará duas vezes antes de ficar a menos de dez passos da senhora Clarke. Estou certo?

— S-s-s-s-s...

— Ian, por favor! — pedi, angustiada. O cabelo ruivo de Dimitri e o tom arroxeado de seu rosto formavam uma combinação assustadora. — Ele já entendeu.

Ian ainda o segurou mais um pouco, mas acabou soltando a gola. Dimitri desabou no sofá, puxando o ar em grandes golfadas.

— Que bom que entramos em um acordo. — Ian deu leves tapinhas no ombro do cara, depois se endireitou e se pôs a ajeitar as mangas da própria camisa.

— O que aconteceu? — O dr. Almeida estava parado a poucos passos contemplando Dimitri, uma taça de vinho tinto em cada mão.

Ian nem se abalou, apenas recuou, me puxando para junto dele. Percebi que sua pulsação estava acelerada e ele fazia um esforço enorme para se manter sob controle.

— Um terrível acidente. Acertei o nariz do senhor Romanov com o cotovelo quando fui arrumar o penteado de minha esposa.

— Que lástima! — Mas o médico sorria.

— Sim, de fato. — Uma expressão presunçosa surgiu no rosto de Ian. — Verifique se ele está bem, doutor. Talvez eu o tenha atingido com força excessiva.

O amigo assentiu e rapidamente se sentou ao lado do rapaz, deixando as taças sobre a mesinha de apoio e ajudando-o a desfazer o nó da gravata. Ian me empurrou com gentileza em direção a uma saída lateral.

— Que negócio foi esse de bater no cara no meio da festa? Você disse que não ia fazer isso — eu o censurei assim que passamos pela porta dupla de vidro que dava para o jardim. — Estava tudo sob controle.

Um sorriso largo e satisfeito ainda esticava sua boca.

— Não foi proposital. Foi um lamentável acidente, Sofia.

— Se quer mesmo que eu acredite nisso, devia ao menos tentar parar de sorrir. Para onde estamos indo?

— Você já vai ver.

O jardim parecia bonito. Mas, como era iluminado apenas por parcas tochas, não pude ver muito. Alguns casais caminhavam sem pressa por entre os arbustos, no entanto não era possível distinguir os rostos, o que deduzi ser o grande atrativo do jardim dos Romanov.

Ian seguiu em frente, nos conduzindo mais para o coração do jardim. Seguimos até que tudo o que eu podia ver eram altos arbustos e uma lanterna tremulando a alguns metros. Fiquei grata por ter escolhido um vestido de mangas longas quando o vento gelado soprou em minhas costas, trazendo com ele a música delicada dos violinos.

— Concede-me a honra? — Ian se inclinou, oferecendo a mão.

Perguntei-me o motivo de estarmos ali. Se Ian desejava apenas um pouco de privacidade, ou se não queria que eu desse outro vexame na pista de dança. Constrangida por acreditar que se tratava da segunda opção, pousei minha mão na dele. Ian me puxou mais para perto, e estendi o braço para que pudéssemos valsar, mas ele sacudiu a cabeça.

— Não, assim. — Então passou os braços pela minha cintura e inclinou a cabeça para encostar o rosto no meu. E começou a balançar. Bem devagarzinho. — Eu estava louco para ficar sozinho com você desde que discutimos. Estou começando a odiar esses eventos.

Bom, era a primeira alternativa no fim das contas. Ele queria ficar comigo longe de todos aqueles olhares curiosos. Suspirei aliviada e prendi as mãos em seu pescoço.

— Bem-vindo ao time. Até que enfim um momento desta noite que eu não vou desejar esquecer.

Aquele sorriso malicioso que eu amava deu as caras.

— Bem, como seu marido devotado, é minha função proporcionar-lhe momentos mais agradáveis. Permita-me tentar uma coisa. — E com isso ele me beijou.

Um beijo faminto, como se semanas tivessem se passado, e não apenas três horas, desde a última vez em que estivemos assim. E, como sempre acontecia quando sua língua invadia minha boca, qualquer preocupação, aborrecimento ou medo desapareceram num passe de mágica.

— Ah, isso eu não vou esquecer tão cedo — falei assim que sua boca libertou a minha.

Ele sorriu, mas logo ficou sério de novo.

— Eu realmente lamento ter magoado você — Ian murmurou com intensidade. — Não sabe quanto me custou ter de enganá-la.

— Você devia ter me contado sobre as garotas. O motivo real do cancelamento da nossa viagem. Eu teria entendido, ainda que não acredite na maldição.

— E você devia me contar a respeito de Dimitri. O que foi que ele disse, Sofia?

Sacudi a cabeça.

— Sua cotovelada foi o suficiente. E não quero mais falar do Dimitri.

— Nem eu. O que quero agora é dançar com você. — Ele abaixou a cabeça até seus olhos infinitos, profundos e cheios de paixão estarem na mesma altura dos meus. — Dançar e beijá-la a noite toda — sussurrou, antes de reivindicar minha boca.

Toda a atmosfera ao meu redor se transformou. Eu sentia o vento acariciando minha pele, agitando os fios de cabelo que se desprendiam do meu coque, inflando minha saia de leve, mas estava aquecida, balançando suavemente com Ian.

E então ele me mostrou um sorriso espetacular, tomando minha mão para me fazer rodopiar, toda desajeitada. Seu olhar apaixonado quase me causou uma parada cardíaca.

— Minha belíssima bailarina...

Minha risada se misturou à música. Ele me puxou de volta, me abraçando pela cintura. Nossos corações, unidos, batiam tão rápido, no mesmo ritmo, que se mesclaram à melodia que vinha de algum lugar ali, criando uma trilha sonora única, especial, toda nossa.

— "Juro que é você" — ele cantarolou com a voz ligeiramente rouca, roçando os lábios em minha orelha, as mãos grandes espalmadas em minhas costas. — "Juro que é você quem eu esperei. Juro que as batidas do meu coração são para você."

Meu coração reagiu no mesmo instante. Mesmo traduzida, eu reconheceria aquelas palavras em qualquer lugar. Pertenciam à nossa música. Aquela que cantei para ele quando ficamos juntos pela primeira vez.

— "E elas não vão cessar" — completei, comovida.

Ele ergueu a cabeça para poder me olhar nos olhos. Com dedos quentes e muito suaves, afastou alguns fios de cabelo do meu rosto.

— Nunca — assegurou com gravidade antes de selar a promessa com um beijo arrebatador.

28

Eu encarava o teto branco. Só isso. Por que é que eu estava olhando para ele?

— Sofia?

Eu me sentei no sofá vermelho, procurando, e meu coração quase saiu pela boca.

— Nina! — exclamei, pulando sobre minha amiga e me agarrando a seu pescoço. — O que você tá fazendo aqui?

— Eu que devia te perguntar isso. — Ela me segurou pelos ombros, examinando meu rosto com a preocupação estampada nas feições delicadas. — Você não devia estar vivendo o seu "felizes para sempre" no século dezenove?

— Mas eu estou no século... — No entanto, quando olhei ao redor, para a sala mobiliada, a TV e os objetos modernos do apartamento da minha melhor amiga, minha voz sumiu. — Vinte e um?

Minha respiração vacilou, assim como meu coração.

— Onde está o Ian? — perguntei num fiapo de voz estremecida

— Não faço ideia. Eu não vi mais ninguém. — Ela sacudiu a cabeça, fazendo seus cachos dançarem. — Como foi que chegou aqui?

— Eu não sei, Nina.

— Como assim, não sabe? — Nina apoiou as mãos nos quadris. — Sofia, o que você aprontou dessa vez?

— Não sei! Não era pra eu estar aqui. Não era! — Corri para a janela, mas, quando abri as cortinas, não havia janela nenhuma, apenas uma densa parede branca. — Nina, o que tá acontecendo?

Como ela não respondeu, eu me virei. E me dei conta de que ela tinha simplesmente sumido, assim como o sofá em que eu estava deitada, os móveis. Tudo o que restava era um vazio enorme que ecoava em meu peito.

— Ian!

Corri para a porta, mas não havia saída: uma parede de tijolos impedia a passagem. Eu me afastei, respirando aos soluços, até bater as costas na parede oposta. Não, em uma porta. Uma que não estava ali antes. Forcei a maçaneta e ela girou. Um longo corredor surgiu, algumas poucas luzes piscavam, num esforço para se manterem acesas. Saí em disparada, correndo e chamando por Ian, mas o corredor parecia não ter fim. Uma porta vermelha surgiu na lateral esquerda, e eu me agarrei a ela, forçando com o corpo para fazê-la abrir. Quando consegui, me deparei com uma escada em caracol que parecia alcançar o céu. Ou o inferno, dependendo da direção que eu escolhesse. Preferi descer e, saltando os degraus de dois em dois, cheguei ao térreo, que nada mais era que uma rua escura da minha metrópole, parcialmente coberta por uma fina névoa. Um arrepio percorreu minha coluna, e abracei a mim mesma tentando reter o calor. Carros passavam a toda por ali, pessoas andavam apressadas, esbarrando umas nas outras, em mim. Os cheiros de concreto e de escapamento queimavam minhas narinas.

Para onde Nina tinha ido? Por que eu voltara àquele século? Onde estava Ian?

Procurei por ele em meio à multidão, mas era difícil distinguir alguém com toda aquela neblina. Então vi uma cabeça de cabelos negros se sobressaindo no mar de pessoas. E ela se afastava em ritmo acelerado.

— Ian, eu tô aqui!

Corri trombando em muita gente. Elas formavam uma barreira quase intransponível, que me jogava para trás toda vez que eu me aproximava dele.

— Ian, espera! — gritei, me livrando de algumas mãos, mas ele não me ouviu. Continuou seguindo em frente a passos largos e dobrou a esquina. Pareceu que horas se passaram até que conseguisse alcançar o cruzamento que levava ao beco escuro.

E ali estava ele, de costas para mim, olhando fixo para o muro de tijolos pichados.

— Ian, como foi que chegamos aqui? — perguntei sem fôlego.

Ele se virou, parecendo muito confuso ao inclinar a cabeça para o lado e me examinar com atenção.

— Perdoe-me, mas nós nos conhecemos?

— O quê? — Eu me aproximei, esticando o braço para tocá-lo, mas, antes que meus dedos fizessem contato, Ian se dissolveu feito fumaça.

— Não!

Emergindo da escuridão em um vestido esvoaçante, *ela*, a mulher que me enviara ao século vinte e um, exibia uma expressão sombria.

Estanquei onde estava, dura feito um cadáver.

— Não! — ofeguei. — Por favor, não! Por favor, não faça isso!

Ela me observou por um longo instante antes de responder com pesar:

— Sinto muito. — E olhou para o céu enevoado. — Acabou, Sofia.

Segui seu olhar bem a tempo de ver um raio relampejar dentro das nuvens negras para em seguida me atingir.

— NÃO! — Sentei na cama, ofegando, o coração aos pulos, o ouvido zumbindo, e meu corpo todo tremia. O sol entrava pela janela. Olhei para o lado, agarrando os lençóis frios da cama com dossel. — Ian! — Atirei as cobertas para o lado e abri a porta do quarto conjugado, apenas para me deparar com mais vazio. — Não, por favor, não.

Eu mal conseguia me manter de pé, então me apoiei na parede e tateei até encontrar a porta, com medo de girar a maçaneta e dar de cara com outra parede de tijolos. Mas ela se abriu como de costume, e o corredor parecia o mesmo de sempre. No entanto, meu coração estava tão apertado e batia tão rápido, que era como se algo estivesse mesmo faltando.

Trôpega e com a visão obstruída pelas lágrimas, fui seguindo em frente, e, ao passo que o medo crescia ainda mais, meus pés ganhavam força e eu seguia mais rápido, até estar correndo e gritando o nome do meu marido a plenos pulmões.

A porta do escritório se abriu bruscamente. Ian procurava em volta, o rosto preocupado. Meu coração acelerou ainda mais.

— Ian! — colidi em cheio com ele, enroscando meus braços ao redor de seu tronco e enterrando minha cabeça em seu pescoço, inalando o aroma que fazia meu mundo girar. Ian não tinha desaparecido! Ele estava ali, me abraçando com força.

— Meu amor! Você está tremendo! O que aconteceu? — As mãos espalmadas subiam e desciam por minhas costas.

— Eu voltei. Voltei e vo-você não estava lá. Só a Nina estava, mas depois não estava mais! Aí eu te procurei e te encontrei, mas você... su-sumiu. — Eu tremia descontroladamente. — Ela disse que tinha acabado! E eu joguei comida naquela mulher. Depois teve a dança, e aquele palhaço ficou me cantando, e a porta não era uma porta e tinha uma escada muito longa. A Nina virou fumaça, e você não me reconheceu, e um raio me-me atingiu e você... você... não sabia quem eu era!

Eu não conseguia ordenar os pensamentos. As imagens estavam todas misturadas, e eu não era capaz de separar o pesadelo da realidade. Não que alguma vez na vida eu tenha conseguido, mas agora a confusão havia atingido novos níveis, e tudo que eu pude fazer foi chorar como uma criancinha assustada.

— Eu sabia que devia manter aquelas histórias longe de você — ele praguejou baixinho e me apertou com tanta força que senti uma de minhas costelas estalar. Mas me fundir a Ian de um jeito irreversível, numa completude indissolúvel, para que ninguém jamais pudesse nos separar, era tudo que eu queria. — Ninguém a levará a parte alguma, Sofia. Eu não vou deixar!

— Não vai?

— Nem que eu tenha de mover o céu e a terra. Você nunca mais se afastará de mim, quer goste disso ou não.

Não sei bem por quê, mas achei aquilo engraçado e comecei a rir.

Era muita coisa para assimilar. Fazer meu cérebro entender, separar o que realmente tinha acontecido do que fora um pesadelo, muito embora tudo parecesse um.

Porém o riso frouxo logo tomou outro rumo e voltei a chorar, ainda mais do que antes.

— Por favor, Sofia, não chore. Meu coração não suporta vê-la sofrer assim. — Ele tocou a lateral do meu rosto, afastando meus cabelos para o lado e beijando minha testa, minha bochecha, a pontinha do meu nariz molhado e meus lábios inchados pelo choro.

— Só me-me abraça — solucei. — E não me solta.

— Nunca mais — ele completou, me apertando com tanta força que meus pés saíram do chão.

Levantei a cabeça e busquei sua boca, porque, naquele momento, ela era a cura para a minha dor. E Ian sabia disso, pois a forma como me beijou expressou tudo que eu precisava ouvir. "Estou aqui. Sempre estarei aqui", dizia ele, mesmo sem proferir palavra alguma.

— O que pensam que estão fazendo?! — alguém berrou.

Cassandra.

Enrijeci nos braços de Ian e libertei seus lábios. Ele me colocou no chão, mas não me soltou.

A mulher me encarava com raiva. Seu filho, um pouco mais atrás, parecia aturdido e desviou o olhar para o chão.

— Tia Cassandra. — Ian me segurou mais firme. — Este não é o momento mais oportuno para um de seus sermões.

— E quando será oportuno, meu sobrinho? — perguntou ela, furiosa. — Quando será a ocasião apropriada para falarmos da nudez de sua esposa?

Eu olhei para baixo, para a camisa velha manchada de tinta, minhas pernas nuas, meus pés descalços.

Ah, merda.

Estiquei a barra da camisa, tentando cobrir o máximo possível de pele. Ian pareceu se dar conta da minha seminudez ao mesmo tempo que eu, e, relutantemente, me soltou para tirar o paletó e colocá-lo sobre os meus ombros.

— Eu... tenho algo a resolver. — Thomas se esquivou pela porta e se afastou o mais rápido que pôde, sem voltar os olhos para mim. Porque, ao contrário da mãe, ele era extremamente educado e gentil.

Ian me empurrou para trás, colocando seu corpo entre mim e a tia, os braços esticados e protetores. Ela não deu a menor importância para isso. Seu olhar feroz permaneceu cravado em mim, como se tentasse me fazer sumir ou alguma coisa assim. Então ela voltou os olhos para Ian.

— Que espécie de homem se tornou? — esbravejou. — Um devasso, como seu tio?

— Eu já disse que agora não é um bom momento — repetiu, impaciente.

— Que direito tem de expor Elisa à influência desavergonhada desta mulher? — Ela apontou para mim. — E a sua própria conduta não me parece melhor que a dela neste momento.

— Elisa já está crescida e sabe o que deve ou não fazer.

— Ela é apenas uma menina! Uma menina que venera o chão que esta mulher pisa! E se tornarão iguais se ninguém impedir! Você quer que Elisa aja como esta mulher? Que se exponha dessa forma?

Aquilo fez Ian reagir. Só não foi a reação que eu esperava.

— *Esta* mulher é a dona da casa na qual a senhora tem dormido nas últimas noites. — Ele aumentou o tom de voz e deu um passo à frente. Cassandra recuou. — A senhora não se referirá a ela nesses termos novamente, se ainda desejar dormir sob este teto.

Cassandra empinou o queixo pontudo.

— É isso o que deseja, Ian? Assistir à sua irmã se envergonhando diante de toda a sociedade? Vestindo calças e atraindo olhares de cavalheiros sem moral? Tratando a criadagem como da família? Andando pela casa desnuda e exibindo o corpo como se fosse uma...

— Basta! — Ian gritou tão alto que as paredes pareceram chacoalhar. Cassandra se calou, piscando várias vezes. — Saia desta casa e esqueça o caminho de volta. A senhora não é mais bem-vinda aqui.

— Pois é o que farei. Não ficarei nem mais um minuto sob o mesmo teto que esta *dama*. — E me olhou com desprezo. — Conheço esse tipo de mulher. Seu tio sustentou muitas delas.

— Retire-se. Agora. — Ian trincou os dentes. Eu tive a impressão de que, se Cassandra fosse homem, eles teriam rolado no chão.

— Partirei imediatamente. Mas esteja certo de que sua irmã não será corrompida pela depravação desta *dama*. Levarei Elisa para viver comigo.

29

Eu sabia que não devia interferir. Era assunto de família, e eu devia ter deixado os dois se resolverem. Infelizmente, meu cérebro, ainda perturbado pelo pesadelo, entre outras coisas, decidiu ignorar o bom senso.

Não que isso fosse novidade.

— Elisa não vai a parte alguma, muito menos com a senhora — me meti, saindo de trás de Ian. Ele parecia ter dificuldade de controlar a raiva. — O lugar dela é aqui.

— O lugar dela é ao lado de pessoas de bem — Cassandra rebateu. — Elisa precisa de bons exemplos.

— Deve estar louca, dona Cassandra, se acha que vou deixar Elisa viver sob seus cuidados e se tornar uma mulher amarga feito a senhora.

Ela sorriu de um jeito cínico.

— Era de esperar tais insultos de uma *dama* de sua estirpe.

— A senhora ainda não viu nada! Tenta encostar um dedo na Elisa pra ver o que é uma mulher desqualificada de verdade.

— Ela não é sua responsabilidade — assinalou Cassandra, altiva.

— É minha. — Ian por fim abriu a boca. Sua voz estava fria, morta. — Eu cuidei de Elisa quando ninguém mais o fez. Vivemos sozinhos por anos sem que ninguém se preocupasse conosco ou com nosso bem-estar. A única que demostrou interesse é a mulher com quem me casei. Não me venha dizer agora o que é bom para a minha irmã, pois a senhora mal a conhece! — Aquela fúria ameaçava extravasar. — Sou o tutor dela, e Elisa *não vai* a parte alguma. Porém a senhora vai.

A mulher titubeou, mas se recompôs depressa, empinando o nariz um tanto avantajado.

— Se pensa que faltarei com a minha obrigação, está muito enganado. Se quiser me expulsar, terá de fazê-lo com as próprias mãos, pois não sairei daqui até estar certa de que minha sobrinha está em segurança. E, como bem sabe, minha determinação é inabalável.

— O quê?! — gritei. Viver com a Cassandra seria um pesadelo. E tão ruim quanto pensar que Elisa podia perder sua reputação porque dei mancada e estraguei tudo. De novo.

Ian nem piscou para responder:

— Será um prazer ajudá-la encontrar o caminho da rua.

As feições de Cassandra endureceram, a fúria tingindo-as de vermelho.

— Isso é o que veremos! — E saiu pisando duro.

Quando ela já estava longe, eu, em pânico, quis saber:

— Ian, o que a gente vai fazer?.

Ele mantinha os olhos fixos nas costas da mulher.

— Apresentaremos a porta da sala a ela.

— Sério, Ian. Tô falando de Elisa. Ela... Cassandra pode... ter razão — admiti, mortificada.

— Não, ela não tem. — Ele me empurrou para dentro do escritório e encostou a porta.

— Ian... — engoli em seco. — O que sua tia disse... sobre manchar a reputação de Elisa, acho que já está acontecendo. As pessoas estão falando. De mim, de você. E acho que de Elisa também.

Ele parou de andar e se virou para me encarar. Uma cólera excessiva cintilava em seus olhos. Recuei um passo.

— O que estão dizendo sobre você? — ele exigiu saber.

— Aquilo que eu já esperava. Que sou diferente... de um jeito ruim. Mas admito que fiquei surpresa por eles acreditarem que eu faço bruxaria — ergui os ombros.

Tentei desviar o olhar para o chão, mas Ian cruzou a sala e, com dois passos, estava bem à minha frente, segurando meu rosto e o inclinando para cima.

— Sofia, você é diferente de um modo extraordinário. *Você é* extraordinária! É a razão de eu acordar no meio da noite só para me certificar de que ainda está ali, tamanho é o medo que tenho de perdê-la outra vez. É o motivo pelo qual me sinto tão afortunado, é a causa do sorriso estúpido que me estica a boca antes de dormir. As especulações da sociedade não significam nada para mim.

— Mas, Ian... — Prendi a mão no pulso que ainda estava em meu rosto. — Não é da *Sofia* que estão falando. Com isso eu não me incomodaria — *muito*, eu quis acrescentar. — Estão falando da senhora Clarke, sua mulher, cunhada da senhorita Elisa. Se... se eu não aprender tudo bem depressa... E eu juro que tenho me esforçado, mas sempre dá tão errado! Mas se eu não mudar, se as pessoas continuarem a me julgar porque tenho outros hábitos, Elisa vai ficar com essa marca pra sempre, não vai? Como aquele duque que você me contou uma vez, que deu vexame num baile e ninguém nunca mais esqueceu.

Ele inspirou fundo.

— Sofia... — Mas por mais que ele relutasse, vi a verdade aparecer e alterar sua expressão.

— Então sua tia tem razão. — Eu me esquivei dele, passando por baixo de seu braço e me dirigindo até a janela. — Quando a gente se conheceu você disse que procurava uma boa influência pra sua irmã. E eu não sou boa influência pra ela. Amo Elisa, não consigo imaginar esta casa sem ela, mas não posso ser a ruína de todos os sonhos dela por querer mantê-la perto de mim.

Senti Ian se aproximar.

— O que está dizendo?

Tomei fôlego.

— Que talvez Elisa devesse ir viver com a Cassandra mesmo, que sabe essas paradas de etiqueta do século dezenove e tal. Seria o melhor para ela. Ao menos por uns tempos. Até eu conseguir... você sabe, me comportar direito e fazer esse povo maluco se dar conta de que não sou uma bruxa.

— Não diga bobagens.

Cruzei os braços, ainda de costas para ele.

— Eu vi o futuro dela, Ian. E é tão lindo, alegre, cheio de amor, do jeito que Elisa merece. Eu não posso permitir que seja alterado. Ontem mesmo o... humm... — me detive, mordendo o lábio.

— O... — instigou ele, bem atrás de mim.

— Ontem, no baile dos Romanov, o cara que será tudo na vida da sua irmã vacilou. Ninguém me contou. Eu vi.

— E estamos falando de... — Ele se deteve sugestivamente.

— Boa tentativa, mas não vou contar. O que estou querendo dizer é que vou foder com a vida de Elisa.

— Sofia! — ele censurou.

— Desculpa, mas não achei palavra melhor. Tá vendo? Imagina se falo um palavrão desses perto dela? E se ela me perguntar o que significa? Porque você sabe que eu vou contar. Nunca vou mentir para Elisa. Já basta ter de esconder dela que viajei no tempo, que vim do futuro. É disso que eu tô falando. Sei que você não quer que eu lhe conte tudo, mas ela quer saber, Ian. Elisa é esperta, curiosa e inteligente. E o que quer que ela me pergunte, sempre responderei com a verdade, como eu fiz com... humm...
— Parei de falar. Ian não precisava saber da conversa sobre sexo que tivemos às escondidas.

— Com o quê? — perguntou, desconfiado.

— Deixa pra lá. É que... eu amo a Elisa. E faria tudo por ela, e, se pra ela ser feliz, eu tiver de me afastar, então...

— Não — ele replicou sem titubear. — Ela não seria feliz longe de você. Elisa também a ama, Sofia.

— Você acha? — perguntei esperançosa, me virando para encará-lo. — Porque a última coisa que eu quero é vê-la triste.

Ian sorriu, pousando as mãos grandes e quentes em meus ombros.

— Elisa conversa mais com você do que comigo. — Seus dedos longos deslizaram pelos meus braços até se aquietarem em minha cintura. — Sua opinião se tornou mais importante para ela que a minha. O que acha?

Soltei um suspiro aliviado e deixei a cabeça tombar no peito de Ian.

— Ainda bem, porque eu não posso ficar sem ela. Já tive que deixar a Nina para trás. Não suportaria perder Elisa também.

Ouvi um rangido e olhei para a porta. Estava entreaberta, e eu pensei ter visto uma movimentação, mas não havia ninguém ali.

— Então o que vamos fazer para acabar com a fofoca? — Ergui cabeça.
— Quer dizer, além de eu tentar me passar por uma mulher do século dezenove?

— Você agora *é* uma mulher do século dezenove — ele me corrigiu, sério. — E não acredito que a reputação de Elisa seja maculada porque a cunhada dela desconhece os passos de uma dança tola.

— E nem por ter jogado comida na anfitriã do baile?

Um meio sorriso curvou sua boca para cima.

— Não.

— E nem por não ter desmaiado quando quase foi atropelada?

— Nem mesmo por isso. — O sorriso dele se ampliou.

— E nem por... — A lista era infinita, mas ele me impediu de continuar, pousando um dedo sobre meus lábios.

— Não. Nada poderia.

Soltei um longo suspiro.

— Xabe, exa coija de eu ficar envergonhando voxê não acontexeria no meu tempo — resmunguei sob seu dedo e ele riu, liberando minha boca. — Eu sou bem comum por lá.

— "Comum" é a última palavra que eu escolheria para descrevê-la

— Andei pensando... E se você fizesse uma lista das regras do século dezenove? Eu posso decorar tudo bem depressa, e aí eu pararia de te envergonhar.

Ian fechou a cara.

— Você não me envergonha e jamais me envergonhou. Quando vai entender isso? — E sua expressão se suavizou quando ele falou: — Agora pare de se preocupar com tolices e venha aqui. — Ele já inclinava a cabeça para me beijar.

Depois disso, Ian me levou até o quarto, atento para que ninguém me visse com tão pouca roupa. Em seguida, anunciou que precisava visitar um arrendatário.

— Não gostaria de me acompanhar? Não quero deixá-la sozinha — perguntou, quando eu já estava decentemente vestida.

Bom, eu também não queria ficar longe dele, no entanto tinha uma coisa para fazer e já estava com o prazo apertado.

— Acho melhor não. Se você vai tratar de negócios, prefiro ficar e não correr o risco de me meter sem querer. Além do mais, deixar sua irmã sozinha com a sua tia ainda solta por aí pode não ser uma boa ideia.

— Tem razão. Avisarei os empregados agora mesmo sobre a partida de Cassandra.

— Não tenho certeza se ela pretende mesmo ir embora. Você falou sério ainda agora? Teria coragem de arrastá-la porta afora?

— Não se trata de coragem, e sim de honradez — bufou, aborrecido. — Se fosse Thomas, eu não hesitaria. Mas ela... Maldição! Me vejo de mãos atadas. Espero que o fato de não ser mais bem-vinda baste para que faça as malas. Preciso ir agora. — Ele me segurou pelos ombros. — Serei o mais breve possível.

— Vai lá. — Agarrei as lapelas de seu paletó e o beijei. — E acaba com eles!

— Por que é que eu faria isso? — Ele me fitou horrorizado.

Eu ri.

— É, tipo, vai lá e detona... Ou, sei lá, boa sorte.

— Ah! — Ele exibiu os dentes brancos perfeitos. — Obrigado.

Assim que fiquei sozinha, fui procurar Elisa, mas mais uma vez ela saíra com Thomas. Não gostei nada daquilo. Precisava ter uma conversa franca com a minha cunhada e entender bem o que andava se passando em seu coraçãozinho adolescente.

Eu me dirigi para a cozinha e encontrei ali as caixas de frutas que encomendara e os frascos vazios que o seu Plínio prometera me enviar.

Com as mãos na cintura, Madalena olhava desconfiada para aquilo tudo, bufando.

— Tenho medo de perguntar o que a senhora vai aprontar agora.

— Preciso fazer uma grande quantidade de condicionador, Madalena. Tipo, um montão mesmo. — Peguei um abacate e fingi examiná-lo. — Pensei em fazer um estoque. Vai que o Ian muda de ideia e a gente acaba viajando de repente? — Pronto. Parecia uma desculpa bem convincente.

— Eu me pergunto o que fazer com os cocos. A senhora utiliza apenas a água. E tenho feito um bocado de compotas.

— Eu gosto de compotas.

Ela pegou uma faca pontiaguda e um coco, posicionou-o precisamente sobre a mesa de madeira e me olhou feio.

— Então deveria comê-las de vez em quando. A senhora tem comido muito pouco. — E começou seu trabalho.

Eu apenas revirei os olhos. Madalena havia se habituado a meu apetite com mais facilidade do que Teodora, e o fato de Ian estar assaltando a cozinha durante a madrugada, em busca de guloseimas para mim, milagrosamente — devo acrescentar — ainda não chegara aos ouvidos da governanta.

Preparei uma grande quantidade de papa e, enquanto Madalena a misturava com a água de coco, fui apanhar os óleos, que agora eu deixava na despensa para facilitar. Examinei os vidrinhos e me surpreendi ao constatar que já havia usado mais da metade.

Madalena me ajudou a encher os frascos quando a mistura ficou pronta. Fizemos muita meleca, mesmo usando o funil que ela pegara por ali. Minhas mãos estavam lisas e engorduradas, e era muito difícil arrolhar os frascos. Quando terminamos, lavei as mãos na tina e usei uma das caixas de frutas, agora vazias, para acomodar os vidrinhos. Coloquei-a no chão, para que Isaac me ajudasse com elas mais tarde, mas, ao endireitar a coluna, uma vertigem me fez cambalear, e eu teria caído se a mesa não estivesse tão próxima.

— Sofia! — Madalena se adiantou, me pegando pela cintura e tentando me manter de pé. — Senhor Gomes! Acuda!

Ela começou a me arrastar não sei bem para onde, pois estava tudo escuro e um apito agudo tilintava em meus ouvidos.

— Tá tudo bem, Madalena. — Mas minha voz soou tão fraca que só piorou as coisas.

— Oh, Virgem Santíssima, a senhora está pálida feito vela.

— O que se passa, senhora Madalena... Senhora Sofia!

E, de repente, fui erguida do chão. Eu quis pedir para Gomes não fazer aquilo, porque ele era um senhor de idade e não havia medicamentos para dor nas costas por ali, mas a vertigem não passava. E, conforme minha visão voltava, as paredes da cozinha começaram a girar.

— Vou mandar Isaac ir chamar o dr. Almeida. — Gomes me colocou com cuidado sobre a mesa.

— Não, devemos avisar primeiro o patrão. Ele não está longe — Madalena se opôs.

— O médico é mais importante — contestou Gomes.

— Minha querida, deite-se. — Madalena ajeitou os meus cabelos para trás, tocando minha testa com seus dedos quentes.

Eu obedeci, e foi a pior ideia que já tive. O enjoo ficou incontrolável, e tudo que pude fazer foi descer da mesa às pressas e cambalear até a tina, onde despejei todo o meu café da manhã.

— Minha nossa! Aqui está, querida. Tudo vai ficar bem — murmurou carinhosamente Madalena , passando um pano úmido em minha têmpora.

— Vou procurar Isaac — avisou Gomes.

— Não, seu Gomes! — Forcei a voz, tentando parecer melhor. — Eu tô legal. Devo ter comido alguma coisa ontem no baile que não me fez bem. O ponche estava com um gosto estranho. Mas agora já passou.

E era verdade. Como que por um milagre, a vertigem e o enjoo cessaram. Pedi um copo de água e fui prontamente atendida. Eu ainda estava ajoelhada no chão, com Gomes e Madalena me cercando, preocupados e prestativos, quando a voz de Cassandra ressoou pela cozinha:

— Confraternizando com a criadagem outra vez. Isso é tão deplorável.

Levantei os olhos. Gomes se agachou e colocou meu braço ao redor de seus ombros, me ajudando a levantar.

— Em que posso servi-la, senhora? — Madalena se apressou, interpondo-se entre a mulher e mim. — O almoço logo será servido.

— Já não disse para não se dirigir a mim a menos que solicitado, criatura estúpida? Arranje um pouco de chá. E, assim que Thomas voltar, diga a ele que exijo sua presença em meus aposentos.

— A senhora não devia estar arrumando as malas, dona Cassandra? — interferi.

A mulher empinou o nariz e voltou seu olhar de desdém para mim.

— Eu já disse que não vou a parte alguma sem minha sobrinha! E sua aparência é lastimável.

— A sua também — resmunguei mal-humorada. — Mas não fico jogando isso na sua cara.

Gomes deixou escapar uma gargalhada e tentou disfarçar com uma falsa crise de tosse. Madalena escondeu o sorriso virando o rosto. Cassandra correu os olhos pela cozinha e franziu a testa ao observar a caixa repleta de garrafinhas de condicionador. Sacudindo a cabeça, ela me encarou e se empertigou.

— Cuidado, senhora Clarke. — Ela arqueou as sobrancelhas exatamente como os vilões fazem nos filmes. — Seu reinado nesta casa não durará muito mais.

Ela girou sobre os calcanhares com tanta altivez que suas saias chegaram a empinar um pouco, revelando a gaiola de ferro sob elas.

— Mulherzinha intragável — resmungou Gomes, fuzilando as costas de Cassandra.

— Mal posso esperar pela partida dela — concordou Madalena. — Ah, querida, veja, sua cor está voltando! — Ela tocou minha bochecha com as costas da mão e suspirou.

— Creio que devemos chamar o médico para nos certificar de que o mal-estar não voltará — sugeriu o mordomo.

— Sério, seu Gomes, não precisa — contestei. — Tô ótima! Foi só um pouco de ressaca, eu acho. Como naquele dia em que o doutor me deu ópio. Já passou. E, olha só, eu acho que vocês não deviam mencionar o que aconteceu para o Ian, porque ele pira fácil e vai me deixar presa naquela cama por sabe-se lá quanto tempo.

— Ele é muito cuidadoso com a sua saúde — Madalena apontou.

— Mas eu não tô doente. Só o preocuparia à toa.

— Talvez ela tenha razão, senhora Madalena — Gomes concordou. — O patrão perde o juízo quando o assunto é a saúde da esposa.

Madalena ponderou por um instante e, por fim, cedeu.

— Vamos fazer como a senhora deseja, mas, se eu notar que o mal-estar voltou, falarei com o seu marido e certamente ele chamará o dr. Almeida.

— Tá certo, Madalena. Mas eu tô bem. Juro.

No entanto, só por precaução, ela me fez ficar quieta na sala de leitura e a cada cinco minutos aparecia para dar uma conferida em mim. Eu estava lendo o terceiro volume de *Emma* quando ouvi um barulho de carruagem se aproximando. Espiei pela janela a tempo de ver Elisa desembarcar. Acenei para ela, que devolveu o cumprimento. Então me apressei para encontrá-la, disposta a descobrir o que andava rolando entre ela e o primo.

Porém eu a encontrei na sala com o olhar perdido na janela, os braços cruzados. Seu ar era tão triste que me partiu o coração.

— Ei, o que foi? — me aproximei e toquei seu ombro.

— Oh, não foi nada. — Ela tentou sorrir, mas o sorriso era vazio, sem as covinhas que eu tanto amava.

— Elisa, não tenta me enganar. O que aconteceu? Você tá deprimida. Foi o Lucas? Porque se ontem à noite ele fez ou falou alguma coisa que...

— Não! — ela se apressou em dizer, seu rosto se encheu de cor. — Ele não fez nada que mereça recriminações, posso garantir. Só fiquei triste com as notícias que a senhora Moura me contou, a respeito da senhora Domitila, uma amiga dos tempos de criança. A família dela se mudou faz alguns anos, tivemos o mesmo professor de francês e até fizemos algumas aulas juntas. Ela era adorável, Sofia. Gostava muito de cavalgar e era tão aplicada nos estudos! Sonhava se casar e ter muitos filhos. Ela conseguiu a primeira parte e estava tão contente. Mas tudo acabou, pois ela... Houve uma tempestade e...

Ela não precisava terminar.

— Ah, Elisa. — Eu a abracei com força. — Sinto muito.

A menina soluçou baixinho em meus braços, os ombros estreitos se sacudiam de forma dolorosa. Engoli em seco e tentei afastar o medo que subitamente tentava se instalar em meu cérebro. Mais uma vítima da maldição. E Elisa a conhecia...

Não, não existe essa coisa de maldição, Sofia! Foi um acidente. Acorda!

— Ouvir a triste notícia me fez pensar em minha própria existência — prosseguiu Elisa. — Se eu me fosse agora, o que deixaria para trás? O que teria feito que seria digno de ser lembrado?

— Nem pense numa besteira dessas. Você fez e vai fazer muitas coisas. Você me ajudou a ser menos... esquisita, cuidou do seu irmão, alegra a vida dele. E a minha!

— Isso não é digno de ser lembrado — ela resmungou, erguendo a cabeça.

— É sim! Fazer alguém feliz é mais difícil do que parece. E você fez a Teodora e eu nos tornarmos amigas. E isso era praticamente impossível.

Ela esboçou um sorriso, mas ele logo desapareceu e seus olhos ficaram marejados.

— Por que isso tinha de acontecer, Sofia? Domitila era tão jovem!

— Não sei, Elisa. Nina acredita que Deus nos empresta nossa alma, que são pedaços da alma do próprio criador. E que, em algum momento, ele precisa desses pedaços e os chama para voltar para casa. Foi nisso que me apeguei quando meus pais morreram. Sabe, no fim das contas, me senti grata pelo tempo que tive com eles.

Seus enormes olhos azuis estavam avermelhados pelo choro, e, mesmo assim, ela continuava linda, como a princesa encantada que era.

— É uma maneira reconfortante de se pensar.

— É sim. Mas não fique tão perturbada com essa história. Você vai viver bastante tempo e será muito, muito feliz. Acredite em mim. Eu sei!

— Está bem. — E, fácil assim, ela secou as lágrimas e fez o melhor que pôde para sorrir.

Era de partir o coração. Elisa estava mal e precisava de ânimo. Eu tinha que fazer alguma coisa.

— Tá legal. — Eu a puxei pela mão. — Vamos fazer a única coisa que anima uma amiga... menor de idade... — me dei conta. Enchê-la de álcool não parecia boa ideia. — Beleza, vamos fazer a segunda melhor coisa para levantar o astral de uma garota!

— E o que é?

— Compras!

30

Tudo bem, eu não pretendia fazer compras. Mas Elisa estava tão para baixo que foi a única coisa que me ocorreu no momento. O século dezenove limitava muito as minhas opções.

Isaac acomodou o cesto com os frascos de condicionador no teto da carruagem, bem escondido, e instruí o garoto a entregá-lo discretamente na botica assim que chegássemos à vila. Entreguei-lhe também um bilhete destinado a Suelen e coloquei meia dúzia de vidros na bolsa de crochê, caso ela me procurasse.

A vila estava bastante movimentada, e o ânimo de Elisa melhorou um pouco quando passamos pelas bancas do comércio local. Ela parou em diversas delas, tocando numa fita ou num bordado. Acabou não comprando nada, mas já não estava mais tão abatida. E por isso eu me apressei em arrastá-la até a joalheria.

Seu Estevão pareceu encantado em nos ver em seu estabelecimento.

— Vim pagar parte da minha dívida, seu Estevão — anunciei orgulhosa.

— Tão depressa, senhora Clarke?

— É! — falei entusiasmada, pegando as moedas no bolso do vestido. As que recebi como parte do pagamento pela remessa de condicionador e as três que eu recebi das garotas. Eu as esparramei no balcão. Elisa se distraía com a vitrine.

O homem fitou a pequena pilha brilhante com a testa franzida.

— É muito dinheiro, senhora Clarke — espantou-se ele, e se pôs a contar as moedas. Em seguida, pegou um caderninho para se certificar do valor devido. — Isso liquida sua dívida. — Ele puxou um terço do montante para si.

— Sério? Ela toda? — *Uau!*

— Asseguro-lhe que não roubo nas contas, senhora Clarke. — Ele se empertigou, bastante ofendido. E eu me dei conta tarde demais. — Pode conferir, se desejar.

— Não é nada disso, seu Estevão! É que eu achei que não dava pra pagar nem a metade.

Caramba! Meu condicionador tinha rendido muito mais do que eu imaginara. E ainda tinha a segunda parte do pagamento!

E eu não havia contado nada disso a Ian. Um segredo terminava exatamente naquele instante, porém outro muito maior continuaria me assombrando. Eu precisava falar com ele. Mas como é que eu ia fazer isso, se não tínhamos um minuto de sossego? Por culpa do baile desastroso não tive tempo de conversar com meu marido. E naquela manhã, por causa do pesadelo e da discussão com a Cassandra, também não. Não era, tipo, como se eu estivesse procurando desculpas para não contar a ele nem nada.

— Senhorita Elisa, senhora Clarke! — saudou alguém ao entrar na loja.

Lucas, com o chapéu debaixo do braço, sorria, feliz em nos ver.

Tá legal, em ver a Elisa.

— Senhor Guimarães — ela retribuiu o cumprimento.

— Oi, Lucas — falei.

— Eu estava a caminho da igreja quando as vi entrando aqui. Então, resolvi parar para cumprimentá-las — explicou, um pouco sem jeito.

— Viemos à vila para um curto passeio — Elisa se forçou a dizer, sem olhar para ele.

— Ah, entendo. — E os dois ficaram ali, sem saber o que dizer, para onde olhar, corando sem motivo aparente.

Lutei para não revirar os olhos. Lucas também não contribuía muito para me ajudar a colocar Elisa de volta na trilha do seu destino. Tive de intervir:

— Elisa, por que vocês não vão indo na frente? Só vou juntar minha bagunça aqui e alcanço vocês.

— Será um prazer acompanhá-la, senhorita Elisa. — O rapaz ofereceu-lhe o braço.

Bastante encabulada, a menina aceitou e me lançou um olhar perturbado, que preferi ignorar. Os dois saíram. Eu estava recolhendo as moedas que sobraram quando de repente me detive.

— Seu Estevão, de quantas moedas eu preciso para comprar aquilo ali? — Apontei para a vitrine.

— Excelente escolha, minha senhora! E garanto que é uma peça de extremo bom gosto e... — É, eu sei. Vendedores são ótimos em monólogos.

Esperei pacientemente ele chegar ao que interessava: o valor. E nem era muito caro! Acabei comprando e lhe pedi que embrulhasse. Depois guardei o dinheiro que tinha sobrado — metade mais ou menos — e corri para a rua.

Elisa e Lucas andavam de braços dados, sem pressa, um bom tanto à frente, a caminho da igreja. Eu diminuí o ritmo para lhes dar ainda mais espaço.

— Senhora Clarke! — alguém chamou à meia-voz.

Suelen e Najla estavam na esquina, acenando freneticamente para mim. Fiz um aceno de cabeça, olhei para os lados e atravessei a rua.

— Recebemos seu recado — Suelen se apressou em dizer. — Trouxe o que precisamos?

Assenti de novo, observando os arredores para me certificar de que nenhum curioso nos ouvia. Não havia ninguém por perto.

— Trouxeram a grana? — perguntei de canto de boca.

— Que grana? — Suelen se espantou.

— O dinheiro, Suelen — corrigiu Najla. — A senhora Clarke usa essa palavra quando quer dizer dinheiro.

— Ah! Claro. Está aqui.

— Não! — Eu a detive quando ela fez menção de pegar as moedas na bolsa. — Aqui não. Vamos mais pra lá.

Saindo da rua principal, eu as levei a um beco mais afastado, com uns barris cheios de restos de comida que fediam muito.

Olhei para os lados de novo, abri a bolsa e, discretamente, entreguei os vidros a elas.

— Oh, como eu preciso disso! — Suelen os escondeu depressa e logo me passou a grana.

— Se alguém perguntar, nunca estivemos aqui, ok? — Encarei ambas com firmeza.

Duas cabeças balançaram em concordância.

Voltei a passos largos para a rua principal. As garotas vieram logo em seguida e foram para o lado oposto. Negociar com a Najla e a Suelen não era tão ruim quanto com o boticário. Quer dizer, eu não estava fazendo algo errado nem nada. Estava só salvando a vida social daquelas garotas! Porque, se alguém me oferecesse qualquer coisa que deixasse meus cabelos mais bonitos, eu não mediria esforços para adquiri-la. Se eu era capaz de fazer com que as garotas se sentissem mais bonitas, que mal tinha nisso? Eu estava fazendo um bem à humanidade, certo? Ian entenderia. Talvez eu não precisasse desistir de tudo e pudesse ter uma pequena fonte de renda, lidando somente com as amigas de Elisa.

Avistei minha nova irmã perto da igreja, acompanhada de Lucas e mais uma pessoa. Padre Antônio.

— Merda.

Eu já estava prestes a dar meia-volta quando a menina me avistou e acenou para que eu me aproximasse.

Sentindo-me tão animada quanto um gato prestes a tomar banho, me juntei a eles, tirando do rosto alguns fios que se soltaram do meu rabo de cavalo.

— Boa tarde, senhora Clarke. — O padre fez uma reverência.

— Oi, padre. Belez... hã... Tudo bem com o senhor?

— Fico feliz que nossa conversa de ontem tenha rendido frutos e que finalmente tenha resolvido me fazer uma visita.

Reprimi uma careta ao me lembrar de sua sugestão de me enfiar de novo dentro do confessionário.

— Ah, bom... eu adoraria, mas...

— Sofia veio me acompanhar, padre Antônio — interveio Elisa ao notar meu desconforto. — Fiquei deprimida com as notícias a respeito da jovem Domitila. O senhor se lembra dela?

Padre Antônio assentiu, pressionando os lábios até se tornarem uma linha fina.

— Claro que sim. É muito triste ouvir notícias como essa, mas Deus sabe o que faz. Temos de confiar em sua sabedoria. A jovem Domitila está em um lugar melhor agora.

— Creio que sim — concordou Elisa, um tanto abatida. — Sofia me disse que somos todos pequenas partes da alma do criador e que, vez ou outra, ele precisa desses pedaços e os toma de volta. Isso apaziguou um pouco meu coração.

— Ora, é mesmo? — Surpreso (e isso não devia ter me ofendido tanto), o padre me avaliou com um sorriso torto na boca. — Há esperanças para ela, afinal.

Um cavalo trotou ali perto e o som dos cascos me fez virar a cabeça. O mestre de obras tinha problemas em dominar sua montaria e suava em bicas sob o casaco e o chapéu. Ele conseguiu fazer o animal parar assim que nos viu.

— Boa tarde, cavalheiros. Adoráveis jovens damas. — Ele fez um aceno de cabeça. — Estou indo até a propriedade de seu marido — disse-me Domingos. — Creio que finalmente compreendi o que ele deseja para a reforma da casa. Fiz um esboço. E espero que o senhor Clarke aprecie.

— Legal! — falei, animada. — Mas o senhor pode mostrar pra mim. Sou eu quem está no comando da construção do banheiro.

O homem gargalhou com certa indulgência, como se risse de uma criança de seis anos que afirmasse ser capaz de realizar uma cirurgia cardíaca. O padre se juntou a ele.

— Que senso de humor a senhora tem. Seu marido é um felizardo. — A papada de seu Domingos tremulava, me fazendo pensar no Jabba the Hutt, aquele monte gosmento do filme *Guerra nas estrelas*. — Imagine só, padre, uma mulher a cargo de uma reforma!

Gostaria de ter algo em mãos — um bom espeto de churrasco, por exemplo — para ajudar aquele homem a entender como eu abomino atitudes sexistas.

— Cuidado, senhor Domingos — alertou Lucas, bastante sério. — Pelo que pude notar, o senhor Clarke não apenas estima muito a opinião da esposa como lhe dá liberdade total para agir em nome dele.

— Ora, senhor Guimarães, nenhum homem de bom senso faria o contrário... Na frente da esposa! — Deu uma piscadela ao rapaz. — O que falamos quando as damas não estão presentes é diferente.

— O que quer dizer com isso? — exigi saber. — Você e o Ian andam conversando pelas minhas costas?

Aquela história de me deixar no comando de tudo era só fachada, um jeito de eu não aborrecer Ian com a conversa de ajudá-lo nos negócios? Ele estava me enganando? Estava me deixando *brincar* de comandar a reforma?

Não. Eu não podia acreditar numa coisa dessa.

— De maneira alguma, senhora Clarke — afirmou seu Domingos sorrindo zombeteiro, e eu rezei muito para encontrar um espeto ali perto.

Será que o padre me emprestaria um objeto de bronze? Um bem pesado.

— Preciso ir. Até mais ver. — O mestre de obras tocou o chapéu, inclinando a cabeça, e cutucou as costelas do cavalo.

Um turbilhão frenético de pensamentos dominou minha cabeça, e me peguei de punhos cerrados e apertando o maxilar com tanta força que ele chegou a estalar.

— Bem, creio que já nos demoramos demais — disse Elisa, um pouco desanimada. — Precisamos voltar antes que anoiteça.

— Eu as acompanharei até a carruagem — Lucas se ofereceu.

— Até mais ver, padre — ela se despediu.

— Tchau, padre. — E segui o casal. Não prestei atenção no que conversavam. Estava preocupada demais com as insinuações do seu Domingos para me importar com qualquer outra coisa. Lucas e Elisa se detiveram por um momento, e eu entrei na carruagem para deixá-los mais à vontade.

— *Psiu.*

Olhei pela janela direita onde o topo da cabeça de Isaac surgiu.

— O que tá fazendo aí? — perguntei.

— A senhora me disse para ser discreto. — Ele se ergueu um pouco mais, até seus olhos ficarem visíveis. — Estou sendo sigiloso como gostaria?

Eu ri.

— Está ótimo, Isaac.

— Fico feliz em agradá-la. — Ele se esticou para dentro da carruagem e derrubou, no assento ao meu lado, uma bolsinha de couro amarrada por uma fina corda marrom. Estava repleta de moedas douradas. — O boticário enviou-lhe isso com um agradecimento.

Não dava para acreditar. Eu estava mesmo ganhando a vida no século dezenove! Quem poderia imaginar? Uma satisfação violenta me dominou. Eu ainda era capaz de me virar, onde quer que fosse.

Não preciso que ninguém finja nem me deixe brincar de ser útil, pensei com amargura.

— O senhor Plínio pediu ainda para avisá-la que espera um novo carregamento para logo. E que ficou muito impressionando com sua rapidez em cumprir o combinado e... hã... a senhorita Elisa está vindo. — E desapareceu.

Elisa entrou e se acomodou de frente para mim. Lucas fechou a porta depois de um firme aceno de cabeça. A carruagem partiu em seguida. Sacolejamos dentro dela, mas eu já estava me habituando ao movimento e não me incomodava mais.

— Você parece melhor — apontei, examinando as adoráveis covinhas que não deixavam seu rosto.

— Sim, creio que estou. A caminhada me fez bem.

— E a companhia também.

Ela corou.

Eu pretendia fazer perguntas sobre Thomas para saber o que ela sentia por ele, mas aquele sorriso dizia muita coisa sobre as sensações que Lucas despertava nela, certo?

— Ainda não creio que você não deve mais nada ao joalheiro sem ter usado um único vintém das economias da casa — ela comentou.

— E ainda sobrou dinheiro, então... — Levei a mão ao bolso e em seguida a estiquei para ela. — Quero que aceite isso.

Ela fitou minha palma por um instante.

— Oh, Sofia, querida, eu agradeço muito a gentileza, mas não posso aceitar suas moedas.

Olhei para os círculos reluzentes em minha mão.

— Ah, não era isso. Errei o bolso. — Tratei de guardar a grana que recebera de Suelen e Najla e alcancei o pacotinho certo no bolso esquerdo.

Depois de se livrar do papel pardo que o envolvia, Elisa abriu a caixinha e seus olhos se iluminaram.

— Sofia, é belíssimo! Como sabia que eu tinha gostado tanto dele? — Ela retirou o broche da almofada de veludo azul e imediatamente o prendeu em seu vestido verde-água. A pérola se destacava e parecia ainda mais cintilante ali.

— Eu vi o jeito que olhou pra ele — dei de ombros. — Você e seu irmão já me deram tantos presentes, e eu nunca pude retribuir, mas agora...

Ela atravessou a cabine, curvada para não bater a cabeça no teto, e se acomodou ao meu lado para me abraçar.

— Obrigada, querida irmã. Sempre que eu usar esta joia me lembrarei de quanto a amo e de como é bom tê-la por perto. Para sempre.

— Fico feliz que pense assim, porque você sabe o que dizem das irmãs, né? São amigas que nunca precisam se separar.

— Isso é perfeito! Porque eu não desejo ficar longe de você nem um dia sequer. Com exceção de sua viagem de lua de mel, claro.

A viagem que eu tanto aguardava. Suspirei. Tanta coisa andava acontecendo que meu conto de fadas tinha ficado meio à margem de tudo. Duvidava que Ian me levaria a qualquer lugar antes de encontrar uma explicação razoável para a suposta maldição.

E por mim tudo bem, pois no momento eu estava muito zangada com ele. Sim, eu queria um banheiro — desesperadamente —, mas não tinha certeza se queria que Ian me enganasse para ter um.

Estava quase certa de que não.

Elisa, assim como o irmão, parecia capaz de ler meus pensamentos — ou meu rosto, não sei bem — e disse:

— Não dê ouvidos ao que o senhor Domingos falou. — Ela tocou meu braço de leve. — Meu irmão nunca a enganaria!

Vinte e quatro horas antes eu teria concordado com Elisa sem pestanejar, mas naquele momento eu já não sabia mais o que pensar. Ian escondera toda a história das noivas, me fizera pensar que ele estava em dificuldades... Quer dizer, mais ou menos. Fingir que me deixava no comando da reforma não parecia tão ridículo assim.

Fechei os olhos, recostando a cabeça na madeira da cabine. Detestava duvidar dele, de suas ações. E me odiava ainda mais por mentir para ele e, com isso, permitir que suspeitas se interpusessem entre nós. Ele só ten-

tara me proteger. Do jeito errado, admito, mas não fizera por mal. Já eu...
Bom, a princípio também não. Naquele momento, no entanto, ciente de
que suas finanças iam muito bem e ainda assim negociando com as garotas da vila, colocava todos os meus atos anteriores sob outra óptica.

Se eu continuasse comercializando o condicionador depois de saber
a verdade, Ian jamais acreditaria que tudo tinha começado por acaso, que
eu havia aceitado a proposta do seu Plínio na tentativa de ajudar meu marido a sair do buraco. Eu queria continuar ajudando as mulheres a ter um
visual melhor, mas não desejava ser o tipo de garota que mente e engana
para conseguir o que quer.

E eu não seria!

Mantive essa resolução em mente durante todo o trajeto para casa, e,
assim que chegamos, entrei rapidamente para deixar o dinheiro no quarto
e saí à procura do meu marido.

— Ele está no estábulo — avisou Gomes, prestativo como sempre. —
Seguiu para lá assim que o senhor Domingos partiu.

— Humm... — Então eles *tiveram* uma reunião. Será que Ian pretendia me contar a respeito?

Só tinha um jeito de descobrir.

Desci para o estábulo inquieta e nem me importei quando passei pela
sala e Cassandra, desafiadora, ergueu os olhos do livro apenas para estrei-
tá-los para mim, deixando claro que não pretendia partir tão cedo. Apesar
das palavras duras, eu sabia que Ian não conseguiria se obrigar a jogar a
tia na rua, de modo que a estada de Cassandra podia durar para sempre.

Avistei meu marido de longe. Ele estava no centro do estábulo mon-
tado em um cavalo cinzento, dando ordens ao animal, que lhe obedecia
prontamente. Eu parei na cerca, admirando a cena. Sobre um daqueles bi-
chos, Ian era sempre um espetáculo à parte. Era meu príncipe encantado
de conto de fadas. De perto, reparei que o cavalo não era cinza, mas branco
com ranhuras pretas, feito mármore.

— Ei, cavaleiro! — gritei, acenando.

Ian girou a cabeça e um sorriso suavizou sua expressão concentrada.
Com precisão cirúrgica, ele guiou a montaria até onde eu estava, parando
a poucos metros de distância.

— Acabei de chegar da vila. Levei Elisa comigo.

— Eu soube. O senhor Domingos partiu ainda agora e comentou que as viu em frente à igreja. — Ele desmontou e passou as rédeas pela cabeça do animal para poder segurá-las do chão.

— Ah, ele veio aqui, é? — perguntei, fingindo surpresa.

— Sim, mas, como você não estava em casa, pedi que voltasse mais tarde. Ele não gostou muito da ideia.

Um alívio instantâneo varreu todo o meu corpo, me deixando tonta. Ian não me enganara de novo. Como pude pensar uma coisa dessas?

Ah, sim. Porque *eu* escondia coisas importantes dele.

Em um movimento ágil, Ian se equilibrou em uma das tábuas da cerca, passou um braço em minha cintura, me obrigando a subir também, e se curvou sobre mim. Seus lábios se colaram aos meus, cheios de saudade.

— Quero que conheça alguém — ele disse, sem desgrudar a boca da minha.

— Se continuar me beijando assim, pode me apresentar a todas as pessoas do planeta.

Ele deixou uma gargalhada escapar e desceu da cerca, para logo em seguida me ajudar a transpô-la e pular para dentro da arena.

— Esta é a Lua. — Ele apontou para o animal. Não era um cavalo afinal, mas uma égua. Era meio difícil saber quem era o que sem dar uma olhada em certas áreas.

— Ela é linda. — Acariciei a cabeça do animal.

Lua era muito mais baixa que Storm, e eu não tive de me esticar toda para alcançar seu dorso, como precisava fazer com o garanhão. Também tive a impressão de que a égua era muito menor que os cavalos que Ian montava. Mas era elegante e meio altiva, e, para falar a verdade, eu a adorei.

— Fico feliz que tenha gostado dela, pois é sua.

Parei de acariciá-la para olhar para Ian.

— O quê? Você tá me dando a Lua?

Aquele sorriso esplêndido ainda estava lá.

— Você disse que quer aprender a montar. Então precisará ter sua própria montaria. Tomei a liberdade de escolher o animal mais dócil que possuo.

Atordoada, pisquei algumas vezes.

— Eu podia aprender com Meia-Noite ou Storm... — balbuciei.

— Não permitirei que suba em Storm sozinha, Sofia — disse com firmeza. — E você morre de medo de cair dele.

Isso era verdade.

— Sim, mas, se você me der a Lua, não vai poder vendê-la.

— Essa é a intenção — Ian riu. — É a égua mais mansa que já treinei. E é muito obediente, não vai lhe causar problemas.

Eu joguei os braços ao redor do pescoço dele, enterrando a cabeça em seu pescoço. Meus olhos ficaram úmidos e uma enxurrada de palavras lutava para sair. Eu não sabia nem por onde começar. Se pedia desculpas por ter duvidado da integridade dele, ainda que só por um instante, ou se contava logo a falta da minha. Eu não merecia um cara como o Ian.

Porém, antes que eu pudesse falar, ele disse:

— Estou igualmente ansioso e apavorado com a ideia de vê-la sozinha sobre Lua. Mas, se pretende mesmo aprender a montar, serei seu instrutor.

Eu me afastei dele apenas o suficiente para encará-lo. Ian estava contente; meio aterrorizado, é verdade, mas feliz.

Assim como eu o examinava, ele também me estudava atentamente, e não demorou para notar que alguma coisa não estava bem. Entretanto ele acabou interpretando minha aflição de um jeito errado.

— Não é tão difícil quanto parece — assegurou. — Estarei com você a todo instante. Não precisa ter medo. Deixe-me apenas trocar a sela antes e lhe explicarei os comandos básicos.

Apenas assenti uma vez, já que não confiava na firmeza da minha voz. Ian me passou as rédeas de Lua e entrou numa das baias.

Não dava para arruinar aquele momento trazendo assuntos desagradáveis à tona.

Uma sensação muito ruim de déjà-vu revirou meu estômago e fez meus pelos se arrepiarem. Mas interpretei aquilo como resposta ao medo de estar prestes a montar sozinha pela primeira vez, e não por me sentir aliviada com o adiamento da conversa.

31

Querida Nina,

Ian me deu a Lua! É uma égua linda e tem esse nome por causa da pelagem, que lembra mesmo nosso satélite natural. Estou aprendendo a montar há uma semana! E, quando digo montar, estou sendo literal, pois é tudo que aprendi a fazer até agora. Subir na égua e não cair. Ainda não consegui fazê-la andar para frente, mas já sei como dar ré muito bem. Ian disse que logo vou conseguir cavalgar, mas não sei, não. É muito mais difícil que a autoescola. Como é que pode?

Você precisa ver a sela ridícula que as mulheres usam por aqui. Joga isso no Google que deve aparecer alguma coisa. Tem um troço no meio, bem em cima, no qual se deve passar um dos joelhos. A maioria das mulheres não parece ter dificuldades, mas eu acho que é porque desde sempre lhes negaram o direito de cavalgar do jeito mais fácil. Tenho aulas quase todo fim de tarde, e há uns três dias venho tentando convencer Ian a me deixar usar a sela dele, sem sucesso.

Quanto àquele assunto, nenhum avanço também. Em parte porque Cassandra sempre aparece quando crio coragem (pois é, ela ainda não foi embora. Ian mal fala com ela. Ele não diz, mas sei que está chateado com toda essa situação), e em parte porque não sei bem como começar o assunto. Saber que posso magoá-lo está acabando comigo. Você deve estar se perguntando por que não desisto e acabo de uma vez com essa agonia. Eu também me pergunto isso. Penso no assunto todos os dias e às vezes acho que devo parar. Mas em outras... Eu amo o Ian desesperadamente, Nina, e nem por um minuto me arrependo da escolha que fiz. Mas, sabe, eu me dei conta de que toda essa confusão em que me meti era exatamente o tipo de coisa de que eu precisava. Eu me sinto ótima quando as meninas me procuram pedindo mais creme, me sinto realizada por ter conseguido comprar o presente para Ian sem tocar em uma única moeda dele.

Por isso tenho medo de desistir, de deixar de fazer o que acho certo só porque é assim que as coisas funcionam por aqui e acabar me perdendo. Já resta tão pouco do mundo que conheço dentro de mim. Fico apavorada ao pensar que minha essência pode se perder em meio a tanta mudança. Não quero me olhar no espelho e não me reconhecer.

Ando meio desanimada por conta disso tudo, e, claro, Ian fica preocupado e me enche de perguntas, o que acaba resultando em mais meias verdades. Aí ele faz de tudo para me animar e se esforça ainda mais para me deixar feliz. E, quanto mais ele tenta, mais infeliz e culpada me sinto. Não sei o que fazer.

Sinto sua falta, amiga. Muito mesmo!
Valeu por me ouvir.
Te amo.

Sofia

Dobrei a carta e a guardei com as outras, dentro do livro. Em seguida, o enfiei no fundo da gaveta de lingeries. Olhei pela janela do quarto e o sol a pino me fez estreitar os olhos. Ian havia saído para receber o pagamento de um arrendatário, mas logo estaria de volta. E o boticário me enviara um bilhete pedindo mais condicionadores, pois a primeira remessa já havia esgotado, e eu tinha que me apressar. Só que eu não queria. Toda vez que eu olhava para um abacate, sentia náuseas.

Pensei em escrever uma carta para Ian, tentando me expressar do jeito certo, mas parecia covarde demais. De todo jeito, eu dissera sim ao boticário e teria de concluir nosso acordo ao menos mais uma vez. Fui para a cozinha, disposta a acabar com aquilo o mais rápido possível. E teria sido tudo muito fácil se Cassandra já tivesse tomado o chá de sumiço que eu tanto desejava.

— Se procura por minha sobrinha, está perdendo o seu tempo. Ela e Thomas saíram para um passeio. — anunciou presunçosa, parada ao lado da porta da sala de música.

— Ah, eu sei. Ela me disse que iriam à casa da Teodora. Até me convidou pra ir junto.

Ela empinou o nariz e seu queixo se tornou proeminente.

— Sabe por que mulheres como a senhora são facilmente substituíveis? — perguntou.

Fechei os olhos e pressionei a testa. Droga, meus analgésicos acabariam rapidinho se ela não me deixasse em paz logo.

— Olha, dona Cassandra, eu adoraria ficar e escutar a sua teoria, mas, sério, tô ocupada. Quem sabe outra hora? — E segui em frente.

No entanto, Cassandra nunca aceitava não como resposta e deu um passo para o lado, impedindo minha passagem. Ela me olhou de cima — quer dizer, de baixo, já que era bem mais baixa do que eu, mas seu olhar era tão altivo quanto o de uma rainha.

— Os becos estão repletos de damas iguais a você, munidas de artimanhas e de uma língua afiada. Podem até cativar os homens em um primeiro momento, pelo prazer do entretenimento, mas até o prazer é cansativo. E, quando sua verdadeira natureza é desmascarada, são descartadas e naturalmente substituídas, pois são todas iguais.

— E foi por uma mulher assim que seu marido se apaixonou? — soltei sem paciência.

Um tapa atingiu meu rosto sem que eu pudesse fazer nada para impedir. Ela pretendia me bater de novo, mas dessa vez eu estava preparada e segurei seu pulso.

— Nem pense nisso! — falei com os dentes cerrados, apertando o punho rechonchudo da mulher com a mesma intensidade com que a minha bochecha ardia. — A senhora já me insultou, me atacou e me humilhou muito mais do que posso aguentar. Não vou revidar agora porque não passa de uma mal-amada que quer que o resto do mundo seja tão infeliz quanto você. Só que não vai funcionar. Elisa não é mais criança e sabe o que quer. E ela *não quer* Thomas. O Ian me ama, e nada do que a senhora faça ou diga mudará isso.

— Não precisarei fazer nada, minha cara. — Ela puxou o braço com força para se livrar do meu aperto. — Você mesma se incumbirá de destruir o amor dele.

Eu abri a boca para retrucar, mas algo me impediu. Uma vozinha fraca lá no fundo lutando para se libertar.

A mulher juntou as saias e sumiu da minha frente, embora eu ainda fosse capaz de ouvir o repicar dos saltos no assoalho de madeira.

— Senhora?

Eu me virei e ali estava Madalena, me examinando com uma trouxa de roupas limpas dobradas nas mãos.

— Sofia, Madalena.

— Ela está certa — disse ela, muito a contragosto. — Precisa contar ao patrão antes que o que aquela cobra peçonhenta disse se torne real.

— Contar o quê? — perguntei, recuando um passo.

— A senhora sabe. Sobre o dinheiro que ganhou com o condicionador

Não dava para dizer que a Madalena não era fiel a mim. Eu não lhe contei nada, mas a mulher era esperta e provavelmente adivinhara tudo apenas ouvindo uma frase aqui e outra ali. Ou, o que era mais provável, porque era ela quem me ajudava com os cocos. E mesmo assim, mesmo sabendo da história toda e não achando certo, ela não me entregou a Ian, como uma mãe faria.

Esfreguei as têmporas com os punhos tentando me livrar da pontada bastante desconfortável em meu cérebro. Eu havia chegado ao limite. Era o fim da linha.

— Eu vou contar. Não tô aguentando mais isso. Ele vai entender, não vai, Madalena?

Ela se aproximou e alisou o meu ombro.

— Eu não sei, querida. Mas vamos torcer pelo melhor. E, além do mais, o dano será menor se ele ouvir de sua boca, e não da de uma velha mexeriqueira.

— É. Vou falar com ele assim que chegar. Ei, você podia fazer aquele assado que ele adora, aí eu conto e logo depois entupo ele de comida. Não! Primeiro entupo ele de comida, depois de vinho e aí conto tudo!

— Sofia... — ela me repreendeu.

— Tá bom! Sem comida e sem vinho. — Mas talvez uma daquelas camisolas que eu nunca tinha usado pudesse...

— Apenas diga a seu marido como se sente — ela sugeriu. — Ele a ama, e, se não a compreender, ao menos tentará.

— É. — Parecia um bom conselho. — Vou fazer isso. Agora tenho que ir pra cozinha. O Isaac já voltou da vila?

— Sim, e já deixou os cocos e os novos frascos de óleos na cozinha.

— Beleza. Vou fazer a papa e...

— E eu a ajudo com os cocos — ela completou sacudindo a cabeça, numa clara repreensão. — Apenas vou ao seu quarto primeiro, para guardar estas roupas.

Fui até a cozinha e então despejei os abacates sobre a robusta mesa de madeira, dando início à tarefa. Meus nervos eram uma combinação de ansiedade e medo. Madalena se juntou a mim pouco depois e trabalhamos em silêncio. Cerca de uma hora mais tarde eu arrolhava a última garrafa de condicionador. E um trote familiar alcançou meus ouvidos.

— Ele chegou! — falei para Madalena e corri para fora da casa.

Ian desmontava do cavalo marrom e sorriu ao me ver. Isaac corria, vindo do estábulo, para pegar as rédeas.

— Parece que minha esposa sentiu saudades — brincou Ian. Ele entregou as guias ao rapaz e dizimou a curta distância que existia entre nós. Fiquei na ponta dos pés e o beijei. — Voltei o mais rápido que pude. — Ele acariciou minha bochecha e franziu o cenho. — Você está pálida.

No fim das contas aquela ansiedade toda tinha sido útil. Fez desaparecer as marcas que com certeza os dedos de Cassandra haviam deixado.

— Eu sou pálida — argumentei.

— Não desse jeito. Está se sentindo mal?

— Só estava com saudade. E... — Desenrosquei os braços de seu pescoço. — Ian, eu preciso muito falar com você — engoli em seco — sobre uma coisa que aconteceu meio que sem querer.

— Como assim? — sua voz soou cautelosa.

— A gente pode conversar em outro lugar? — Um onde eu pudesse me sentar, pois meus joelhos já fraquejavam.

Ele me examinou com atenção. Não faço ideia do que a minha expressão revelava, mas não devia ser muito bom, pois Ian franziu o cenho.

— Sofia, o que...

Um urro doloroso ecoou pela fazenda. Ian girou a cabeça em direção ao estábulo no mesmo instante.

— Ah, não. Ah, não! — ele gemeu, se pondo imediatamente a correr naquela direção.

Eu o acompanhei, embora o som fosse agonizante e eu não estivesse muito certa de que queria ver o que estava com tanta dor. Ian chegou primeiro. Eu pretendia me juntar a ele quando avistei o cavalo marrom, que Isaac ainda segurava pelas rédeas, relinchando feito louco, apoiado em apenas três patas. Meia-Noite estava inquieto e se balançava, desequilibrado, uma pata suspensa, boba e molenga em um ângulo pouco natural. Eu quis fugir. A tortura do animal revirava meu estômago, porém meu marido não parecia muito melhor. Ele precisava do meu apoio. Entrei no estábulo a passos lentos.

Ian começou a examinar Meia-Noite.

— Ele nem estava correndo, patrão — justificava Isaac freneticamente. — Pisou em falso do jeito mais tolo que já vi.

— Está quebrada. — Ian gemeu, levando uma das mãos à cabeça. Ele fechou os olhos, uma expressão sombria e aflita contorcendo seu rosto perfeito.

Não precisei de outras explicações para saber que o ferimento do animal era sério. Fui até Ian e o abracei pela cintura sem dizer nada. Ele me envolveu em seus braços, me apertando tanto que perdi o fôlego.

— Sinto muito, patrão — disse Isaac. — Sei quanto o senhor adora este cavalo.

Senti Ian assentir uma vez para o garoto.

— Ele vai ficar bem — tentei, erguendo o olhar para ele. — Você é um ótimo veterinário. Vai cuidar bem dele.

— Sofia, não há cura para um osso quebrado. — Seu semblante foi tomado pela dor.

— Como assim não... — Devagar a compreensão me atingiu. Meus olhos pinicaram. — Ai, não, Ian!

Segurando-me pelos ombros, ele me afastou o suficiente para poder me examinar atentamente.

— Sabe se há cura para esse tipo de ferimento?

Nesse momento eu me amaldiçoei por nunca assistir ao Animal Planet.

— Em seres humanos, sim. Eu não sei se cavalos... Nunca fui muito de... cavalos. Sinto muito.

Ele sacudiu a cabeça.

— Tudo bem. — Ele voltou a me abraçar, como se fosse eu quem precisasse de conforto. Sua tentativa de me consolar me deixou ainda pior, sobretudo porque ambos sabíamos o que viria pela frente, o que Ian teria de enfrentar. — Foi só curiosidade. Ainda que existisse, eu provavelmente não seria capaz de executar o procedimento com o que disponho aqui.

— Vou buscar a arma para o senhor — disse Isaac, arrasado.

Enrijeci nos braços de Ian e ergui a cabeça.

— Você vai... Você... — Minha voz sumiu.

Ian não disse nada, apenas voltou a examinar Meia-Noite. Seus olhos ficaram duros e sérios. E tristes. Dolorosamente tristes.

Ele me soltou e foi até o animal, para em seguida acariciar sua cabeça. Do topo ao focinho. O animal se sacudiu, implorando ajuda. Ian se recostou no pescoço de Meia-Noite, os dedos traçando padrões nos pelos castanhos, enquanto ele lhe sussurrava alguma coisa. Uma reza, uma despedida, não sei ao certo.

Um soluço fez meus ombros sacudirem e só então percebi que havia lágrimas em minhas bochechas. Chorava por Ian, pelo animal em agonia, por minha falta de conhecimento em medicina veterinária.

— Por favor, Sofia, acompanhe Isaac — disse ele, evitando contato visual.

— Mas...

— Vá, agora.

— Sinto muito — murmurei.

O garoto tocou meu cotovelo, me empurrando para longe dali. Retirou o chapéu e começou a contorcê-lo entre os dedos, me observando nervoso enquanto tomávamos o caminho de casa. Enxuguei as bochechas com as costas das mãos.

— Não foi culpa minha — ele disse baixinho.

— Ninguém disse que foi, Isaac.

— Foi uma pedra solta. — Ele parecia prestes a chorar. — O patrão fica devastado quando isso acontece. Ele tem verdadeira adoração pelos cavalos. Sacrificá-los lhe custa muito.

— Ele... Ele mesmo toma conta de tudo quando isso acontece?

Isaac concordou com a cabeça.

— Ninguém tem pontaria melhor que o patrão. Só é triste ver como ele fica depois de aliviar o sofrimento dos cavalos. — Fez uma careta. — Parece que o toma para si.

Alcançamos os fundos da casa, mas não tive coragem de entrar, não com Ian ali fora, prestes a enfrentar uma situação tão agonizante. Eu esperaria por ele ali, pronta para confortá-lo quando tudo acabasse.

Gomes se precipitou porta afora. Ao ver a desolação do filho, pareceu ter adivinhado.

— A pistola? — perguntou ele, desgostoso.

O menino fez que sim.

— Não foi culpa minha, pai — justificou.

— Qual deles? — Gomes quis saber.

— Meia-Noite.

Gomes grunhiu e estalou a língua ao entrar para pegar a arma. Eu me sentei em um dos degraus, mantendo os olhos fixos na direção do estábulo. Não dava para ver muito àquela distância, felizmente. Gomes voltou pouco depois e entregou uma caixa de madeira ao filho. Isaac se apressou e o mordomo se acomodou ao meu lado na escada.

— Isso destrói o patrão — comentou ele, preocupado.

Madalena apareceu na porta.

— O que está acontecendo aqui? — Parte de sua irritação sumiu quando ela me viu com os olhos vermelhos e inchados.

— Um cavalo do Ian quebrou a pata — falei, num fiapo de voz.

— Oh, Virgem Santíssima! O pobrezinho vai ficar daquele jeito de novo.

Ela nos contornou e se sentou no degrau, passando um braço em meus ombros. Sem aviso, um estouro grave ecoou pelo ar me fazendo estremecer com o coração disparado. Gomes apertou minha mão com força. Os pássaros se eriçaram na copa das árvores e voaram para longe. Então um silêncio sombrio se seguiu.

Ficamos ali por um período imensurável. Madalena precisou voltar para as panelas um tempo depois, Gomes ficou comigo, mas, quando percebeu que eu não iria a lugar nenhum antes de Ian voltar, resolveu entrar. Muito se passou, talvez uma hora ou pouco mais, antes que eu decidisse ir atrás dele.

Não encontrei ninguém no estábulo e fui seguindo em frente, tentando adivinhar que caminho Ian teria escolhido. Optei pelo riacho, e não demorou muito para que eu avistasse suas costas. Ele estava sentado no barranco, absorto, e não percebeu minha aproximação. Toquei seu ombro de leve, e isso o fez olhar para cima. Ian não chorava como eu temia, mas uma sombra anuviava seus olhos de ônix.

Em vez de me sentar ao seu lado, afastei seus braços dos joelhos, me apoiei em seus ombros e me aconcheguei em seu colo, abraçando-o com força.

— Você tá bem? — murmurei.

— Não. Detesto ter de fazer o que fiz. — Uma mão subiu vagarosa por minhas costas, como se quem precisasse de consolo fosse eu. E, na verdade, eu precisava mesmo.

— Eu sei. — Beijei sua testa e o encarei, tocando sua bochecha. — Sinto muito mesmo por não saber mais sobre cavalos e não ser de muita ajuda. Se eu tivesse passado mais tempo vendo programas sobre animais e menos vendo as adaptações dos livros da Jane Austen, talvez fosse de alguma ajuda.

Ian quase sorriu. Quase.

— Você está sendo de *muita* ajuda agora. — Ele deixou a cabeça pender para frente e a apoiou em meu ombro.

— Eu tive um cachorro uma vez — soltei, sentindo uma necessidade urgente de dizer qualquer coisa que aliviasse sua amargura.

— É mesmo? — Mas ele manteve a cabeça onde estava.

— Era bem grande, peludo e fedido. — Enterrei os dedos na massa negra de seus cabelos ligeiramente suados. — Babava horrores. Minha mãe não chegava nem perto. Dei a ele o nome de Jujuba. Jujuba é um tipo de bala, um doce.

— Você tem sérios problemas para escolher nomes — disse ele, menos sombrio agora.

— Eu tinha três anos. Dá um desconto. — Continuei brincando com seus cabelos. Ian moveu a cabeça para o lado, para que eu tivesse melhor acesso e suspirou. Prossegui: — Eu adorava aquele cachorro. Mas um dia, eu já tinha uns oito anos, eu acho, ele escapou de casa e foi atropelado. Ele não morreu, mas ficou todo torto e sofrendo muito. Meu pai o levou ao veterinário para tentar salvá-lo, mas não tinha mais jeito. Lembro que o veterinário conversou comigo por um tempão. Ele era bem alto e meu pescoço doía por ter de ficar olhando para cima. Eu achava que ele era meio que um anjo, porque faria o Jujuba parar de chorar. Um pouco antes de o veterinário levar meu cachorrinho para dentro, ele me disse uma coisa que eu nunca mais esqueci.

Ian ergueu a cabeça, pegando minha mão e plantando um beijo na minha palma.

— O que ele disse?

Engoli em seco, afastando as mechas escuras de sua testa.

— Que cada vez que ele colocava um animal para dormir pra sempre um pedacinho da alma dele também dormia pra sempre.

Ian assentiu uma vez.

— Compreendo o que ele quis dizer.

— Eu imaginei. Por isso me lembrei dessa história. Eu vi você com a aquela égua outro dia, Ian, ajudando o potro a nascer. E vi hoje, com Meia-Noite. Você fez tudo o que podia nos dois casos, e aliviou ambos da agonia. Se eu fosse um cavalo, ficaria grata. Qualquer que fosse o desfecho.

Ele encostou a testa em meu queixo, exaurido.

— Obrigado por estar aqui. Obrigado por ter me escolhido. Pela lealdade que me dedica. Às vezes sinto que não a mereço.

Lealdade.

Tentei engolir, mas não consegui.

— Ian... — comecei, mesmo sabendo que aquele não era o melhor momento para aquela conversa. — Eu... Eu andei... — Mas ele me interrompeu.

— Eu sou o homem de maior sorte no mundo. — Ele acariciou minha bochecha. — Você largou tudo para viver aqui comigo. Às vezes tento imaginar seu mundo de acordo com o que me conta, e ele parece impressionante. Foi preciso muita coragem para abandonar tudo aquilo, escolher uma vida nova em um lugar desconhecido. Não pode imaginar quanto a admiro.

Tudo bem, só respira.

— Ian, eu não...

— Shhhhh! — Ele pousou um dedo sobre os meus lábios, me silenciando. — Você foi muito corajosa. Não discuta comigo. Conheço você melhor que a mim mesmo. — E substituiu o dedo por sua boca. A doçura de seus lábios era incrível. — Meu amor, terei de viajar o quanto antes. Vendi o último garanhão ao senhor Albuquerque, e o estábulo está tomado de éguas. Sem Meia-Noite eu... não poderei esperar nem mais um dia sequer. Parto amanhã. Precisaremos de um novo reprodutor até a semana que vem — disse ele, assim que libertou meus lábios.

— Mas você tem Storm — falei, tomando as dores do cavalo.

E que papo era esse de viajar? Sem mim?

Ian suspirou.

— Ah, eu adoraria que Storm se interessasse por uma das éguas, mas ele as repele, como se as temesse.

— Ele é, tipo, gay? — perguntei, curiosa. Ian não pareceu conhecer o termo. — Sabe, que se sente atraído pelo mesmo sexo...

Ele sacudiu a cabeça.

— Não creio que Storm seja gay, apenas um pouco tímido. Não sabe o que fazer com as fêmeas. Ele não se socializa muito.

— Ah. — Que pena. Eu amaria ter um cavalo gay. Muito melhor que um antissocial. Que nem era meu de verdade. — Posso ir com você?

É o arranjo perfeito!, pensei, subitamente refazendo meus planos. Estaríamos sozinhos em algum lugar nas montanhas, onde eu poderia lhe contar tudo sem sermos interrompidos.

Ele pressionou os lábios até se tornarem uma pálida linha fina.

Lutei para não revirar os olhos.

— Não existe maldição nenhuma, Ian. Ainda não entendi o que está acontecendo, mas deve haver uma explicação razoável. — Como ele não pareceu convencido, tomei outro caminho. — E se a gente tomasse *muito* cuidado? Tipo, ao menor sinal de tempo ruim eu poderia... me esconder debaixo da cama e só sair quando a tempestade tiver passado.

Ian escrutinou meu rosto; uma violenta luta interna de vontades fazia suas íris tremeluzir. Levou um tempo para que ele respondesse, com um suspirou agastado:

— Se estiver disposta a aceitar meus termos...

— Aceito, sejam quais forem — eu me adiantei, e ele riu.

— Tudo bem. Eu adiaria se pudesse, mas, se eu não me apressar, podemos perder um ciclo todo e terei graves problemas no estábulo. Porém teremos uma longa conversa sobre sua segurança antes de fazer as malas. E nem pense em me enrolar, Sofia. Você seguirá minhas recomendações à risca.

Eu pulei de seu colo, bastante empolgada. As coisas finalmente entrariam nos eixos.

— Quando é que a gente parte? — Entretanto, ao me levantar rápido demais, minha visão ficou turva e repleta de pontos negros piscantes, e meus joelhos simplesmente cederam.

— Sofia! — Ouvi Ian gritar. Suas mãos firmes agarraram minha cintura, mas eu já desabava no abismo obscuro...

32

Meu corpo parecia pesar uma tonelada. Era isso, ou havia um elefante sentado sobre mim.

Meus membros estavam pesados, e movê-los se provou tão impraticável quanto aprender a me comportar direito naquela sociedade atrasada. Ao menos meus olhos pareciam funcionar.

Quer dizer, quase.

— Acho que ela está voltando a si! — disse uma voz delicada em algum lugar por ali.

— Graças a Deus! — Ouvi Ian responder, exalando com força, e, logo em seguida, algo macio como veludo tocou minha mão. Seus lábios.

Esforcei-me para abrir os olhos, e, depois de algumas tentativas não muito bem-sucedidas por causa da claridade que entrava pela janela, finalmente consegui enxergar alguma coisa. Ian estava ao meu lado, sentado na cama.

— Oi — ele disse, num tom muito preocupado.

— Oi — minha voz saiu áspera.

Elisa também estava ali, do outro lado da cama, esfregando delicadamente meu antebraço.

— O que aconteceu? — eu quis saber, correndo os olhos de um para o outro.

— Você desmaiou — contou Ian. — Fiquei apavorado, não sabia o que fazer. Você não voltava a si.

Franzi a testa, os eventos anteriores foram voltando aos poucos à minha mente, e as peças começaram a se encaixar.

— Acho que levantei rápido demais. Deve ter sido uma queda de pressão.

— O dr. Almeida já deve estar chegando. — assegurou-me ele, e eu gemi.

Minha aversão ao médico tinha desaparecido por completo depois do baile na casa de lady Catarina, mas meu pavor quanto a seus métodos e tratamentos só piorava cada vez que eu precisava de seus serviços.

— Não precisava incomodá-lo só porque eu tive uma tontura boba, Ian.

— Boba? — ele repetiu, incrédulo. — Você ficou desacordada por dez minutos!

Humm... Que coisa estranha. Eu não era dessas e... Ei! Talvez eu estivesse enfim entrando no clima do século dezenove! Aquela mulher não tinha dito que eu devia desmaiar, como uma dama bem-educada?

No entanto, nem eu mesma me convenci disso. Era provável que o desmaio tivesse mais a ver com a falta de comida e a montanha-russa de emoções do que qualquer outra coisa. Eu não andava tendo muito apetite nos últimos tempos. Sobretudo se Cassandra estivesse à mesa.

— Mesmo assim não precisava fazer o dr. Almeida vir até aqui. Ele vai me fazer tomar algum treco com gosto ruim!

— Se for preciso para reestabelecer sua saúde, eu não vou me opor. Tampouco permitirei que recuse o tratamento.

— Ian tem razão — comentou Elisa. — O doutor é muito experiente, ouça e faça o que ele disser.

— Mas, Elisa... — Tentei me sentar, porém Ian me impediu. — Foi só uma queda de pressão!

— Não temos como ter certeza disso — ela retrucou.

Teimosa feito o irmão!

— Por que estão demorando tanto? — resmungou Ian, conferindo as horas no relógio que eu lhe dera. — Já deveriam ter chegado.

— Talvez o dr. Almeida esteja atendendo outro paciente — Elisa arriscou.

— Mas eu preciso dele aqui! — meu marido retrucou, como se isso fosse motivo suficiente.

— Bem, então talvez você pudesse levar Sofia até ele — Elisa sugeriu. — Seria mais rápido do que esperar Isaac encontra o bom doutor.

— Não posso arriscar, Elisa. — Ian sacudiu a cabeça. — Não sei o que causou o desmaio, pode acontecer outra vez. Prefiro que Sofia permaneça descansando na cama.

— Se alguém se desse o trabalho de perguntar o que acho — comecei —, eu diria que tudo isso é um exagero. O médico deve ter coisas mais importantes pra fazer do que vir aqui dizer que devo comer com mais frequência.

Ian virou a cabeça abruptamente em minha direção e me lançou um olhar afiado.

— O que quer dizer com "comer com mais frequência"? — a voz enfurecida ecoou pelo cômodo. Achei que a veia pulsando em sua têmpora não era bom sinal.

— Quero dizer que, com tudo o que aconteceu hoje, nem lembrei de almoçar... — Eu me encolhi. Ele soltou um palavrão que fez Elisa corar. — Nem vem. Você também não almoçou!

— Vou pedir à senhora Madalena que lhe traga alguma coisa.

— Ian, não precisa...

— Sofia, não discuta comigo agora! — Seu tom foi tão cortante que achei melhor deixar por aquilo mesmo. — Algo em especial lhe apetece?

Pensei por um momento.

— Bolo seria legal.

Ele assentiu uma vez e ficou de pé. Então se inclinou para me dar um beijo delicado na testa.

— Volto em um minuto. — E acariciou meu rosto com as costas dos dedos. — Promete que ficará na cama?

— Se eu prometer, suas coisas se mudam pra cá ainda hoje?

As roupas de Ian continuavam no outro quarto. Gomes e Madalena se recusavam a fazer a troca toda vez que eu pedia, alegando falta de decoro. Resolvi eu mesma levar algumas peças, porém as roupas magicamente desapareciam do quarto em que dormíamos e reapareciam no guarda-roupa do cômodo ao lado.

Ian franziu a testa e olhou para a porta do quarto conjugado.

— De acordo. Vou falar com Gomes outra vez. — Ele fitou a irmã. — Elisa, se importaria de fazer companhia a Sofia enquanto vou até a cozinha?

— Não, de modo algum. Eu não pretendia deixar minha irmã mesmo que não me pedisse.

Ian assentiu e, muito relutante, saiu do quarto. Eu bufei assim que a porta se fechou.

— Seu irmão precisa parar de achar que sou feita de cristal. Vai acabar careca antes dos trinta nesse ritmo.

Elisa soltou uma risadinha.

— Creio que ele não possa se conter. Até eu fiquei alarmada ao vê-la chegar desacordada. E recorde-se de que a primeira vez que a vi havia um talho em sua testa!

Eu ri também.

— Foi mal. Não sei o que aconteceu. Acho que a coisa com o cavalo me abalou mais do que imaginei.

— Sim, é sempre um acontecimento triste. Ian fica muito deprimido, mas tenho a impressão de que seu mal-estar o fez se esquecer um pouco da tristeza de perder Meia-Noite. Teodora está na sala tentando distrair tia Cassandra. Minha tia queria vê-la, ficou desconfiada de que seu desmaio se tratasse apenas de um estratagema para atrair a atenção de Ian.

Revirei os olhos.

— Logo se percebe que essa mulher não me conhece. E, se eu já não gostasse da Teodora, depois de saber que ela está contendo a fera, passaria a amá-la. — Fiz menção de me sentar, mas Elisa foi mais rápida.

— Não, não se levante, ou Ian brigará conosco — ela me deteve pelo ombro.

A porta se abriu e Madalena entrou com uma bandeja nas mãos, seguida de perto por Ian e pelo dr. Almeida. A governanta me lançou um olhar aflito ao passar por mim, e suas mãos tremiam conforme ela colocava o prato de bolo sobre a mesa de cabeceira. Eu a fitei com curiosidade, mas tudo que recebi em resposta foi uma espécie de soluço. Ela se retirou sem encarar mais ninguém.

Voltei minha atenção para Ian, mas ele estava... Bom, não sei ao certo o que o incomodava, mas algo estava errado.

— Boa tarde, Sofia. Soube que deu um grande susto em seu marido — disse o médico, apoiando a maleta sobre a cama.

— Ian é muito exagerado. Foi apenas uma queda de pressão. — Sorri para Ian. Ele não sorriu de volta.

— Veremos. — O médico abriu sua valise.

Elisa se levantou.

— Bem, estarei na sala se precisarem de mim. — E saiu do quarto com uma reverência apressada.

O médico me fez várias perguntas, para em seguida retirar um cone metálico da maleta e pressionar a boca larga do objeto contra o meu peito, colando o ouvido no orifício menor. O dr. Almeida me apertou em todos os lugares que os médicos costumam apalpar.

Ian se aproximou para acompanhar o exame de perto, cruzando os braços.

— O que foi? — perguntei.

Ele apenas sacudiu a cabeça e desviou o olhar, ainda aborrecido. Na verdade, parecia prestes a explodir, como uma lata de refrigerante sacudida por uma daquelas máquinas de misturar tinta.

— Não sente nada diferente? — o médico insistiu mais uma vez. — Nenhum sintoma?

— Não. Fiquei sem comer, só isso. Eu disse ao Ian que não era nada, mas ele não acreditou em mim.

— Humm... — O dr. Almeida franziu a testa ao fim do exame. — A princípio foi apenas uma queda de pressão, senhor Clarke.

Ian soltou um longo suspiro de alívio, fechando os olhos. Imaginei então que aquela atmosfera irritadiça iria embora, mas eu me enganei. O que havia acontecido agora?

— Vamos observar se o episódio se repetirá — continuou o médico. — Por precaução, recomendo um pouco de repouso.

— Ah, não, doutor! — resmunguei.

— Não precisa ficar na cama, apenas não se exercite muito e evite se expor ao sol forte ou fazer passeios prolongados.

— Tínhamos planejado uma viagem — Ian falou pela primeira vez desde que voltara com o médico. Sua voz soou grave.

— Não seria aconselhável — o médico foi categórico.

Ian assentiu uma vez.

O dr. Almeida passou-lhe ainda outras recomendações e em seguida se despediu, dizendo que precisava visitar um paciente.

— Vou acompanhar o doutor até a porta — ele me avisou, evitando meu olhar.

— Tá bom — concordei, embora quisesse enchê-lo de perguntas.

Ian escoltou o médico para fora do quarto. Pouco depois Elisa retornou.

— Ian está tão transtornado que mal trocou duas palavras comigo. O que houve? — ela perguntou, se sentando na beirada do colchão.

— Eu tinha esperanças de que você me contasse.

— Ele pediu que eu viesse lhe fazer companhia e saiu. Algo muito grave deve ter acontecido.

Eu concordava com ela. Queimei os miolos em busca de respostas, mas não consegui encontrar nada.

Elisa me manteve presa à cama como se eu fosse uma inválida. Até arrumou um jogo de xadrez e tentou me distrair. Não que eu soubesse como jogar. Não que eu estivesse prestando atenção nas peças que ela movia.

Cassandra bateu à porta um tempo depois avisando que o jantar seria servido e que exigia a presença da sobrinha. Perguntei por Ian, mas, com poucas palavras, ela disse que não era um mensageiro.

— Tia Cassandra, estamos preocupadas! — explicou Elisa, também aflita. — Ian estava muito zangado esta tarde. Não sabemos o motivo.

A mulher se aproximou da cama, os olhos presos em mim, como se fosse uma caçadora, e eu, sua presa.

— Meu palpite é de que algo que a senhora Clarke fez o deixou naquele estado. Aliás, a senhora parece bem-disposta. A cor em seu rosto é tão vibrante que ninguém diria que desfaleceu ainda há pouco.

— É blush. Da MAC. Incrível, né? — sorri.

— De quem? — A mulher franziu o cenho, e muitas dobras decoraram sua testa.

Se eu não estivesse tão preocupada com o que perturbava Ian, teria rido da sua cara confusa.

— Vai comer, Elisa — sugeri à minha irmã caçula. — Vou esperar Ian voltar.

Ela relutou, mas, diante da insistência de Cassandra e da minha teimosia, acabou cedendo.

A noite caiu e eu não aguentava mais ficar deitada, então pulei da cama e, para matar o tempo, decidi escrever para Nina. Com a vela nas mãos, sentei-me à mesa no canto do quarto e comecei a rabiscar com a pena. Eu tinha acabado de esfregar o mata-borrão no papel — e borrado quase tudo, tornando a leitura incompreensível, mas e daí? Nina nunca leria nada daquilo mesmo —, quando Ian regressou.

Pulei da cadeira, apreensiva. Ele parecia esgotado, estava descabelado e trazia uma bandeja nas mãos, o olhar totalmente voltado para o prato. Foi aí que percebi que Cassandra tinha razão: eu tinha tudo a ver com o que quer que o estivesse incomodando.

— Até que enfim! Você sumiu. Fiquei preocupada — falei, com uma voz que não era minha.

— Eu precisei sair. Como está se sentindo?

— Bem melhor.

— Fico feliz. Trouxe o jantar. A senhora Madalena disse que você quis me esperar. Não devia ter feito isso. — Ele examinou a bagunça de papel com a testa franzida. Juntei tudo depressa, antes que ele visse algo que não devia, e guardei dentro do volume de *Emma*, empurrando-o para o lado.

Ian acomodou a bandeja no canto da mesa.

— O que está acontecendo, Ian?

— Primeiro coma. Ordens médicas. — Ele arrastou a cadeira para que eu me sentasse.

Ian se acomodou ao meu lado, mas impôs certa distância, mantendo-se enervantemente longe, e me empurrou um dos pratos. Sem jamais erguer os olhos, ele esperou que eu começasse a comer para só então fazer o mesmo. Eu mais brinquei com a comida do que de fato a engoli — um verdadeiro pecado, pois Madalena era uma cozinheira de mão cheia — e, depois de algumas garfadas e de o meu estômago reagir de um jeito estranho, desisti.

— Coma um pouco mais — ele pediu num sussurro.

— Não dá, Ian. Tô tensa. Por que tá tão irritado?

Ele empurrou seu prato — tão cheio quanto o meu — e se levantou. Caminhou até a janela e ficou de costas pra mim.

— O que tá acontecendo? — insisti, me pondo de pé.

Então ele se virou e eu me encolhi diante de sua expressão. Meus instintos gritavam para que eu saísse correndo, mas como é que eu faria isso, se minhas pernas pareciam grudadas ao assoalho? Com os olhos fixos nos meus, ele cruzou o quarto a passos largos até ficar a uns trinta centímetros de mim. Ian se inclinou de leve, tirando algo do bolso do casaco e o depositando na mesa ao lado do prato.

— Creio que isso seja seu.

As moedas tilintaram ao tocarem a madeira. Olhei para ele sem entender, mas minha confusão durou pouco mais de um segundo. Um frasco âmbar surgiu de seu bolso e foi colocado ao lado do dinheiro.

Ah, merda!

— Quer tentar explicar, Sofia?

33

— E u pretendia te contar... — comecei, mortificada.

— Quando? Quando pretendia me contar que anda negociando seu creme de cabelo? — perguntou ele, ofendido.

Eu me encolhi.

— Agora? — arrisquei.

Ele bufou, perambulando pelo quarto.

— Eu tentei te contar antes! — me apressei em dizer, tentando acompanhar suas passadas largas. — Hoje mesmo, lá na beira do riacho, mas você não quis me ouvir, e das outras vezes eu... eu fiquei com medo de que você reagisse como tá fazendo agora.

— E como esperava que eu reagisse? — ele esbravejou. — Que saltasse de alegria por saber que não sou o bastante para você?

Eu me detive, derrapando no piso de madeira, atônita.

— Não é nada disso, Ian! Como pode pensar um absurdo desses?

— Como acha que me sinto, Sofia? — Ele andava de um lado para o outro, me deixando zonza. — Como acha que me senti quando minha tia me entregou esse frasco? Ela flagrou um moleque dando dinheiro à senhora Madalena e disse que isso tem ocorrido com frequência. A senhora Madalena está conosco há anos e nunca vendeu nem mesmo um pão doce. Achei estranho e fui confrontá-la. Eu a censurei e a pobre mulher nem se defendeu. Levei um tempo para pensar em abrir o frasco e me dar conta de que havia creme de cabelo seu ali dentro. — Então foi assim que ele ficou sabendo. Por que Madalena não me contou quando teve a chance?

— Quando eu lhe disse isso, ela acabou confessando que quem vende este produto é a minha esposa! Esposa essa que jurou diante de Deus e de toda a vila jamais mentir para mim!

— Eu sei! — concordei depressa. Não havia mais motivo para meias verdades. — E isso estava me matando, eu pretendia te contar. Juro! Só estava esperando o momento certo. O problema é que... ele nunca apareceu. — Abri os braços, desolada.

Ian ficou me observando, bestificado. Ele abriu a boca algumas vezes, sem saber o que dizer. Parecendo sufocar com as palavras, esfregou a testa, os olhos dardejando. A compreensão então o atingiu.

Sua voz parecia morta quando ele voltou a falar:

— Você ficou com medo de que eu tentasse impedi-la.

Eu estava pronta para soltar o não que faria tudo ficar bem de novo. Mas, em vez disso, fiz o que era certo.

— Você iria — murmurei. — Como fez com as calças e a contabilidade. Você deixou bem claro que não quer que eu trabalhe.

— Porque não precisa! — Ele friccionou a testa de novo.

— É isso que você não entende. Preciso, sim, da mesma forma que você. Você não cria os cavalos porque precisa do dinheiro, pois para isso tem propriedades arrendadas. Você faz porque *gosta*. No começo, eu dizia a mim mesma que só estava vendendo meu creme para poder te ajudar com as finanças, porque eu pensava que você estava atolado em dívidas, mas não era só por isso. Eu queria mesmo te ajudar, mas também gosto de me ocupar, de me sentir útil.

— É diferente, você... — Ele se deteve, me lançando um olhar tão cortante que arrepios fizeram meus pelos se arrepiarem. — O que quer dizer com ajudar com as finanças?

Engoli em seco. Nunca tinha visto Ian tão furioso. Não comigo.

— Você sabe o que quero dizer. — Mal dava para ouvir a minha voz. — Não me olha assim, Ian.

— E como devo olhar para a mulher que rejeita e humilha o marido publicamente? — ele gritou.

Meu estômago se contorceu, como se eu tivesse levado um soco. Algo parecido com pânico, mas multiplicado por mil, tomou conta de mim e fiquei com medo de desmaiar de novo. Respirar se tornou impossível e o quarto começou a girar.

Ian percebeu quanto me feriu. Uma dezena de emoções cruzou seu rosto, entretanto, tonta como eu estava, não pude reconhecer quais. Talvez pânico, preocupação, arrependimento, mas foi tudo tão rápido e eu estava transtornada demais para ter certeza de qualquer coisa. Ele deu um passo à frente, me segurando pelos ombros e me levando até a cama.

— Maldição, Sofia! — ele cerrou a mandíbula. — Agora não é o melhor momento para termos essa conversa. Você precisa descansar. Conversaremos em outra ocasião. — Ele fez menção de sair.

— Não, peraí! — Saltei do colchão e, meio cambaleante, me coloquei em seu caminho. — Temos que esclarecer tudo agora. Você não pode simplesmente ir embora sem resolvermos isso, sem me deixar explicar como tudo aconteceu.

— Você está abatida. Não está bem, e eu aqui a enchendo de... — Ele se virou e seguiu até a janela. Apoiou uma das mãos na parede e encostou a testa no vidro. Seu peito subia e descia rápido.

— Ian... — tentei, dando um passo à frente, desejando tão desesperadamente tocá-lo que chegava a doer. Porém me detive, receando que ele me rejeitasse. Eu não suportaria. Não sobreviveria.

— Testei Storm esta noite — ele disse quando hesitei. — Ele parece bem o bastante para a viagem. Fui até a vila e conversei com o dr. Almeida. Ele virá vê-la todos os dias durante minha ausência. Deixei o senhor Gomes e a senhora Madalena de sobreaviso, e o médico será chamado se preciso, quer você autorize ou não.

O que ele dizia foi penetrando aos poucos no meu cérebro.

— Você vai viajar sem mim? — Não era para ter soado tão alto. Nem tão desesperado.

— Você sabe que eu preciso ir. Duas éguas estão prestes a entrar no cio. Uma terceira já entrou. Não posso adiar mais.

— E eu não posso ir junto? Ou você não pode mandar outra pessoa no seu lugar?

— Quem escolhe as matrizes sou eu. Isaac ainda não está pronto. Preciso de um garanhão no máximo em sete dias, Sofia, ou terei sérios problemas no estábulo. Eu já deveria ter partido há muito tempo. Antes mesmo do casamento. Pensei que resolveria isso a caminho do chalé, nas montanhas, mas nada saiu como esperado. — Ele lutava para se manter no controle de suas emoções, e eu só queria que ele não fosse tão bom nisso. — Por favor, siga as recomendações do dr. Almeida enquanto eu estiver fora. Devo voltar dentro de uma semana no máximo. Creio que será melhor assim. — Mas tive a impressão de que ele não estava tão certo disso. — Preciso de um tempo para ordenar meus pensamentos.

Recuei um passo, o coração batendo ferozmente contra as costelas ao ouvi-lo dizer a palavra que começa com T. O mundo parou, meu coração interrompeu suas batidas frenéticas conforme eu me dava conta do estrago que tinha feito. Ian queria um T...

Eu nem conseguia pensar na palavra.

"A morte certamente deve ser menos dolorosa", a fala dele ecoou em minha cabeça, amplificando minha agonia.

— Ian, olha pra mim — pedi num sussurro dilacerado.

Ainda que relutante, ele me atendeu. Seu olhar, sempre tão profundo, estava raso, não devolvia nada.

— Você precisa mesmo ir, ou só quer me punir?

Ele me encarou por um longo instante antes de responder:

— Sabe que preciso partir. Nós já havíamos combinado.

— É, e combinamos que eu iria junto.

— Isso foi antes de você ter sofrido um desmaio.

Um pensamento muito desagradável serpenteou pela minha mente, mordendo e infectando meu cérebro de um jeito doentio.

— Você... você se arrependeu, não foi? — indaguei com a voz trêmula. — Se deu conta de que eu não sirvo pra você, e agora não sabe como cair fora porque é um homem honrado e jamais ofenderia minha honra me abandonando. É isso, não é? Seja sincero comigo, não me engane para o meu próprio bem.

Ian sacudiu a cabeça, rindo, mas sem humor algum.

— Você me pede para ser franco, mas oculta muita coisa de mim. Fala tanto em direitos iguais para os sexos, mas não age de acordo com o que prega. Não há coerência nisso, Sofia.

Ele tinha razão, ainda que eu detestasse admitir. E ele não havia respondido à minha pergunta, reparei.

— Você se arrependeu? — insisti, prendendo a respiração com medo do que ouviria.

Ian se aproximou devagar e encaixou uma das mãos em meu rosto. Aquela opacidade em seu olhar desapareceu por um instante, dando lugar a chamas ardentes. Com o polegar, ele acariciou minha bochecha fria. Por um momento cheguei a pensar que fosse me beijar, me assegurar de que estava tudo bem, por isso fechei os olhos e esperei. Mas ele simplesmente me soltou e deixou as mãos penderem ao lado do corpo.

— Sua cegueira me fere a alma, Sofia...

Abri os olhos a tempo de vê-lo se dirigir até a porta. *Aquela* porta. A que não deveria existir nem jamais ser usada. Ian a abriu.

Por favor, não. Não entre aí. Por favor, volte.

— E dilacera meu coração saber que tal dúvida ainda exista no seu.

A porta do quarto conjugado se fechou. De modo suave, apenas um sussurro, mas na minha cabeça foi como se algo tivesse sido implodido. O pesadelo que sempre me atormentava se tornara real. Eu me abracei e fiquei ali, encarando a madeira escura. Queria entrar naquele maldito quarto e me atirar em seus braços. Porém a mensagem tinha sido clara. Ele desejava ficar sozinho.

Um... tempo.

Ian queria um tempo.

Uma dor excruciante me dominou e afundei no chão, cobrindo o rosto com as mãos. Chorei em silêncio para que ele não ouvisse os gritos de agonia enquanto meu coração se partia em milhares de pedaços.

34

Eu estava sentada no parapeito da janela da sala, olhando para o lírio branco em minhas mãos. Não sabia há quanto tempo estava ali. Horas, dias, era indiferente. Os ponteiros do relógio deixaram de ter importância no momento em que Ian partiu. A vida perdera o significado.

— Senhora... — chamou Madalena, me assustando ao se aproximar pelas minhas costas. Ela tinha a desolação estampada no rosto e retorcia o avental freneticamente. — Sinto muito, não pretendia assustá-la. Estava esperando a senhora sair do quarto. Lamento muito que o patrão tenha descoberto suas vendas por minha culpa.

— A culpa não foi sua, Madalena — eu lhe assegurei, percorrendo com o dedo o contorno das pétalas da flor. — Eu é que decidi esconder toda a história dele. Parece que não aprendo nunca.

— O patrão me impediu de alertá-la que já estava a par de tudo. Ele me fez prometer! — ela soluçou. — Eu não podia ir contra uma ordem dele, senhora. Estou com a família Clarke desde muito jovem.

Fiz o melhor que pude para esboçar um sorriso de está-tudo-bem a ela.

— Eu sei, Madalena. Você fez o certo. — Ao contrário de mim.

Ela abaixou a cabeça.

— Se quiser que eu parta, entenderei perfeitamente e acatarei suas ordens de imediato.

— Não diga uma coisa dessas. Não posso viver sem você. E você não fez nada errado. Só me ajudou a amassar umas frutas. A parte de ocultar...

enganar... mentir... — era melhor dar logo nome aos bois — foi toda minha. E se ele tivesse me deixado ajudar com a contabilidade, como eu queria, nada disso teria acontecido — tentei me convencer.

— Não devo me meter na vida dos patrões — Madalena titubeou. Ela não era a favor do meu trabalho. E quem ali, além do seu Plínio, era? — Quer que eu lhe traga o café aqui na sala? Está tão pálida.

— Agora não. Mais tarde como alguma coisa.

— Não deixe a tristeza consumi-la, querida. Ele logo estará de volta e tudo ficará bem.

Assenti uma vez e desviei o olhar para a flor, torcendo muito para Madalena ter razão. No entanto, eu não estava tão certa. Não depois da noite passada.

Eu havia chorado durante quase toda a noite, deitada no chão com o corpo encolhido. Adormecera ali de exaustão e sonhara com Ian — ou ao menos foi o que pensei. Já não sabia mais. Lembrava-me de estar no chão, da dureza da madeira, do cheiro de cera, então em seguida estava nos braços dele, carregada como uma criança. Ou uma carga muito, muito preciosa.

— Por que nunca faz a coisa certa, Sofia? — ele questionara com uma pontada de desolação.

— Eu tento, mas não funciona. Acho que devo começar a fazer as coisas erradas de propósito. Quem sabe assim eu acerto.

Ele rira, ainda que tenha soado relutante.

— Senti falta disto essa noite. — Eu recostara a cabeça em seu ombro. — De ouvir sua risada. Acho que é por isso que estou sonhando com você agora.

— Senti falta de muitas coisas esta noite. — Ele me colocara na cama, acomodara com cuidado minha cabeça no travesseiro, esparramando minhas ondas metodicamente antes de me cobrir com o lençol. — Mas agora feche os olhos. Tivemos um dia longo e difícil. Quero vê-la recuperada o quanto antes. Durma e volte a sonhar comigo.

— Mas eu já estou sonhando com você. Você é tão lindo aqui quanto no mundo real. Só que aqui você não está bravo comigo e não disse a palavra que começa com T. — Acabei bocejando, e pensei ser a reação mais esquisita do mundo para quem estava sonhando. Quem boceja num sonho? — Você nem me deixou explicar nada e agora vai partir para longe. E não posso te culpar por isso. É bem como você disse agorinha. Eu nunca faço a coisa certa. Sabia que numa hora dessas você ia se dar conta. Que pena que foi tão cedo, e justo agora que está tão pertinho... — eu suspirara. Os dedos dele estavam em meus cabelos, e aquilo era o céu.

— Perto do quê? — ele sussurrara, ainda me tocando.

Eu lutei muito para abrir os olhos. Sei que pode parecer estranho vindo de uma garota que viajou no tempo, escolheu viver no passado e tudo mais, mas foi bem esquisito sonhar que estava com sono.

— Você nem lembra — eu apontara com tristeza. — É daqui a cinco dias e você esqueceu. A culpa deve ser minha. Eu te dei muito o que pensar. — O cansaço me vencera e fechei os olhos, esgotada.

Ian ficara quieto por um tempo, e seu silêncio, aliado às carícias em minha cabeleira, fez a exaustão quase me engolir. Ainda assim, pude ouvir sua voz soar absurdamente séria ao murmurar:

— Sim, você me deu muito o que pensar, Sofia.

Imaginei que tudo não tinha passado de um sonho, mas, ao acordar na cama, coberta pelos lençóis e com um travesseiro sob a cabeça, achei que pudesse ter acontecido de verdade. O que não significava muito além do fato de Ian se preocupar com o meu bem-estar. Ele não dissera nada que me fizesse ter esperanças. Pela manhã, seu lado no colchão estava intocado e frio, porém um lírio branco perfeito jazia sobre a mesa de cabeceira.

Então agora ali estava eu, empoleirada na janela com o olhar perdido na flor em minhas mãos e o coração aos pedaços, tentando decifrar o que se passava na cabeça do meu marido ausente.

— Acomodada dessa forma, a senhora mais parece um criado — a voz de Cassandra chegou aos meus ouvidos. — Onde estão seus modos?

Virei-me para olhá-la. A mulher resplandecia de contentamento.

— Tá feliz, não tá? — perguntei com a voz rouca. — Conseguiu o que queria.

— Eu lhe avisei que cedo ou tarde ele se daria conta do erro que cometeu — ela sorriu, confirmando. — Meu sobrinho é um homem inteligente.

Eu não podia discordar.

— O que fiz para me odiar tanto, dona Cassandra?

Ela me examinou, os olhos apertados, os lábios pressionados numa linha fina e pálida. Tudo em mim a desagradava, dos cabelos à maneira como estava sentada.

— Creio que não preciso me dar o trabalho de responder.

Ela girou sobre os calcanhares e sumiu da sala. Não que eu precisasse da aprovação de Cassandra, mas, frágil e magoada como eu estava, sua avaliação pouco lisonjeira só piorou tudo.

Saltei do parapeito e saí zanzando pela casa, feito um fantasma. Acabei em frente à porta do escritório de Ian e prendi o fôlego ao pousar a mão na maçaneta. Empurrei a porta devagar, e o quadro horroroso na parede atrás da mesa me saudou. Minha batata podre. Aproximei-me dele para admirá-lo melhor. As marcas dos meus dedos se misturavam com as pinceladas perfeitas de Ian. Se ele tivesse me dito naquela tarde o que tanto o atormentara, talvez eu nunca aceitasse o convite do seu Plínio e assim não estaria naquela confusão... Não, não era justo colocar a culpa em Ian. Eu tomara as decisões e agora tinha de lidar com as consequências.

Um rabisco negro muito sutil em um dos cantos da tela chamou minha atenção. Eu não havia reparado nele antes. Minhas iniciais se entrelaçavam às de Ian e, embaixo delas, se lia 10/30.

Franzi a testa. O trinta era evidente: se tratava do ano em que estávamos. Mas o dez me deixou confusa. Era maio, não outubro. Ian não teria se confundido, ainda mais levando em conta que fora o mês do nosso casamento nada convencional...

Então a compreensão de repente me atingiu, me deixando zonza.

Dez! Dois mil e dez!

Ian marcara o tempo em que eu vivia até poucos meses antes. O tempo em que eu *ainda* pensava que vivia, me dei conta, tudo já se encaixando na minha cabeça. Sem querer, Ian me dera a resposta que eu andava buscando. Eu. A resposta era eu! Sabia que o que tínhamos era forte, imutável, que resistiria a tudo, que ninguém conseguiria destruir nosso relacionamento.

Exceto eu mesma.

Eu não vivia mais no século vinte e um, mas ainda agia como se vivesse, e era esse o problema. Tudo o que existia antes de eu viajar no tempo não tinha mais validade, não devia ser aplicado, e, se eu queria de fato me adaptar àquele tempo e parar de envergonhar Ian, o primeiro passo não era começar a agir como uma dama de 1830, mas deixar de pensar como uma mulher do ano 2000!

Não tinha cabimento tentar manter os mesmos hábitos de antes, como ter um emprego. Se Ian queria me bancar, tudo bem. Muitas mulheres ainda eram sustentadas pelo marido no século vinte e um. Não era errado ou feio, muito menos o fim do mundo. Era opção delas. E até que seria legal ter um pouco de tempo para mim mesma. Eu não tinha uma folga havia anos! Se encarasse aquilo como férias bem prolongadas, poderia funcionar. Eu podia muito bem aproveitar o tempo livre na sala de leitura e botar os clássicos em dia. Nem parecia uma alternativa tão ruim assim.

E quanto a ajudá-lo... Bom, eu estaria pronta se ele me pedisse, embora tivesse dúvidas de que isso fosse acontecer um dia. Mas talvez ele pudesse me ensinar a pintar? Gostei de brincar com a tinta, e Ian era um ótimo professor, como comprovara nas aulas de equitação. Era esta a minha vida agora: cavalos, casinha, anáguas. Foi o que escolhi ao decidir ficar com o Ian.

Saí do escritório correndo e, por pouco, não colidi com Gomes, que passava com uma bandeja nas mãos.

— Diz pra Madalena ir até o meu quarto, por favor, seu Gomes! — falei ao passar voando por ele e deixá-lo estarrecido por um momento.

Eu ria um tanto histérica enquanto entrava no quarto. Era um saco só ter me dado conta daquilo tudo quando Ian já estava longe. Foi ali, encostada à porta, vestida com a roupa amarfanhada da noite passada, que eu me decidi.

Eu posso fazer isso por ele. Eu vou fazer isso por ele.

Então endireitei os ombros e finalmente decidi colocar a Sofia versão 1830 em prática. Deixei o lírio ao lado da cama enquanto descalçava as botas vermelhas. O primeiro passo era arrumar os cabelos, mas para isso eu precisaria de ajuda.

Madalena chegou bem na hora e entrou no quarto curiosa — e ainda parecendo se sentir um pouco culpada —, mas, tão logo expliquei o que queria, ela me atendeu com muita dedicação, embora não parecesse compreender. Demorou por volta de meia hora para fazer meu cabelo parecer decente naquele coque severo.

— Era isso o que queria? — perguntou Madalena com o cenho franzido, me olhando pelo espelho.

Admirei meu reflexo, virando a cabeça algumas vezes.

— Era. Obrigada, Madalena.

A mulher assentiu, me examinou mais uma vez e sacudiu a cabeça. Então se pôs a arrumar a cômoda e eu lembrei que havia algo que eu precisava perguntar a alguém.

— Madalena, eu tô... Minhas regras estão para... — Descer? Chegar? Regrar? — Estou quase naqueles dias.

Meus seios já estavam inchados e eu sentia leves cólicas. Mais alguns dias e eu precisaria de um pequeno estoque de absorventes. E esse era o meu problema.

— Oh! Pensei que a senhora já tivesse encontrado os aparatos na cômoda.

— Que aparatos? — perguntei cautelosa.

Madalena abriu uma das gavetas e procurou — de maneira ordenada — os tais *aparatos*. Ela suspendeu a pochete branca de crochê.

Oh, por favor, por favor, que não seja o que estou pensando!

— Aqui está sua toalhinha. — Por que tudo que terminava em "inha" me apavorava tanto naquele lugar, mesmo que eu ainda não soubesse exatamente para que servia?

— Toalhinha — repeti de forma automática.

Madalena segurava a peça diante de si, os dedos roliços esticando a fita de cetim como se fosse um cós. A *toalhinha* pendia ao centro. Meu. Deus!

— Madalena — engoli em seco —, eu vou ter que usar essa... isso aí?

— Bem... — ela corou. — Tenho certeza de que a senhora já deve ter algumas. Se quiser continuar usando as suas, não há problemas. Basta me dizer quando e eu deixarei algodão para que possa usar sua toalhinha com segurança. — Era para isso que servia a abertura na lateral! Não que agora eu me sentisse melhor. — Precisa de mais alguma coisa, senhora?

Três pacotes de absorventes, mas acho que você não vai poder me arrumar...

— Não. Tudo bem. Obrigada por me ajudar com os cabelos.

— Sempre às ordens, senhora. — Ela guardou a toalhinha de volta no lugar, fechou a gaveta e me deixou sozinha.

Levei um minuto para me recuperar do choque, mas logo me distraí passando maquiagem. Usei um pouco de blush e gloss e coloquei os brincos que Ian me dera. Então me dirigi até o armário à procura de um vestido limpo. Optei por um modelo simples, xadrez em tons de azul e branco, com um pouco de renda nas mangas curtas. Lancei um olhar de cobiça para as botas vermelhas caídas perto da cama, mas elas lembravam demais meu All Star, então sacudi a cabeça e escolhi um par de sapatos marfim com um saltinho pequeno e um laço em cima, bem parecido com os que Elisa e Teodora usavam. Vesti a anágua com bambolês e só não coloquei o espartilho porque não conseguiria dar todos os laços sozinha.

Depois de pronta, quase não me reconheci ao me olhar no espelho. Não era o visual que tinha me deixado tão diferente, mas os olhos. Estavam tristes, opacos, e me faziam parecer mais velha. Tecnicamente, Ian era cento e setenta e seis anos mais velho que eu, mas a verdade era que meu marido tinha só vinte e um, ao passo que eu completaria vinte e cinco anos em poucos dias. Não que eu tenha me preocupado com isso antes, porém, com a proximidade do meu aniversário, foi inevitável não pensar que as pelancas um dia surgiriam. E eu não teria a chance de escolher ficar com a cara congelada por botox ou com as sobrancelhas no meio da testa após um lifting facial total.

Sacudi a cabeça depressa para espantar o pensamento.

Não, nada disso. Essa não é você, não é mais você.

Arrumada da melhor maneira que podia, saí do quarto decidida. Sabia exatamente quem procurar para me ajudar com o resto.

"Quero vê-la recuperada o quanto antes", Ian dissera no meu "sonho", antes de partir. Por isso decidi comer alguma coisa para não acabar ficando doente de verdade. Estava indo até a cozinha, porém encontrei Elisa no caminho.

— Sofia? — perguntou com a testa franzida, me observando da cabeça aos pés. — Por que está vestida assim?

— Só decidi me arrumar um pouco mais — dei de ombros.

— Sim, posso notar. Quase não a reconheci! — E, inexplicavelmente, ela não parecia feliz. — Ian me deixou um bilhete muito confuso. Disse que estava de partida, ordenou que eu lhe fizesse companhia e que a mantivesse em repouso.

Respirei fundo.

— Ele descobriu, Elisa. Sobre o condicionador e o boticário. Ian já sabe de tudo.

— Oh, céus! Foi por isso que partiu? — perguntou alarmada.

— Espero que não. Ele me disse que precisa de um garanhão novo.

— Eu sabia que resultaria nisso! — resmungou ela, sacudindo a cabeça. — Posso imaginar como Ian deve estar se sentindo.

— Ele disse que eu o humilhei publicamente — contei, me encolhendo toda.

— Minha irmã, de que outra forma ele poderia se sentir? — No entanto, sua voz era doce. Não sei se Elisa pretendia me punir por ter magoado seu irmão ou se falou sem pensar, mas o caso é que nunca me senti tão fora de lugar desde que Ian entrara em minha vida. — Qualquer homem se sentiria humilhado se descobrisse que a esposa decidiu ganhar a vida por meios próprios — emendou ela. — De que serve um marido se não para prover o sustento da esposa?

Foi uma pergunta retórica, mas não pude me conter.

— Para amar, Elisa! — exclamei. — Um marido serve pra ficar ao lado da mulher nas horas boas e ruins. Para apoiar caso ela decida começar o próprio negócio e ficar feliz quando ela se sair bem! Eu só queria ajudar, cuidar dele!

Mas ninguém entendia. Nem mesmo Ian. Às vezes eu achava que ele era capaz de me ver por dentro, que conhecia cada pensamento meu. Exceto quando meu desejo de trabalhar entrava na jogada. E minha predileção por calças. Ah, e ele já tinha dado fim na minha saia jeans.

Elisa pegou minha mão.

— E Ian quer cuidar de você também, Sofia — murmurou com gentileza. — Por que é tão ruim ser mimada e protegida por ele?

— Não é ruim, adoro quando ele faz essas coisas, mas não com dinheiro... — Minha cabeça começou a latejar.

Era triste constatar que, apesar do amor que sentia por ele e da certeza absoluta de ser retribuída, isso não era suficiente numa vida a dois.

É sempre a diferença entre as pessoas a verdadeira causa de as taxas de divórcio aumentarem tanto, pensei com tristeza.

Será que Ian cogitava essa possibilidade? Quer dizer, eu achava que divórcio era coisa do futuro, mas ele podia, sei lá, decidir viver longe e arrumar uma amante que ficasse mais do que feliz em ser sustentada por ele, como acontecia nos romances que eu gostava de ler.

— Não sei o rumo que seus pensamentos tomaram, mas não me parece um bom lugar para estar — comentou Elisa, me tirando do desvario.

Sacudi a cabeça, estremecendo.

— Não é — concordei. — Por que é tão difícil entender que não quero ser um peso na vida de vocês?

— Você é parte da nossa vida, não um peso. Jamais foi. — Ela me abraçou com força. — Ian precisou partir, mas voltará em breve. Se ele já se apressava quando éramos apenas nós dois, imagine agora, que está aqui esperando por ele? — Ela tentou me animar. Quase funcionou. — Já tomou seu café da manhã?

— Ainda não.

— Então venha me fazer companhia.

Segui Elisa até a mesa e tive a grata surpresa de ser informada por Madalena que Cassandra saíra havia pouco para visitar lady Catarina. Ao menos uma notícia boa.

— Minha cara Sofia! — exclamou o mordomo ao entrar na sala, me avaliando de cima a baixo. — Creio que nunca a vi tão... — ele não conseguiu terminar a frase.

— Só fiz um coque, seu Gomes — dei de ombros. — Madalena me ajudou.

— Tem a aparência de uma dama elegante. — Tive a impressão de que ele não achava aquilo uma coisa boa.

Ele me serviu com a ajuda de Madalena. Elisa me avaliava ainda com o cenho franzido.

— O senhor Gomes tem razão. Você está muito elegante, Sofia. Mas não entendo por que está vestida assim. Está... diferente.

— Essa é a intenção, Elisa.

— Não tenho certeza se isso é bom.

— Mas vai ser. — Assim que eu colocasse o restante do meu plano em prática.

Só esperava conseguir a colaboração de que precisaria.

35

— D r. Almeida, preciso que me ensine a ser uma dama! — falei irrompendo em sua biblioteca particular, depois que a dona Letícia me mostrou onde ficava.

O sujeito atrás da mesa piscou algumas vezes.

— Creio que não a compreendi. Por isso não terei de decidir se me sinto lisonjeado com sua proposta ou ofendido por pensar que tenho maneiras afeminadas.

— Não! Não é nada disso. O senhor é bastante... masculino, mas é que... eu... — Eu precisaria elaborar melhor o assunto se quisesse conseguir ajuda. Respirei fundo. — O senhor já leu *A máquina do tempo*, de H. G. Wells?

O médico negou com a cabeça, os olhos ganhando vida.

— Não, mas, agora que minha curiosidade foi aguçada, sinto que morrerei se não lê-lo. Por que não se senta? — E indicou a cadeira.

Eu me afundei com pouca elegância na cadeira estilo Luís XV revestida de tecido carmim. A biblioteca dos Almeida era ainda maior que a de Ian, porém as lombadas revelavam obras de medicina, em sua maioria. Fiquei satisfeita por encontrar o médico em um ambiente em que me sentia confortável.

— Não tenho certeza se esse livro já foi lançado. Nem sei se já foi *escrito* — enfatizei, observando sua reação. — Mas basicamente conta a história de um cientista que descobriu um jeito de viajar no tempo. Ele vai para o futuro e conhece um mundo bem diferente do seu.

— Muitíssimo interessante. — Ele se inclinou para frente sem parecer se dar conta disso.

— E o senhor bem pode imaginar como o cientista ficou chocado e se sentiu deslocado nesse futuro. Tudo que ele conhecia não valia mais de nada, e tinha até uns ETs... — sacudi a cabeça. — Mas esse não é ponto. A questão é que ele foi parar num mundo que não era o dele. E às vezes é difícil se adaptar. Seja no futuro desconhecido ou... no passado, que só se conhece por meio dos livros de história, mas que na prática é... bem complicado.

O médico endireitou a coluna, tamborilando os dedos finos no tampo da mesa.

— De quanto tempo estamos falando? — Ele se esforçou para parecer desinteressado.

Não era sobre as aventuras de H. G. Wells que ele me perguntava.

— Quase duzentos anos.

— Duzentos — ele ecoou. Um sorriso embasbacado brotou em seus lábios, e o olhar se fixou em algum canto atrás da minha cabeça. — Meu. Deus.

— Imagino que o senhor tenha muitas perguntas.

Ele piscou como se saísse de um transe e fixou os olhos, que de súbito pareciam vinte anos mais jovens, em mim.

— Inúmeras — confessou.

Tomei fôlego para criar coragem.

— Tudo bem, responderei a todas elas *se* o senhor me ajudar a ser uma dama do século dezenove.

O dr. Almeida me estudou com atenção, cerrando brevemente os olhos.

— Se seu desejo de se tornar alguém diferente é fruto das observações maldosas daquelas velhas matronas...

Sacudi a cabeça depressa.

— Ian foi embora — soltei, prendendo a respiração. Dizer aquilo em voz alta tornava tudo real e triplicava minha agonia.

— Perdoe-me, o que disse?

— Ian viajou sem mim. — Minha voz mal tinha som. — Tivemos uma briga feia e ele disse a palavra que começa com T. — Ele fez uma cara estranha, mas eu prossegui mesmo assim: — E tudo porque eu ainda penso como alguém do século vinte e um. Preciso da sua ajuda pra salvar meu casamento, doutor. O senhor tem que me ajudar! Por favor!

Ele se levantou, contornou a mesa e pegou uma das minhas mãos com gentileza.

— Acalme-se, querida. Conheço o senhor Clarke há anos e posso lhe garantir que... seja qual for o motivo da desavença, superarão isso juntos.

— Não enquanto eu pensar que mulheres podem usar calças e trabalhar pra ajudar no sustento da casa, independentemente da classe social.

Ele prendeu o fôlego e seus olhos se alargaram.

— Viu? — Soltei sua mão e suspirei com força. Os bambolês sob minha saia se eriçaram e precisei ajeitá-los com as mãos. — Eu preciso aprender a ser uma mulher do século dezenove antes de o Ian voltar.

Ele se abaixou lentamente e se acomodou na cadeira ao meu lado. Quase dava para ouvir as engrenagens de seu cérebro trabalhando.

— Está certa de que essa é a melhor solução?

— É a única que parece sensata — dei de ombros.

Com um longo suspiro, ele tornou a se levantar e seguiu até uma das prateleiras da estante. Correu os dedos por várias lombadas até puxar um volume de capa azul-marinho.

— Talvez isso possa ajudá-la. — Ele me entregou o livro. *Guia de etiqueta da alta sociedade*. Eu sabia que tinha um livro para isso. Sabia! — Pertence à minha esposa.

— Vale... Obrigada — me corrigi. — Vou ler com muita atenção, mas será que o senhor não podia fazer um resumo? Um apanhado geral, os pontos mais importantes. Tenho que aprender depressa!

Ele pigarreou e voltou a se sentar.

— Creio que sim. — Coçou o queixo. — Bem, devo começar... Creio que já percebeu que as damas devem se dirigir aos cavalheiros usando o honorífico apropriado e...

— Peraí, doutor! — Alcançando a bolsinha de crochê, pesquei lá dentro uma pequena caderneta e um toco de grafite. Abri o caderninho e posicionei o lápis. — Pode repetir essa parte do honorífico?

O homem riu.

— Vai anotar tudo o que eu disser, querida?

— Ah, vou. E decorar. E colocar em prática, claro. Com... um pouco de sorte.

Ele riu de novo e repetiu a frase. Continuou ditando outros detalhes: uma jovem educada nunca fala em voz alta ou com vulgaridade na companhia de alguém, sobretudo de um cavalheiro. Falar dos assuntos privados da família com outra pessoa, fora de casa, era proibido.

O amontoado de tecido que as mulheres eram obrigadas a vestir tinha um propósito, afinal. Quanto mais peças de roupa ela vestisse, mais rica era a família. E mesmo com as muitas camadas de roupas, de saias, anáguas e a crinolina, que restringia os movimentos, uma garota educada não levantaria a bainha de seu vestido para além dos tornozelos, muito menos ergueria ambos os lados da saia ao mesmo tempo, nem sequer para salvar a própria vida, tipo, se a casa estivesse em chamas e tal.

Eventos como bailes e jantares eram perfeitos para uma jovem mostrar seu decoro refinado. Nessas ocasiões sociais, ela poderia flertar com inocência, exibir seus talentos cantando ou tocando piano para os convidados, mas somente depois que a permissão lhe fosse dada pelo anfitrião. Exceto a parte do flerte, claro.

Uma dama de berço nunca cometeria a grosseria de perguntar "O quê?". O correto era piscar e, com um sorriso meigo, questionar: "Perdoe-me, como disse?"

Era inimaginável uma dama proferir xingamentos, imprecações, palavrões e derivados.

Exatamente o contrário de tudo que eu andava fazendo, percebi enquanto anotava cada palavra.

Eu mal vi a hora passar, e só me dei conta de que estava trancafiada ali dentro havia muito tempo quando meus dedos doeram e uma empregada corcunda entrou com um lanche. O médico achou que já era o bastante e decidiu encerrar a aula. Analisei as anotações por um tempo. Eu podia fazer aquilo.

— Tudo bem, acho que acabamos por hoje então — falei, fechando a caderneta e guardando-a na bolsa.

— Não — rebateu ele, pousando sua xícara no pires. — Cumpri minha parte no trato. Agora é a sua vez — animou-se.

Com um longo suspiro, comecei a falar sobre o tempo em que eu vivera.

Duas horas depois, deixei para trás um bestificado dr. Almeida, completamente imerso em reflexões em sua poltrona. Isaac me esperara na frente da casa da família Almeida e tratou de não correr muito no caminho de volta. Aproveitei o tempo para dar uma espiada no livro de etiqueta. Dizia de forma mais complexa tudo o que o médico relatara.

Cassandra ainda não havia retornado da visita a lady Catarina, de modo que depois do jantar pude, não sem Elisa protestar, me trancafiar no quarto com meu caderninho e o livro de etiqueta. Ela não entendia por que é que eu precisava decorar tudo aquilo se estava me saindo tão bem. Sério, Elisa era um presente dos céus.

Conforme eu lia o manual de etiqueta, ia adicionando mais algumas anotações à caderneta. Pela manhã eu já havia terminado a leitura. E tinha muito o que decorar.

Após o café da manhã, Elisa decidiu tocar arpa, e isso impulsionou sua tia a fazer uma visita à madame Georgette. A mulher não gostava do som do instrumento, alegando ser excessivamente agudo. E de repente, como num passe de mágica, passei a me interessar por ele.

A canção que Elisa escolhera executar era linda, doce, quase angelical, e me trouxe um milhão de lembranças de Ian. Foi assim o dia todo. Quanto mais eu tentava me distrair decorando aquelas regras estúpidas, mais pensava nele. Será que ele estava pensando em mim também? Será que estava com dificuldades de se concentrar em qualquer outra coisa, assim como eu?

Aquele dia custou a passar. O seguinte não foi muito diferente, exceto pelo fato de Cassandra ter ficado em casa. Então decidi arrastar Elisa comigo até a vila. Devolvi o livro ao médico e depois fui até a botica, para entregar pessoalmente a última remessa de condicionador e avisar ao seu Plínio que não poderia mais manter o acordo.

— Oh, não diga isso, querida! — ele exclamou. — Seu produto é um verdadeiro sucesso. Nada nesta botica vende tanto. Recebeu oferta melhor? Podemos discutir um novo acerto...

— Não, seu Plínio — me apressei em dizer. — Não é nada disso. Eu só não quero mais vender o condicionador.

Ele tentou me fazer mudar de ideia. Ofereceu um terço a mais de moedas, porém me mantive firme em minha resolução. Por fim ele acabou aceitando, mas disse que deveria procurá-lo se a qualquer momento mudasse de ideia. Mesmo sabendo que isso não aconteceria, concordei, e Elisa e eu voltamos para casa, onde passei o resto do dia decorando as regras. Tentando, na verdade. Meus pensamentos vagavam a cada cinco segundos em direção àquele par de olhos negros.

O ponto alto do dia seguinte foi a visita do dr. Almeida no fim da tarde. Thomas apareceu, e eu agradeci em silêncio por Elisa ter momentos agradáveis e dar algumas risadas com o primo, já que eu estava longe de conseguir lhe proporcionar qualquer diversão.

A manhã do dia 28 de maio de 1830 chegou brilhante e levemente fresca, mas vazia, assim como todas as outras. Os ventos anunciavam a proximidade do inverno. Entretanto, uma estranha ansiedade me dominou, e eu comecei a me sentir tensa, como se alguma coisa fosse acontecer.

Depois de muita insistência, Madalena aceitou me ajudar a praticar um pouco do que eu aprendera com o livro e as dicas do dr. Almeida. Não me saí muito bem, mas pelo menos ela não ria quando me esquecia do que tinha que fazer e espiava a caderneta.

Após o almoço, acompanhei Elisa até a sala de artes. Gomes se dirigiu até lá e anunciou que tínhamos um visitante.

— Padre Antônio acaba de chegar — disse, enquanto Elisa tentava me ensinar os passos de uma quadrilha. Havíamos afastado os móveis para ganhar espaço.

A garota abriu a boca para responder, mas mudou de ideia e olhou para mim.

— O que foi? — perguntei, intrigada com a hesitação.

— Como o senhor Gomes deve proceder? — indagou ela, com um sorriso minúsculo.

Franzi a testa, estranhando a pergunta.

— Do jeito de sempre? — tentei.

— É isso que deseja, *senhora Clarke*? — ela enfatizou o título, exibindo as adoráveis covinhas.

Compreendi o que ela estava tentando fazer. Mas eu simplesmente ergui as mãos na altura dos ombros e disse:

— Ah, não, Elisa! Nem vem. Não posso bancar a dona da casa agora. Ainda não sei fazer isso. Não tô pronta!

E ela sabia, pois assistira à minha triste exibição com Madalena.

— E daí? Você pode agir como bem entender, sem seguir regra nenhuma, simplesmente porque *é* a dona desta casa. E é a esposa de Ian, portanto deve representá-lo em sua ausência.

— A gente não pode deixar tudo como está, pelo menos por enquanto? — implorei, juntando as mãos e cruzando os dedos. — Eu não quero constrangê-los. Preferia esperar mais um pouco. Só até eu decorar tudo e treinar mais. O seu Gomes também pensa assim, não é, seu Gomes? — Olhei para ele, suplicando ajuda.

— Temo que se subestime em demasia, minha cara — disse o traidor. — Toda a criadagem e eu estamos ansiosos para que assuma seu posto. De verdade, desta vez. E já faz algum tempo — adicionou, ajeitando a larga gravata.

Elisa sorriu triunfante.

— Estou cansada de ser responsável pela casa — argumentou, fingindo irritação. — Quero me livrar dessa responsabilidade e ser uma jovem cabeça-oca como as outras!

— Elisa! — bati o pé.

A menina riu.

— Apenas diga ao senhor Gomes o que deve ser feito, Sofia. Mas se apresse, pois o padre está esperando.

Grunhi esfregando a têmpora.

— Tá certo, mas, se eu atear fogo na casa sem querer, não quero ouvir reclamação depois. — Me virei para o mordomo. — Leva o padre... pra sala e serve alguma coisa.

Ele assentiu uma vez, com um minúsculo sorriso num canto da boca.

— Prefere que seja servido chá, café ou um refresco? — ele questionou, prestativo.

Olhei para Elisa de soslaio, esperando encontrar a resposta. Não tive sorte.

— Humm... Os três. O padre decide o que vai beber. E... humm... o padre Antônio adora comer, então vê com a Madalena o que tem na cozinha.

— Como quiser, senhora Clarke. Com sua licença. — O homem reluzia de contentamento ao se curvar, antes de sumir de vista.

— Excelente, Sofia! — elogiou Elisa, apertando a minha mão. — Saiu-se muito bem. Deixar a visita escolher foi uma ótima decisão.

— Já a sua, de me deixar no controle justo quando o padre aparece, foi péssima.

Ela enroscou o braço ao meu, rindo, enquanto nos dirigíamos para a sala.

— Você tem se esforçado tanto para se parecer com... — Ela me examinou de canto do olho. — Bem, com a senhora Clarke. Achei que deveria assumir seu posto de uma vez, mas supus que precisava de um pouquinho de encorajamento.

— Não quero ser a senho... — Mordi o lábio ao lembrar que havia decidido que sim, eu queria. Era o que eu precisava fazer para colocar meu casamento nos eixos. Já que me recusava a inaugurar as estatísticas de divórcio de 1830. Tateei a saia até encontrar a caderneta. Daria tudo certo. — Tudo bem. Só fica por perto, tá legal?

Ela concordou e ergui os ombros, inspirando fundo, pronta para meu primeiro encontro como a tal senhora Clarke.

36

O padre estava sentado no sofá maior, mas ficou de pé exatamente no instante em que nos viu chegar.

— Boa tarde, padre — eu o saudei e comecei a estender a mão, mas me detive a tempo. Fiz uma meia reverência, que ele correspondeu com diversão.

— Que alegria vê-la tão bem, senhora Clarke — anunciou. — Senhorita Elisa. — Ele sorriu para minha cunhada.

— Boa tarde, padre Antônio — Elisa o cumprimentou, com a graça de sempre.

Um silêncio se instalou no ambiente. O padre ficou correndo os olhos de Elisa para mim, certamente esperando alguma coisa. Eu não conseguia me lembrar do que deveria fazer primeiro. A imposição de Elisa fez meu cérebro entrar em descanso de tela, em um branco total. O que eu conhecia não se aplicava ali, pois, quando eu recebia visitas em meu pequeno apartamento, não tinha toda aquela pompa e circunstância. A pessoa entrava e se sentava caso encontrasse um espaço livre de bagunça no sofá, pedia uma cerveja e sempre se podia confiar na TV ligada para afugentar aquele silêncio constrangedor que às vezes se abatia sobre o ambiente. Mas ali eu ainda não sabia como proceder. Devia ter estudado melhor o livro. Eu devia oferecer primeiro as bebidas? Comentar sobre o tempo? Perguntar sobre sua saúde antes ou depois de dizer que a batina lhe caía muito bem?

Fitei minha cunhada em busca de ajuda, e ela, muito discretamente, apontou para o sofá com a cabeça.

Ah, é.

— O senhor não quer se sentar? — ofereci.

Ele prontamente aceitou o convite e se acomodou. Elisa seguiu para a poltrona do outro lado da sala, de modo que acabei tendo de me sentar ao lado do homem. Ninguém falou nada por um tempo, e eu não sabia bem que assunto abordar. Tamborilei os dedos nos joelhos, meio incomodada.

— Então, padre... — comecei. — O que o senhor veio fazer aq... Hã... Quer dizer, adorei que o senhor tenha resolvido dar uma passad... Que tenha nos honrado com sua visita! — Isso! Essa era a expressão correta.

O padre me estudava com as sobrancelhas franzidas, quase unidas.

— Soube pelo dr. Almeida que a senhora não passou bem dias atrás. Fiquei preocupado.

— Ficou? — perguntei, surpresa.

Ele inclinou a cabeça para o lado, achando graça.

— Por que tanto espanto, senhora Clarke?

— Bom, é que... Nada. — Corei. — Foi só uma queda de pressão.

— E está se sentindo melhor?

Com relação à minha saúde sim, quanto a todo o resto...

— Tô ótima!

Seus olhos ligeiros e enrugados perscrutaram meu rosto antes de ele dizer:

— A senhora não me parece a dama que conheci.

Eu me esforcei para sorrir.

— E isso é bom, certo?

— Imagino que seja. — No entanto, ele pareceu duvidar. Francamente! Parecia que nada que eu fazia agradava aquele homem. — O senhor Clarke ainda está fora?

Nesse instante, Gomes entrou na sala equilibrando a bandeja cheia de biscoitos, bolinhos e bebidas. O aroma do café me acalmou um pouco. O padre optou por chá, e o mordomo o serviu primeiro. Em seguida, deu o refresco a Elisa e, quando se voltou para mim, questionando, eu apenas balancei a cabeça.

— Vale... humm... Obrigada, seu Gomes. Senhor Gomes! — me corrigi. — Não quero nada.

Ele não gostou da minha recusa, mas se inclinou e logo se retirou da sala.

O padre continuava me observando. Percebi que estava esperando alguma coisa. Ah, a resposta à sua pergunta.

— Ian foi a uma fazenda buscar um cavalo. Fica meio longe, e vai levar mais ou menos uma semana para ele voltar pra casa. — Sete agonizantes e intermináveis dias. Ainda faltavam três.

— Entendo. — Ele bebericou o chá. — Perdoe-me se estiver sendo indelicado, senhora Clarke, mas percebo que algo a aflige. Posso ajudá-la de alguma maneira?

— Só se o senhor souber como fazer o relógio correr mais depressa — murmurei.

— Ah, querida... — Surpreendendo-me mais uma vez, o padre Antônio me presenteou com um olhar cheio de compaixão.

— Padre Antônio, perdoe-me pela demora. — Cassandra entrou na sala fazendo muito barulho. — A criadagem desta casa é lamentável. Fui informada de sua presença somente agora. — Ela esticou a mão para que o padre a beijasse.

Pego de surpresa, o homem se comportou como esperado.

— Não é necessário se desculpar, senhora — ele garantiu bem-humorado. — A senhora Clarke tem se mostrado uma excelente anfitriã. E uma companhia adorável, devo acrescentar.

Foi a minha vez de ficar surpresa. Se havia alguém de quem eu jamais esperava ouvir um elogio, esse alguém era o padre Antônio.

— Não se deixe enganar, meu bom homem — retrucou Cassandra, passando com as saias volumosas a centímetros da minha cara para se acomodar entre mim e o sacerdote. Seu perfume adocicado e enjoativo se espalhou pela sala, ameaçando me engolir. Meu estômago reagiu de um jeito esquisito. — Um penteado aceitável e um pouco mais de silêncio é tudo que se pode esperar desta dama. Quer que eu peça ao mordomo que lhe sirva...? — Ela se deteve ao notar a bandeja sobre a mesinha.

— A senhora Clarke já providenciou tudo — disse o padre, alcançando sua xícara. — Chá é tudo que desejo. E talvez um desses biscoitinhos de nata que somente a senhora Madalena sabe fazer. — Ele pescou um e deu uma pequena mordida.

Cassandra ergueu as finas sobrancelhas, admirada, e me estudou por um tempo. Aquele aroma enjoativo se intensificava e meu desconforto piorava quando ela se movia.

Como esperado, a tia de Elisa monopolizou a conversa. É verdade que Elisa e o padre tentaram participar, mas a mulher os ignorava de propósito e grasnava... quer dizer, falava sem pausas.

Não foi isso que me fez sentir sufocada, mas o sobe e desce na minha barriga causado pelo perfume de Cassandra. Se eu ficasse um segundo a mais ali, colocaria o almoço para fora. Levantei-me num pulo e inventei uma dor de cabeça para o padre. Elisa me olhou preocupada, e um pouquinho decepcionada por eu não concluir o evento social como a dona da casa, e eu balbuciei um sincero "me desculpe" para ela antes de me retirar.

Atravessei a casa num pulo até alcançar os fundos e sair para o ar fresco do fim de tarde. O enjoo começou a ceder conforme eu me movimentava. Então fui caminhando meio que sem destino até encontrar a estrada de terra batida. Como me sentia melhor a cada passo, segui adiante, pois conhecia bem aquele caminho, e de repente fui tomada por uma necessidade insana de ir até lá, até o nosso lugar especial. Meu e de Ian.

Meia hora de caminhada foi suficiente para me levar até o local onde tudo começara. Passei pela pedra e me sentei sob a copa do cedro, me recostando no tronco. Tirei os sapatos e repousei os pés no gramado, abraçando os joelhos. Alguns raios de sol penetravam na folhagem, criando figuras abstratas na grama. O cheiro de mato e terra fresca aliviou meu desconforto de vez.

Suspirei quando diversas lembranças naquele mesmo cenário preencheram minha mente. Ian e eu namorando ali, de bobeira, fazendo planos para o futuro. Em nenhum daqueles planos nós brigávamos. Em nenhum eu passaria meu aniversário sozinha. Tampouco Ian me deixaria para trás. E definitivamente não pronunciava a palavra que começa com T.

Eu sentia tanta saudade que chegava a ficar sem ar. Quando escolhi ficar com Ian, eu sabia que não seria fácil, mas não imaginei que esses duzentos anos que nos separavam seriam tão cruciais. Duas pessoas muito diferentes, com pensamentos e costumes distintos. Para o nosso relacionamento funcionar, um de nós teria que ceder. Não sabia o que se passava na cabeça dele naquele momento, mas na minha estava tudo completamente resolvido. Eu esperaria por ele o tempo que fosse, mesmo que para isso tivesse de me reinventar. Não era justamente por esse motivo que eu estava com a cabeça cheia de forquilhas, os pés decorados por bolhas e tinha uma caderneta inteira para decorar? Eu salvaria nosso casamento, não importava como.

O som de patas pesadas se aproximando me tirou do devaneio. Provavelmente era o dr. Almeida outra vez. Ele cumpria à risca as ordens de Ian e vinha todos os dias, mesmo sabendo que não havia nada de errado comigo. Eu me levantei e me preparei para a bronca que ele certamente me daria por não ter obedecido à sua recomendação de não caminhar longas distâncias.

Entretanto, o cavaleiro solitário no cavalo negro selvagem que surgiu na estrada não era o médico.

Meu coração pulou uma batida, saiu de compasso para então dispa rar contra as costelas até retumbar alto em meus ouvidos.

Ian.

Não consegui desgrudar os olhos dele, examinando-o, absorvendo-o como se não o visse havia anos. Seu casaco sacudia com o movimento de Storm, e reparei que os dois primeiros botões da camisa branca estavam abertos. Não sei por que me surpreendi tanto ao constatar que seus cabelos ainda eram tão escuros quanto eu me lembrava. Apenas quatro dias tinham se passado desde sua partida, mas o fato é que fiquei maravilhada por aqueles fios negros ainda serem os mesmos. Talvez mais dele ainda estivesse igual.

Ele me avistou e manteve o olhar fixo em mim. Dominou Storm e o obrigou a diminuir o ritmo conforme se aproximava. Então, ao me alcançar, desmontou devagar, mantendo os olhos fixos nos meus, numa cena tão, tão parecida com a primeira vez em que nos encontramos naquele mesmo cenário que precisei conter um soluço.

Minha reação imediata foi correr em sua direção, mas me detive a tempo. Eu não podia ultrapassar os limites, e desconfiava de que me atirar em seus braços e me pendurar em seu pescoço seria demais. Eu teria de manter distância. Era ele quem deveria dar o primeiro passo.

No entanto, ele não fez nada além de hesitar. Sua expressão parecia perguntar tanta coisa, dizer tanto, que meu coração se encheu de esperanças. Mordendo o lábio, esperei que ele fizesse alguma coisa, qualquer coisa — me beijasse, por exemplo —, para acabar com aquela agonia.

Em vez disso, Ian permaneceu a três passos de distância, me observando como se não me reconhecesse.

Ele limpou a garganta.

— Olá — disse num sussurro.

Um tremor suave agitou meu corpo.

— Oi. — *Senti muito a sua falta.*

Nesse instante, tive a impressão de que Ian lia meus pensamentos, pois deu um passo à frente, o braço esquerdo se erguendo, procurando contato. No entanto, algo o deteve, e ele parou e colocou as mãos nos bolsos da calça.

Ah, por favor, não chegue tão perto assim. Eu não consigo respirar.

— Pensei que você fosse demorar três dias para voltar — sussurrei, e minha voz tremeu.

Ian desviou o olhar para a grama.

— Consegui resolver tudo bem depressa. Além disso, Storm é muito rápido.

— Ah. Fez... boa viagem?

— Dentro do possível. — Então ergueu os olhos e os fixou em mim. — Teve mais algum episódio de desmaio?

— Não. Tô legal — dei de ombros.

— Nenhum mal-estar, nem mesmo dor de cabeça ou...

— Não. Nada.

Ele soltou uma grande lufada de ar.

— Fico aliviado por isso. — Ele assentiu uma vez. — Mas você não devia estar tão longe de casa desacompanhada. Dr. Almeida recomendou que repousasse.

— Só queria andar um pouquinho. Nem é tão longe assim — dei de ombros. — Conseguiu o cavalo de que precisava?

Ian ainda me examinava atentamente. Temi o que ele pudesse estar vendo. Uma centelha crepitava em seu olhar.

— Dois — contou. — Já estão a caminho. Vim na frente, estava com um pouco de pressa. O que aconteceu com seus cabelos?

Toquei o coque perfeito, sem jeito.

— Só prendi direito.

— E por quê? — Ele parecia... Não sei bem. Aborrecido, ou quase isso. Eu jurara a mim mesma que jamais mentiria para ele outra vez. Ainda que dizer a verdade fosse embaraçoso, como era o caso.

— Cansei de ser diferente, Ian.

Sua testa se encrespou e uma sombra anuviou seu rosto, apagando aquela centelha que eu ainda não tinha conseguido desvendar. Nervosa, comecei a brincar com o anel e a aliança em minha mão esquerda. Seu olhar atento não perdeu nada.

— Você deve estar cansado. — E muito abatido, percebi. Havia suaves manchas roxas sob seus olhos. Não que eu não estivesse com olheiras também.

Ele assentiu.

— Estava ansioso para voltar para casa. — *E eu para que você voltasse*, eu estava pronta para dizer, mas ele continuou: — Tenho assuntos a resolver.

— Ah. Claro. — Provavelmente cuidar das éguas prestes a entrar no cio. — Então vamos pra casa. Você deve estar com fome depois de viajar tanto.

Ele anuiu com a cabeça outra vez e eu me pus em movimento, me aproximando de Storm. Ian me acompanhou com o olhar, mantendo as mãos nos bolsos. Eu já tinha feito aquilo tantas vezes que teria sido automático colocar o pé no estribo e subir, mas me detive. As coisas agora estavam diferentes. Tinha de ficar me lembrado disso a toda hora.

— Humm... Me dá uma carona?

Ele não respondeu, apenas tirou as mãos dos bolsos, foi até a árvore e se abaixou para pegar os sapatos que eu já nem lembrava que estavam ali. Então, com uma calma enervante, caminhou lentamente os poucos passos que nos separavam, se abaixou, se apoiando sobre um joelho, e, com muito cuidado, buscou meu pé, acomodando-o em sua coxa. Ele deslizou os dedos pela planta, retirando pedaços de grama que haviam grudado ali, e se deteve por um segundo, acariciando a pele subitamente sensível. Tive a impressão de que muito lhe custara encaixar o sapato ali. O outro pé recebeu o mesmo tratamento, e as carícias foram um pouco mais longas, lançando ondas quentes por todo o meu corpo.

Ainda apoiado sobre um joelho, Ian ergueu o olhar, e eu perdi completamente a noção de todo o resto. Apenas seus olhos existiam. A brisa leve agitou minhas saias e seus cabelos negros. Alguns fios se colaram à sua testa, e precisei de muito autocontrole para manter minhas mãos na sela.

Abruptamente Storm arqueou o pescoço para mordiscar a grama.

— Ahhh! — Eu me desequilibrei e acabei tombando para frente, caindo sobre Ian.

Seu corpo amorteceu minha queda e eu fechei os olhos, absorvendo aquela proximidade, saboreando cada pedacinho de seu corpo se acomodando ao meu, num encaixe perfeito. Sei que não devia, mas naquele instante não consegui me segurar. Minha cabeça tombou em seu ombro. Um braço circundou minha cintura, senti seu nariz tocar meus cabelos, e ele inspirou fundo.

— Sofia, eu...

Ele se interrompeu quando, tarde demais, ouviu alguém se aproximar. O padre parou seu cavalo e nos observou caídos no chão, eu ainda sobre Ian.

— Desculpe. — Constrangida, saí de cima dele e ajeitei os bambolês da anágua da melhor maneira que pude.

Ian se levantou com uma expressão de puro desconforto — se devido à colisão ou ao flagrante, eu não saberia dizer.

— Fico feliz que tenha voltado, senhor Clarke! — exclamou o homem.

— Boa tarde, padre. Também estou contente por estar em casa.

— Gostaria que me procurasse nos próximos dias. Para discutirmos... humm... — Os olhos do homem vagaram para o meu rosto depois voltaram para Ian. — O conserto do telhado.

Ian concordou.

— Até mais ver — o padre inclinou a cabeça de leve e cutucou as costelas de sua montaria.

Então ficamos só nós dois ali, com aquele clima desconfortável pairando sobre a nossa cabeça.

— É melhor a gente ir — eu disse. — Não avisei que pretendia sair e não quero deixar a Elisa preocupada.

Ele assentiu e se levantou, batendo de leve na parte traseira da calça para se livrar da grama. Encaixei o pé no estribo e me preparei para o impulso, mas Ian foi mais rápido e me empurrou para cima com uma delicada precisão, se acomodando atrás de mim.

Seus braços se enrolaram em minha cintura mais uma vez, e foi tão maravilhoso sentir seu calor me envolvendo que tive de reprimir um suspiro. Eu tinha muito a lhe dizer, mas não sabia como começar. Apesar de naquele instante ele estar me abraçando tão forte que era difícil respirar, eu sabia que não podia interpretar de forma romântica seu medo de que eu caísse de Storm. Ian jamais me deixaria montar aquele cavalo sem se certificar de que eu estivesse em segurança.

O silêncio no trajeto para casa era interrompido apenas pelo trote de Storm. Ao chegarmos, Ian me ajudou a desmontar, e Isaac, como se pressentisse, apareceu na porta da cozinha.

— Patrão! Que bom que voltou! — exclamou, descendo os degraus e tomando as rédeas de Ian.

— É bom estar em casa, Isaac.

O rapaz já estava a postos para levar o cavalo até o estábulo, mas Ian pediu que esperasse. Ele se virou para a sela, abriu um compartimento de couro e retirou dali um pacote do tamanho de uma caixa de sapatos. E só então liberou o garoto.

— Quer que eu peça pra Madalena preparar um banho pra você? — ofereci.

— Eu ficaria muito grato. — Ele acomodou o pacote embaixo do braço e começamos a subir a escada. — Estou todo empoeirado.

— Belez... hã... Tudo bem, então. Vou fazer um lanche pra você enquanto isso.

Ele arqueou as sobrancelhas.

— Você vai cozinhar?

— Ei! Eu sei fatiar um pão muito bem! — falei, ofendida. — E queijo também.

Ele esboçou um sorriso. Torci para que se concretizasse. Mas não chegou a tanto.

— Pão e queijo parecem ótimos para mim.

— É bom você gostar mesmo, porque não sei fazer muito mais além de fatiar coisas.

Aquele que antes fora apenas um esboço agora se tornou um sorriso completo, atingindo os olhos de Ian, com os lábios se esticando por inteiro. Meu coração reagiu no mesmo instante, acelerando o passo, e eu queria tanto sentir aquela boca na minha...

Nossos olhares se encontraram e aquela onda, aquela força quase magnética que sempre me impelia para ele reapareceu. Acho que ele também foi afetado por ela, pois sua postura mudou, o sorriso sumiu, os olhos se fixaram em minha boca com tanta intensidade que eu os senti formigando em expectativa. Ele ergueu o olhar, passeando-o por todo o meu rosto, como se estivesse memorizando meus traços. Ou me acariciando a distância. No entanto, se deteve em meus cabelos. E sua expressão se alterou.

— Você caminhou muito hoje, venha se sentar um pouco — disse, num tom educado, porém distante. Fiquei esperando que a atmosfera mágica se restabelecesse, mas, assim como o olhar quente de Ian, ela desaparecera.

Ele quis me beijar, não quis? Não imaginei aquilo, certo?

Parando na entrada da casa, Ian indicou com o braço para que eu fosse à frente. Ele soltou um suspiro cansado conforme entrávamos, e, enquanto eu o observava pelo canto do olho, entendi que, ao contrário do que diziam os contos de fadas, um beijo não faria tudo se acertar.

Àquela altura, eu já não tinha tanta certeza se alguma coisa faria.

37

Ao cair da noite eu me remexia inquieta na cadeira, tamborilando os dedos na mesa de jantar e olhando de esguelha para Ian, sentado à cabeceira. Desde que entramos em casa, ele não falara comigo. Elisa o recebera com alegria, e Madalena se apressou em lhe preparar o banho. Gomes e ele se trancafiaram no escritório por meia hora, e depois foi a vez de a governanta falar com o patrão. Então, de repente, o jantar já estava sendo servido.

Tive esperanças de que pudéssemos conversar à mesa, mesmo que algo superficial e sem sentido, para encobrir os verdadeiros assuntos que precisavam ser discutidos — e de quebra mostrar a ele que eu estava mudando —, mas Cassandra dominou a conversa e eu não tive a menor chance.

Thomas fez várias perguntas ao meu marido, e foi assim que eu soube dos detalhes da viagem e dos novos garanhões que chegariam à fazenda em algumas horas. Eu ouvia tudo, espiando-o vez ou outra enquanto remexia a comida em meu prato.

Madalena apareceu com a sobremesa.

— Coma um pouco mais, Sofia. — Pela primeira vez, Ian se dirigiu diretamente a mim.

Surpresa, me dei conta de que ele não estava tão absorto quando eu havia suposto.

— Não tô com fome.

Ian me estudou por um momento, sua expressão se tornou obscura antes que ele pudesse desviar o olhar.

Pouco depois nos dirigimos para a sala de música, pois Elisa notara que as coisas entre mim e seu irmão não andavam nada boas e, na tentativa de aliviar o clima, se sentou ao piano e executou algumas canções românticas. Thomas se juntou a ela para ajudar com as partituras.

No piloto automático, eu me sentei na poltrona que ocupara nos últimos dias. Ian se deteve por um segundo ao meu lado antes de ocupar o assento ao lado de Teodora, no sofá maior. Pernas levemente separadas, um cotovelo apoiado no braço do sofá, a atenção fixa na irmã.

— Muito bom, Elisa. Tente uma mais complexa agora — sugeriu Cassandra quando a garota terminou uma apresentação.

O som doce da nova melodia preencheu a sala, e meus olhos vagaram em direção ao meu marido. Ele perguntou algo a Teodora e os dois então travaram uma conversa cheia de olhares e sussurros. Não pude deixar de notar como ele estava abatido, cansado e tão distante quanto estivera antes, quando eu estava presa no século vinte e um.

— Está se sentindo bem, senhora Clarke? — Thomas me perguntou baixinho.

O olhar de Ian recaiu sobre mim no mesmo instante, escrutinando meu rosto. De novo, ele não parecia tão distante quanto tentava transparecer. Era impressão minha, ou ele também estava tendo dificuldades com aquela coisa de dar um T...? Eu desejava com todas as forças que fosse isso mesmo, porque viver daquela forma por sabe-se lá quanto tempo me levaria à loucura.

— Tô ótima — menti.

— Está chorando, minha cara — sussurrou ele, discretamente me estendendo um lenço.

Recusei com a cabeça e esfreguei as mãos nas bochechas sem chamar atenção, limpando a umidade indesejada cuja existência até então eu ignorava.

— Ah, é que... eu adoro música — funguei. — Elisa toca bem demais. Acabei me emocionando.

— Entendo. — Ele comprimiu os lábios, a voz compadecida.

O olhar de Ian se demorou sobre mim por mais alguns segundos, antes de se voltar para Teodora. Meu coração partido bateu dolorosamente ao perceber que ele preferia discutir frivolidades com ela a conversar comigo. Eu não conseguia mais lidar com aquilo.

Nem mais um segundo.

Fiquei de pé. Ian e Thomas se levantaram de imediato.

— Eu... estou cansada, acho que já vou dormir — soltei, na esperança de que Ian entendesse a deixa e se oferecesse para me acompanhar até o quarto, onde poderíamos ter uma conversa franca, sem interrupções.

Tenho quase certeza de que era o que ele pretendia fazer, dada a fixidez de seu olhar. No entanto, Gomes escolheu justamente esse momento para aparecer.

— Senhor Clarke, perdoe-me pela intromissão — falou o mordomo. — Mas os dois garanhões acabam de chegar.

Ian manteve a atenção em mim ao dizer ao mordomo:

— Irei ao estábulo assim que deixar minha esposa em seu quarto. — E, solícito, me estendeu o braço.

Meu quarto. Reprimi um soluço.

— Não precisa se incomodar, Ian. — Eu já tinha atrapalhado demais seus negócios. — Pode ir receber os cavalos.

Ele franziu o cenho, surpreso.

— Mas...

— Sou capaz de encontrar o quarto sozinha. Fiz isso durante a semana toda. — Minha intenção foi soar bem-humorada, mas no fim das contas acabei apenas parecendo ressentida.

Aquela sombra retornou ao rosto de Ian, e eu mordi a língua, percebendo tarde demais que tinha dito a coisa errada. Merda.

— Se é o que deseja...

Com medo de piorar a situação, fui para o quarto dando apenas um boa-noite coletivo. Estava agitada enquanto esperava Ian voltar — porque em algum momento ele teria de dormir, mesmo que fosse no quarto anexo. E eu falaria com ele. Contrariando todas as regras, ignorando meu orgulho, eu daria o primeiro passo. Eu já havia ensaiado minhas desculpas inúmeras vezes, sabia exatamente o que dizer: assumiria a culpa por ter mentido, esclareceria que tudo saiu do controle e que não tive a intenção de iniciar um negócio próprio. Explicaria que agora eu estava diferente, e não só em relação aos meus cabelos. E depois o beijaria e daria um fim àquele maldito T... Era um excelente plano. Entretanto, muitas horas se passaram e eu acabei desistindo dele. Peguei uma vela e saí à procura de Ian.

A casa estava quieta, e imaginei que pudesse encontrá-lo na sala. Mas estava enganada, todos já haviam se retirado. Para onde ele teria ido? Estava me dirigindo à cozinha quando ouvi um gritinho agudo.

Encontrei Madalena no corredor. A mulher vestia um roupão marrom medonho sobre a camisola e uma touca de babados ainda mais embaraçosa. Ao suspender a vela, percebi que estava corada, até mesmo mortificada.

— Oh, minha nossa! A senhorita Teodora perdeu o juízo! Céus, será um escândalo! — Ela tocava as bochechas afogueadas.

— Algum problema com a Teodora, Madalena?

— Ah, sim, ela terá muitos problemas! — A governanta sacudiu as saias, furiosa, e começou a andar rápido. — Ela terá todos os problemas do mundo pela manhã!

— Madalena, não tô entendendo nada. — Eu corri para acompanhá-la.

— A senhorita Teodora perdeu a honra! — soltou ela. — Eu a flagrei praticamente nua nos braços do senhor Clarke!

Parei de andar quando o nome de Ian foi pronunciado. Os lábios de Madalena continuaram se movendo, mas eu não consegui compreender o que ela dizia. Dei um passo para trás. E depois mais um. A vela tombou das minhas mãos e caiu no assoalho.

Praticamente nua.

O ar fugiu de meus pulmões e um tremor súbito me dominou quando o mundo oscilou e começou a girar num vórtice confuso e sem sentido, ameaçando me engolir. Meu coração não soube o que fazer, acelerou, diminuiu o ritmo e então parou por completo, fazendo as palavras de Madalena ressoarem dentro dele.

Nos braços do senhor Clarke.

Fiz a única coisa que me pareceu possível naquele momento.

Eu fugi.

38

Corri tanto que meus pulmões começaram a arder, mas nem isso me fez parar. Não sei bem como consegui sair da casa, cega pelas lágrimas como estava, a cabeça girando em espirais discordantes. Ao passar pelo estábulo, ouvi Storm relinchar, mas eu não queria encará-lo. Não queria encarar ninguém. Segui sem rumo, sem saber para onde iria, o que faria.

Minha cabeça chegava a doer com tantas imagens.

Ian e Teodora.

Não, eu não podia acreditar nisso. Por que ele me trairia bem debaixo do meu nariz, num lugar onde eu poderia descobrir tudo com facilidade? Ele viajara, tivera uma boa chance, por que decidira pular a cerca justamente em casa? E, para começo de conversa, por que ele me traíra? Se havia algo neste mundo de que eu tinha certeza absoluta era do amor de Ian por mim. Apesar de tudo ter desandado, da palavra que começa com T ter sido pronunciada, eu sentia que ele ainda me amava. Então por que havia se enfiado no quarto de Teodora em vez de se enfiar no meu?

Não fazia sentido, eu sabia, mas o horror no rosto de Madalena não deixava dúvida.

Meu coração chorava, e a cada segundo minha alma murchava, eu me contorcia em agonia, me perguntando se aquilo não seria outro pesadelo. Ian era um homem bom, decente e a pessoa mais doce que eu conhecera em toda minha vida. Não podia acreditar numa coisa dessas.

Quem sabe houvesse outra explicação. Madalena podia ter entendido tudo errado. Talvez tivesse acontecido alguma emergência e Ian estivesse socorrendo a garota.

Praticamente nua nos braços do senhor Clarke.

Uma emergência que exigia tirar as roupas.

Sacudi a cabeça. Não fazia sentido. Ian me amava! Jamais agiria dessa forma. Eu não estava em estado de negação. Não, longe disso. Fiz muita besteira, mas não o suficiente para que ele me esquecesse de uma hora para outra. Ian teria de se transformar em outro homem para que eu acreditasse no que a Madalena...

Derrapei na grama ao tentar parar bruscamente.

— Senhor Clarke! — exclamei, levando a mão ao coração que de repente se lembrou de sua obrigação e ganhou vida.

Madalena não dissera o nome de Ian.

Senhor Clarke. Não era o *meu* senhor Clarke! Thomas Clarke II.

E o mundo então ganhou cores de novo, desacelerou, e eu voltei a enxergar com clareza.

Ian não me traíra. É óbvio que não! Onde é que eu estava com a cabeça? Aquele homem me amava com a mesma loucura que eu o amava. Ele provavelmente nem notava as dezenas de garotas lindas que ainda olhavam para ele com um desejo mal disfarçado. Tudo bem que Madalena podia ter sido mais clara...

Ah, meu Deus! Teodora e Thomas tinham... Ou quase tinham... Ah. Meu. Deus! Rezei para que eu estivesse certa em relação aos sentimentos de Elisa e que sua única preocupação fosse com a situação na qual a melhor amiga se colocara. Pobre Teodora. Até eu sabia que, no século dezenove, ser flagrada nos braços de um homem no quarto dele não era nada bom. Eu tinha de fazer alguma coisa para ajudá-la. Ainda não sabia ao certo o quê, mas podia pensar em alguma coisa assim que chegasse em casa.

Então o som brusco de cascos furiosos me despertou. Eu olhei em volta com o coração aos pulos, as esperanças renovadas. Ian!

Procurei por ele e me espantei ao perceber a escuridão que me cercava. E eu não tinha a menor ideia de onde estava. De repente fiquei aflita. E se não fosse Ian? E se fosse algum assaltante, ou alguém como Santiago? Corri para me esconder atrás de uma moita e esperei, o coração disparado. Não demorou para que eu avistasse o cavalo a toda. Só que não havia ninguém sobre ele.

— Storm! — resmunguei, saindo de meu esconderijo.

O cavalo vinha em minha direção, como se tivesse munido de um GPS que acusasse minha localização ou coisa assim. No entanto, conforme se aproximava, Storm diminuía a corrida, transformando-a num trote calmo, ritmado e foi parando a poucos metros de mim.

— Que saco, Storm! Como foi que você escapou?

É claro que ele não respondeu, apenas ficou ali, sapateando de leve na grama. Olhei para os lados, tentando adivinhar qual direção deveria tomar para voltar para casa. Teria sido de muita ajuda se eu tivesse prestado atenção no caminho.

— Ah, merda. — Virei para Storm e sorri, encorajando-o. — Vamos lá, amigão, me leva pra casa. Pode liderar o caminho.

A reação de Storm foi abaixar a imensa cabeça e mordiscar a grama.

— Tô falando sério, Storm. Agora é uma boa hora para você se exibir um pouco e mostrar seu senso de direção.

O meu senso nunca foi lá grande coisa, mas mesmo assim eu não podia ficar ali parada para sempre esperando Storm fazer alguma coisa. Dei um tapinha em seu largo pescoço e escolhi voltar por onde ele tinha chegado. Coloquei-me em movimento e o cavalo me seguiu de perto. Andei por muito tempo e nada me parecia familiar. Mudei de direção algumas vezes, e o pânico começou a me dominar. Onde diabos eu estava?

Depois de pouco mais de meia hora, encontramos a estrada. Só que naquela penumbra tudo parecia muito igual e eu não tinha certeza de qual era o sentido certo. Como Storm não me ajudou, optei pela direita.

Só percebi que tomara a direção errada horas depois, quando, bem ao longe, avistei algumas chamas tremeluzentes da parca iluminação das ruas da vila. Eu parei, e o cavalo fez o mesmo. Se estivesse selado, eu até arriscaria uma carona, mas em pelo eu não conseguiria nem montá-lo. Storm era mesmo imenso. Cogitei a hipótese de dar meia-volta e recomeçar, mas já estava dolorida, extremamente exausta, e uma pequena comunidade de bolhas se formava em meus pés. Eu não conseguiria refazer o trajeto naquele estado. Teria de encontrar outro jeito, talvez arrumar uma carona ou então voltar para casa pela manhã. Com sorte, Ian nem se daria conta do meu sumiço e não saberia do meu momento *estupidez*.

Entrei na vila adormecida; os únicos sons eram dos meus passos naqueles sapatos estúpidos e desconfortáveis e das patas pesadas de Storm.

Eu não podia bater à porta de dr. Almeida, ponderei. Agora que estávamos nos entendendo, e uma vez que ele estava a par de tudo que andava acontecendo — ao menos superficialmente —, saberia que minha fuga devia ter uma boa razão, o que o levaria a Teodora e Thomas, e esse era um assunto que não me dizia respeito.

Madame Georgette talvez me recebesse. Não, a mulher adorava uma fofoca, e eu tinha certeza de que não sossegaria enquanto não soubesse o motivo pelo qual eu pedia guarida àquela hora da noite. Costureiras e cabeleireiros sempre sabem da vida de todo mundo.

Será que Valentina estaria disposta a me hospedar por uma noite?

— Senhora Clarke?

Eu ergui a cabeça e encontrei padre Antônio subindo os degraus da igreja.

— Oi, padre — minha voz saiu enrouquecida.

De todas as pessoas do planeta, aquela era a última que eu gostaria de ter encontrado naquele momento. Eu não podia mentir para ele.

O sacerdote se aproximou, os olhos fixos em meu rosto.

— O que faz aqui a essa hora da madrugada? Aconteceu alguma coisa? A senhora está bem?

Sacudi a cabeça energicamente. Um soluço escapou de meus lábios.

— Não muito.

— Andou todo o caminho, querida? — ele perguntou, franzindo o cenho ao notar Storm logo atrás de mim.

Assenti uma vez.

— Não sei cavalgar — expliquei.

— Entendo. — Ele estudou meu rosto, preocupado. — Que tal entrar um pouco e tomar uma bela xícara de chá?

Achei que não faria mal nenhum se eu me sentasse só um pouquinho.

— Seria ótimo, padre. Valeu.

— Vou cuidar do cavalo. Entre, por favor. A porta está aberta. Faz muito frio aqui fora e a senhora não se agasalhou adequadamente.

Toda aquela andança esquentara meu corpo, e eu me sentia suja e suada, mas meu nariz estava gelado. Então talvez ele tivesse razão.

Eu entrei na igrejinha com o peito apertado. Na última vez em que estivera ali, eu me sentia feliz, com o coração leve e cheio de planos. Agora estava sozinha, e, ainda que Ian não tivesse me traído, as coisas andavam estranhas. Parei pouco antes de chegar ao altar, então me deixei cair em um dos bancos de madeira escura.

O padre Antônio entrou minutos depois, fechando as duas portas largas da capela.

— Vamos até a sacristia — ele ofereceu.

— Se o senhor não se importar, eu queria ficar mais um pouco aqui. Gosto deste lugar. Me acalma.

Um pequeno sorriso esticou seus lábios finos.

— Fico feliz em ouvir isso. — Ele se sentou de lado no banco da frente para poder me observar. — O que a aflige, senhora Clarke?

Sacudi a cabeça, baixando os olhos.

— Difícil apontar uma coisa só. Eu fiz tanta besteira. — Suspirei, arrasada. — Ian e eu estamos com problemas. Ele disse a palavra que começa com T.

Passou-se um minuto inteiro antes que ele respondesse:

— Minha querida, espero que esclareça que palavra é essa, pois todas em que pude pensar não são nada boas.

— Ele pediu um tempo, padre. — Eu me encolhi ao pronunciar a expressão em voz alta. Tornou tudo mais real. — Estamos com problemas.

— Todo casamento tem problemas, minha filha.

Eu balancei a cabeça, teimosamente.

— Mas o nosso não devia ter, padre — minha voz soou desesperada até para mim.

O homem pretendia dizer alguma coisa, mas então a porta se abriu. Não me virei para ver quem chegava. O padre Antônio apenas ergueu a mão em alerta, num aviso silencioso e sacudiu a cabeça. A porta tornou a se fechar.

Ele voltou sua atenção para mim, enfiando a mão no bolso da batina e retirando dali um lenço, me dando a dica de que eu estava chorando e nem tinha percebido.

— Valeu. — Eu o peguei e o esfreguei sob os olhos. Ao examinar o tecido, me deparei com riscos marrons. Nossa, eu estava mesmo imunda.

— Por que seu casamento não deveria ter problemas?

— Porque a gente se ama, padre Antônio! Não devíamos ficar sem nos falar. — Muito menos dormir em quartos separados, eu quis acrescentar, mas achei que seria informação demais para um sujeito como ele. — Tá tudo errado!

— E por que isso está acontecendo?

Eu ri com tristeza, fungando logo em seguida.

— Porque essa sou eu — dei de ombros. — A que faz tudo errado, para variar.

Ele pigarreou.

— Espero que não tenha ferido a moral ou...

— Não foi isso, padre — eu o interrompi, sacudindo a cabeça. — Eu magoei Ian por causa de algo tão estúpido... — Espiei o homem sentado à minha frente. Ele estava curioso, mas não parecia me julgar. Decidi que podia ir em frente. Eu precisava falar com alguém, desabafar, pedir conselhos. Um homem de tanta fé não podia ser tão mal assim. — Foi antes do casamento. Eu comprei uma coisa e... Não sei o que o senhor sabe sobre mim, mas cheguei aqui com uma mão na frente e outra atrás.

Ele anuiu com a cabeça. Eu prossegui:

— Eu não tinha como pagar pelo objeto e também não queria usar o dinheiro de Ian. Aí eu inventei uma história de ter um dote e que a papelada tinha sido extraviada. Pretendia saldar minha dívida com o que sobrasse do dinheiro destinado às despesas da casa. E foi aí que tudo começou a se complicar. Quando escondi de Ian o que andava fazendo.

— Então a senhora mentiu para o seu marido.

— Foi isso. — Outro suspiro.

Sua testa se enrugou, criando um verdadeiro mapa de sulcos e vincos.

— Isso é grave, de fato — comentou, unindo as mãos sobre o peito, do jeito que os padres costumavam fazer. Eu me perguntei se recebiam um treinamento no seminário para isso ou algo do tipo. — Mas o senhor Clarke não me parece sovina.

Eu ri, um tanto histérica.

— Ian não poupa dinheiro comigo. Mas decidi não contar a ele porque queria que fosse surpresa. Além disso, tinha a intenção de seguir a sugestão de Elisa e quitar minha dívida antes que ele descobrisse. Só que, antes que eu pudesse fazer isso, aconteceram umas coisas meio esquisitas e de repente eu estava vendendo umas paradas para as garotas da vila e...

— Vendendo o quê, minha filha? — Ele arregalou os olhos, perturbado.

— Um produto pros cabelos — expliquei, cansada. — Eu não tinha a intenção de vender, padre. Isso nem me passou pela cabeça, juro! Mas as coisas saíram do controle, e as garotas começaram a me dar moedas, e de repente eu me vi em um negócio rentável. Bastante rentável. Não precisaria tocar no dinheiro de Ian para quitar minha dívida e ainda poderia usar o restante nas despesas da casa.

— Minha nossa! — ele exclamou, corando.

— Pois é — funguei, deixando a cabeça pender para frente. — Eu pretendia contar pro Ian. Tentei uma dúzia de vezes, mas não consegui. E aí ele descobriu tudo dias atrás e ficou furioso comigo. Disse que eu o humilhei diante de todos, e eu sei que ele está certo. Tudo o que faço é envergonhar Ian e Elisa, e não é de proposito, padre! Mas as coisas sempre dão errado e eu estrago tudo. O senhor viu o que aconteceu no baile da lady Catarina. Estou tentando mudar, fazer a coisa certa, só que o Ian ainda não sabe disso. Ele mal falou comigo hoje, depois que chegou de viagem.

— É bem provável que ele esteja apenas cansado, querida.

— Que nada. Ele está magoado e humilhado.

— Seu marido a ama — ele disse com ternura. — Sei que a vida a dois pode ser complicada, mas, se for honesta e tentar uma conversa franca com ele, acredito que tudo entrará nos eixos.

— Mas como eu vou fazer isso se ele me evita? — chorei. — Não posso obrigá-lo a falar comigo. Não posso passar por cima do que ele quer só porque me sinto miserável. E o que ele quer é ficar longe de mim.

— Minha querida, não faz ideia de quanto está equivocada. — Ele pousou a mão enrugada sobre a minha bochecha úmida. Senti os grãos de terra que repousavam ali me arranharem.

— Tô tão confusa — confessei. — Quando comprei aquele relógio, achei que tudo ficaria bem, mas olha só como tudo acabou.

— Um relógio? — Seus olhos se ampliaram tanto que dava para ver a parte branca ao redor de toda a íris castanha. — Você mentiu para seu marido por causa de um relógio?

Eu me encolhi.

— Foi um presente. Ian tinha um relógio, mas poucos dias antes do casamento acabou quebrando. Ele ficou tão arrasado, o senhor tinha que ver. Foi de partir o coração. Também não era pra menos. Não era um relógio qualquer, era do pai dele, que Ian ganhou quando se tornou homem! O senhor deve saber melhor do que eu o que isso significa. Então eu vi o tal relógio na loja do seu Estevão e pensei que talvez Ian não ficasse mais tão triste se ganhasse um novo. Além disso, eu queria ser capaz de lhe dar algo que simbolizasse meu sentimento por ele, o senhor entende?

O padre olhou por cima de meu ombro com a testa franzida.

— Não, não compreendo. — Seus olhos estavam perdidos no fundo da capela. Ele assentiu para o nada. — Ah, que cabeça a minha. Eu me esqueci do seu chá. — Ficou de pé. — Espere um minuto. Vou preparar.

— Tá bom.

O padre seguia para a sacristia, mas eu o chamei de volta.

— Padre Antônio — comecei, retorcendo os dedos uns nos outros. — Eu ainda não decorei todas aquelas coisas de etiqueta, o que pode e o que não pode, mas será que o senhor me deixaria passar a noite aqui na igreja? Eu posso ficar nestes bancos mesmo.

Seus olhos se voltaram mais uma vez para o fundo, em seguida ele sacudiu a cabeça.

— Não será possível, lamento.

Assenti. Tudo bem, eu podia me arranjar em outro lugar. A pensão era uma alternativa, caso a senhora Herbert me fizesse fiado.

O padre sumiu de vista. No mesmo instante, passos fortes ecoaram no fundo da igreja. A pessoa que nos interrompera mais cedo não havia ido embora como eu supunha e ouvira meu desabafo.

Que maravilha.

Ao menos eu não mencionei o motivo que me levou a sair de casa com tanta pressa, me consolei.

Eu me encolhi no assento conforme a pessoa se aproximava, virando a cabeça para o lado para que quem quer que fosse não me reconhecesse. Era uma verdadeira bênção meus cabelos estarem presos naquele coque que ameaçava explodir minha cabeça, assim eles não me delatariam. De toda forma, fiquei tensa ao notar que a tal pessoa se detivera ao meu lado. Devagar, virei a cabeça e espiei de canto do olho. Meu coração pulou uma batida ao reconhecer aquelas botas.

— Ian! — arfei, erguendo a cabeça e encontrando seu olhar duro. Ele usava a camisa para fora da calça, nada de casaco, como se tivesse saído de casa com muita pressa. — O que está fazendo aqui?

Ele me estendeu a mão, os olhos fixos nos meus.

— Vamos para casa, Sofia.

Eu não consegui desvendar seu humor. Na verdade, nem tentei. Não queria descobrir quanto ele ainda estava distante.

— Eu... tudo bem — cedi. — Só preciso avisar ao padre que estou indo embora.

— Ele já sabe, posso garantir — insistiu, bastante aborrecido, mas sua voz soou carinhosa.

Meio sem jeito, aceitei sua mão e fiquei de pé. Ele me conduziu até a saída sem me olhar. Fora da igreja, Ian se dirigiu para o cavalo baio e ia começar a me ajudar a montar quando se deteve.

— Era Thomas — disse, numa voz agoniada e ao mesmo tempo magoada. — No quarto da senhorita Teodora. Não era eu. Era Thomas!

— Eu sei — lhe assegurei.

Seus olhos se ampliaram.

— Sabe?

Fiz que sim com a cabeça.

— Você nunca faria uma coisa dessas, ainda mais com a Elisa por perto.

— Não se trata de Elisa, Sofia. — Ele me encarou com intensidade. — Nunca se tratou dela.

— Eu sei.

Surpreso por eu ter concordado com tanta facilidade, ele aquiesceu uma vez antes de me ajudar a subir na sela. Em seguida, atou Storm a ela, para só então se acomodar atrás de mim. Quando deixamos a vila, Ian estava tão quieto quanto estivera a noite toda.

— Você ouviu toda a conversa com o padre Antônio, não ouviu? — perguntei com uma centelha de esperança.

— Sim.

Suspirei. Ao menos agora ele sabia que eu não agira de má-fé. No entanto, pelo tom sério, não servira de muita coisa.

— Por que não me avisou que estava ouvindo?

Levou um interminável minuto para que ele respondesse:

— Eu não sabia como.

E isso foi tudo. Eu pensei que Ian fosse galopar feito um louco. Era madrugada, e seu humor não parecia dos melhores, mas ele manteve um ritmo lento, constante, me segurando firme contra o peito, e não disse uma única palavra pelo restante do percurso.

39

A casa toda estava desperta e iluminada quando chegamos. O que era incomum, ainda mais por ser de madrugada. Ian saltou do cavalo com agilidade.

— Tá todo mundo acordado? — perguntei, quando ele estendeu os braços para me ajudar a descer.

— Depois de tudo que aconteceu esta noite, creio que não seja nenhuma surpresa.

Isaac se precipitou porta afora.

— Senhor Clarke, acabo de voltar. Nem sinal da senhora Clarke. Seu primo ainda não retornou da busca, mas... — O moleque soltou um suspiro de alívio ao me ver. — Oh, graças ao bom Deus, o senhor a encontrou!

Ian colocara a casa toda à minha procura? Ouvir aquilo aqueceu de leve meu coração.

Isaac se apressou em pegar as rédeas das mãos de Ian.

— Eu cuido deles, patrão.

— Obrigado, Isaac. Venha, Sofia. — Colocando a mão em minha cintura, tão leve que eu mal sentia o toque, ele me conduziu para dentro da casa.

Madalena estava inquieta na cozinha, zanzando de um lado para o outro, as mãos unidas como se estivesse rezando, vestida com o mesmo roupão marrom grosseiro de antes, e a touca cheia de babados ainda lhe cobria os cabelos. Ela arfou quando me viu, e instintivamente levei as mãos à cabeça. Nada horripilante dessa vez, graças ao coque firme que ela fizera mais cedo.

— Oh, senhora Clarke, fiquei tão preocupada! — ela soluçou, me abraçando com força. Apesar disso, Ian manteve a mão em minhas costas. — Estou tão arrependida pelo que eu disse. Não me expressei corretamente, me esqueci de que a senhora tem hábitos diferentes e poderia se confundir. Era o outro senhor Clarke. — Ela me soltou e limpou o rosto molhado. — Este rapaz jamais a trataria com tamanha sordidez. — Ela olhou para Ian com ternura. — Perdoe-me, querida.

— Tá tudo bem — eu lhe assegurei. — Percebi o engano já tem um tempo.

— Oh! Meus nervos estão em pandarecos! — ela soluçou. — Pensei que a senhora tivesse desaparecido como da outra vez e o patrão fosse voltar àquela vida miserável de bebedeira e autocomiseração. Eu não suportaria.

De canto de olho, vi Ian se encolher de leve, os dedos em minha cintura se contraíram e se enterraram em meu vestido.

— Eu me perdi — falei aos dois, tão baixo que eu mesma mal pude ouvir minha própria voz. — Está muito escuro lá fora.

Ela assentiu uma vez, tentando se recompor, sem sucesso. Ian pigarreou, mas a mão em meu corpo não relaxou.

— Senhora Madalena — ele começou, numa clara tentativa de mudar de assunto. — Sei que estamos todos tendo uma noite difícil, mas eu lhe seria muito grato se tivesse a bondade de preparar um banho para Sofia.

— Sim, claro, agora mesmo, senhor Clarke. — Ela alcançou a bacia e a colocou sobre o fogão à lenha.

Ian me conduziu em direção ao quarto, mas, ao passarmos pela sala, nos deparamos com uma verdadeira comitiva. Cassandra andava de um lado para o outro, enquanto Teodora chorava copiosamente no canto, próxima à janela. Elisa estava ao lado da amiga, acariciando-lhe os cabelos desordenados e sussurrando alguma coisa com veemência. Porém, ao me ver chegar, minha cunhada cruzou o aposento e se jogou em meus braços. Ian mais uma vez não me soltou.

— Oh, graças a Deus! — Ela enterrou o rosto em meu pescoço, me abraçando pelos ombros com força.

— Você está bem? — perguntei.

— Agora que está aqui, estou sim. — Ela ergueu a cabeça. — Não a encontrávamos em parte alguma! Pensamos que havia partido outra vez. Ah, minha querida irmã, que susto nos deu.

— Desculpa — repeti. — Não tive intenção de preocupar vocês.

— É claro que teve! — a voz aguda de Cassandra ressoou no cômodo. — É a sua ocupação favorita! Por que outra razão envergonharia seu marido fazendo negócios escusos com o boticário? Por que outra razão deixaria sua casa na calada da noite, senão para preocupá-lo? — Seu rosto estava rubro, furioso. — Ou há motivo ainda mais vergonhoso? E pare de chorar, criatura deplorável! — ela rosnou para Teodora, que soluçou ainda mais.

Eu abri a boca para falar, mas Ian foi mais rápido.

— Tia Cassandra, faça um favor a todos nós. Cale a boca! Minha paciência chegou ao limite. Espero não ter o desprazer de encontrá-la sob o meu teto amanhã, ou, juro por Deus, me esquecerei da boa educação e a colocarei porta afora pessoalmente. Não estou brincando — cuspiu, num tom tão feroz que até eu me encolhi. No entanto, ele soou mais controlado quando se dirigiu à irmã. — Volte para a cama, Elisa, e console sua amiga. Sofia está em casa e não vai a parte alguma, garanto. Resolveremos os outros assuntos pela manhã.

Ela assentiu uma vez e se virou, pronta para atender ao pedido do irmão, mas eu a detive, tocando seu braço.

— Elisa, você está bem com tudo isso? — murmurei, apontando discretamente Teodora com a cabeça.

— Estou muito preocupada com o destino dela. Thomas não podia ter feito o que fez. — Seus olhos faiscaram de raiva, mas não como os de uma mulher apaixonada que fora traída. Longe disso. Elisa era o retrato de uma amizade leal e zelosa, pronta para acabar com o que causara tamanha dor na amiga. Era bom Thomas não chegar perto dela.

Suspirei de alívio e mirei Teodora. A garota me lançou um olhar aflito. Seus cabelos e suas roupas estavam tão bagunçados que lembravam muito... bom, meu antigo eu. Os olhos inchados e vermelhos revelavam como ela se sentia sem esperanças e envergonhada.

— Não fica assim — eu disse. — Vamos dar um jeito.

— Oh, Sofia — ela soluçou.

— Não há nada a ser... — começou Cassandra, mas rapidamente se calou quando Ian lhe lançou um olhar duro.

— Vamos, Sofia. Você precisa descansar. — Ian desejou boa-noite a todos e voltou a me guiar em direção ao quarto.

Um empregado preparava meu banho, e eu fiquei de canto, com Ian ao meu lado. Mas ele olhava para todas as direções, menos para mim. Madalena surgiu logo depois com a água quente.

— Oh, querida, parece tão exausta! Vou auxiliá-la.

Ian deu um passo à frente.

— Não será necessário, senhora Madalena. Mas, se puder, leve um chá para a senhorita Teodora. Depois vá descansar. Cuidarei de minha esposa.

Era a primeira vez que ele se referia a mim como sua esposa desde que descobrira a respeito do condicionador. Um suspiro me escapou dos lábios sem que eu pudesse detê-lo.

Madalena se prontificou a fazer o que Ian pedira. Então secou as mãos no roupão, pegou a bacia que trouxera e se retirou. Ian foi até a porta, e por um momento pensei que ele sairia também, mas apenas girou a chave, trancando-a.

Lentamente, meu marido virou sobre os calcanhares, ficando de frente para mim. Ele olhava para baixo, para uma das mãos, segurando o relógio que eu lhe dera. Seu polegar percorria o desenho na caixa. Então ele ergueu a cabeça e me encarou com um brilho nos olhos negros como o céu daquela madrugada sem lua.

— Você... — sua voz saiu rouca. Ele limpou a garganta. — Consente que eu que permaneça em seu quarto?

— Era pra ser o nosso quarto — apontei, deprimida.

Algo cintilou em suas íris de ônix. Parecia... esperança.

— E você me quer nele? — insistiu.

— Eu sempre quis, Ian. Foi você que decidiu ir para o quarto ao lado.

Ele se encolheu como se tivesse tomado um soco. Mas rapidamente se recompôs e, atrelando o olhar ao meu, guardou o relógio no bolso da calça e se aproximou devagar. Eu queria tocá-lo, beijá-lo, mas não sabia como seria recebida, de modo que fiquei imovel. Então, ele me contornou e se posicionou bem atrás de mim. Dedos firmes tocaram minha cabeça e senti um puxão suave. A forquilha tilintou ao cair no chão. O mesmo destino foi dado a todas as outras. Não sabia dizer o que era melhor: o alívio por me livrar daquela pressão ou o toque de Ian.

Meus cabelos caíram livres, cobrindo meus ombros como um manto espesso. Ele enterrou os dedos nas mechas e as puxou de lado, para ter acesso aos delicados botões em minhas costas. Eu prendi a respiração, ansiando por mais, mas Ian parecia tomar cuidado para que nossas peles não se encontrassem. Ele desabotoou o vestido, soltou o fecho do meu sutiã, se livrou da minha calcinha, descalçou meus sapatos, sem jamais me tocar de verdade.

Quando a última peça de roupa descansou inerte no assoalho, Ian apoiou a mão na base de minhas costas e me empurrou com gentileza em direção à banheira, porém manteve os olhos fixos nas botas, como se não suportasse me ver nua.

Nauseada, entrei na água no piloto automático. Meus pensamentos corriam frenéticos em diversas direções, e não notei quando Ian se ajoelhou bem atrás de mim. Não até ele começar a umedecer meus cabelos. Era como se ele tivesse se transformado em uma sombra que eu não era capaz de tocar.

— Você não precisa fazer isso — sussurrei para que ele não percebesse a mágoa em minha voz. — Pode deixar. Eu me viro.

Ele se atrapalhou um pouco com o frasco de xampu. Houve uma breve hesitação.

— Você não quer a minha ajuda? — A voz dele estava igualmente baixa.

— Não quero que faça algo só porque acha que deve. — Encolhi as pernas e abracei os joelhos, apoiando o queixo neles. — Conheço você. E não quero sua piedade, Ian.

— Não é o caso — ele garantiu, agora com mais volume na voz. — Não estou fazendo isso por você, Sofia.

Ele espalhou uma quantidade generosa de xampu, massageando minha cabeça com tanta doçura que, mesmo contra a minha vontade, fechei os olhos, querendo absorver aquele toque por inteiro. Ele usou o jarro de prata para retirar a espuma e, para minha surpresa, espalhou o condicionador nos fios, levando todo o tempo do mundo. Ao terminar, mergulhou as mãos na água, agora esbranquiçada, e passou o sabonete de azeite entre elas até obter espuma. Os dedos levemente calejados tocaram minhas costas, me fazendo estremecer. Ele hesitou ao notar minha reação, mas me inclinei em direção às suas mãos, de modo que ele prosseguiu, fazendo movimentos lentos e circulares em minha pele. Sem pressa.

— Se não é por pena, por que é que tá fazendo isso? — perguntei, mirando a água. Ele se deteve outra vez e não respondeu. — Por quê, Ian? Eu sei que não quer me tocar. Você não consegue nem me olhar direito.

Ele inspirou fundo.

— Maldição, Sofia! É por querer tocá-la *desesperadamente* que mantive os olhos longe de você. Sabe quanto isso tem me custado?

— O quê? — soltei, esquecendo completamente que deveria dizer, toda educada, "Perdão, como disse?", conforme mandava o manual de etiqueta. *Que se dane a etiqueta!*

Eu girei tão rápido dentro na banheira que o movimento brusco derramou bastante água, mas não me importei. Encontrei seus olhos furiosos, enfim livres daquele distanciamento, daquele véu obscuro. Calor, amor, desejo, ainda estava tudo ali, reluzindo em faíscas prateadas, com a indignação.

— Por que você teve que manter os olhos longe de mim? — Meu coração batia tão forte e retumbava tão alto em meus ouvidos que temi não ouvir a resposta.

Mantendo contato visual, Ian esticou o braço para tocar meu rosto, e eu prendi a respiração, mas ele desistiu e baixou a cabeça.

— Eu perdi qualquer direito sobre você no momento em que me dirigi àquele maldito quarto conjugado. Sei quanto a magoei e lamento profundamente por isso. Estava disposto a aceitar sua indiferença como um cavalheiro, mas, depois do que aconteceu esta noite, eu... não sou tão forte. Precisava tocá-la de alguma maneira, sentir que ainda está aqui, que não escapou de meus dedos outra vez.

— Então não é porque me odeia e sente tanta raiva que ficou com nojo de me tocar ou qualquer coisa assim? — Uma lágrima traidora escorreu pela minha bochecha.

— O *quê*? Não! Sofia, de onde... Meu Deus, não! Não, meu amor, não!
— Um som angustiado lhe escapou da garganta quando ele segurou meu rosto entre as mãos e me beijou.

Um furacão de emoções e sensações devastou meu mundo. Eu sentia tudo e, ao mesmo tempo, parecia que tinha deixado de existir, que me fundira a Ian. Uma de suas mãos escorregou até a minha nuca, depois percorreu as minhas costas, forçando meu corpo para frente até que se grudasse ao dele. Seus dedos se afundaram em minha carne quando o beijo se tornou feroz, nostálgico, alívio puro.

Suspirei em seus lábios famintos, tão sedenta dele quanto ele de mim, e agarrei seus cabelos, trazendo-o mais para perto. Ian não mostrou nenhuma resistência quando o arrastei para dentro da banheira, e mais água caiu no chão.

Tentei ajudá-lo a se livrar rapidamente de suas roupas, mas ele estava impaciente demais e acabou desistindo delas. Sua boca macia e quente percorreu meu pescoço, seus dedos deslizavam pelo meu corpo e seus dentes mordiscavam suavemente meu ombro. Então, ele se movimentou dentro da banheira e me colocou em seu colo, travando a boca na minha, me sugando com força e se entregando a mim de maneira devastadora e desamparada.

A camisa molhada estava colada a seu peito, e eu me deleitei com a musculatura firme, revisitando cada saliência, cada reentrância, saciando meus dedos afoitos. Suas mãos quentes deslizaram pelas minhas costas até a minha cintura e então subiram pelo meu tórax. Ian gemeu, comprimindo o quadril contra o meu, e eu teria desejado me demorar mais por ali, matar melhor a saudade, se não estivesse com tanta pressa, se não precisasse tanto dele. Enrolei os dedos na barra da camisa, tendo dificuldades para livrá-lo do tecido pesado que se colava a seu corpo perfeito. Ele me ajudou, puxando-a pelo colarinho e atirando-a longe, para então voltar a me beijar. A camisa caiu no chão com um *ploft* suave enquanto eu me engajava na briga com a calça dele. Foi difícil abrir os botões, pois meus dedos tremiam demais. Mas Ian estava ainda mais impaciente que eu, então os abriu com dois violentos puxões.

Pude ouvir um rugido primitivo reverberar em seu peito quando ele se uniu a mim, me fazendo estremecer violentamente em seus braços. Tudo dentro de mim se retesou, fui direto ao limiar onde prazer e loucura se misturam. Esperando, ansiando...

— Diga que ainda é minha — sussurrou Ian em meu pescoço. — Diga que pode me perdoar.

Afastei a cabeça apenas para encará-lo. Seus olhos estavam brilhantes, úmidos. Ah, Ian...

— Sou sua. Alma, corpo e... — Apanhei sua mão e a coloquei sobre o meu coração, com as batidas fortes, urgentes. Batia por ele. Para ele. — Completamente sua.

Ele imitou meu gesto, tomando minha mão livre e espremendo-a de encontrou ao peito.

— Seu. Completamente seu — murmurou com intensidade.

Com as mãos espalmadas sobre nosso coração, os olhares travados um no outro, os sentimentos se misturando às sensações, tudo ganhou dimensões inimagináveis. Nós havíamos nos unido diante de um padre e de todos os moradores da vila, prometendo nos tornar um só, mas, para mim, o verdadeiro momento era aquele. Ali na banheira, com Ian reclamando meu corpo e meu coração e me oferecendo o seu. A intensidade dos toques, das carícias, do olhar me sobrepujou, e lágrimas inundaram meus olhos, me fazendo flutuar na imensidão brilhante de meu próprio universo. Senti os dedos de Ian se contraírem sobre o meu coração e seu gemido rouco e selvagem ecoar pelo ambiente.

Desabei totalmente sobre ele, me entregando por completo e deixando a cabeça pender sobre a sua testa, ofegando. Os olhos que eu tanto amava, e nos quais eu sempre me perdia, estavam marejados.

— Não fuja mais de mim, Sofia. — Ian acariciava minhas costas. — Não me apavore assim.

— Eu não tive a intenção. Desculpa. — Segurei seu rosto e beijei seus lábios. — Sinto muito.

— Eu quase enlouqueci quando não a encontrei e a senhora Madalena me disse o que havia acontecido, o que ela havia lhe dito. Imaginei que tivesse pensado que era eu no quarto da senhorita Teodora e que tivesse partido outra vez — ele falou magoado, virando o rosto para o lado e beijando a palma de minha mão esquerda. Ele a girou com delicadeza, levando a aliança e o anel de safira aos lábios, e senti como se ele os estivesse colocando ali novamente.

Eu me endireitei e sacudi a cabeça.

— Nunca mais vou mentir pra você, Ian. Quando ela falou, eu pensei, sim. Estava nervosa porque você vinha me evitando, não suportava a ideia de que você não queria nem falar comigo e... Bom, pareceu fazer sentido quando Madalena disse que o senhor Clarke estava no quarto da Teodora, já que você ficou de cochichos com ela e tudo mais. Mas, assim que consegui pensar melhor a respeito, percebi que não podia ser você, que não podia ser o meu senhor Clarke. Eu quis voltar pra casa, só que estava perdida.

— Precisamos fazer algo a respeito de seu senso de direção — ele brincou. E logo em seguida sua expressão mudou. — E eu não estava de cochichos com a senhorita Teodora. Estava me inteirando do que aconteceu por aqui enquanto estive fora. Mais especificamente a respeito do que aconteceu com você enquanto estive ausente.

— E por que não perguntou pra mim?

Ele ficou mortalmente sério.

— Eu estava tão desesperado para falar com você, para tocá-la, que não conseguia raciocinar direito. Não sabia como seria recebido por ter estupidamente me colocado de boa vontade para fora do seu quarto — ele exalou com força, esfregando a mão no rosto. — Como pôde pensar que eu não queria falar com você, Sofia? Estava louco para que me desse um sinal de que ainda me desejava em sua vida. Mas você simplesmente me dispensou depois do jantar, e eu temi tê-la perdido para sempre. Fiquei zanzando pelo escritório o restante da noite, tentando arquitetar uma estratégia para me reaproximar.

— Ah, é?

Ele fechou a cara.

— Sua surpresa me ofende. Desde que nos encontramos na estrada, tudo que eu mais queria era tomá-la em meus braços, mas você hesitou. — Ele levou uma de minhas longas mechas úmida para trás de meu ombro. — Eu me senti doente, impotente, Sofia. O que mais eu poderia fazer?

— Mas eu só titubeei porque você pediu um tempo!

— Eu precisava me acalmar, meu amor — murmurou ele. — Quando fiquei sabendo de seu acordo com o boticário, pensei em sua saúde frágil e temi piorar seu estado com minha fúria. Não queria discutir naquele momento e terminar falando bobagens das quais poderia me arrepender pelo resto da vida. Eu já havia dito o suficiente. Por isso me dirigi para aquele maldito quarto. Naquele espaço, eu ficaria perto de você, mas não lhe causaria aborrecimentos. Naquele momento eu me esqueci de seu horror com o quarto conjugado e só percebi o que havia feito quando já era tarde demais. Ter de deixá-la naquele estado de fragilidade me dilacerou. Só fui capaz de me ausentar porque Elisa prometeu me escrever todos os dias. E cumpriu sua promessa, o que tornou essa maldita viagem ainda mais insuportável. Por muito pouco não joguei tudo pelos ares.

— Sério?

Ele fez que sim.

— O dono da Fazenda Esperança fez uma oferta razoável para arrendar o estábulo. E eu quase aceitei, só para poder voltar mais cedo para casa. Mas então pensei que precisava discutir o assunto com minha esposa antes de tomar qualquer decisão. Comprei os dois primeiros cavalos nos quais pus os olhos e peguei a estrada.

Eu franzi a testa, tentando acompanhar tudo o que ele estava dizendo. Meus olhos foram se arregalando conforme a compreensão me invadia.

— Então é isso? Um tempo significa só esfriar a cabeça pra não dizer besteiras? — exigi saber, com o coração aos pulos.

— Certamente. O que mais significaria? — Ele me fitou intrigado.

— O que mais? — quase berrei. — Ah, nada importante. Só, você sabe, reconsiderar, repensar em tudo, decidir se ainda vale a pena insistir. Deixar em suspenso. O nosso casamento, quero dizer.

— O quê?! — Ian se endireitou, mas me segurou pela cintura para que eu não saísse de onde estava. — Esse tempo todo você pensou que eu queria *isso*?

Pressionei os lábios com força para não chorar e balancei a cabeça, concordando.

— Maldição, Sofia! — cuspiu ele, furioso, e me sacudiu de leve. — Por que diabos eu faria uma tolice dessas se eu a amo tant... — ele se interrompeu, me avaliando com a testa franzida. — Foi isso que a manteve tão hesitante?

— Você pediu um tempo! Existem regras pra isso, uma delas é não pressionar o parceiro até ele decidir o que quer. Todo mundo sabe disso!

— Eu não! — rebateu com ardor.

— E como é que eu ia saber? Você podia ter se explicado melhor!

— Se não estivesse a um passo de perder a cabeça, se a amasse menos, talvez eu de fato pudesse.

Enterrei a cabeça entre as mãos e gemi.

— Como é que a gente pôde se desencontrar tanto? Será que esses duzentos anos sempre vão separar a gente?

Ian tocou gentilmente meu queixo e me fez erguer a cabeça, então deslizou a ponta dos dedos por meu lábio inferior.

— Não, não vão. Nós não permitiremos que isso aconteça. Agora, vamos sair daqui. Você está ficando com frio — sussurrou, tristonho. Ao sair de cima dele, compreendi o motivo. Uma terrível sensação de perda se abateu sobre mim assim que nossos corpos se separaram.

Ian me ajudou a sair da banheira e me envolveu com a toalha áspera. Eu me sequei apressada, sentindo um pouco de frio. Vesti minha camisa manchada favorita enquanto Ian se secava sem pressa, me observando atentamente. Fui até o quarto anexo e apanhei uma camisa imensa, que mais parecia uma camisola, só que masculina, com colarinho e bolsos frontais. Eu a entreguei a ele e me sentei aos pés da cama.

— Como você sabia onde me encontrar? — perguntei.

— Não sabia, foi sorte. — Ele vestiu a camisolona sem se dar o trabalho de abotoar os punhos e veio se juntar a mim. O colchão cedeu um pouco com seu peso. — Como eu disse, estava no escritório tentando pensar em uma forma de... bem... — Ele coçou a nuca, constrangido. — De seduzi-la.

— Só pra ficar registrado, você não precisa de estratégia nenhuma comigo.

Um esboço de sorriso curvou os cantos de seus lábios pra cima.

— Vou me lembrar disso. Mas naquele momento eu não conseguia acreditar que a tivesse perdido novamente, dessa vez por culpa minha. Eu ainda não tinha conseguido pensar em nada útil quando ouvi os gritos da senhora Madalena. Imaginei que minha tia estivesse atormentando a pobre mulher e não dei muita importância. Eu tinha problemas mais graves e urgentes com os quais me ocupar. Instantes depois, escutei relinchos de Storm e estranhei. A senhora Madalena me procurou, branca feito cera, e me disse que você havia fugido, explicando o que tinha lhe dito. Ah, Sofia! — Ele sacudiu a cabeça. — Senti meu mundo ruir. Fiquei tão preocupado com seu sumiço que quase enlouqueci. Fui procurá-la pela casa, porque não podia acreditar que você se arriscaria na mata àquela hora da noite, sobretudo com a maldição pairando sob nossa cabeça. Bati no quarto de Elisa, acreditando que você pudesse ter ido até lá, para conversar ou... não sei. Mas você não estava. Gomes e eu vasculhamos cada canto. Foi aí que percebi que Storm se aquietara e desconfiei de que havia uma razão para isso. Desci para o estábulo e descobri que o cavalo fugira. E ali entendi que você tinha me deixado.

— Eu não deixei você — objetei. — Eu me perdi, é diferente! E Storm me seguiu por vontade própria. Eu o mandei voltar pra casa, mas ele não me escutou.

— Você não vai acreditar no estrago que ele fez no cercado — contou, arqueando as sobrancelhas. — Alertei todos os empregados e ordenei que saíssem à sua procura. Eu voltei para interrogar a senhora Madalena e Elisa na tentativa de descobrir seu paradeiro. A pobre Madalena chorava tanto que mal conseguia pronunciar uma frase coerente. Estava indo pegar um cavalo quando me lembrei de vê-la escrevendo algumas cartas. Supus que a resposta pudesse estar nelas. — Ele engoliu em seco. — E, de certa forma, estava.

— São pra Nina.

— Eu sei. Li algumas. — Ele soltou um suspiro pesaroso, virando a cabeça em direção ao livro recheado de cartas sobre a mesa. — Por que acha mais fácil falar sobre o que sente com alguém que está tão longe do que comigo?

Eu franzi a testa, preocupada com o conteúdo das cartas. Qual delas será que ele tinha lido?

— Porque há certas coisas que você não consegue entender. — respondi cautelosa. — Não que a culpa seja sua. E agora eu entendo isso. Você foi moldado para acreditar em certos paradigmas. Só que eu também fui. E eles são tão opostos que acabaram criando esse abismo entre nós dois.

— Não, não foi por isso. Você precisa falar *comigo*. E parar de fugir de mim. Sei que tem opiniões diferentes das minhas, mas não sou tão cabeça dura, Sofia. Posso tentar entender. Ao menos tentar, ainda que continue discordando. É importante que me explique seu ponto de vista, e tudo o que lhe peço é que ouça o meu. Não faz sentido você se comunicar com Nina e me deixar no escuro.

Ele tinha razão.

— Desculpa. Mas o que você fez depois que leu as cartas? Saiu por aí sem rumo? — perguntei, tentando mudar o foco.

— Por um tempo. Tentei não pensar em quão distante você poderia estar àquela altura, não ficar apavorado com a possibilidade, então decidi ir até a vila e pedir a ajuda da guarda. Vi Storm assim que cheguei e me apressei até a igreja. Não posso descrever o que senti. — Ele friccionou a testa. — Foi como se meu coração só tivesse voltado a bater quando a vi novamente. Eu já estava indo tomá-la nos braços quando o padre Antônio ordenou que eu esperasse. Impaciente, eu me sentei no banco ao fundo da igreja e esperei, ouvindo com o coração apertado o que dizia.

— Eu nunca quis te envergonhar — sussurrei.

— E nunca me envergonhou. — Ele correu dois dedos por meus cabelos.

— Fiz ainda pior. Eu te humilhei publicamente.

Ian fechou os olhos, mortificado.

— Perdoe-me, Sofia. Eu não quis dizer isso. Para mim, para um homem como eu... — Ele esfregou o rosto, como se isso o ajudasse a clarear as ideias. — É difícil aceitar que a esposa descobrira um novo mundo e o excluíra dele. Eu não soube lidar com a situação. Não suportei a ideia de não ser o bastante para você e acabei falando algo que não é verdade. — Inclinando a cabeça, ele buscou meu olhar. — Você *jamais* me envergonhou.

— Mas você é tudo para mim! — Foi tudo o que consegui dizer.

— Meu dinheiro não — rebateu, com um sorriso triste.

— Não é nada disso, Ian. É que eu sempre me virei sozinha. Tem sido difícil pra mim lidar com isso.

Ele me estudou por um instante antes de voltar a falar, com a voz cheia de emoção:

— Sei que abriu mão de muita coisa por mim. Não sou tolo a ponto de supor que não sentiria falta delas. Não sei se posso fazer muito para de algum modo aliviá-la, mas deixe-me ao menos tentar, Sofia! Permita-me compensá-la do jeito que posso.

Neguei com a cabeça.

— Não quero nada além de você. É isso que você nunca entendeu!

Ele inclinou meu rosto e correu um dedo pelo meu maxilar.

— Esquece que li suas cartas? — sussurrou. — Você sente falta do seu mundo.

Encolhi os ombros.

— Às vezes. Mas só se você não está comigo. Por isso eu queria tanto me ocupar de algum jeito. Não planejei nada, Ian, foi tudo por caso, sem que eu me desse conta do que estava fazendo. E aí, quando vi, estava ganhando meu próprio dinheiro. Muito mais do que o que eu devia na joelharia e depois...

— Depois? — ele me instigou a continuar quando me detive.

Eu não sabia como ele reagiria. Por isso me levantei e segui até a cômoda. Abri a segunda gaveta e de lá do fundo retirei a pequena caixa de madeira na qual eu guardava as moedas que conseguira com o creme. Voltei para cama e a entreguei a Ian, observando sua reação.

— Não sei direito quanto tem aí, nem quanto vale. Mas tinha o dobro disso.

Lentamente, ele abriu a tampa e ergueu a sobrancelha. Seus dedos longos percorreram as moedas.

— Conseguiu tudo isso apenas com seu creme de abacate? — perguntou impressionado. Eu assenti uma vez. Ele continuou: — Bem, há um bom dinheiro aqui.

— O bastante para comprar... um cavalo, por exemplo?

Ele examinou as moedas com o cenho franzido.

— Humm... É possível. Talvez um pangaré. Mas por que quer comprar um cavalo? — perguntou levemente magoado. — Tem a Lua e quantos outros desejar. Basta escolher e serão seus.

Eu ri.

— Não preciso de um cavalo, só quero entender o que essas moedas podem pagar.

— Do que precisa, Sofia?

Eu hesitei, retorcendo as mãos.

— Há dinheiro o bastante para, digamos, pagar o dote de uma garota despreparada, com propensão a criar problemas e que não sabe latim nem italiano?

Ian fechou a caixa com um movimento brusco. As moedas tilintaram lá dentro quando ele a atirou sobre o colchão.

— Não — disse ele, resoluto, e ergueu os olhos para me encarar. Havia fúria neles.

— Sério? Que saco!

— Concordo. — Ele cruzou os braços, numa postura pra lá de teimosa.

Foi aí que percebi que havia algo errado, que a grana talvez desse para pagar o dote de uma mulher como eu. O problema estava em Ian.

— Tem dinheiro o bastante, mas você não quer aceitar, não é? — Imitei sua postura.

— Não vem ao caso.

— E posso saber por quê? O dote é meu, certo? Pode não ser muito, mas é tudo o que consegui. Você é meu marido e, segundo as regras, tem de aceitar a parte que lhe cabe, querendo ou não. Você me pede para aceitar o seu dinheiro, mas recusa o meu?

— Fico contente que tenha entendido — respondeu ele, com uma tranquilidade enervante.

Descruzei os braços e apoiei as mãos nos quadris.

— O que tem de errado com o meu dinheiro? Bom... talvez seja bem menos do que se costuma pagar por uma garota, mas, mesmo assim, foi o que deu pra juntar. Você podia ao menos ser gentil e aceitar.

Ele se levantou da cama, posicionando o rosto, agora irritado, bem próximo ao meu.

— Ouviu bem o que acabou de dizer? "Pagar por uma garota"! Por acaso não foi você, minha querida esposa, quem me mostrou que não se negocia uma mulher?

Eu e minha boca grande.

— E o que aconteceu com aquele lance do que é meu é seu também? — Empinei o queixo. — Por que as regras só valem para mim? Posso saber?

Um dos cantos de sua boca se ergueu conforme ele relaxava os ombros.

— É muito difícil para mim manter alguma coerência neste momento, quando se comporta assim.

— Teimosa feito uma mula?

— Furiosa, petulante e absurdamente encantadora. — Ele deu um passo à frente.

— Ian! — Recuei um passo. Eu sabia bem que, se ele me tocasse, eu esqueceria totalmente meus argumentos e não chegaríamos a lugar nenhum. — Tô tentando acertar nossa vida aqui! Dá pra levar isso a sério?

A seriedade fez seus ombros ficarem eretos.

— Sofia, eu a amo. Isso é suficiente. Fico lisonjeado com seu gesto, mas não aceito. Se faz questão de pagar pelo dote, desejo algo melhor do que essas moedas inúteis. — Ele se aproximou ainda mais, e um braço envolveu minha cintura. — Beijos me parecem muito mais atraentes. Seria difícil recusar. Eu diria que quase impossível.

— Mas aí a gente fica como antes! — Por que ele não enxergava isso? — Se você aceitar o dote, se eu puder pagar por ele com dinheiro de verdade, eu seria uma esposa normal!

Ele bufou.

— Mais um motivo para não aceitar. Não quero uma esposa normal.

— Quer sim!

Ele fixou os olhos nos meus, usando toda a força deles sobre mim. Senti como se derretesse por dentro.

— Não, eu quero você, Sofia. — E tentou me beijar.

Recuei me livrando de seus braços antes que fosse tarde demais e, digamos, eu perdesse o juízo. Acabei esbarrando na cômoda, e a caderneta com as minhas anotações escorregou para a beirada do móvel. Eu a agarrei, subitamente inspirada, vasculhando as páginas.

— Arrá! Achei! Aqui diz que a família da noiva deve acertar o valor do dote com a família do noivo. — Abaixei a caderneta. — Como nem eu nem você temos família, acertamos nós mesmos. Quanto quer por mim?

Ian olhou fixo para o que eu tinha nas mãos.

— O que é isso? — Ele tomou a caderneta antes que eu tivesse a chance de impedi-lo e folheou algumas páginas. Um V profundo se formou entre suas sobrancelhas. — Onde conseguiu isso?

— Não importa. Estou estudando e logo vou saber de cor todas essas porcarias de regras, mas você...

— Não no que depender de mim. — Com pontaria certeira, ele arremessou o caderninho na banheira.

— Não! — Corri, mas só deu tempo de ver o papel absorver a água e afundar. — Que droga, Ian! Eu ainda não tinha decorado tudo!

— Excelente! — Ele sorriu, satisfeito. — Escute-me de uma vez por todas, Sofia. Não quero que se transforme em alguém que não é. Eu a quero. Eu a amo. Do. Jeito. Que. É. — E pontuou cada palavra, com perigo brilhando em suas íris negras. — E, se voltar a arrumar os cabelos como os de minha irmã, prometo que os bagunçarei assim que tiver a chance. Independentemente de quem estiver por perto. E, como bem deve ter lido — ele apontou para a banheira onde jaziam minhas anotações —, será um tremendo escândalo exibir esse tipo de intimidade fora do quarto.

— Você não gostou do meu cabelo? — perguntei, sentindo que perdia o foco.

— Ficou linda, mas não era você. Não era a minha Sofia.

— Muita gente acharia isso uma coisa boa. — E ele fechou a cara, pronto para recomeçar o sermão, mas eu o detive, apoiando as mãos em seu peito largo. — Ian, olha só, tem sido difícil me adaptar. Muito mais do que eu tinha imaginado. Você acabou de dizer que eu devia falar com você sobre como me sinto. Bom, estou falando agora. Eu estou no século dezenove, me casei com um homem desse tempo, me visto de acordo, tento me comportar como uma dama... na maioria das vezes. Não sei falar italiano nem latim, não sei bordar, desenhar, cantar, tocar piano nem tenho nenhuma outra qualidade que se julga importante aqui. Eu me sinto tão... inadequada. — Ele sacudiu a cabeça, e eu me apressei em terminar: — Só me escuta, por favor! Não acho que sou a pessoa errada para você. Não é isso. Mas sou errada para este tempo. Então, se pelo menos eu pudesse cumprir uma das exigências, só uma... eu não me sentiria assim tão fora de lugar. Você disse que gostaria de fazer algo para ajudar na minha adaptação. E você pode! Basta aceitar o dote.

Ele prendeu a respiração, pressionando os lábios com força.

— Você me pede algo que contraria tudo em que creio. Foi você mesma quem me fez enxergar como a prática do dote é absurda.

Eu realmente precisava pensar mais antes de falar a primeira coisa que me vinha à cabeça. Foi então que uma ideia me ocorreu.

— E se eu... Tá bom, você aceita o dote e em troca eu aceito numa boa que você pague minhas despesas, me compre presentes e tudo mais que te der na telha, porque aí estaremos agindo conforme as regras daqui, né? Um marido gastando rios de dinheiro com a esposa cabeça-oca. Juro que não vou reclamar. Até vou comprar umas fitas de cetim pra entrar bem no clima! O que acha?

Isso despertou seu interesse.

— Tudo o que eu quiser? — ele perguntou, desconfiado.

— Tudo. Prometo! — afirmei e beijei sua boca de leve.

Ele deliberou por um instante e cheguei a pensar que manteria sua postura, mas, no fim das contas, acabou cedendo.

— Muito bem. Temos um acordo.

— Sério? Maravilha! — Eu me apressei em pegar a caixa sobre a cama. Mas hesitei por um momento antes de passá-la a ele. — Tem algum ritual? Vai me dar um recibo ou...

Ele me olhou feio.

— Ainda não me convenci de que estou fazendo a coisa certa. Não me tente, Sofia.

— Tudo bem, tá legal. — E lhe entreguei a caixa.

A contragosto, ele a pegou, mas não tirou os olhos dos meus.

— Estas moedas agora me pertencem. E vou usá-las da maneira que julgar apropriado — ele esclareceu.

— Eu sei. — E isso não importava, contanto que ele ficasse com elas.

— Ótimo! Você disse tudo que eu quiser... — E no mesmo instante eu soube o que ele faria. — Quero que fique com isso — Ian me devolveu a caixa.

Eu pressionei os lábios para não gritar.

— Ian...

— Você prometeu — lembrou ele, muito satisfeito. — Eu cumpri minha parte no acordo e aceitei o dote. Agora cumpra a sua.

— Mas você tá trapaceando!

— Você não especificou as cláusulas do acordo. — E exibiu um sorriso malicioso.

— Você... Você é um... Você é tão... Argh!

Irritada até a medula, puxei a caixa de suas mãos com pouca gentileza e a coloquei em cima da mesa na entrada do quarto, de onde nunca mais pretendia tirá-la. Corri para a cama cuspindo fogo, e fiquei surpresa ao notar que Ian me seguia, ainda que a passos lentos. Deitei no colchão, socando o travesseiro para a afofá-lo, e encarei o teto, cruzando os braços sobre a barriga. Ian se esticou do outro lado e imitou minha postura.

Estava tão furiosa por ter dado tudo errado que bufei uma dezena de vezes. Ian não disse nada, apenas ficou ali, olhando para o forro de madeira, murmurando algo que a princípio não reconheci. Transtornada como estava, eu mal ouvia meus próprios pensamentos. Entretanto, conforme a raiva foi se esvaindo, comecei a prestar atenção no que ele estava dizendo.

Cantando, na verdade.

E não era uma música qualquer, mas aquela que cantei para ele em nossa primeira noite juntos. Aquela que embalou nossa dança sob a sombra do velho cedro. E, mais uma vez, no baile de lady Catarina.

Era por coisas assim que era tão, tão difícil ficar zangada com Ian por mais de um minuto.

Girei a cabeça no travesseiro para poder observá-lo. Ian fez o mesmo, e, assim que nossos olhares se encontraram, toda minha irritação desapareceu. Ele começou a rir, e eu até tentei me manter séria, preservando meu orgulho, mas falhei. Ian viu minha reação como um encorajamento, então rolou de lado e me puxou para si, tornando impossível para mim manter um pensamento coerente.

Quando sua boca cobriu a minha, e seus dedos ágeis começaram a trabalhar nos meus botões, senti que, ao contrário do que acontece quando alguém pede um tempo, nós não estávamos recomeçando, mas apenas retomando nosso relacionamento do ponto em que fora interrompido. E dessa vez eu jurei que nada nem ninguém estragaria o nosso felizes para sempre.

Nem mesmo eu.

40

Eu me estiquei na cama, sentindo os ossos estalarem, completamente dolorida e satisfeita. Mesmo de olhos fechados, me dei conta do sorriso estirando meus lábios, e, assim que os abri, vislumbrei Ian deitado de lado, me observando. Ele estava com a cabeça apoiada em uma das mãos. Vestia apenas a camisa de dormir, e estava tão lindo com aquele cabelo eriçado que tive de piscar algumas vezes para me assegurar de que ele era real e não fruto da minha imaginação.

— Bom dia — ele me saudou, afastando uma mecha de cabelo que me caía sobre os olhos. — Dormiu bem?

— Feito pedra. E você?

— Não pude fechar os olhos. Você sorria enquanto dormia, e eu não queria perder um sorriso que fosse. — Ele se inclinou e beijou meus lábios. — Eram todos para mim, você sabe.

— Você é muito convencido. — Eu corei, porque ele tinha razão. — Pensei que tivesse esgotado por causa da viagem. E toda a confusão da noite passada...

— Passei quatro intermináveis dias sem ver seu rosto, sem sentir o seu perfume. — Ele deslizou a ponta do dedo pelo meu queixo. — Uma experiência dos diabos, devo confessar. Dormir pode esperar.

Eu ri, rolando sobre ele e me enroscando em seu corpo feito uma gata. Seu calor se espalhou por minha pele nua.

— Se eu ainda fosse uma garota do século vinte e um, diria que foi uma experiência do cacete. Mas "dos diabos" serve também.

— Minha linda e delicada esposa — Ian riu. — E, para evitar que mais palavras como essa saiam dessa boca perfeita, aproveitei parte da madrugada para arrumar algumas coisas.

Levantei a cabeça de seu peito.

— Que tipo de coisas?

Ele apontou para o armário com o queixo. As portas estavam escancaradas e um amontoado de tecidos caía delas. Eu escorreguei para o lado e me sentei na cama, segurando o lençol sobre o peito. Ele fizera a mudança enquanto eu dormia! E, em vez de separar uma parte do armário para si, misturara suas coisas com as minhas, numa bagunça tresloucada que chegava a ser comovente. Nem eu teria feito melhor.

— Peço desculpas por ter demorado tanto. — Ele se sentou também e afastou meu cabelo para o lado, se dedicando a distribuir uma coleção de beijos que iam do meu ombro até a nuca. — Gomes devia ter feito a mudança assim que pedi, mas ele é turrão. Eu mesmo devia ter providenciado a troca, mas sempre aparecia um compromisso ou... — Seus lábios subiram até a minha orelha — Coisas mais interessantes para fazer.

E, para deixar seu argumento bastante claro, ele continuou fazendo coisas *mais interessantes* por todo o meu pescoço. Um tempo depois, quando ambos estávamos sem fôlego e prestes a dar um passo para algo sem volta, eu o detive.

Ele ficou surpreso, me encarando em expectativa.

— Obrigada, Ian — falei com a voz embargada, girando em seus braços para que ele pudesse ver o meu rosto. Esperava que todo o amor que eu sentia por ele estivesse estampado ali. — Obrigada de verdade. Significa muito pra mim.

Ele sorriu meio encabulado, meio orgulhoso.

— Sabe bem que para mim é sempre um prazer lhe ser útil.

Cara, como eu adorava quando ele me dizia aquilo!

No entanto, a diversão logo desapareceu de seu rosto, sendo substituída pela seriedade.

— Não vamos deixar que nada mais fique entre nós, Sofia.

— Nada — concordei depressa e de súbito senti a urgência de lhe explicar tudo. — Ian, sobre o acordo com o seu Plínio... — Tomei fôlego, segurando com ainda mais força o lençol que cobria meu corpo, deixei tudo sair, do momento em que Suelen se interessou pelo creme achando que era um cosmético de verdade até a oferta do boticário. Era como se um caminhão abandonasse minhas costas.

Ian me ouviu atentamente, voltando a se deitar. Eu fiz o mesmo, e me virei para ficar de frente para ele, acomodando uma das mãos sob o travesseiro de penas e dando continuidade à narrativa, sem deixar passar nenhum ponto importante.

— Só quando o boticário propôs a parceria foi que me dei conta de que já tinha criado um negócio. Naquele momento, eu ainda não sabia nada sobre a maldição. Você vivia tenso, e eu imaginei que era por estar falido. Nem precisei pensar para aceitar a oferta do seu Plínio. Eu queria te ajudar de qualquer jeito. Aí, quando descobri que você tinha mentido pra mim, já era tarde demais. Eu já tinha aceitado parte do pagamento e usei para pagar o relógio. Mas não se preocupe mais com isso. Resolvi tudo. Avisei o seu Plínio que não posso continuar. Nosso trato acabou.

Ele se sentou.

— E por que fez isso?

— Porque foi um inferno esconder coisas de você. E eu te magoei! Não vou mais insistir em trabalhar, muito menos tentar levar adiante essa besteira de condicionador. Vou ser só a sua mulher e ficar lendo ou, sei lá, me perdendo por aí quando você não estiver por perto.

Ele sacudiu a cabeça antes mesmo que eu tivesse concluído.

— Não, de maneira alguma. Não vou permitir que abandone seu empreendimento. Você já foi tão longe! Não vou deixar que desista.

— Não é bem desistir, é mais, tipo, aceitar a realidade.

Ele fechou a cara, decidido.

— Não, Sofia. Como seu sócio, exijo que leve o negócio adiante.

— Meu sócio? — repeti feito idiota.

— Imagino que usou as frutas da casa.

— Bom, usei. Mas eu pretendia devolver o dinheiro referente às frutas e...

— Mas ainda não devolveu — afirmou, esperançoso.

Fiz uma careta.

— Não. Aconteceu tanta coisa de lá pra cá, e você viajou... Não tive cabeça pra mais nada.

— Excelente! Então isso nos torna sócios. Sou sócio minoritário, claro. — Um sorriso tímido curvou seus lábios. — Mas acho justo participar também. Prometo não me intrometer, mesmo porque não conheço o produto muito bem, porém quero que me coloque a par de tudo, quero saber a quantas anda meu investimento. Isso vai ajudá-la a se organizar. — Ele se virou e esticou o braço para pegar alguma coisa na mesa de cabeceira. Então me entregou um caderno grande com capa de couro negro. Com o lençol que me envolvia preso entre os braços, peguei o caderno meio que sem entender e o abri, folheando algumas páginas. Era um livro-caixa. — Vamos ver se você é tão boa com a contabilidade quanto afirma.

— Você quer... que eu continue? Quer que eu *trabalhe*?

Ele assentiu, os olhos reluzindo.

— Não fiz outra coisa além de pensar em você desde que precisei partir. Agonia não chega nem perto de descrever o que senti. Mal dormi nos últimos cinco dias. Não sei quanto paguei pelos cavalos. Não sei nem ao menos a cor da pelagem deles! Eu só pensava em você e tentava agir o mais rápido possível para voltar para casa, ainda que não estivesse certo de como seria recebido, ainda mais depois de ter deixado este quarto. Eu tentei falar com você antes de partir e voltei aqui algumas horas depois, temendo sua reação. Eu a encontrei toda encolhida, dormindo no chão... — Ele fechou os olhos e esfregou o rosto, como se aquilo doesse. — Ah, Sofia, aquilo acabou comigo, mas ainda pior foi ouvir a dor e a decepção em sua voz, a mágoa em seus olhos quando a carreguei para a cama. Naquele momento pensei que a tivesse perdido. Temi tanto que algum fator externo a afastasse de mim que não percebi que eu mesmo poderia ser capaz de fazer isso. — Ele suspirou pesadamente. — Também refleti muito esses dias sobre o que me disse. E, como sempre, você estava certa. Se tivesse me contado sobre o creme de cabelos antes, acho que teria tentado impedi-la. Veja bem, tudo o que eu sempre quis foi dar o melhor para você, a vida de uma princesa. Foi difícil compreender que o que desejava minha princesa era ter uma ocupação.

— Você pensou nisso tudo? — perguntei, emocionada.

Ele assentiu uma vez, o rosto sério.

— Por dias e dias. E cheguei a uma conclusão.

— Qual? — minha voz estremeceu.

— Estou indescritivelmente orgulhoso de você. — Ele segurou meu rosto com delicadeza, a palma quente pressionada contra a minha bochecha. — E grato por tê-la em minha vida. Não apenas porque a amo com loucura, mas porque me faz ver o mundo de uma outra perspectiva, me faz querer ser uma pessoa melhor. Você é a pessoa mais teimosa e destemida que conheço. — Então aquele sorriso de canto de boca apareceu. — Sua escolha não foi fácil.

— Foi sim — objetei, com a voz embargada. — Mais fácil do que respirar.

Ele sacudiu a cabeça.

— Não, meu amor, não foi. Foi preciso muita coragem para optar pelo desconhecido. Eu não tinha me dado conta de como tem sido difícil para você até ler suas cartas. Você precisa se sentir no controle de alguma coisa. Tudo o mais, este lugar, este tempo, a sociedade, tudo é diferente, novo e complexo. Você quer um pouco de normalidade, algo que lhe seja familiar. Uma ocupação para quando não estivermos juntos.

Um soluço escapou de minha garganta, e só quando o dedão dele espalhou uma lágrima que rolava em minha bochecha foi que me dei conta de que estava chorando.

— Por que não falou comigo? — perguntou à meia-voz. — Por que não me contou como se sentia?

— Porque eu sou estúpida demais e achei que você não fosse entender.

— Levou um tempo, mas acabou entrando na minha cabeça. — Ele se esticou no colchão e roçou os lábios nos meus. Ao erguer a cabeça, uma animação quase infantil o dominava. — Pois bem, sócia, quando falaremos com o senhor Plínio para retomar os negócios?

— Ah, Ian... — Abandonei o lençol e passei os braços ao redor de seu pescoço, meio que rindo, meio que chorando.

Ele retribuiu o abraço com ardor, enterrando a cabeça em meu pescoço e espalmando a mão em minhas costas nuas. Ian me segurava tão apertado que era como se tentasse me enfiar sob sua pele.

Meu marido compreendera tudo aquilo que eu andava sentindo e que não conseguia explicar nem a mim mesma. Naquele momento, senti que o nosso "felizes para sempre" havia começado, afinal, e nada — nem tia intrometida, nem matronas, tampouco os quase duzentos anos de diferença entre nossos mundos — poderia nos separar.

Ele me soltou, seu rosto era uma mistura de felicidade e expectativa.

— Espere um momento. Não se mova! — Ele pulou do colchão.

Alcancei o lençol e me enrolei nele outra vez. Ian foi até o guarda-roupa, me brindando com a visão de suas coxas perfeitamente torneadas pelas cavalgadas. Ele revirou algumas peças até encontrar um pacote. Aquele do tamanho de uma caixa de sapatos que ele retirara da sela logo que voltara de viagem. Com os olhos no embrulho, Ian voltou para a cama e o estendeu para mim. Eu avaliei o pacote, sem entender.

— Feliz aniversário! — ele disse baixinho.

Ah, certo. Era 29 de maio. Peguei o pacote e o apertei contra o peito.

— Valeu, Ian — murmurei comovida, sem saber se por ele ter lembrado quando eu mesma já havia esquecido ou se por ele ter voltado a tempo. Acho que pelas duas coisas.

Ele esboçou um sorriso.

— Abra — sua voz saiu rouca, áspera, e fez todos os nervos de meu corpo pulsarem em resposta. Eu conhecia aquele tom. Conhecia bem demais. Eu me obriguei a desviar os olhos dele e abrir o presente.

Como me atrapalhei com o barbante, Ian me ajudou a rompê-lo. Rasguei o papel ansiosa e encontrei um pequeno baú de madeira escura. Entalhes de delicadas rosas decoravam a tampa.

— Nossa, é lindo! — Abri a tampa, e o que encontrei ali dentro não era exatamente o que eu esperava.

Tá certo, não sei bem o que eu esperava, mas definitivamente não era um amontoado de peças de metal com um treco parecido com um pente parafusado ao lado de um cilindro dourado. Ainda assim, era o amontoado de peças mais lindo que eu já tinha visto.

— Nossa... Uau! É uma caixa muito linda! Sempre quis ter uma dessas!

Ian examinava meu rosto atentamente e se esforçava muito para não rir.

— Você não faz a menor ideia do que isso seja.

Meus ombros despencaram.

— Não — gemi.

— Deixe-me mostrar.

Ele se inclinou para poder manusear melhor a caixa. Então ergueu uma espécie de manivela na lateral interna e começou a girá-la para frente e para trás. *Tec-tec-tec.* Com a alavanca de volta à posição inicial, seus dedos hábeis seguiram para o lado oposto, no qual dois pinos metálicos reluziam. Ian empurrou um deles. Com isso, algo começou a girar muito rápido, e o cilindro dourado ao centro se moveu, fazendo milhares de minúsculas protuberâncias brilharem feito diamantes, raspando de leve no pente, e então...

Prendi a respiração.

Havia música no ar! Tão linda e delicada como se tocada por anjos.

— Uma caixinha de música! — arfei, erguendo os olhos para ele. — Eu amo música!

— Eu sei. — Ian parecia incrivelmente satisfeito com a minha reação. — Agora pode ouvir sempre que desejar, mesmo que Elisa não possa tocar para você. São dez canções diferentes.

Uau! Ian tinha acabado de me dar o iPod de 1830!

— É o melhor presente que já ganhei em toda minha vida — falei com sinceridade, a visão já embaçada.

Muito lentamente, ele ergueu as mãos e apanhou a caixinha, pousando-a sobre a mesa de cabeceira. A música seguia seus acordes delicados.

— Poderia me conceder a honra desta dança, senhorita? — perguntou com a voz ligeiramente rouca, estendendo a mão.

Eu balancei a cabeça, consentindo, temendo abrir a boca e acabar estragando o momento. Ian não perdeu tempo e me puxou da cama. Levei o lençol comigo, me enrolando a ele.

— Este lençol lhe cai muito bem — ele brincou, e eu corei.

O sol suave da manhã entrava pela janela e banhava minha pele, àquela altura já aquecida. Dedos quentes se prenderam à minha cintura, me apertando com firmeza. Seus olhos capturaram os meus, o que dificultava um pouco não pisar no pé dele, mas Ian não reclamou nenhuma vez. Pelo contrário, ele não se dava conta de nada conforme a emoção o dominava, e se curvou para aproximar o rosto do meu.

— Desculpe-me por demorar para entendê-la — murmurou em meus cabelos.

— Desculpa ter mentido pra você.

— Ah, não sei se posso. — Ele me encarou com os olhos incrivelmente brilhantes. Correu um dedo pela minha testa, ajeitando minhas ondas não tão comportadas. — Talvez eu precise de mais do que uma dança e meia dúzia de palavras para esquecer tudo. Manter minha cabeça ocupada com... — Ele arqueou uma sobrancelha. — O que sugere?

Mordi o lábio inferior. O meu, embora o dele fosse muito mais tentador.

— Eu podia... te beijar pra sempre.

Aquele sorriso especial, malicioso e cheio de ternura que era todo meu cresceu ainda mais.

— Estava louco para que me dissesse isso.

Ian precisou se curvar para me beijar, porém, quando seus lábios estavam a milímetros dos meus, tão perto que sua respiração fez meus pelos se eriçarem, a porta foi escancarada.

— Madalena! — falei, pulando um metro para longe de Ian e apertando o lençol contra o corpo.

A falta de cor no rosto dela, mesmo diante de uma cena tão íntima, devia ter me alertado de que algo estava errado. Muito errado.

— Perdoem-me pela intromissão, mas aconteceu uma tragédia! — Ela colocou o rosto pálido entre as mãos e começou a chorar.

— O que houve? — Ian perguntou, se dirigindo até a caixinha e fechando a tampa. A música cessou.

— É a menina Elisa — murmurou ela, e de repente meu mundo perdeu toda a cor. Fiquei tonta e me deixei cair aos pés da cama.

— O que aconteceu com minha irmã? Onde ela está? — Ian demandou, colocando as mãos nos ombros da governanta e a sacudindo de leve.

— Esse é o problema. Eu não sei. Ela sumiu!

— O quê?!

— A senhorita Elisa não está em parte alguma. A senhora Cassandra e o filho também desapareceram. Temo que sua tia tenha raptado a menina!

41

A notícia me deixou muda, perplexa a ponto de eu me perguntar se não havia sofrido um AVC.

— Quando isso aconteceu? — Ian trincou os dentes.

Madalena sacudiu a cabeça freneticamente.

— Não sei dizer. Creio que durante a madrugada, depois que o senhor Clarke... o outro senhor Clarke — ela me fitou — voltou da busca por sua senhora.

— E a senhorita Teodora? — ele quis saber.

— Está trancada no quarto, chorando, a pobrezinha.

Ian soltou a governanta e foi direto vasculhar suas roupas ensopadas jogadas no chão perto da banheira, encontrando seu relógio.

— Maldição, já devem estar longe. Peça a Isaac para preparar o cavalo. Imediatamente! — ordenou num tom sombrio que eu nunca tinha ouvido antes.

— Vai atrás deles? — perguntei, desejando mais do que nunca que os carros já tivessem sido inventados.

Ian me examinou por um momento, deliberando.

— *Nós* iremos. — E, se dirigindo a Madalena, acrescentou: — Esqueça o cavalo. Diga a Isaac que deixe a carruagem na porta da frente. Partiremos em cinco minutos.

Madalena fez uma rápida reverência e tentou engolir o choro antes de deixar o quarto. Ian não perdeu um segundo sequer. Correu até o guarda-

-roupa, pegando as primeiras peças que encontrou — calça cinza e camisa branca. Eu soltei o lençol e revirei a bagunça de tecido para encontrar meu elástico de cabelos. Fiz um rabo de cavalo meio torto.

— Você acha que o Thomas fugiu para não ter de se casar com a Teodora?

— Prefiro não pensar muito sobre isso, ou irei matá-lo assim que puser os olhos nele — sua voz trovejou, repleta de irritação. — O que quero saber é por que Elisa foi levada.

— Ian, sua tia é maluca, sabe disso, não? — Abotoei o sutiã.

— Sim, infelizmente.

Coloquei a calcinha e enfiei um vestido qualquer pela cabeça. Um verde-militar.

— Então, eu tô aqui pensando os maiores absurdos. Diz que tô errada.

Ian fez uma pausa, uma das botas na mão, a calça já no devido lugar, e me examinou por um segundo. Por um instante, pensei que ele fosse ter de se sentar de tão perplexo.

— Ela não ousaria ferir Elisa.

— Já é alguma coisa — resmunguei, enfiando as botas vermelhas.

Pronto, Ian separou algumas peças de roupa — dele e minhas — e me entregou. Eu enfiei tudo dentro de uma mala quadrada dura que encontrei sobre o guarda-roupa enquanto ele terminava de fechar os botões em minhas costas.

— Vamos. — Ele me pegou pela mão, com a mala na outra, e juntos corremos até a entrada da casa.

Madalena nos esperava na porta, e me entregou uma cesta de palha.

— Boa viagem, e não se esqueça de comer alguma coisa no caminho — aconselhou, toda maternal.

— Tá, valeu, Madalena. — Beijei sua bochecha, e ela ficou paralisada de surpresa. — A gente volta logo. Com a Elisa. Cuida da Teodora, tá? Não a deixe ir pra casa de jeito nenhum até a gente voltar.

— Mas não posso detê-la contra a vontade dela.

— Claro que pode. É só não deixar que ela perceba. Enrola, Madalena. Promete?

Ela assentiu, e Ian abriu a porta da carruagem para mim. Mal ela se fechou e já estávamos em movimento.

— Não fique tão aflita. Traremos Elisa de volta. — Ian pousou a mão na minha coxa, me impedindo de continuar a sacudir. — Tudo ficará bem. Ela logo estará em casa.

Aceitei seu conforto e descansei a cabeça em seu peito.

— Sua tia mora muito longe?

— Um pouco. Devem estar meio dia à nossa frente.

— Vá o mais rápido que puder, Isaac — gritei para o rapaz que nos conduzia.

— Sim, patroinha. — E o impacto dos cascos contra o solo se tornou mais frenético.

A paisagem foi mudando gradativamente. Passamos de campos com algumas esparsas elevações para vales imensos, e então montanhas. O cenário foi se tornando mais denso, fechado, como se nos embrenhássemos em uma floresta. Pedras imensas recobertas de limo nos faziam desviar o curso, e demos início a uma descida íngreme que exigiu muito dos cavalos. Paramos uma vez, no que parecia uma cachoeira improvisada, onde os cavalos beberam água e descansaram um pouco, e então pudemos comer o que Madalena colocara na cesta.

A noite chegou, e nós ainda estávamos naquela descida íngreme. Uma enorme construção surgiu na paisagem, e Ian decidiu parar, considerando muito perigoso prosseguir no escuro. A estalagem, algo parecido a hotel de beira de estrada, que fornecia guarida para pessoas e cavalos, não era muito luxuosa.

Não tinha me dado conta de como estava exausta até descer da carruagem. Ian pagou pelos quartos — o nosso e o de Isaac. Subimos uma escada que rangia sem parar rumo ao segundo andar. Quando encontramos o nosso quarto, Ian colocou a mala sobre uma cadeira e passou a tranca na porta.

— Uau! — falei, observando a parca decoração ao redor. Havia uma cama, uma mesa rústica com duas cadeiras e dois criados-mudos. Fiquei feliz ao me deparar com a banheira já preparada no canto escuro.

— Não era bem o que eu havia planejado para a nossa lua de mel — disse ele esgotado, ao examinar o ambiente.

— Ei! — Toquei seu braço. — Eu achei o máximo. Quer dizer, se a situação fosse outra, eu me divertiria muito num lugar feito este. Eu sempre ficava imaginando como seriam os hotéis dessa época. Tipo, quando a Elizabeth Bennet viajou com os tios, ela deve ter se hospedado num lugar assim, né?

Ele esboçou um sorriso. O primeiro desde que soubera do rapto de Elisa.

— Não faz ideia de como sou grato por tê-la em minha vida, Sofia. — Ele me puxou para perto, mas ainda estava tenso, e a ruga de preocupação em sua testa parecia entalhada ali.

— Ian, você acha que a Teodora e o Thomas... você sabe... foram até o fim?

— Não. Falei brevemente com ele na madrugada passada. Teriam ido adiante se a senhora Madalena não os tivesse surpreendido. Thomas desfez apenas os dois primeiros botões do vestido, o que não o isenta de responsabilidade. Ainda não posso acreditar que ele tenha fugido — Ian sacudiu a cabeça, aborrecido.

— Posso quebrar o nariz dele, se quiser — ofereci.

Ele deu um leve sorriso e soltou o elástico dos meus cabelos.

— Agradeço, mas eu mesmo farei isso.

Apesar de toda a preocupação, Ian sentia necessidade de contato, de calor, e eu fiquei mais do que feliz em poder confortá-lo.

Voltamos para a estrada pouco antes de o sol nascer. Isaac parecia tão .enso quanto Ian e eu.

Conforme as curvas na estrada aumentaram, um perigoso penhasco se revelou. Entendi a preocupação de Ian quanto a viajarmos durante a noite.

Numa dessas curvas, avistei ao longe um infinito lençol verde-água ladeado por uma ampla faixa branca.

— Estamos indo ao litoral? — perguntei.

— Sim.

Tudo bem, eu sabia que as praias existem desde sempre, mas senti certo alívio ao descobrir que eram accessíveis. Talvez pudéssemos voltar depois, quando tudo tivesse se resolvido.

O céu mudou de cor e não demorou muito para que tímidas gotas de chuva atingissem a janela. Ian começou a ficar nervoso e apertou minha mão com força. Ele cuspiu um palavrão quando relâmpagos e trovões começaram a cruzar o céu, como se fossem um aviso de que algo ainda pior estava por vir.

— Não foi uma boa ideia trazê-la comigo. Onde é que eu estava com a cabeça? Não devia colocá-la em tamanho risco — falou, atormentado.

— A maldição não existe, Ian.

— Como pode ter certeza?

Dei de ombros.

— Apenas tenho.

Ele não acreditou em mim, principalmente quando a chuva desabou, furiosa, nos obrigando a diminuir o ritmo. Um tempo depois, seguíamos tão devagar que pensei que Isaac estava estacionando. E estava mesmo. Através da cortina de água que nos cercava, avistei uma carruagem parada num ângulo esquisito. Um homem, no meio da estrada, acenava com os braços.

Thomas.

Ian deu um soco no teto da carruagem. E parecia que aquele era o sinal para Isaac parar, mas o garoto já tinha reconhecido Thomas e se antecipado.

— Sofia, fique aqui dentro — Ian avisou.

— De jeito nenhum. Você cuida do Thomas e eu procuro a Elisa.

Aflito, Ian olhou para o céu através da janela, como se fizesse uma prece. Coloquei a mão em seu ombro.

— Não existe maldição, Ian. E, mesmo que existisse, aqui não conta. Não estamos numa viagem de lua de mel. É uma missão de resgate.

Ele não se moveu, de modo que me estiquei para alcançar a alavanca e abrir a porta. Eu o empurrei para fora.

— Vamos! Sua irmã precisa da nossa ajuda! — E desci.

Aquilo pareceu surtir efeito, e Ian partiu para cima do primo com raiva. O ensopado Thomas não pareceu notar a fúria de Ian e soltou um "graças a Deus" antes que o punho de meu marido encontrasse seu queixo. Sua cabeça pendeu para trás.

— Covarde desprezível! Onde está a minha irmã? — Ian o segurava pela lapela e o sacudia.

— Ian, não é o que...

POU!

— Onde está Elisa? — urrou.

— Na carruagem! Fomos dopados! Nós dois. Pare e me escute! Fomos dopados!

Ian já havia se preparado para desferir outro soco, mas se deteve. As gotas se acumulavam em seus cabelos e agora escorriam pelo seu rosto.

— Fomos dopados — repetiu Thomas, passando a mão na boca machucada. — Algo que mamãe colocou dentro do chá. Ela pretendia mentir ao pároco do nosso vilarejo, dizendo que desonrei sua irmã, e com isso obrigá-lo a nos casar!

— Como é? — ofeguei, passando a mão na testa para me livrar dos fios de cabelos grudados ao meu rosto.

— Eu estava desmaiado — ele explicou, mortificado — Fui arrastado por mamãe e nosso cocheiro. Elisa também estava desacordada ao ser colocada dentro da carruagem. Quando despertei, já estávamos longe de sua propriedade. — Ele encarou o primo. — Eu não teria fugido! Que tipo de homem pensa que sou?

— Um que se insere sorrateiramente no quarto de uma jovem inocente no meio da noite! — acusou Ian.

O rapaz se encolheu.

— Tem razão. Pode continuar me esmurrando.

Ian fez uma careta ao soltá-lo e correu para a carruagem. Tentei acompanhá-lo, mas o vestido absorvia muita água e ficou pesado demais, me obrigando a ficar para trás. Ele abriu a porta com violência, praguejou e socou a lateral do veículo.

— Elas sumiram — disse com ferocidade quando o alcancei.

— Vamos nos separar. Elas não podem estar longe. — Juntei as saias nas mãos e me preparei para correr.

Ian me segurou pelo braço.

— Não, você vai voltar para a carruagem agora. Isaac e eu procuraremos Elisa.

— E eu — disse Thomas, se aproximando. — Mamãe perdeu completamente o juízo.

— Mas, Ian, eu posso...

— Pelo amor de Deus, Sofia! Não faça isso *agora* — ele implorou, olhando para o céu. Aquele desespero que eu já conhecia tão bem dominou cada centímetro de seu corpo. — Volte para a carruagem e fique em segurança.

Eu queria ajudar, mas naquele instante percebi que a melhor maneira de fazer isso era tranquilizar o coração de Ian e me manter "segura". Então assenti uma vez, lhe dei um beijo e voltei para a carruagem. Ele e os outros dois dispararam em direções diferentes, chamando por Elisa. Eu estava a poucos metros do veículo quando um ruído sutil me fez virar a cabeça. Um borrão azul-turquesa se ocultou atrás de uma árvore.

— Ian! Aqui!

Ele já estava longe e não me ouviu. Isaac, porém, um pouco mais próximo, conseguiu escutar e gritou. Ian se deteve e começou a voltar. Hesitei por um momento. Outro raio riscou o céu. Meu coração deu um salto quando me dei conta de onde Elisa estava.

— Elisa! — gritei, suspendendo a saia e me embrenhando na mata.

— Sofia! Maldição, Sofia! Volte para a carruagem! — Ouvi Ian berrando, mas eu não podia esperar.

A gritaria alertou Cassandra, que saiu de seu esconderijo e tentou arrastar a menina mata adentro. Ela tapava a boca de Elisa, segurando-a pelo tronco.

— Saiam daí! — avisei.

A menina se contorceu sob o aperto da tia e, talvez porque a chuva ajudasse, conseguiu escapar e veio ao meu encontro.

— Cacete, Elisa! — Eu a segurei pelos ombros assim que a alcancei. — *Nunca* fique embaixo de uma árvore no meio de uma tempestade. Jamais! Está me ouvindo? Mesmo que seja num sequestro.

— Ela me obrigou! Mentiu para mim. Serviu-me um chá que me deixou com muito sono. Quando acordei, já estávamos longe.

Fechei os olhos e a apertei com tanta força contra o peito que, quando Ian se juntou ao abraço, achei que eu fosse desmaiar.

— Vocês estão bem? — perguntou ele, nos apertando.

— Só um pouco molhadas — resmunguei, quase sem ar.

— Ah, Ian, como fui tola! — Elisa se agarrou a ele e chorou.

Ian a confortou com palavras doces, mas seus olhos eram duas adagas apontadas para a figura larga sob a copa da árvore.

— A partir de hoje, quero que esqueça que somos parentes e espero nunca mais ouvir notícias suas — ele vociferou. Gotas brilhantes pingavam de seus cabelos, de seu queixo resoluto e escorriam para o rosto de Elisa, ainda agarrada a ele, assim como eu.

— Se pensa que permitirei que minha sobrinha seja afetada por essa mulher...

Ian nos soltou e deu um passo à frente.

— A senhora não tem a metade da decência, da honra e da bondade desta mulher — ele apontou furioso para mim, mas com os olhos cravados na tia. — Deixe minha esposa em paz, deixe minha irmã em paz. Volte para o buraco do qual saiu e nos esqueça, ou, eu juro, farei com que se arrependa de um dia ter posto os olhos nelas.

A mulher empinou o queixo.

— Não permitirei que a esposa de Thomas seja orientada e imite as atitudes dessa...

Puxei Ian para trás, com medo de que ele perdesse a cabeça, e inspirei fundo.

— Sabe de uma coisa, dona Cassandra, tenho pena da senhora, porque, apesar de toda essa altivez e arrogância, sei que não passa de uma mulher solitária, com medo de que a única pessoa que a ama de verdade vá embora. Só pense no futuro que quer para o Thomas, porque, se a senhora afastar a Teodora e ele, em alguns anos seu filho será tão amargurado e solitário quanto a senhora.

Ela bufou, cerrando os punhos ao lado do corpo, mas tudo o que conseguiu dizer foi:

— Não ouse proferir o nome de meu filho. — Então se virou com tanta empáfia que a beirada de suas saias se ergueu com o rodopio, nos permitindo avistar aquela gaiola por baixo, no mesmo instante em que mais um raio cruzava o céu.

Foi aí que entendi tudo.

Ian se preocupara tanto com a maldição, mas eu nunca estive em perigo. Ela jamais poderia me atingir simplesmente porque eu me recusava a ser uma típica dama do século dezenove!

As garotas estavam perdendo a vida em nome da beleza...

Tomada de horror, girei sobre os calcanhares e olhei desesperada para Elisa.

— Ai, meu Deus! Não!

— O que foi? — perguntou Ian, mas eu já estava entrando em ação.

— O que... Sofia! — Elisa me censurou quando tentei erguer seu vestido ensopado. — O que está fazendo?

Minha cabeça estava a milhão. A crinolina. Tinha que ser ela. Um trovão ecoou ao longe.

— A gaiola — falei. — É a gaiola que anda matando as garotas. Não existe maldição. Elisa precisa tirar a dela agora!

Ian engasgou e adquiriu a cor de um tomate maduro.

— O quê?!

Elisa se afastou um passo, mas eu não deixei que fosse muito longe, segurando-a pelo braço.

— A crinolina é feita de metal! — insisti. — Por isso as moças são atingidas pela descarga elétrica e os homens não. Fica quieta, Elisa!

Eu sabia que aquela gaiola não era boa coisa. Sabia!

— Mas o cavalariço de tia Cassandra, Thomas... — ela se esquivava. — E Ian!

— E Isaac — lembrou Ian. — Meu amor, por favor, não entendo o que está dizendo, mas arrancar as saias de minha irmã em público...

— Você não entende! — eu o interrompi. — As crinolinas devem funcionar como para-raios! Se acha que vou deixar minha irmã caçula andar por aí com um alvo escrito "atinja aqui" só por causa desse decoro estúpido, é melhor tirar o cavalinho da chuva. Deixo Elisa pelada em dois tempos se preciso, mas ela vai sair de dentro dessa gaiola.

— Tem certeza do que está dizendo? — questionou Ian, um pouco assustado e muito embaraçado.

— Tenho! Caramba! Como alguém pôde imaginar que essa porcaria era segura? Lembra que falei do Frankenstein, da Mary Shelley? É o que dá vida ao monstro. Um raio atraído por um monte de metal! — Eu me virei para a garota: — Elisa, você está usando algo muito perigoso por baixo das saias e tem que se livrar disso agora! Tem tanta roupa aí que ninguém vai ver nada, para de frescura. Vamos logo com isso, tira essa porcaria!

— Sofia! — ela implorou.

Olhei para Ian.

— Você segura ela e eu arranco a gaiola — falei.

Sem hesitar, ele assentiu uma vez e agarrou a irmã pelos cotovelos. Eu me abaixei, ajoelhando na lama, levantei a barra pesada do vestido, me enfiando ali dentro. Desatei todas as fitas amarradas à cintura dela.

— Agora levanta ela, Ian.

Ele fez o que eu pedi, pegando a irmã no colo de um jeito tão familiar, como se já tivesse feito aquilo muitas vezes. Eu puxei a gaiola com cuidado até as pernas de Elisa estarem livres, então me afastei deles e arremessei aquela porcaria para longe. Infelizmente, ela se enroscou no galho de uma árvore poucos metros adiante.

Ian colocou a irmã de pé novamente, e a menina estava corada até a raiz dos cabelos, evitando olhar para o irmão e para o primo, que àquela altura já havia se juntado a nós e visto tudo, boquiaberto. Elisa mantinha as mãos na cintura do vestido, como se segurasse alguma coisa. O que provavelmente era verdade.

— Desculpa, mas eu não sabia qual das fitas era a da crinolina — expliquei.

— Ainda não compreendi por que me fez...

— Porque ela é uma selvagem! — ouvi Cassandra vociferar, protegida da chuva outra vez sob a copa da árvore.

Ela não é problema meu, repeti a mim mesma uma dúzia de vezes, tentando me convencer. Eu não gostava de Cassandra, então não importava o que aconteceria com ela, certo?

Bom, não. Não exatamente. Se eu fosse uma mulher do século dezenove, não saberia nada sobre para-raios e condução elétrica. Mas eu não era. Sempre levaria dentro de mim tudo o que vivi em meu tempo, as coisas boas e ruins, os maus hábitos, mas também o conhecimento, e isso me tornava privilegiada. E, embora eu quisesse ver Cassandra sofrendo por ter sequestrado Elisa, não queria que fosse incinerada por um raio. Uma unha encravada estaria de bom tamanho.

Como se lesse meus pensamentos, Ian abriu a boca.

— Se o que diz é verdade, não podemos deixá-la assim. — Ele apontou para Cassandra com a cabeça.

— Não podemos — concordei com um suspiro. — Mesmo esquema?

Ele assentiu.

— Thomas — Ian chamou alto. — Creio que precisaremos de sua ajuda neste... confronto.

O rapaz deu alguns passos até ficar ao lado do primo.

— O quê? Ficaram loucos? Ela nos matará!

— Não se a gente correr bem depressa depois — falei.

Um trovão gutural me fez encolher. Não havia tempo a perder.

— No três — avisou Ian.

— Jesus Cristo, Ian! — Thomas passou as mãos pelos cabelos molhados, empurrando-os para trás. — Espero que saiba onde está se metendo e me dê guarida, pois certamente serei deserdado.

— Desde que cumpra seu dever com a senhorita Teodora, será bem recebido.

Thomas suspirou, desolado.

— Terei sorte se, depois de tudo o que mamãe fez, a senhorita Teodora se dignar a me dirigir um olhar de desprezo.

— Se o aceitou em seu quarto, creio que os sentimentos dela superarão o ocorrido — Ian emendou.

— Acha mesmo? — Um sorriso tímido e esperançoso curvou seus lábios. — Acredita que ela possa aceitar minha mão?

— Vai ter que voltar e descobrir sozinho, Thomas. Agora vamos. Um, dois... — começou Ian.

Cassandra ficou surpresa ao ver que corríamos como loucos em sua direção, e mal teve tempo de se mover. Não até que fosse tarde demais.

— O que estão fazendo? Me soltem! — Mas Ian e Thomas já tinham imobilizado a mulher. — Parem já com isso! Eu ordeno. — Ela se debatia.

Hesitei em levantar as saias da mulher — não era o lugar onde particularmente eu gostaria de estar —, mas por fim me enfiei sob o tecido encharcado e soltei todos os laços, como tinha feito antes com Elisa. Cassandra me chutou algumas vezes, acertando meu joelho. Cambaleei para fora daquela tenda e segurei a crinolina pela parte inferior.

Ian e Thomas ergueram Cassandra, que berrava descontrolada e esperneava feito uma criança birrenta. Elisa veio me ajudar a puxar a crinolina.

Eu estava pronta para dar àquela gaiola o mesmo destino da primeira, quando Ian a tomou de mim.

— Eu cuido disso. — Mas o que ele quis dizer foi "não quero você perto desse treco".

Ian atirou aquela porcaria tão longe que ela acabou rolando, rolando até cair no barranco e desaparecer de vista.

— Selvagem insolente! — Cassandra berrava. — Como ousa me tocar dessa forma? Com que direito se intromete em minha intimidade? E você, Ian, que compactua com um ato tão vil? Nunca o perdoarei, Thomas. Vou bani-lo de meu testamento. Ficará sem um único vintém!

Ian disse algo a Thomas, que assentiu, solene. Meu marido veio ao meu encontro, enquanto a mulher continuava gritando com o filho, que parecia não se importar.

Ian passou o braço em minha cintura e ofereceu o outro à irmã.

— Já vi muito mais do que minha sanidade pode suportar — desabafou ele, com uma careta de dar pena, e me fazendo rir. — Vamos para casa.

— Será que a gente não podia, tipo, dar uma esticadinha até a praia? — sugeri como quem não quer nada. — Parece que estamos tão perto.

— Oh, que ideia adorável — concordou Elisa. — Posso tomar uma diligência e deixá-los mais à vont...

Foi nesse exato instante que uma bomba explodiu ali perto. Bom, ao menos foi o que pareceu, por causa do barulho ensurdecedor e do tremor que senti sob os pés. Só tive tempo de proteger os olhos. Ian rapidamente se agachou, nos obrigando a fazer o mesmo, se curvando sobre nós e passando os braços ao nosso redor, a mão grande protegendo minha cabeça. Outra bomba detonou em seguida.

— Meu Deus! — exclamou Ian, assim que as coisas se aquietaram.

Eu levantei a cabeça devagar; meu marido olhava para frente e nem ao menos piscava, a perplexidade estampada no rosto. Elisa tinha uma expressão muito semelhante. Olhei para o que lhes chamara tanto a atenção e meu queixo caiu. A crinolina pendurada no galho estava em chamas.

Nós nos levantamos lentamente, e Ian me examinou dos pés à cabeça, fazendo o mesmo com a irmã.

— Vocês estão bem?

— Ãrrã — resmunguei, atordoada. Elisa apenas balançou a cabeça, parecendo em choque.

— Alguém se feriu? — Ele gritou ao primo.

— Não, mas acho que fiquei surdo — foi a resposta de Thomas. Ao seu lado, agarrada a seu braço, Cassandra observava a gaiola queimar com a boca escancarada e os olhos esbugalhados.

Ian soltou um suspiro aliviado e se dirigiu para a beirada do barranco. Eu fui atrás dele e parei ao seu lado para observar a crinolina, que se enroscara em uma raiz poucos metros abaixo, também ser consumida pelas chamas.

— Co-como sabia? — Elisa, que havia me seguido até ali sem que eu notasse, gaguejou, me fitando com os olhos arregalados.

— Foi por causa da sua tia. Quando ela se virou, vi o brilho do metal e saquei tudo na hora. Não sei por que não liguei uma coisa à outra logo no começo. A gente precisa fazer alguma coisa. Espalhar a notícia e impedir que mais mulheres percam a vida por causa dessa gaiola estúpida.

Girando sobre os calcanhares, Ian me prendeu com seu olhar. Ele parecia espantado, pasmo, orgulhoso, confuso e tantas outras coisas que me fizeram corar.

— Você nunca deixa de me surpreender, meu amor — murmurou. — Você é a pessoa mais bonita que já tive a honra de conhecer. — Ele me tomou em seus braços com violência, me tirando do chão.

Gostei de ele não ter me colocado em uma categoria de gênero. Gostei mais ainda dos beijos que salpicou por todo o meu rosto.

— Obrigado por salvar Elisa. Obrigado por nunca fazer o que peço.

Eu acabei rindo.

— Nunca imaginei que um dia você fosse ficar feliz com isso. Mas, sabe, eu sempre soube que você gostava de uma senhorita petulante.

— A *minha* senhorita petulante. — Ele me beijou com delicadeza e depois me colocou no chão.

— E agora que não tem mais maldição — passei os braços ao redor do seu pescoço — podemos finalmente ter a nossa viagem de lua de mel!

42

Eu sacolejava na cabine da carruagem enquanto observava Ian dormir. Eu tinha mesmo muita sorte. Meu marido era lindo. E, depois de um dia na praia, um suave tom rosado começava a se acentuar em um bronzeado muito sutil que me fazia suspirar. Já estávamos a caminho de casa, bem perto agora.

Thomas deixara sua mãe em casa, preparara uma pequena maleta de mão e, após selar um cavalo, rumara com uma pressa insana ao caminho que o levaria a Teodora. Ian obviamente recusou-se a se hospedar na casa da tia. Devido ao não planejamento — e à falta de bagagem —, nossa viagem de lua de mel durou apenas um dia. E eu nunca teria imaginado que seria uma viagem a três. Quatro, se contasse Isaac. No entanto, ainda assim tinha sido melhor do que nada. Nós nos hospedamos numa pensão de dois andares, que mais parecia uma casinha holandesa, perto da praia. A família Schultz nos recebeu com muita alegria, e, por conta do friozinho do começo de junho, havia quartos vagos para nos acomodar por uma noite.

A senhora Schultz, uma mulher grande e corpulenta vestida em cores sóbrias, fez questão de nos preparar uma cesta de mantimentos, e, mesmo sem os trajes adequados, fomos curtir a praia. Elisa parecia pouco à vontade sem a crinolina, remexendo nas saias o tempo todo e olhando por sobre o ombro, temendo que alguém a estivesse observando, mesmo só havendo nós quatro ali. Imaginei que ela estivesse se sentindo praticamente nua.

— Você pode usar uma daquelas anáguas especiais que a madame Georgette faz para mim — tentei animá-la. E pareceu funcionar.

Isaac estava eufórico com o passeio; ele nunca tinha visto o mar e, a todo momento, apanhava um pouco de areia e brincava, admirando sua textura. Ele se recusara a nos acompanhar, dissera ser inapropriado, mas acabei convencendo-o de que talvez precisássemos dele para algum serviço. Tipo distrair Elisa enquanto eu arrastava Ian para trás de alguma pedra e o enchia de beijos indecorosos até para o século vinte e um.

A praia era linda e muito limpa, não pude deixar de notar. Nada de guimbas de cigarro, latas de cerveja ou ossos de frango abandonados pelos turistas.

Meu marido parecia mais do que satisfeito ao me conduzir pela areia fofa e admirar minhas ondas douradas ricochetearem em várias direções.

— Será que um dia vamos planejar alguma coisa e ela vai sair do jeitinho que a gente queria? — perguntei, chutando um morrinho de areia.

Eu estava descalça — era a única — e enrolara a ponta do vestido numa das mãos. Ian carregava minhas botas e a cesta de comida.

Minha pergunta o fez rir.

— Eu sinceramente espero que não. Uma das muitas alegrias de tê-la em minha vida é a garantia de um futuro incerto e surpreendente.

— Não tenho muita certeza que isso é uma coisa boa — fiz uma careta.

Ele interrompeu os passos e me surpreendeu com um beijo. Não que eu fosse reclamar, claro. Ouvi os risinhos de Isaac e Elisa logo atrás.

— Acredite em mim, é uma coisa muito boa.

Corada e feliz, seguimos andando, e eu puxei Ian mais para perto da água, suspendendo um pouco mais a saia à medida que a onda fria encontrava meus pés.

Uma casinha preta com rodas puxada por um cavalo cinza atravessou a praia e estacionou na faixa úmida de areia. O senhor Schultz acenou animado, depois de colocar uma pedra embaixo de uma das rodas dianteiras. As traseiras ficaram parcialmente imersas no mar.

— Legal! Já inventaram os quiosques! — exclamei.

Ian franziu a testa.

— Não sei ao certo a que se refere, mas aquilo é uma cabine de banho.

— Uma o quê?

— Onde as damas trocam os trajes de passeio pelos de banho — explicou Elisa. — E é como elas são levadas até a água.

— Como é que é? — A Jane Austen nunca mencionou uma cabine de banho.

Continuei ouvindo horrorizada Ian e Elisa explicarem mais sobre ela. Ao que parecia, ninguém deveria ver uma mulher em traje de banho, de modo que a cabine a transportava até a água e depois a trazia de volta, e a dama só voltava à areia fofa depois de ter trocado as roupas molhadas por secas. Tudo bem, se fosse um biquininho fio dental eu até poderia entender todo aquele carnaval, mas o traje de banho de 1830 consistia em uma camisa de mangas longas, espartilho, saia comprida e um vestido por cima. Eu me perguntei como é que elas conseguiam flutuar com tudo aquilo...

— Ah, não. Não mesmo! — reclamei. — Chega de casinhas pra mim. Não vou entrar naquela coisa!

— Imaginei que diria isso. — Ian colocou a cesta e meus sapatos na areia e me encarou por um instante. — Mas foi você quem insistiu para que viéssemos ao litoral, e eu ficarei muito decepcionado se não se banhar.

— Bom, eu tinha planejado mesmo dar um mergulho, mas, se pra isso tenho que usar uma casinha, então tô fora.

— Há outra forma. — Ele abriu aquele sorriso malicioso que fazia minhas entranhas bailarem.

Dei um passo para trás, adivinhando o que ele pretendia.

— A água tá bem fria — alertei. — E você ainda está de botas.

— Está com medo, Sofia? — desafiou, dando um passo à frente.

Recuei de novo.

— Com medo? Eu? — E saí correndo.

Ele veio atrás. Suspendi até os joelhos as saias já meio úmidas para ser mais rápida. Ian se deteve na metade do caminho para se livrar das botas. Pensei que com a dianteira eu me safaria, mas em poucas passadas ele alcançou minha cintura e me puxou para trás. Pegando-me no colo como se eu não pesasse quase nada, ele me aninhou em seu peito e fomos juntos para a água. Uma onda se aproximou, ele se abaixou. A temperatura fez meu coração disparar e minha pele se arrepiar. Quando emergimos, afastei os cabelos do rosto. Ian me colocou sobre meus próprios pés, mas manteve as mãos em minha cintura.

— Maluco! — Espirrei água nele.

— Oh, que lástima! Você está tremendo — disse, se esforçando para soar preocupado.

— Não tô nada! A água tá uma delícia — respondi sem entender.

— Não me contradiga, minha senhora. A água está gelada, congelante, e você está tremendo, quase convulsionando! Agora terei de aquecê-la. Não há outra maneira. — Ele me puxou, travando minhas pernas submersas ao redor de seus quadris e beijou minha testa, meus olhos, meu nariz.

Ah! Aaaaaah!

— Oh, o senhor tem razão, senhor Clarke. — Entrei na brincadeira. — Mal consigo vê-lo de tanto que chacoalho. Pode se apressar em me esquentar?

— Certamente. — Ele sorriu antes de aquecer os meus lábios.

É claro que não fomos além disso. Elisa e Isaac estavam ali — além do senhor Schultz —, e nem eu nem Ian éramos exibicionistas. Contudo, o que acontecera naquela noite na privacidade de nosso quarto poderia muito bem ter incendiado a pensão.

Um solavanco me tirou do devaneio, me trazendo de volta ao presente. Ian se mexeu ao meu lado e lançou um olhar pela janela. Elisa permanecia adormecida.

— Já estamos em casa — constatou, surpreso. — Quanto tempo eu dormi?

— Não muito. Estou ansiosa pra saber se tudo correu bem. Acha que o Thomas vai fazer a coisa certa?

— Tenho certeza de que já fez.

— Elisa vai sofrer muito com a ausência da Teodora.

Ian assentiu uma vez, preocupado, observando a irmã em seu sono.

A carruagem parou, e ele se apressou em descer primeiro. Toquei de leve o braço de Elisa. A garota piscou os imensos olhos azuis.

— Chegamos — avisei.

423

— Ah, que alegria. Nunca estive longe de casa por tantos dias. Mas devo confessar que foi uma aventura sem igual. Tenho tanto para contar a Teodora! — Ela se precipitou porta afora e eu fui atrás.

Não sei se me levantei rápido demais, se toda a agitação dos últimos dias cobrou sua conta ou se foi por não comer desde o início da manhã, mas a verdade é que a tontura me encontrou com força e me tirou dos eixos. O mundo começou a se inclinar de um jeito esquisito enquanto eu tentava me manter na vertical.

— Sofia! — o grito atormentado de Ian foi a última coisa que ouvi.

* * *

Ah, cara, aquela coisa de ficar desmaiando era um saco! Como se não bastasse o mal-estar que se seguia, me deixando molenga e enjoada, Ian praticamente me obrigava a virar uma inválida. Recobrei os sentidos já no quarto, para onde Ian me levara. E depois colocou os empregados num frenesi louco, dando ordens tanto a eles quanto a mim. Ele não permitia nem que eu me sentasse, temendo que eu pudesse estar muito fraca. O que era mais ou menos verdade.

— Por que o dr. Almeida está demorando tanto? — resmungou ele, sentado ao meu lado na nossa cama, olhando para o relógio pela milésima vez.

— Ian, já passou. Estou bem — eu lhe garanti. De novo.

— Não sairá desta cama até o médico dizer que está bem para isso.

— Que saco! — Cruzei os braços e fechei a cara.

Madalena entrou no quarto e se aproximou com uma bandeja nas mãos.

— Eu lhe trouxe um pouco de café e bolo. Talvez ajude a recuperar suas forças.

Meu estômago se agitou quando o aroma do bolo de fubá atingiu meu nariz. De um jeito não muito bom.

— Nossa, não! Leva isso daqui, ou eu vou vomitar. — Cobri o nariz com a mão.

— Mas a senhora adora o meu bolo! — argumentou Madalena, magoada. Então algo em seu olhar mudou e de repente seu rosto se iluminou como uma árvore de Natal. — Oh!

— O quê? O que esse *oh* significa? — eu quis saber.

— Nada. — Mas ela olhava para Ian com um sorriso imenso e um brilho úmido nos olhos. — Vou levar o bolo para a cozinha. Que tal um refresco de limão?

— Pode ser. Só tira o bolo daqui — falei, estranhando sua atitude.

— Claro, senhora. Agora mesmo.

Ian e eu observamos desconfiados Madalena se retirar.

— Ela nunca me atende assim, sem reclamar — assinalei.

O v entre suas sobrancelhas se acentuou.

— Sim, é de fato muito estranho. — Ian tirou o relógio do bolso e o examinou de novo. — Onde diabos está Almeida?

— Bem aqui, meu caro amigo — avisou o homem magro ao passar pela porta com sua inseparável maleta na mão esquerda.

— Graças a Deus! — Ian se levantou. — Sofia desmaiou outra vez. — E, sem dar tempo para o sujeito respirar, narrou a ele o que acontecera. Nos mínimos detalhes. — Não pode ser outra queda de pressão. O senhor precisa descobrir o que está afetando a saúde de minha esposa!

— Farei o melhor que puder.

— O melhor que puder não é o bastante para Sofia.

— Ian! — censurei.

— Não é! — Ele nem ao menos piscou.

— Permita-me examiná-la, minha querida. — O médico se aproximou da cama e colocou a maleta aos pés do colchão. — Ou seu marido terá uma síncope. Sente algum desconforto?

— Só um pouco de enjoo, mas doutor... — Aproveitei que Ian estava dois passos afastado e me sentei na cama. — Eu descobri por que as meninas estão sendo atingidas por raios!

— Descobriu? — ele me olhou espantado.

— É por causa daquela gaiola. A crinolina é feita de metal e crina de cavalo. Tanto ferro funciona como para-raios. A gente tem que fazer alguma coisa! Alertar a mulherada. Elisa não vai mais usar as dela. Não falei ainda com a Teodora, mas ela vai ter que desistir nem que seja na marra.

— Isso é certo? — ele me perguntou de olhos arregalados.

— Sim — Ian confirmou. — Eu mesmo presenciei a cena. — Então, muito apressado, explicou o que acontecera na estrada. O médico ouviu tudo com uma expressão perplexa e maravilhada ao mesmo tempo. — Será que podemos deixar para discutir esse assunto em outro momento? — insistiu meu marido. — Sofia precisa de seus cuidados agora.

— Espera um pouco, Ian! — Eu me voltei para o médico. — Pensei em ir até a vila mais tarde e, sei lá, falar num megafone — Isso é, se megafone já existisse. — Mas acho que ninguém vai me escutar porque... bom, todo mundo me acha uma maluca. Mas, se o senhor me ajudar, pode dar certo. Todo mundo ouve o que diz.

— Nem todo mundo. — Ian me lançou um olhar acusatório.

— Acalme-se, minha cara — disse o médico. — Quero ouvir mais sobre esse assunto, todos os detalhes, e certamente pode contar com a minha ajuda. Mas agora me deixe examiná-la, ou será seu marido quem precisará dos meus cuidados.

Eu revirei os olhos, mas assenti. Ian soltou um suspiro aliviado. E, é claro, se recusou a sair do quarto, assistindo ao exame.

— Sente alguma dor? — perguntou o médico.

— Não.

— Teve febre?

— Não.

— Tontura? — Ele segurou meu pulso para checar a pulsação.

— De vez em quando.

O dr. Almeida sorriu de leve.

— Enjoo?

— Humm... às vezes. Mais pela manhã.

— Ganhou peso, Sofia?

— Acho que não. Minhas roupas são todas novas, então não tenho como comparar, já que minha única saia tomou chá de sumiço. — Olhei feio para Ian.

Ele riu de leve e levantou as mãos espalmadas para frente.

— Não sei absolutamente nada sobre o suposto desaparecimento.

O médico olhou para Ian.

— Notou alguma mudança em sua esposa, Ian?

— Não... — meu marido falou devagar, me olhando pelo canto dos olhos — exatamente.

— O que quer dizer? — perguntou o médico

— Como assim, *não exatamente*? — falei ao mesmo tempo.

Corando, Ian desviou os olhos para a janela.

— Algumas partes... — ele limpou a garganta — bastante femininas de Sofia me parecem um pouco maiores.

— Entendo. — O médico reprimiu mais um sorriso.

— Quais partes? — perguntei, ofendida. Porém, antes que eu pudesse gritar com ele por insinuar que eu estava (ou que partes de mim estavam) gorda, me lembrei da conversa de dias antes com Madalena. — Ah, você tá falando dos meus seios, não tá?

Ian enrubesceu ainda mais, lançando um olhar rápido e aflito para os próprios pés, mas assentiu.

— Eles estão inchados por causa da TPM — continuei.

— TPM? — os dois homens perguntaram em uníssono.

— Tensão pré-menstrual.

— Ah! — O médico franziu a testa. — Então creio que me precipitei. Para quando são suas regras?

— Para... humm... — Fiz as contas meio por alto. — Tô um pouquinho atrasada. Mas viajar no... aaaaah... — Eu ainda não tinha conseguido contar a Ian sobre a barganha que fizera com o médico. Tenso como ele estava, achei melhor esperar um pouco mais. — Tanta mudança me deixou meio desregulada. No começo fiquei meio preocupada, mas tá tudo em ordem, porque meu busto está inchado e dolorido. E ando tendo cólicas. Deve vir nos próximos dias.

Ian levantou a cabeça no mesmo instante.

— Quanto tempo de atraso?

— Bom, a última vez foi pouco antes de voltar pra cá. Então... uns quinze dias, mais ou menos.

Ian franziu a testa.

— Duas semanas, Sofia? E você só me diz isso agora?

— É que tá tudo bem. A tensão e o estresse podem desregular o ciclo menstrual. Tenho todos os sintomas da TPM. Não precisa pirar!

O médico apalpou minha barriga de um lado para o outro, em seguida pegou o cone metálico, posicionando a parte ampla sobre o meu ventre e encostando o ouvido no orifício pequeno.

— Ah! — Ele sorriu e voltou os olhos rodeados de vincos em minha direção. — Acho melhor escolher outro nome, querida.

— Pra TPM? — perguntei, confusa.

O médico riu.

— Venha, senhor Clarke! Venha ouvir o que anda fazendo sua amada esposa ter esses desmaios.

Ian ficou meio paralisado, me olhando fixo, antes de dar dois passos, se inclinar e encostar o ouvido no orifício, apreensivo. Seus olhos se arregalaram e encontraram os meus. Devagar, como que em câmera lenta, ele moveu a mão, que subitamente tremia, e tocou minha barriga.

Ai. Meu. Deus.

A adoração, a perplexidade, o amor nos olhos de Ian, aliados ao toque carinhoso em meu ventre, revelaram tudo e muito mais.

Eu estava grávida.

Grávida *e* no século dezenove!

Merda.

43

— Sua esposa não está doente. Está grávida! — revelou o dr. Almeida.

Tudo bem, já entendi. Não precisa dizer em voz alta!

Como foi que aquilo aconteceu? Como?!

Tudo bem, eu sempre me deixava levar pelo calor do momento quando estava nos braços de Ian — e qualquer mulher se comportaria assim —, e nunca mais pus os olhos nas esponjas desde que as encontrara. Mas eu fazia as contas... quer dizer, de vez em quando. Ian era sempre tão carinhoso, e meus pensamentos sempre se tornavam um emaranhado confuso, e *talvez* existisse a possibilidade de eu não ter feito as contas direito.

Tá bom, esqueça o "talvez". Obviamente eu tinha errado os cálculos. Ninguém engravida só porque não tomou as devidas precauções uma ou... oito vezes!

Ah, inferno. Aquela porcaria do hidromel funcionava mesmo!

O médico deu dois tapinhas no ombro de um Ian perplexo. Ele abandonara o cone, mas mantivera a mão espalmada sobre a minha barriga, os olhos fixos nos meus. Algo crescia neles, e levei um tempo para compreender o que era. Não que alguém pudesse me culpar por isso, mas eu estava grávida e no século dezenove! Podia pirar, sem problema.

Nada de anestesia. Nada de anestesia. Nada de anestesia!, eu repetia para mim mesma, em completo abandono.

Ian saltou da cama abruptamente e se pôs a andar pelo quarto como um bicho encurralado. Graças a Deus! Ele partilhava o meu desespero.

— Isso é certo? — perguntou ao médico, com a voz trêmula.

— O senhor mesmo ouviu a nova vida sendo gerada. — O dr. Almeida era o único que sorria naquele quarto. — Parabéns, senhor Clarke!

— Não, não! — Ele sacudiu a cabeça. — Dr. Almeida, Sofia caminhou por quilômetros há algumas noites, viajamos em alta velocidade, ela não se comportou como alguém que deveria manter repouso, e esses desmaios... — Ele levou as mãos à cabeça, e a cor de seu rosto desapareceu. — Aaaah... eu preciso me sentar.

— Aqui, meu amigo, deixe-me ajudá-lo. — O dr. Almeida amparou Ian e o acomodou na cama. — Inspire profundamente e solte devagar.

Ian obedeceu, girou a cabeça e alcançou minha mão, entrelaçando os dedos aos meus. Estavam frios e frouxos. Eu queria apertá-los e lhe passar alguma segurança, mas naquele momento não sentia muita coisa abaixo do pescoço.

— Doutor. — Ian engoliu em seco. — Sofia pode... Essa gravidez pode colocar a vida dela... — Ele encontrou força apertando meus dedos. — Em risco?

Minhas preocupações, porém, não iam tão longe assim. Estava focada nos acontecimentos mais simples. Como por onde *exatamente* o bebê pretendia sair?

— Sofia é jovem e tem boa saúde — explicou o amigo. — Tanto a caminhada quanto a viagem podem nada significar. E esses desmaios, creio eu, se resolverão com uma alimentação mais regular, não é mesmo, Sofia?

Eu apenas olhava para o médico, sem entender bem o que ele queria de mim.

— Sofia? — Ian chamou. Girei a cabeça e fiquei maravilhada por conseguir movê-la. — Meu amor, você sente alguma coisa?

Ah, sim, eu sentia. Tantas que estava até sufocada.

— Não se preocupe, senhor Clarke. É comum que as futuras mamães fiquem sem fala com tal notícia.

Meu Deus. Eu seria mãe! Quando mal conseguia cuidar de mim naquele século!

O médico juntou sua tralha.

— Vou deixá-los a sós. A chegada do primeiro herdeiro é sempre uma ocasião que os casais preferem comemorar com privacidade. Estarei na sala se precisarem de mim.

Ian não se moveu, mas agradeceu ao médico, que fechou a porta depois de passar por ela. Dedos frios e ligeiramente calejados tocaram meu rosto.

— Fale comigo, Sofia. Como se sente?

Com muito esforço, consegui recuperar a voz, ainda que ela mal passasse de um sussurro.

— Apavorada.

— Com o quê, especificamente?

Por onde começar?

— Não estou pronta para ser mãe, Ian. Você viu o que acontece quando estou por perto. É confusão atrás de confusão. Acha mesmo que uma pessoa assim pode ser mãe?

Um sorriso tímido apareceu contra sua vontade.

— Com toda certeza. Você foi incrível com Elisa.

— Que já é uma mulher! — enfatizei. — Não um bebê que chora o tempo todo e não diz onde dói. — Deixei a cabeça pender na cabeceira e mirei o forro. — Eu tô grávida. Ai, meu Deus, eu tô gravida! — Levei as mãos à cabeça. — Maldito hidromel!

Ele deu risada, mas ainda estava tenso.

— Não estou certo de que podemos culpar o hidromel... Nós dois somos os responsáveis. Fizemos isso juntos.

— É. — E, em meio a todas aquelas imagens repletas de gritos e sangue que rodopiavam na minha cabeça, me dei conta do que ele dizia. *Juntos.* Coloquei a mão sobre a de Ian, ainda em meu ventre. — Tem um pedaço seu aqui dentro. — Uma parte de Ian literalmente crescia dentro de mim E isso era... Maravilhoso!

— Um pedaço meu e seu — corrigiu. — Um milagre que já tem um coração forte que bate mais rápido que as asas de um beija-flor.

Levantei o olhar, abismada.

— Sério?

Ian fez que sim com a cabeça.

— Muito forte. Muito rápido. — E pareceu orgulhoso. Para falar a verdade, eu também fiquei.

— Você... tá feliz com a notícia, não tá?

Um sorriso torto e tímido brincou em sua boca meio sem cor.

— Ficará muito desapontada se eu disser que sonho com este momento desde que a pedi em casamento? Ter um filho meu crescendo aí dentro, uma nova vida gerada por nós dois, por nosso amor. Alguém que tenha sua inteligência, os seus olhos, a sua boca ou o formato do rosto que tanto amo.

Soltei um longo suspiro.

— Mas eu vou ficar gorda — assinalei.

— E linda. — Ele acariciou minha bochecha com o polegar.

— Dizem que humor de grávida é pior que o de TPM.

Ele riu de leve mais uma vez.

— Creio que posso sobreviver — E então a diversão deu lugar à preocupação. — Mas, se os desmaios persistirem, mandarei chamar um especialista na cidade.

Quando Ian ficava assim preocupado, um furinho aparecia em seu queixo, pouco abaixo da boca. E me peguei desejando que o bebê tivesse um desses também. E os mesmos olhos expressivos e hipnotizantes. E aquela boca. E também os cabelos sedosos e bem comportados. Sobretudo se fosse uma menina.

Eu passaria pelo inferno para trazer aquela criança ao mundo — caso o dr. Almeida não descobrisse como fazer uma cesariana, claro —, mas, de um jeito louco, me sentia afortunada. Abençoada.

— Posso fazer isso, Ian — falei. Não sei ao certo se para tranquilizar a ele ou a mim.

— Nunca duvidei disso. Nem por um segundo.

— Mas vou precisar que fique do meu lado.

— Não me passou pela cabeça deixá-la sozinha, Sofia.

Pensei em perguntar se ele tinha entendido bem o que eu quis dizer sobre estar ao meu lado na hora do parto — suspeitava de que isso fosse incomum por ali —, mas ele se inclinou, me mantendo cativa por aqueles olhos de ônix. A mão em minha barriga se moveu para se juntar à outra em meu rosto.

— Obrigado. — Seus lábios quentes me encontraram indefesa, e corresponder foi tão imprescindível quanto respirar. Ian me beijou de um jeito novo, delicado, ainda mais doce.

Toc-toc.

Ian soltou um suspirou agastado, mas se aprumou na cama e, depois de clarear a garganta, disse:

— Entre.

Elisa passou voando pela porta e praticamente se jogou sobre mim.

— Elisa, cuidado! — Ian ralhou.

— O que o dr. Almeida disse é verdade? Vocês vão ter um bebê? — ela perguntou abraçada à minha cintura, esticando o braço para segurar a mão do irmão.

— Vamos — meu marido confirmou, radiante. — Seu sobrinho ou sobrinha já está a caminho.

— Oh, meu irmão! Estou tão feliz! Vou começar o enxoval. Os bordados mais delicados tomam muito tempo.

Em seguida, Madalena entrou com o suco de limão e os olhos marejados. Uma sorridente Teodora acompanhada de Thomas surgiu logo depois. Uma imensa pedra verde reluzia no dedo anular da garota. Gomes também veio felicitar Ian. Minha surpresa foi ver Cassandra ali. Eu não sabia que ela tinha voltado. Nem Ian, pela rigidez que o dominou.

— Ian, meu sobrinho, espero que releve meu ato impensado e possa me perdoar. Sou mãe e estava a serviço do que julguei melhor para o meu filho, sem refletir sobre as consequências. Lamento ter lhe causado tantos aborrecimentos. Gostaria de retomar nossos laços de amizade e parentesco e que pudesse me hospedar até que Thomas acerte todos os detalhes do casamento com os Moura.

Ian a olhou com frieza.

— Creio que deva perguntar a Sofia. Esta casa é dela.

Engolindo em seco, a mulher endireitou os ombros e ficou me olhando, mas não refez a pergunta.

Eu a queria por perto? Não mesmo! Mas podia ver a amargura que a discórdia com a tia causava em Ian. Esse foi o único motivo que me levou a abrir a boca e dizer:

— Madalena, acompanhe e acomode a dona Cassandra, por favor. O Ian não vai me deixar sair daqui tão cedo.

— Como quiser, senhora. — Madalena saiu depois de fazer uma reverência.

Cassandra assentiu uma vez e se virou para segui-la, mas, no meio do caminho, hesitou.

— Seus desmaios não eram falsos, afinal.

— Pois é.

— Talvez não seja tão dissimulada quanto eu supus. Contudo, não gostei da maneira como fui atacada — anunciou naquela voz esnobe por sobre o ombro. — Porém fico grata que o tenha feito.

Eu franzi a testa, surpresa.

— Hãããã... De nada.

Ela assentiu de novo.

— Pingue uma ou duas gotas de óleo de lima em seus pulsos e esfregue um pouco. Ajudará a diminuir o enjoo — falou antes de sair.

— Valeu. — Olhei para Ian sem entender, mas ele apenas deu de ombros e se pôs a inteirar Gomes e Madalena sobre os perigos da crinolina, pois os dois ainda não acreditavam no que Elisa lhes contara. Mas logo o assunto retornou ao bebê, e Gomes e Madalena passaram a discutir quem ensinaria o quê a ele/ela.

O dia passou como um raio, e na manhã seguinte o enjoo me atingiu com força. Era como se a descoberta da gravidez tivesse aumentado a náusea. Mas foi só botar tudo para fora uma vez e me senti como nova. Assim que Ian teve certeza de que eu estava bem, se apressou até o estábulo, já que chegara a hora de seus novos garanhões mostrarem serviço.

Aproveitei para trocar uma palavrinha com Teodora que zanzava radiante pela sala de leitura.

— Pensei que Thomas tivesse fugido. Mas ele já me explicou tudo. Poupamos papai do mau passo que dei, pois não aconteceu nada que precisasse antecipar o casamento. No entanto, Thomas deseja marcar a data para antes do Natal — contou ela sem conseguir conter a alegria.

Elisa me surpreendeu ao sorrir. Achei que ela ficaria triste em saber que a amiga iria morar longe. Bom, ao menos era o que eu pensava.

— Thomas foi falar com o senhor Gouvêa — Teodora explicou. — Estão vendendo a propriedade. Thomas quer se instalar nas redondezas. Não quer me afastar de minha família.

Ou deseja ficar bem longe da mãe.

Gomes entrou na sala e anunciou a chegada de um visitante.

— O senhor Guimarães acaba de chegar.

— Oh! — Elisa saltou da cadeira alisando o vestido. Pareceu preocupada que a saia não estivesse tão ampla pela falta de crinolina. A anágua com bambolês deixava a coisa um pouco menos bufante.

— Você tá linda — falei. E me virei para Gomes: — Peça para ele entrar, seu Gomes, e depois traga um suco, por favor.

O mordomo se inclinou e, poucos segundos depois, Lucas apareceu, retorcendo o chapéu nas mãos.

— Bom dia. Desculpem-me pelo adiantado da hora. Mas acabo de saber de seu noivado, senhorita Teodora, e gostaria de felicitá-la.

— Quanta gentileza. Muito obrigada, senhor Guimarães. — Teodora corou de leve.

— Eu não podia perder tempo. — Os olhos do rapaz se prenderam em Elisa. — Parto esta tarde para a cidade, para continuar o meu curso.

— Tão depressa? — Elisa arriscou dizer, evitando contato visual.

— Sim. Mas voltarei assim que puder — disse ansioso. — Certamente antes do Natal.

Olhei de um para o outro, notando a aflição de ambos.

— Que bom que veio, Lucas. Elisa estava comentando agora mesmo que queria caminhar um pouco, mas eu não ando muito disposta e a Teodora... bom, ela machucou o pé.

— Machuquei? — perguntou a garota, franzindo o cenho.

— Machucou. — Lancei a ela um olhar enviesado.

— Ah, sim, acabo de me lembrar. Torci o pé ao descer da carruagem.

Lucas soltou um suspiro aliviado.

— Será um imenso prazer acompanhar a senhorita Elisa, se ela me permitir. — E a olhou em expectativa.

Elisa corou, baixou os olhos, mas assentiu de leve. Ele esticou o braço para a garota, porém, antes que ela aceitasse, eu me meti entre eles, pegando Lucas pela mão.

— Preciso falar com você um minutinho.

Surpreso, o rapaz se deixou arrastar até o canto da sala.

— Tá legal — comecei em voz baixa —, vamos direto ao ponto. Sei que é um cara bacana e tudo mais, mas ouvi dizer que o Ian tem uma ótima pontaria. Então mantenha as mãos na altura dos ombros e não teremos problemas.

— Senhora Clarke! Por quem me toma? — reclamou ofendido.

Não me deixei impressionar.

— Por um garoto apaixonado cheio de hormônios — dei de ombros.

Ele corou.

— Eu jamais tentaria... Nunca desrespeitaria a senhorita Elisa... Eu não poderia... — Ele suspirou, vencido. — Mãos acima dos ombros.

— Ótimo!

Teodora deixou a sala de fininho, abafando o riso.

Lucas ofereceu o braço à minha irmã adolescente, que aceitou constrangida, e juntos desceram as escadas da frente da casa. Porém Elisa se deteve por um instante, disse alguma coisa a Lucas e subiu os degraus correndo. Eu me adiantei. O rosto dela reluzia.

— Tenho algo a lhe perguntar. Já faz um tempo, mas nunca encontro coragem para abordar o assunto — ela disse quase sem fôlego. — Ouvi sua conversa com Ian, no escritório dele, na manhã após o baile de lady Catarina.

— Ouviu? — perguntei, tentando me lembrar do conteúdo da conversa. Eu discutia a possibilidade de Elisa viver com Cassandra. E eu só dissera aquilo porque tinha visto o futuro dela e...

Oh-oh.

— Sim, ouvi coisas que você preferia manter em segredo. — Ela corou, mortificada. — Todavia, desejo salientar que não importa de onde... ou de *quando* tenha vindo. Você veio, e isso é tudo. É a irmã com a qual a vida me presenteou, e agradeço todos os dias por essa dádiva magnifica.

— Ah, Elisa. Eu pensei que você... sabe... me olharia de um jeito diferente. Eu não suportaria perder a sua admiração.

— Isso nunca acontecerá, posso lhe assegurar. Irmãs são amigas que nunca precisam partir, lembra-se?

Fiz que sim com a cabeça e a abracei com força, aliviada por não precisar mais mentir para ela.

— Mas tenho uma pergunta — ela sussurrou com a cabeça em meu ombro. — E tudo o que precisa responder é um sim ou não. Não questionarei mais nada a respeito.

— Tudo o que quiser — falei, impressionada com a naturalidade com que aquela menina maravilhosa tratava o assunto.

Ela se afastou o suficiente para me olhar nos olhos.

— É ele? O *cara* que será tudo em minha vida, como você disse a Ian? É Lucas? Porque meu coração faz coisas estranhas quando estou perto dele. Ou o vejo. Ou penso nele.

Mordi o lábio e, diante daqueles enormes olhos azuis suplicantes, me vi impotente e assenti uma vez.

— Obrigada! Mil vezes obrigada! — Ela se esticou para depositar um beijo em minha bochecha antes de descer correndo as escadas e se juntar ao grande amor de sua vida. Ou ao menos seria, em alguns anos.

Eu os observei caminharem devagar, lado a lado. O destino da menina retomara seu curso. Não tardaria e Lucas entraria naquela sala para pedir a mão dela. Humm... Antes eu precisava preparar o Ian. E talvez esconder sua arma, só por garantia.

Como se soubesse que meus pensamentos se voltavam para ele, Ian entrou na sala, animado.

— Como está se sentindo, minha adorável esposa?

— Feliz. Olha. — Apontei para o par. A risada delicada de Elisa chegou aos nossos ouvidos.

Ian franziu a testa.

— Para onde estão indo?

— Dar uma volta. Lucas vai embora hoje e veio se despedir de Elisa.

— E por que ele precisa levar minha irmã para fora de casa para se despedir? — ele perguntou de um jeito que não achei muito bom.

— Ian... Olhe bem pra eles.

Ele olhou. A menina virava a cabeça para o lado oposto ao do seu acompanhante quando ele a fazia rir. E este, por sua vez, parecia se empenhar ainda mais no intuito de repetir o feito.

— Lucas? — Os olhos de Ian se arregalaram. Eu assenti uma vez. Sua expressão se tornou obscura. — E você permitiu que ele levasse Elisa para sabe-se Deus onde?

— Confie um pouco nela. — Agarrei seu braço e pousei a cabeça em seu bíceps. — Eu falei com o Lucas antes. Ele não quer se aproveitar de Elisa, Ian. Ele a ama de verdade.

Meu marido voltou a examinar o casal, que se distanciava cada vez mais.

— Acho bom ele não querer mesmo. — Com toda certeza eu deveria esconder sua arma. — Mandarei Isaac vigiar os dois.

— Nada disso. — Ergui a vista para o seu belo rosto. — Você vai me levar até a vila. Temos coisas importantes pra fazer.

— Como o quê? — Ele me encarou surpreso.

— Falar com o seu Plínio e ver se ele ainda tem interesse no condicionador. Espalhar a notícia de que a crinolina é perigosa e, sei lá, pensei em namorarmos um pouco. Sua tia parece menos... humm... endemoniada, como a Madalena disse mais cedo, mas eu ainda quero ter um tempinho só para nós dois, enquanto ainda somos só nós dois. — Toquei minha barriga plana.

Ian me enlaçou pela cintura, se inclinou para pousar um beijo na pontinha da minha orelha, fazendo meu corpo todo vibrar. Sua voz soou baixa e rouca ao perguntar, todo sedutor:

— Quando partimos?

O seu Claudionor Pereira não era lá o melhor dos fornecedores. Toda entrega era a mesma história. Discutia sobre o preço das frutas, e, por eu ser mulher, achava que podia me engambelar. Nunca dava certo. Ainda assim, ele não deixava de tentar.

— Mas entenda, senhora. O preço do abacate está pela hora da morte. O que oferece é muito pouco Foi o mesmo que pagou no Natal, e o preço praticamente triplicou desde então!

— Sem aumento, seu Claudionor. Do contrário, pode levar os abacates de volta.

A senhora vai me levar à falência!

— Não vou, não, e o senhor sabe muito bem disso. Oito meses atrás, antes de eu começar a comprar todas essas caixas, a fruta apodrecia na sua barraca.

Uma carroça diferente surgiu na estrada. Eu a observei com curiosidade. As rodas traseiras eram maiores que as dianteiras e havia uma capota recolhida logo atrás do pequeno estofado verde-musgo. Reconheci o condutor instantaneamente. Ian comandava um cavalo dourado atrelado ao que quer que fosse aquilo, e, mesmo de longe, consegui vislumbrar um sorriso quase infantil em seu rosto perfeito. O que é que ele estava aprontando?

Seu Claudionor seguiu meu olhar e soltou um suspiro de alívio ao ver Ian se aproximando. O homem ainda tinha esperanças de que meu ma rido assumisse as rédeas e negociasse diretamente com ele. Ian nunca se envolvia, sobretudo quando era eu quem acertava os preços da matéria--prima, mas ele gostava de estar presente. Achava excitante me ver discutindo com os fornecedores. E fazendo discursos sobre os riscos da crinolina de cima de um caixote pelas ruas da vila.

Minha campanha contra a crinolina ainda não tinha surtido tanto efeito, e eu desconfiava de que muito se devia ao início do meu discurso. "E aí, gente boa do século dezenove..." me parecia um bom começo, mas as pessoas me olhavam de um jeito estranho e logo saíam andando.

Entretanto, às vezes uma pessoa ou outra acabava me ouvindo, e, sempre que eu avistava uma garota com as saias murchas andando pelas ruelas da vila, o orgulho me invadia. Madame Georgette relutou em acreditar na letalidade do aparato, mas, assim que vislumbrou a possibilidade de vender novos acessórios a todas as mulheres das redondezas — ideia de Ian para tentar convencê-la a nos ajudar —, se engajou na luta como uma ativista ferrenha. Era ela quem descolava o caixote. E o dr. Almeida se tornara crucial nessa batalha — sempre que podia visitava diversas famílias, na tentativa de convencê-las por meio da lógica científica.

E Ian... Bem, meu bravo cavalheiro elaborara um tipo de panfleto explicando os perigos da crinolina, com desenhos tão assustadores quanto realistas que teriam deixado até o Stephen King assombrado. Por iniciativa própria, ele os distribuíra em todos os comércios da vila e, assim que eu encerrava o discurso sobre o caixote, era sempre o primeiro a gritar:

— Nossas mulheres merecem viver em segurança!

E, toda vez que ele fazia aquilo, eu queria me atirar sobre ele.

Tudo bem, eu sempre queria me atirar sobre Ian, mesmo sem que ele lutasse ao meu lado por uma causa.

— Senhora Clarke? — chamou seu Claudionor, me tirando do devaneio.

— Ah, sim. Vai me vender pelo preço de sempre, ou terei de procurar um novo fornecedor? — perguntei enquanto observava Ian parar atrás da carroça de abacates e saltar.

O homem franzino olhou para Ian, suplicando.

— Não olhe para mim, senhor Pereira. — Ian se divertia com a careta do sujeito. — É ela quem está no comando. Sou apenas o marido.

Resmungando alguma coisa ininteligível — eu desconfiava de que fossem palavrões —, o homem bufou e assentiu uma vez, selando nosso acordo.

— É difícil dobrar sua esposa, senhor Clarke.

Meu marido me abraçou pelos ombros e beijou minha testa.

— Eu diria impossível. — Ian riu.

— Descarregue na cozinha, por favor, seu Claudionor — pedi ao sujeito mal-humorado.

A carroça sumiu de vista pouco depois, e Ian me girou nos braços.

— Eu devia ter aceitado sua ajuda com a contabilidade quando tive a chance — brincou.

— Posso dar uma olhada nisso mais tarde, depois de conferir se a entrega está de acordo.

Ian coçou a cabeça.

— Sofia, não há mais espaço na cozinha para suas frutas. Vamos ter de arranjar outro lugar para preparar seu condicionador.

— Eu sei — suspirei. — Só queria esperar mais um pouco.

Ian espalmou a mão grande no alto de minha barriga inchada. O dr. Almeida não conseguia precisar o meu tempo de gestação, mas acreditava que eu estivesse entre o sétimo e oitavo mês pela circunferência de minha cintura. Eu estava imensa! Meus pés incharam tanto que Ian precisou mandar fazer sapatos novos para mim. E os vestidos de cintura alta ficavam só um pouquinho mais confortáveis que os outros, e, com todo aquele volume, era difícil me locomover. Apesar disso, Ian vivia dizendo que eu estava linda. Não só dizia isso uma dúzia de vezes por dia como também provava todas as noites — e eu me senti um pouco enganada, pois ninguém nunca me contou que toda aquela ebulição de hormônios da gravidez resultava em outras ebulições, por assim dizer.

E, por sinal, minha pequena empresa estava indo muito bem, e, além do acordo com o boticário, fechei com outros dois estabelecimentos, sendo um deles na cidade! E ainda tinha Suelen e Najla, que sempre me escreviam pedindo grandes quantidades de produto. As garotas se tornaram o sucesso da temporada (o que quer que isso significasse), e, segundo as cartas que Suelen me enviava com frequência, os cavalheiros não poupavam elogios à cabeleira reluzente de ambas.

Claro que ficou impossível preparar todo aquele creme sozinha, não só por causa do inchaço, que me deixou ainda mais desastrada, derrubando quase tudo que eu via pela frente, mas porque era abacate e banana demais para amassar, muito coco para furar. Então duas senhoras agora cuidavam do creme, e Madalena se dividia entre a casa e seu próprio negócio: compotas de coco que Isaac vendia na frente da igreja nas manhãs de domingos. Ele sempre voltava para casa com os caixotes vazios.

— Uma de minhas propriedades ficará vaga e é bem perto daqui — meu marido comentou enquanto me guiava para perto daquela carruagem esquisita. — A família Silveira decidiu ir para o Sul cultivar arroz. A casa é boa, mas creio que precisaremos fazer uma reforma para instalar sua fábrica.

— Fábrica? — perguntei, atordoada.

Ian fez que sim.

— Já falei com o tabelião. Vou providenciar a papelada necessária. Vamos precisar de um nome. Já pensou em algum?

— Hããã... não. Nem pensei no do bebê ainda. — Paramos e examinei a carroça por um instante, que mais parecia uma carruagem aberta. Talvez fosse o cupê da época. — O que é isso?

Os lábios de Ian se esticaram tanto que temi que seu rosto se partisse ao meio.

— É o fim de uma longa discussão. Como disse, a família Silveira está indo para o Sul e não poderia levar o faetonte. É pouco confortável para uma viagem tão longa, mas excelente para curtos percursos. Partirão em uma diligência. Então eu o comprei para você.

— Pra mim?

— Não pensou realmente que eu a deixaria cavalgar com as pernas escarranchadas feito um cavalheiro, pensou? — Ele arqueou apenas uma sobrancelha.

— Você não me deixa montar de jeito nenhum. — Desde que soubera da gravidez, Ian interrompeu as aulas de equitação. No entanto, eu ainda tentava convencê-lo a me deixar montar da maneira certa sempre que podia.

— Não é seguro — explicou outra vez. — Poderemos retomar as aulas depois que o nosso bebê chegar... e o resguardo terminar. Mas sei como preza sua independência. Então o faetonte será perfeito para se locomover até a vila ou até sua fábrica, caso eu não esteja por perto.

Meus olhos se arregalaram em êxtase.

— Sem Isaac pilotando?

— Sem Isaac pilotando. É claro que antes teremos de treiná-la, mas os comandos são simples. Vai se sair bem.

Eu me atirei nele, passando os braços em seu pescoço. A barriga pontuda não me permitia chegar muito perto, mas Ian dava um jeito, se curvando e abaixando os ombros.

— Valeu, Ian! É lindo demais! Não acredito que tá me dando um carro! Vamos logo testar meu panetone.

Ele riu com gosto, depositando um beijo delicado em meu pescoço.

— Faetonte. — E me ajudou a subir na carruagem baixinha.

Eu me acomodei bem na ponta para que Ian coubesse ao meu lado. O faetonte sacolejou de leve sobre seu peso. A lateral do meu corpo se colou à dele, e Ian parecia mais do que feliz espremido ao lado de uma mulher tão redonda como eu. Eu me inclinei para pegar as rédeas, mas Ian se antecipou.

— Lamento, mas não posso permitir que conduza nessas condições.

— Como é? Você me dá um carro, mas não vai me deixar dirigir?

— Vou sim, mas depois. — Ao ver minha expressão petulante, ele se apressou: — Se estivéssemos em seu tempo, você poderia conduzir um veículo?

— Eu... — Não fazia a menor ideia, mas desconfiava de que não, tendo em vista o tamanho da minha barriga. Não tenho certeza se caberia atrás do volante.

— Eu imaginei — comentou quando não continuei, como se soubesse das coisas. — Apenas mais um pouco de paciência, meu amor.

— Tudo bem — cedi. — Então me mostra do que essa coisa é capaz.

Ian ergueu os braços, sacudindo as guias, e Princesa — reconheci ao me deparar com seu traseiro — se agitou. Não fomos muito depressa, e desconfiei de que Ian queria que permanecêssemos assim. No entanto, o faetonte era leve, muito menor que a carruagem, e, mesmo com Ian nos atrasando de propósito, pude perceber que o veículo era bastante rápido Eu me divertiria muito com ele.

Percorremos alguns trechos, mas Ian logo achou que era hora de voltar para casa. Passamos pelo estábulo na volta. Lua estava solta no cercado e trotava calmamente quando uma comoção de dentro de uma das baias chamou a atenção de Ian, que rapidamente puxou as rédeas e deteve Princesa. Storm surgiu empinando sobre as duas patas seguido por Isaac, que esfregava o traseiro.

— Bicho dos infernos — resmungou.

Temi que Storm fosse atacar Lua, mas tudo o que fez foi parar ao lado dela, esticar bem o pescoço e... exibir os dentes.

— Ele tá sorrindo? — perguntei a Ian, abismada.

Meu marido riu.

— Ora, quem diria! Parece que Storm venceu a timidez. — Ele segurou as rédeas de Princesa com firmeza. — É melhor voltarmos para casa agora.

— Por quê? — Storm recuou um pouco e então se lançou sobre a minha égua. — Ah, meu Deus! Storm, para com isso! Ian, ele vai matá-la! — Eu estiquei os braços como se pudesse alcançar Lua.

Ian me segurou pela cintura inchada e me fez sentar.

— Storm não machucará sua égua, mas acho melhor lhes darmos um pouco de privacidade.

— O quê? Por quê? — Confusa, olhei para os cavalos, e Storm estava... —... Ah! Oh! — Corei, desviando os olhos da cena.

Ian nos conduziu de volta para casa com comandos curtos e rápidos. Cuidadoso, ele me ajudou a descer do faetonte, se detendo uma vez para colar os lábios aos meus sob a luz quente do entardecer. Foi quando subíamos as escadas da frente que seu Domingos apareceu cavalgando como louco. Havia meses que não tínhamos notícias dele e, consequentemente, do projeto do meu banheiro.

— Senhora Clarke! Senhora Clarke! — gritava ele, acenando.

Tudo bem, não tinha jeito. Eu era mesmo a senhora Clarke e ponto--final. E, quer saber, eu gostava disso. Gostava de ser vista como a mulher de Ian De pertencer a ele.

Seu Domingos apeou do cavalo numa empolgação desvairada e subiu correndo os degraus para me encontrar. Seu sorriso era genuíno e as bochechas estavam coradas. Se pela cavalgada ou pela animação, eu não sabia.

— Encontrei! Enfim encontrei o que a senhora deseja! Olhe! Realmente existe! — Ele retirou um papel amassado do bolso do paletó verde e me entregou.

No alto da folha lia-se "Alexander Cumming's Invention" e, logo abaixo, havia uma gravura de uma espécie de máquina com base de madeira e uma torre estreita, que sustentava algo muito parecido com uma bacia funda, um grande s sob ela. Alguns ferros e chaves também faziam parte da geringonça.

— O senhor Cumming patenteou este invento. É revolucionário! Chama-se sifão e é preso à.... — ele clareou a garganta — bacia receptora. O formato inovador permite que os... — corando, ele prosseguiu — detritos não retornem. É tudo muito simples, na verdade. Algumas famílias europeias já aderiram ao invento, pois facilita a vida das damas, já que pode ser instalado dentro das residências. Claro que teremos de elaborar a captação de água, onde despejaremos os...

Eu o interrompi lançando meus braços ao redor de seus ombros e o apertando com força.

— Obrigada, seu Domingos!

— Bem... — ele engasgou, dando tapinhas em meus ombros. — Fico feliz em poder atendê-la.

— Viu isso? — Soltei o homem e mostrei o folheto a Ian. — É a minha privada! — Que mais parecia um Frankenstein, mas aparência não é tudo, não é mesmo?

— Sim, estou vendo. — Um meio sorriso esticou sua boca perfeita. E, se dirigindo ao mestre de obras, acrescentou: — Quando tudo ficará pronto?

— Creio que em pouco tempo. Com esses novos navios a vapor, a Europa não parece tão longe assim. Se concordarem, farei a encomenda e acredito que em sete ou oito meses deva estar aqui.

Sete ou oito meses?

Abri a boca para protestar, mas mudei de ideia. Eu teria meu banheiro, com descarga e tudo, sim, eu podia esperar mais sete ou oito meses.

— Pode fazer a encomenda — Ian concordou. — O quanto antes, senhor Domingos.

— Isso, e talvez o senhor poss... Ai! — Senti um beliscão na barriga.

— O que foi? — Preocupado, Ian se curvou, colocando a mão em minhas costas

— Nada, acho que foi só um... Aaaaai!

Ah, não! O dr. Almeida ainda não dera notícias sobre a minha peridural. O bebê não podia nascer antes disso. Mas, droga, havia algo muito errado acontecendo dentro de mim.

— Sofia! — Ian chamou.

— Ian, eu acho que... — Outra onda de dor me fez perder o fôlego. — Puta que pariu, isso dói pra cacete!

— Se-senhora Clarke! — censurou Domingos, mas eu já não ouvia mais nada. A dor que já era insuportável dobrou de intensidade e eu vi estrelas.

— Ouvi Sofia gritar! O que está acontecendo? — Elisa perguntou ao longe.

— A-acho que chegou a hora — Ian gaguejou com a voz trêmula, tentando me amparar.

— Mas ainda falta um mês! Oh, meu bom Deus! Madalena! Madalenaaaaa! — a menina gritou e saiu correndo.

A dor foi cedendo, e eu consegui relaxar um pouco. Ofegante, olhei para Ian. Ele estava sem cor.

— Tenho que buscar o dr. Almeida! — falou em pânico. — Não, primeiro tenho que levar você para o quarto! Creio que precisaremos de água quente. Vamos precisar, não vamos? — ele perguntou ao Domingos.

— Talvez levá-la para dentro seja o mais aconselhável. Eu chamarei o médico para o senhor. Seguirei à vila o mais rápido que puder. Tenha uma boa hora, senhora Clarke.

Eu apenas assenti. Uma boa hora? Sendo dilacerada ao meio?

— Muito obrigado, senhor Domingos. Fico-lhe muito grato. Venha, meu amor. — Ian passou um braço por meus joelhos e me pegou no colo enquanto o seu Domingos corria para sua montaria. Lancei um braço por seu pescoço e o examinei atentamente. A palidez agora dava lugar a um tom esverdeado.

— Ian, fica calmo — murmurei. — Respira fundo e solta devagar.

Ele apertou o passo e me fitou com as sobrancelhas tão comprimidas que se tornaram uma só.

— Estou calmo. Estou respirando. Acho. Está doendo muito? Diga que está suportando, Sofia... — implorou aflito.

— Tudo bem. Tá tudo bem. — Eu acariciei seu rosto. — Você precisa ficar calmo, e eu acho que posso andar.

— Não. Nada de andar.

A essa altura já estávamos no quarto, e delicadamente ele me colocou sobre a cama. Então endireitou a coluna e ficou me observando assustado.

— E agora? — perguntou.

— Não sei. Nunca fiz isso antes.

— Não brinque, meu amor. Talvez eu deva...

Uma nova contração me atingiu e eu saí do ar. Senti os dedos longos de Ian agarrarem a minha mão. Quando consegui enxergar novamente, eu o encontrei ajoelhado ao meu lado, pálido, comprimindo os lábios até se tornarem uma linha reta, os olhos atormentados e cheios de agonia.

Madalena passou pela porta e imediatamente expulsou Ian do quarto. Ele não lhe deu a menor atenção. Eu queria que o meu marido ficasse ao meu lado o tempo todo, mas, ao ver seu desespero impotente, entendi que ele se afligiria muito mais se ficasse ali, me vendo sofrer. Também me dei conta de que os gritos o levariam à loucura.

Merda!

Quem sabe ainda há esperanças, me consolei. Àquela altura, o dr. Almeida podia ter encontrado a morfina!

Infelizmente, isso não tinha acontecido.

Quando o médico chegou, tratou de arrastar Ian para fora com a ajuda de Gomes e mais dois empregados.

— Ela ficará bem, senhor Clarke — o médico garantiu.

— Sofia! — Ele lutava contra as mãos que o dominavam, mas a porta foi logo trancada em sua cara.

— Pronto, querida — o dr. Almeida falou com ternura. — Agora vamos trazer essa nova vida ao mundo.

Bom, só que não foi tão simples assim. A noite caiu e eu continuava ali, gemendo baixinho, respirando e empurrando como Madalena e o médico ordenavam. Mas acho que o bebê mudou de ideia na metade do caminho e decidiu ficar onde estava.

— Vamos, Sofia, um pouco mais de força agora — instruiu o médico.

Eu tentei, mas não dava. Madalena bufou, secando minha testa.

— Essa criança já teria nascido se o teimoso do seu marido me ouvisse e estivesse agora mesmo rodeando a casa com a galinha nas mãos, em vez de tentar colocar a porta abaixo! — resmungou Madalena.

Olhei para ela sem entender.

— Que galinha? — perguntei.

— Agora, Sofia. Empurre! — comandou o dr. Almeida.

Eu fiz tanta força que senti uma veia em meu cérebro querendo se romper. Mas não aconteceu nada.

— Não dá pra deixar o bebê aí dentro? Eu não me importo — falei, esgotada.

— Não desista agora, querida. Está quase lá! — ele me incentivou.

Quando a nova onda de tortura me encontrou, quase perdi os sentidos. Madalena alisava meu rosto com um pano úmido. Seus olhos estavam preocupados agora.

— Preciso do Ian — falei atordoada.

— Imagine só! Um homem assistir ao parto do filho! — Madalena exclamou horrorizada.

— Ele estava comigo quando essa criança entrou — reclamei. — É justo que esteja quando ela sair. Não vou conseguir sem ele!

— Oh, pobrezinha. A agonia a está fazendo delirar! — choramingou ela.

Tentei convencer o médico.

— Doutor, ou o senhor me dá a morfina ou o Ian. Preciso de um dos dois!

A cabeça careca do médico surgiu entre os meus joelhos, ele comprimiu os lábios finos até se tornarem apenas um risco.

— Não me parece boa ideia consentir que...

Ah, que se dane. O bebê era dele também.

— Ian! IAAAAN! — comecei a gritar.

— Sofia! — veio a voz abafada através porta que ele esmurrara sem parar nas últimas seis horas ou mais. — Madalena, abra esta porta!

— Senhor Clarke, faça sua parte e vá pegar a galinha!

Mas que raios de galinha era aquela? Mágica ou alguma coisa assim?

— Ian! — chamei de novo.

Algo pesado investiu contra a porta. O dr. Almeida olhou espantado naquela direção e então suspirou.

— Ele vai entrar, senhora Madalena — constatou resignado. — De um jeito ou de outro. É melhor que não se machuque no processo. Abra a porta.

A mulher arfou pesadamente, e eu temi que seu queixo fosse se desprender do rosto.

— Mas, doutor...

— Vai logo Madalena! — gemi, me contorcendo na cama.

Ela bufou. Madalena mal teve tempo de abrir a tranca e Ian estava lá, pálido, trêmulo, suado. Até parecia ter contrações também.

— Estou aqui! — Ele se juntou a mim na cama, segurando minha mão e beijando minha testa. — Estou aqui e não sairei do seu lado.

— Preciso de você.

Ele assentiu freneticamente.

— Basta me dizer como posso ajudar, meu amor.

— Quero que faça de conta que eu sou uma égua.

Um longo silêncio se abateu sobre o quarto, tudo o que eu ouvia era a minha respiração ofegante. Três pares de olhos se fixaram em mim.

— O quê? — os três perguntaram em uníssono.

— Faz de conta que sou uma égua — expliquei a Ian. — Faz aquilo que vi você fazendo no estábulo. Com a Princesa.

Compreendendo o que eu queria, ele assentiu uma vez. Então me ajudou a erguer o tronco e se encaixou entre as minhas costas e a cabeceira da cama. Passou um braço sobre os meus ombros, me mantendo no lugar, e esticou a mão livre para tocar minha barriga. Ian começou a fazer círculos firmes e precisos e, conforme seus movimentos cresciam, minha energia voltava.

— Assim? — ele sussurrou.

Eu ergui os olhos, a cabeça encostada em seu ombro, e encontrei suas íris negras brilhantes, sentindo a onda de tortura se avolumar dentro de mim.

— A gente já passou por um monte de coisas.

Respira.

— Muitas — ele concordou, continuando com sua mágica em minha barriga.

Respira. Respira. Respira.

— Não queria que você ficasse de fora dessa que, eu acho, vai ser a maior delas.

— Sofia... — Seus olhos ficaram úmidos, e tirei dali toda a força que me faltava.

Cerrando a mandíbula, eu aceitei a dor e a força de Ian, agarrando-o pelo antebraço, e empurrei com tudo. E continuei empurrando, até que por milagre a agonia desapareceu, e um choro agudo e estridente preencheu todo o quarto. O som fez meus olhos arderem e um nó se formou em minha garganta.

— Uma menina! — exclamou Madalena. — Oh, meu Deus, ela é tão linda!

Tentei vê-la, mas estava esgotada demais, não conseguia nem me mover. Busquei Ian e o encontrei olhando para frente maravilhado, hipnotizado. Então, como se sentisse que eu o estava observando, ele abaixou a cabeça. Os olhos marejados brilhavam como nunca.

— Como ela é? — eu quis saber à meia-voz.

— Barulhenta, exigente, forte e enlouquecedoramente linda. Assim como a mãe.

Sorri para ele, exausta, perdida em um tipo de alívio que se parecia muito com êxtase. Madalena depositou o embrulho branco barulhento nos braços de Ian. Ele se moveu de leve para recebê-la, de modo que seu corpo ainda sustentasse o meu. A menina parou de chorar no instante em que se aconchegou nos braços dele.

Essa é a minha filha, com toda certeza.

Com a cabeça ainda apoiada no ombro de Ian, estiquei o pescoço ao mesmo tempo em que ele se inclinou de leve para que eu pudesse vê-la. Afastei o tecido para o lado e perdi o fôlego quando de repente o mundo se tornou mais brilhante, mágico e encantado. O bebê mais perfeito do mundo tinha a pele rosada — ainda um pouco suja de sangue — e muito cabelo. Preto como carvão. Não consegui ver seus olhos, ainda fechados, mas a boca era pequena, o lábio inferior ligeiramente farto, como um morango.

Ian se moveu e, meio desajeitado, colocou aquele pacotinho precioso em meus braços, as mãos envolvendo as minhas para que eu pudesse segurá-lo. Foi estranho e maravilhoso. Era como segurar meu próprio coração.

Ao ver a garotinha piscar os olhinhos inchados, mover a mão pequenina meio descoordenada, meu coração quase parou, e então começou a bater rápido, num tipo de amor indissolúvel, imutável e incondicional, que se amalgamava com cada fibra do meu ser. Ian sentia o mesmo, eu podia ver a veneração, o instinto protetor, a ternura em seus olhos enquanto a admirava, gravando seus traços delicados na memória, esticando um dedo tímido para tocar sua bochecha gordinha.

Baixei a cabeça e pousei os lábios na testa macia e quente de minha filha.

— Bem-vinda a este mundo maluco, Nina.

Os olhos negros de Ian se ergueram e se atrelaram aos meus. Sorri para ele.

— Aposto que você estava com medo de que eu fosse chamar nossa filha de Cocada.

Ele riu e se inclinou, beijando minha testa, depois meu nariz e por fim meus lábios secos. Quando voltou a me encarar, sua expressão tinha mudado. A diversão se fora.

— Meu amor, eu... — Sua voz falhou e senti que ele pretendia dizer que viveria, lutaria, morreria por mim, por nós duas se preciso, mas estava tão emocionado que não era capaz de emitir som algum.

Tudo bem, estava tudo ali, exposto naquelas íris escuras infinitas.

— Eu sei, Ian — sussurrei com a voz embargada. — Eu também amo você.

45

Querida Nina,

Preciso dormir. Eu amo a minha filha, a Marina é tudo para mim, não me entenda mal. Eu só gostaria que ela dormisse de vez em quando. Ela é meio boêmia, segundo o dr. Almeida. Ian adora brincar com ela de madrugada, mas até ele está exausto. Nina já tem quatro meses, não devia adormecer um pouquinho vez ou outra?

Ah, e a Bic que dei a Ian acabou. Escrevi tantas cartas para você que a tinta já era. Ele está tentando encher o refil, mas até agora só fez sujeira.

Eu contei que Nina vai ganhar um priminho? Teodora descobriu que está grávida. Cassandra não cabe em si de tanta felicidade. Ela se mudou para a casa nova de Thomas e Teodora, que fica só a vinte quilômetros daqui. A mulher ainda é desagradável às vezes, mas parece que a felicidade do filho (e, segundo Madalena, as visitas frequentes de um certo viúvo da região) tem feito maravilhas por ela. Ian ainda não a perdoou, porém tem se esforçado para ser cortês. Então, quem sabe?

E, por falar em Madalena, ela e Gomes andam se acertando. Ian acha que eles finalmente vão ficar juntos, porque a tal mulher por quem o mordomo está apaixonado é a Madalena. Ela ainda não sabe disso. Vive reclamando que Gomes só atrapalha seu serviço e diz que ele está ficando gagá. Mas dia desses eu os flagrei na cozinha ralando coco, e o homem "sem querer" deixou a mão tocar a dela. Madalena deu um gritinho, mas deixou sua mão sob a dele. Ao menos até Nina começar a berrar e denunciar a nossa presença.

Aos poucos, fui entrando na pele da senhora Clarke, e, quando decidi esquecer de vez aquelas regras malucas, tudo ficou muito mais fácil. Gomes e Madalena parecem satisfeitos com meu jeito de governar a casa, não tão perfeito como na época da senhora Clarke mãe ou na de Elisa, mas funciona, e é isso o que importa. Até o padre Antônio me elogiou durante um almoço, e isso é muito raro. Ele fazer elogios, quero dizer. Todo domingo, depois da missa, ele vem filar a boia aqui em casa.

Elisa está mais feliz do que nunca. Lucas e ela se corresponderam nos últimos meses, sem Ian saber de nada, claro. Desde que o garoto voltou, tem visitado minha cunhada todos os dias. Ian não gosta muito disso, mas deixou Madalena encarregada do assunto, então, quando o rapaz aparece aqui...

— Sofia! — Elisa entrou no meu novo escritório. Nina berrava em seus braços. — Ajude-me, não sei o que ela quer.

Eu me levantei, e, assim que me viu, Nina gritou ainda mais, tremendo o lábio inferior e fazendo um furinho adorável aparecer em seu queixo.

— Ei, mocinha, o que foi? Está com fome de novo? — perguntei, pegando-a no colo. Ela estava mais pesada agora, e muito, muito parecida com o pai. Os cabelos tinham a mesma cor, mas aqueles cachos indomados, infelizmente, eram meus.

— Não creio que seja fome — contou Elisa, aflita. — Ela mamou não tem nem meia hora! Já troquei as fraldas, tentei fazê-la dormir, mas nada adiantou. Será que está doente?

Comprimi os lábios na testa macia de Marina.

— Não, acho que ela quer outra coisa.

— E o que é?

Estava pronta para lhe dar a resposta quando a *coisa* apareceu. Ian atravessou a sala, a preocupação marcando seu belo rosto. Seus olhos pousaram em mim, depois em Nina.

— Eu a ouvi chorar. — E era sempre assim. Ele parava o que quer que estivesse fazendo para acudir a nossa filha.

— Adivinha o que ela quer? — zombei.

— Humm... — Ele se inclinou para pegá-la e aproveitou para sapecar um beijo não tão rápido em meus lábios. — O que quer, meu amorzinho? Conte para o papai.

Assim que se encontrou nos braços dele, Nina se aquietou e eu tive de rir. Ian era o único que conseguia fazê-la parar de chorar. Ela agitou os bracinhos roliços e bateu a pequena palma em seu peito, como se respondesse: papai, papai, papai! Então enfiou a mão na boca e começou a chupar os dedos cheios de furinhos.

— Ela é tão esperta! — falei, acariciando sua cabeça.

— E manhosa. Sempre consegue o que quer. Lembra-me alguém... — brincou Ian, com um sorriso nos lábios e me olhando cheio de ternura.

— Meu irmão — começou Elisa. — Talvez o senhor Guimarães venha me visitar esta tarde. Ele tentou falar com você ontem, mas você demorou tanto que ele precisou ir embora.

Ian franziu a testa.

— Outra vez, Elisa?

— Ian... — censurei. — Eles só querem bater papo. São da mesma idade. — Bom, mais ou menos — Não vai dar uma de irmão mais velho chato e fazer Elisa passar vergonha. Ela sabe o que deve e o que não deve fazer.

— Sim, sei mesmo. Sofia me explicou tudo! — ela se apressou, juntando as mãos na altura da cintura.

Ele revirou os olhos.

— Como se isso me deixasse mais tranquilo.

Elisa e eu rimos. Ele acabou cedendo, e acomodou Nina melhor em seu colo.

— Tudo bem, Elisa. — Ian segurou Nina com apenas um braço e procurou o relógio. Nossa filha se agarrou à corrente. — Conhece as regras. Duas horas no máximo. E a senhora Madalena estará presente o tempo todo, caso eu ou Sofia estejamos ocupados tentando domar esta pequena senhorita exigente. — Ele brincou com a mão de Nina agarrada ao relógio.

— Obrigada, Ian — Elisa respondeu e saiu apressada, certamente para se arrumar.

— Não acha que ainda é muito pequena para querer um desses? — Ian perguntou a Nina, que levava o relógio à boca e babava no visor. — Nem pense que será fácil. Primeiro terá de vencer o papai numa corrida de cavalos. Aposto que será a melhor amazona das redondezas.

Ela respondeu com uma porção de barulhinhos divertidos. Por fim se cansou do relógio, meio sonolenta, seus olhos negros e enormes tinham dificuldade para permanecer abertos. Ian e eu ficamos assistindo à luta da bebezinha contra o sono. Por fim ela perdeu a briga e adormeceu.

— Se ela fizesse isso à noite eu ficaria tão feliz — comentei, sonhadora.

— Ela chegará lá. Por falar nisso, os ingressos chegaram. Já combinei com Elisa sobre amanhã à noite. Está tudo resolvido.

— Não acredito que já vai fazer um ano que a gente casou. Parece que foi ontem.

Ian me levaria à ópera e depois a um restaurante que, segundo ele, era o melhor do país, para um jantar romântico. Ele tinha mais planos, mas se recusava a dividi-los. Consegui extrair algumas informações de Elisa, que ficaria com Nina durante a *noite toda*. Imaginei que dormiríamos fora.

Ou não dormiríamos nada, melhor dizendo.

— Ah, quase me esqueço. Tem algo que quero lhe mostrar. — Ian me entregou Nina com todo o cuidado do mundo. — Venho trabalhando nisso há certo tempo e queria sua opinião.

— É mesmo? — perguntei surpresa. — Trabalhando no quê?

— Apenas uma ideia que tive um dia desses. Espere aqui, volto logo.

— Tá bom.

Acomodei Nina no berço — havia um em praticamente todos os cômodos da casa agora — e fiquei olhando para ela por um longo tempo. Eu adorava fazer isso. E vê-la brincar com a papinha de frutas. Mal podia esperar para que ela entendesse que devia comer em vez de cuspir tudo em mim.

Voltei para a escrivaninha e molhei a ponta da pena no potinho de tinta, me preparando para voltar à minha melhor amiga.

— Tentando quebrar as regras, Sofia?

Eu girei na cadeira com o coração aos pulos. Aquela voz melodiosa, parecida com a de um anjo, era inconfundível.

E era a última coisa que eu esperava ouvir na vida.

Saltei um metro longe da mesa, mantendo os olhos fixos na mulher de cabelos e olhos cinza diante da janela.

— Não! — falei firme. — Não vou a lugar nenhum. Você não pode me mandar de volta. Meu lugar é aqui! Você disse que era definitivo!

O rosto sereno não esboçou nenhuma reação.

— Acalme-se, Sofia. É apenas uma visita. Nada mais.

— Ah! — Fiquei um pouco menos tensa. Não muito. Eu era grata àquela mulher. Graças a ela encontrara Ian, mas isso não significava que eu confiava nela.

— Vim conhecer Marina. Só isso. Trouxe alguns presentes.

De repente, eu queria voar porta afora com a minha filha nos braços.

— Não fique com medo — suplicou, com aquela voz calma e doce. — É apenas uma visita rápida. Nina anda dando muito trabalho para dormir, não?

Fiz uma careta.

— Ela não curte muito essa coisa de dormir. Não à noite.

A mulher se aproximou do berço, e eu imediatamente me coloquei à sua frente. Estava pronta para, ao menor sinal de um celular, agarrar Nina e saltar pela janela. A mulher me ignorou e se inclinou para o lado. Um sorriso imenso se espalhou em seu rosto delicado de fada.

— Tão linda quanto eu havia imaginado. — Então esticou a mão fina e a descansou na testa da minha filha. — Você será saudável, terá beleza, compaixão e tudo o que seu coração desejar.

Aquilo me pareceu familiar. Só não consegui me lembrar de onde conhecia aquela fala.

— Você... tem visto a Nina e o Rafa? Eles estão bem? — perguntei como quem não quer nada.

A mulher fixou a atenção em mim. Os olhos cinzentos se estreitaram, desconfiados.

— Não posso interferir, Sofia, você sabe disso. E você devia fazer o mesmo. — E apontou com a cabeça para as cartas sobre a mesa.

Soltei um longo suspiro.

— Não poderia interferir nem se quisesse. Não tenho como enviá-las, a menos... — Eu parei de falar. E de pensar. Concentrei-me com muita força em coisas banais.

Minha fada madrinha analisou meu rosto com cuidado, unindo as sobrancelhas.

— Por que está pensando em pêssegos, laranjas e... — seus olhos se arregalaram — fitas de cetim, Sofia? Sério?

— Entrei totalmente no clima deste século — falei, pensando em diversos tons de azul.

Ela me estudou, desconfiada, e eu me esforcei ainda mais. Fitas amarelas. Casas verdes...

— Seja lá o que estiver tramando, não vai funcionar.

— Não tô tramando nada. — Cavalos azuis. Com bolinhas roxas e brancas, crinas cor-de-rosa e um chifre prateado no meio da testa. Humm, Nina adoraria babar num desses...

— Ouça, não posso me demorar — ela suspirou, olhando para a porta pela qual Ian saíra pouco antes. — Trouxe alguns presentes para a sua nova família, mas, no fundo, acho que fui eu que saí ganhando. Estou tão orgulhosa de você! Sua descoberta pode mudar o destino de algumas mulheres, Sofia. E o projeto com os cosméticos foi tão inesperado, mas foi muito gratificante acompanhar sua luta para manter sua essência. Espero ter acertado. — Ela indicou a mesa, onde antes não havia nada além de papéis e cadernos, e que agora exibia três caixas.

Tudo bem, a mulher era uma fada. Devia ser moleza fazer objetos aparecerem do nada.

— Então é aqui que a gente se separa? — perguntei, meio triste. — Não vou te ver de novo?

— Bem, sou sua fada madrinha... — Abruptamente os olhos dela perderam o foco e se tornaram opacos, como se ela não estivesse ali ou como se visse algo que eu não era capaz de enxergar. Então sacudiu a cabeça e os cantos de seus lábios se curvaram para cima. — Mas vamos torcer para que eu não tenha de interferir outra vez.

— Vai dar tudo certo, né? Entre mim e o Ian? Você não pode adiantar só uma coisinha ou duas do nosso futuro?

— Não é preciso. Você já o viu. Até brigou um bocado com ele.

Eu a fitei sem entender.

— O que quer dizer?

Ela abriu a boca, mas então virou a cabeça em direção à porta e sorriu.

— Você já vai descobrir. Cuide-se, Sofia. — Ela beijou minha testa e, com um piscar de luz incandescente, desapareceu.

Contemplei Nina no berço e suspirei aliviada ao constatar que ela nem ao menos havia se movido.

Como assim briguei com o nosso futuro?, eu me perguntei. Como é que eu poderia fazer uma coisa dessas?

Desisti de tentar entender e, intrigada com o conteúdo das caixas sobre a mesa, me apressei em investigar. Ao menos aquele mistério eu podia resolver rapidamente. Abri a maior delas, cor-de-rosa com o nome Marina escrito em roxo, numa letra elegante. Ali dentro havia... o unicórnio de pelúcia que eu acabara de imaginar! E era tão grande que Nina teria de crescer um pouco mais para poder brincar com ele. Uma caixa retangular e comprida estava amarrada às patas macias, como se fizesse uma oferta. Desatei a fita que a prendia ao brinquedo, abri caixinha e arfei.

— Ai, meu Deus!

Remexi nas duas dúzias ou mais de chupetas multicoloridas no mesmo instante em que Nina resmungava no berço. Ela gemeu e se preparou para berrar. Antes disso, escolhi uma delas, a lilás de abas largas — para combinar com a roupinha verde-água que ela usava — e a aproximei de sua boca. Seus olhos se arregalaram um pouco, a testa franzida de leve como se não entendesse, então experimentou sugar e pareceu gostar. Ou decidiu que não valia a pena pensar muito sobre o assunto e milagrosamente voltou a dormir.

— Ai, meu Deus! — sussurrei. — Valeu, fada madrinha!

Corri para a caixa na esperança de que ela tivesse trazido mais alguma coisa útil — tipo um notebook recarregável a luz solar, quem sabe? Ou um suprimento de absorventes descartáveis para a vida toda, talvez. Mas não havia mais nada. O pacote seguinte, menor e comprido, era destinado a Ian. Eu o coloquei de lado e peguei o último. Esse trazia o meu nome. Hesitei antes de abri-lo.

Eu precisava de mais alguma coisa?

Tinha um marido dedicado, o amor da minha vida, minha alma gêmea, meu melhor amigo. Uma filha linda e saudável que teria tudo que seu coração desejasse. Uma família que incluía uma irmã caçula e avós. Tornara-me independente ao dar segmento ao meu próprio negócio, fizera novos amigos e havia bolado um jeito de manter os antigos (ao menos eu assim esperava, se meu plano funcionasse).

Minha vida estava plena, completa, até mais do que isso. Eu era feliz como nunca tinha sido. Realmente precisava do que quer estivesse ali dentro?

— Não, não preciso — eu me ouvi dizendo, com um sorriso no rosto, ao empurrar a caixa.

— Não precisa de quê, meu amor?

Olhei por sobre o ombro para ver Ian entrar no escritório. Ele trazia alguns papéis nas mãos.

— Disso. Recebi uma visita bastante incomum.

Contei a ele sobre a fada e os presentes, e sua primeira reação foi me pegar pela mão e checar Nina. Um suspiro lhe escapou dos lábios quando ele viu que estávamos bem, mas franziu a testa ao analisar o rosto da nossa filha.

— Ah, é uma chupeta. Ela gostou — expliquei. — A fada madrinha deixou presentes. Aquele ali é pra você. Não sei o que pode ser, não abri.

Surpreso, ele foi até a mesa e pegou o pacote, virando-o nas mãos.

— Arrisco dizer que, mesmo depois de abri-lo, corro o risco de não saber do que se trata.

Eu ri enquanto ele abria o pacote com cuidado. Um sorriso de menino que o deixava tão irresistível esticou seus lábios. Uma caixa de canetas Bic surtiria mesmo esse efeito nele.

— É maravilhoso, Sofia. Gostaria de poder agradecer — ele comentou, fixando em mim o olhar, que subitamente se tornara intenso. — E não estou me referindo às canetas.

Eu me aproximei dele e passei os braços em seu pescoço. Ele me abraçou pela cintura.

— Acho que ela sabe que somos gratos.

— O que você ganhou?

Dei de ombros.

— Não sei, não abri.

— E por que não?

— Já tenho tudo que quero ou preciso.

Ele fechou os olhos e enterrou a cabeça em meu pescoço. Sua boca quente trilhou um caminho de beijos que seguiu até a minha orelha.

— É mesmo, minha bela esposa? — sussurrou.

— É sim. Você me deu tudo, Ian, e não estou falando de bens materiais.

Ele ergueu a cabeça para me encarar.

— Você também me deu o mundo, Sofia. — E seu olhar se inflamou. — Você *é* o meu mundo!

Abraçando-o com mais força, enrosquei os dedos em seus cabelos encorpados e macios e trouxe sua boca até a minha. No entanto, ele me deteve com delicadeza.

— Espere, preciso lhe mostrar uma coisa. — Ian me entregou o papel. Havia um desenho oval formado por flores e folhas intrincadas, o oito deitado ao centro com os dizeres "Creme de beleza para os cabelos Infinito".

Minha boca se abriu e eu pisquei algumas vezes.

— Ian, de onde tirou esse nome?

Ele colocou a mão no bolso da calça e me mostrou o verso do relógio que eu lhe dera.

— Não gostou?

Levei um minuto inteiro para responder. Eu conhecia aquele logotipo. Já o vira milhares de vezes. Já usara o produto milhares de vezes. Cortesia do Rafa.

Eu já tinha visto o meu futuro, dissera minha fada madrinha. Já brigara com ele inúmeras vezes.

Não! Não podia ser! Não o Rafa...

— Sofia? — chamou Ian, preocupado.

— Ai, meu Deus, Ian! Você não vai acreditar no que eu acho que acabei de descobrir! É a coisa mais maluca do mundo e, mesmo assim... Ai, meu Deus! — Empolgada demais, pulei sobre ele e, por conta do impulso, acabei jogando-o para trás. Esbarramos na mesa e algumas coisas caíram, entre elas os presentes. A caixa de canetas se abriu e elas se espalharam pelo chão com um *plic-plic-plic*. Nina suspirou no berço, mas não acordou.

— Ai, desculpa. Eu preciso parar de te atacar desse jeito ou vou acabar destruindo a mobília um dia desses. — Eu me agachei para recolher as canetas.

— Devo discordar. Adoro quando você tenta destruir a mobília comigo. — Ian se ajoelhou para me ajudar.

No meio da bagunça, a tampa do meu presente se abriu, mas, por sorte, estava de costas para mim. Ian, porém, deu uma boa olhada no conteúdo.

— Humm... Sofia — Ele começou a rir de leve. — Creio que você deveria aceitar o presente.

— Não quero, Ian. Não quero seja lá o que tenha aí dentro.

— Você quer. E muito! Confie em mim.

— Você sabe o que é? — perguntei, surpresa.

Aquela explosão de faíscas prateadas chispou em suas íris de ônix.

— Jamais poderia me esquecer deles. — Um sorriso malicioso cheio de significados surgiu.

— Deles?

Virei a caixa abruptamente, e o que vi foi lona vermelha, borracha encardida pelo uso contínuo, o cadarço meio desfiado...

— Meu All Star! — Apertei um deles contra o peito. Imediatamente me livrei das botas para calçá-los, mas Ian foi mais rápido e me deteve.

— Permita-me. — Ele se ajoelhou ao meu lado e pegou um dos tênis. Escorregou o calçado pelo meu pé, fazendo o laço com muita dedicação. Então deslizou o outro, e um meio sorriso encantador surgiu tímido em seu rosto.

Como se eu precisasse daquilo para saber que ele era o meu príncipe encantado...

A luz do sol incidia sobre nós, e ali, com Ian agachado ao meu lado, não pude deixar de pensar que fora numa posição muito semelhante que nos vimos pela primeira vez. Só que, na época, nós hesitamos.

Não havia hesitação, dúvidas ou segredos entre nós agora. Ao contrário, existia a maior sintonia, a ponto de eu achar que pensamentos podiam ser lidos quando se amava alguém como Ian e eu nos amávamos. E, depois de tudo que passamos, de enfrentarmos juntos duzentos anos de diferenças, eu sabia que seria assim para sempre.

Como se lesse meus pensamentos, Ian empurrou as canetas para o lado, passou um braço pela minha cintura, me içando enquanto sua outra mão se prendia à minha nuca, nossas testas se unindo.

— Amo você, Ian. Vou te amar pra sempre.

Ele fechou os olhos por um momento, saboreando as palavras. Então voltou a abri-los, e eu fiquei abismada com o amor profundo e imutável que refletiam.

— "Meu passado, meu presente, meu futuro..." — Seus dedos cálidos acariciaram minha bochecha enquanto ele proferia a inscrição que eu mandara gravar em seu relógio de bolso. — "Minha vida."

Ele tocou meu queixo, elevando meu rosto para que seus lábios encontrassem os meus, e a mão em minha cintura se contraiu minimamente, me levando para ainda mais perto. Apoiei as mãos em seus ombros e mais uma vez me perdi naqueles olhos profundos, munida da certeza de que o que quer que o futuro tivesse nos reservado terminaria com "e viveram felizes para sempre".

46

Nina e Rafael deixaram o táxi aliviados. Estava abafado lá dentro sem o ar-condicionado, que o motorista dizia estar quebrado. Além disso, a garota queria chegar logo em casa. Estava física e emocionalmente exausta. A tristeza pela morte do avô de seu marido, aliada a toda aquela burocracia de divisão de bens na qual nenhum dos dois estava interessado, quase a levara à loucura.

— Ainda bem que acabou — ela comentou ao passar pela porta automática do prédio de oito andares onde moravam, no centro da cidade.

— Não acredito que o vovô me deixou esta caixa. O que será que o advogado quis dizer com "coisas de valor sentimental"?

Nina revirou os olhos, empurrando o marido para dentro do elevador.

— Coisas de valor *sentimental* — zombou.

— É sério, Nina. Tô me perguntando o que é que o vovô *achou* importante guardar.

— Talvez coisas da juventude. — Ela apertou o botão e logo começaram a subir. — Já pensou no que vai dizer ao seu pai a respeito da fábrica?

Rafael encolheu os ombros, desconfortável com o assunto. Cosméticos nunca tinham sido a sua praia.

— Não há o que dizer. Ele sabe que eu não vou trabalhar lá e ponto-final.

— Acho que você se daria bem no departamento de marketing. Você sempre foi muito criativo.

As portas se abriram e Rafael deu passagem para a mulher. Sem que ela percebesse, ele escorregou os olhos por suas costas e os fixou no traseiro da garota. Um sorriso preguiçoso lhe surgiu nos lábios.

Nina derrapou no piso liso do quarto andar ao ver três homens de uniforme amarelo e azul parados diante da porta de seu apartamento. O único que destoava era o mais velho, um senhor de setenta anos ou mais, trajando um terno cinza sisudo, uma medalha dourada presa na lapela.

— Algum problema? — ela perguntou.

— Estamos procurando a senhora Marina Junqueira de Azevedo — disse o homem de terno, em sua voz cansada.

— Sou eu.

— Oh! Você existe mesmo, minha filha! — o sujeito exclamou, com um sorriso imenso na cara enrugada.

Sem jeito, Nina riu.

— Até onde eu sei...

O homem endireitou as costas encurvadas, parecendo orgulhoso ao cruzar os três passos que os separavam, esticar a mão para ela e entregar um pacote sujo e manchado.

— Pode assinar o recibo, por favor? — ele perguntou, e um dos carteiros estendeu uma prancheta para ela.

Sem entender, Nina assinou, e, assim que entregou a prancheta ao mais jovem, um flash foi disparado. E mais um. E outro ainda.

— Por favor, fotografe todos nós. — O homem estendeu a mão trêmula e entregou uma máquina fotográfica a Rafael. Ele deixou sua caixa no chão para atender ao pedido. E sorria para a mulher, achando graça.

— Olhe o passarinho, Nina.

Flash!

— Não tem ideia de como esperei por este momento — o homem falou apertando a mão dela, parecendo emocionado. — Meu tataravô recebeu essa encomenda e, desde então, aguardamos ansiosos a data de hoje. É uma honra para mim poder fazer esta entrega. Em meus sessenta anos de serviço, nunca um pacote me foi tão precioso.

— Vamos, seu Bregraro. — Um dos entregadores estendeu a mão para dar apoio ao velho carteiro. — Agora sim o senhor pode se aposentar.

— Ah, meu filho, e como esperei por isso. Eu tinha certeza de que 2011 seria o meu ano.

Nina abriu a boca, confusa, mas os outros homens sacudiram sua mão entorpecida e, antes que ela pudesse perguntar qualquer coisa, entraram no elevador sem dar mais explicações.

— O que foi isso? — Rafa quis saber.

— Não faço a menor ideia! — Então ela deu uma olhada no que tinha em mãos. Havia uma notinha dizendo "Entregar no endereço abaixo na data de 8 de maio de 2011". Nina retirou a nota e estudou o pacote. Os garranchos incompreensíveis a fizeram rir e acreditar ter sido um verdadeiro milagre a encomenda chegar às suas mãos. Levou um tempo para que a compreensão a atingisse e ela se desse conta do que realmente significava aquele pacote. — Ai. Meu. Deus. É da Sofia! É da Sofia!

— Ah, a desnaturada resolveu dar notícias no fim das contas. — Rafa pegou sua caixa do chão, mas não foi capaz de suprimir um suspiro de alívio ao ouvir notícias da amiga. Nina lhe contara uma história esquisita, cheia de falhas, sobre Sofia ter se apaixonado e se mudado para viver com um cara num canto remoto do planeta. Ele sabia que a mulher estava mentindo, mas, se ela se esforçava tanto, devia haver um bom motivo. Nina e Sofia sempre foram um pacote só.

— Ela anda meio incomunicável, já falei, Rafa. Abre logo a porra dessa porta que eu quero ver o que ela me enviou!

Assim que entrou, Nina rasgou o papel velho e manchado e se deparou com uma pilha de cartas amarradas por um barbante encardido. Apenas uma delas não estava presa. E foi essa que ela resolveu ler primeiro, enquanto seu marido se acomodava no sofá e abria a caixa de memórias do avô.

— Ah, cara, meu vô guardou todas as quinquilharias da vovó... — ele resmungou, decepcionado.

Querida Nina,
Você não vai acreditar em tudo o que eu tenho pra te contar! Se acha que viajar no tempo foi maluco, espere só até saber o que eu descobri ainda ontem.

Não tenho certeza se você vai mesmo receber estas cartas. Eu bolei um plano doido depois de receber a visita daquela mulher (não se preocupe, ela só veio dar uma olhada em como eu estava me saindo e me dar alguns presentes. Tenho meu All Star de volta! Meus pés estão numa felicidade só!) e vou tentar falar com o agente dos Correios (sim, ele já existe.) hoje à tarde, a caminho da cidade. Não sei se ele vai querer receber um pacote com data de entrega para quase duzentos anos à frente, mas preciso tentar. Tomara que elas cheguem até as suas mãos.

Bom, por onde começo? Ah, sim! Eu encontrei a vendedora, como você deve ter imaginado. E ela é minha fada madrinha. Não, não estou brincando. Eu explico melhor nas cartas que enviei no pacote. O importante é que Ian e eu conseguimos, Nina! Estamos vivendo nosso felizes para sempre todos os dias. Mas o caminho para chegar até aqui foi meio torto. Quase deu tudo errado, e você não vai acreditar na confusão em que me meti. Mas esse é um assunto que pode esperar um pouco.

Eu estou bem. Muito mais do que bem, na verdade. E sou mãe! Ela é linda e sei que você a amaria assim que colocasse os olhos nela. Dei a ela o seu nome. Ian prometeu fazer um retrato dela para eu te enviar. Ela se parece tanto com o pai que chegaria a ser irritante se eu não o amasse tanto.

Sinto tanta saudade de você que meu peito dói, e a incerteza de que você possa estar triste por alguma razão está acabando comigo. Você está feliz, Nina?

— Uau, eu sempre quis este relógio! Lembra dele, Nina? — Rafael pescou um antigo relógio de bolso prateado de dentro da caixa.

— Lembro — respondeu Nina, erguendo os olhos. — Seu avô nunca se separava dele.

— A Sofia tá bem? — Rafa pousou o relógio sobre a almofada estampada com a foto dos dois na praia que visitaram na lua de mel. Nina sorria, e ele fazia careta.

— Parece que sim. Ela casou e teve um bebê! Uma menina que se chama Marina.

— Então ela deve ser muito linda e inteligente. — Ele piscou um dos olhos verdes para ela.

Nina sorriu de leve, embaraçada e feliz como o diabo por seu marido a olhar daquela forma, como se tivesse acabado de se apaixonar por ela.

— É, Sofia, eu tô bem feliz — ela murmurou, sorrindo para a carta.

Daria tudo para saber sua resposta, então eu finjo que sei e que você responde: "É, Sofia, eu tô bem feliz".

Tenho um grande mistério para você. Fico me perguntando quanto tempo você vai levar para entender. Aposto que não vai demorar muito.

Bom, mas para isso tenho que explicar tudo do início. A confusão começou antes de o meu casamento acontecer, por causa de um relógio. O do Ian quebrou por minha causa — quase fui atropelada por uma carruagem. Inacreditável! —, e ele ficou tão triste que me cortava o coração toda vez que ele queria consultar as horas. Uns dias depois, achei esse prateado na vitrine, só que eu não tinha dinheiro, mas comprei mesmo assim, e mandei gravar uma mensagem para Ian na tampa traseira e... Bem, darei mais explicações em breve, mas você já deve ter imaginado que tudo deu errado. Ar aquele seu creme de cabelo entrou na parada, e ele não só salvou minha aparência como me deu uma fonte de renda. Só que no processo eu quase perdi o Ian...

— Ai, não, Sofia! — Nina se deixou cair no sofá ao lado do marido. O bolo de cartas que ainda segurava escorregou de sua mão. Rafa se antecipou, pegando-o com agilidade. Entretanto, um pequeno pedaço de papel deslizou e dançou no ar antes de cair sobre os tênis do rapaz.

Ele se inclinou para pegá-lo.

— Ei! Onde a Sofia arrumou isso? — Ele observava o pequeno retângulo maravilhado. — Foi o primeiro logo da fábrica de cosméticos da minha família. Creme de beleza Infinito. Que nome mais idiota.

Rafa não percebeu o choque no rosto da esposa, pois estava distraído brincando com algumas joias da caixa do avô. Naquele instante, os pensamentos de Nina estavam a toda, uma coisa começando a se encaixar na outra.

Seria possível?

Não, de jeito nenhum. Tão possível quanto sua melhor amiga se apaixonar por um cara do século dezenove e ter uma fada madrinha. Quase ser atropelada por uma carruagem não a surpreendera tanto assim, no entanto. Sofia tinha um péssimo senso de direção. Nina podia imaginar o que ela não estaria aprontando no pacato século dezenove. Pobre Ian...

A moça sacudiu a cabeça e seus cachos dançaram. Qualquer dia desses, Sofia ainda a levaria à loucura com aquelas histórias impossíveis.

Disposta a colocar um ponto-final naquela especulação ridícula, ela fitou o marido.

— Rafa, me deixa dar uma olhada naquele relógio?

— É um barato, não é? — Ele pegou a peça e se atrapalhou com a corrente antes de depositá-lo na palma de Nina. — Meu avô não deixava ninguém chegar perto. Dizia que simbolizava o amor verdadeiro. Meu pai sugeriu que vovô o deixasse vender o troço no eBay uma vez, disse que podia conseguir uma boa grana. Meu avó ficou tão fulo que não deu o relógio pra ele, como manda a tradição da família, e eles ficaram sem se falar por quase dois anos. Acho que foi por isso que ele deixou pra mim. Ele sabia que eu era louco pelo relógio e que jamais o venderia.

Nina examinou o objeto antigo, girando-o nas mãos ate encontrar a tampa traseira e abri-la. Devagar, ela examinou o interior. Havia uma inscrição.

I.C.

Meu passado
Meu presente
Meu futuro
Minha vida

S.A.

— Não pode ser! — Nina exclamou, completamente aturdida.

— Maneiro! — Rafael assentiu uma vez. — Como é que você sabia que tinha isso aí?

Nina examinou o rosto do marido. Ela conhecia cada traço, cada linha teimosa de seu queixo, cada expressão daqueles olhos de esmeralda. No entanto, agora ela procurava algo mais, uma semelhança, um pequeno sinal de que...

— Ah. Meu. Deus — murmurou ela ao reparar naquela covinha na testa do marido Sofia tinha uma daquelas; aparecia toda vez que, preocupada, franzia a testa. — Não pode ser!

— O quê? O que tem aqui? Tá nascendo uma espinha? — Ele esfregou a testa, e o furinho se acentuou.

Nina inclinou a cabeça e respirou fundo. Perturbada não era bem a palavra para descrevê-la naquele momento. Ela se obrigou a erguer a carta e terminar a leitura.

Ian e eu passamos boa parte da noite passada discutindo esse assunto. Agora finalmente consigo compreender. Quando reencontrei minha fada madrinha, ela disse que eu tinha sido colocada no tempo errado, mas eu não tinha parado para pensar no que isso significava até ontem, quando ela veio visitar Nina. Sempre pensei que meu presente fosse o século vinte e um, mas não era. O século dezenove nunca foi o passado, sempre foi o meu presente, onde eu deveria ter nascido. O que faz do século vinte e um o meu...

· Futuro! — Nina exclamou.

Então eu vi meu futuro, Nina. E briguei muito com ele. Teria sido de muita ajuda se eu soubesse disso na época em que nós duas saímos feito loucas atrás da vendedora, né? Assim eu saberia que tudo daria certo no final. Acho que aquela coisa da carta do Ian me confundiu. E isso me fez pensar em Jonas. Ian tem uma teoria. Tive de contar a ele sobre aquela manhã em que visitamos a casa dele aí no seu tempo. Não tínhamos conseguido encontrar a vendedora, e eu comecei a duvidar de que tudo tinha sido real. Lembra como eu estava mal? Pois então, o Ian chegou à conclusão de que naquele momento, por apenas algumas horas, eu estava tão sem esperanças que tinha desistido. O que você e eu vimos foi o que teria acontecido se eu tivesse abandonado meu coração e desistido de Ian. Acontece que saí de lá mais decidida do que nunca, e assim meu futuro voltou aos eixos. Voltar para Ian, amá-lo e fazê-lo feliz. Ter filhas lindas com ele, que um dia também terão filhos. Assim, no futuro, meu tataraneto cabeça-oca poderá ter seu feliz para sempre e se casar com a minha melhor amiga.

— Puta merda, Sofia! — Nina exclamou.
— Que foi? — Rafa tocou o braço da esposa, buscando seu olhar, preocupado.

A garota não conseguia falar, apenas sacudiu a cabeça e sorriu da melhor forma que pôde. Ainda que não acreditasse, que não fizesse sentido... Bem, fazia.

Conforme absorvia cada palavra de Sofia, a descrença dava lugar ao espanto para, em seguida, dar espaço ao deslumbramento.

Nina sempre amou Sofia feito uma irmã. Agora ela a amava ainda mais

Esquisito, né? Você sempre foi o meu único senão. Te deixar pra trás é algo que ainda não consegui superar. Mas eu tinha que voltar para o século dezenove, para que nós duas pudéssemos ter o nosso felizes para sempre. Eu precisava estar neste mundo paralelo e mágico (não que Ian concorde com essa parte) em que vivo para que minha melhor amiga pudesse encontrar o seu amor.

As cartas que enviei contam com mais detalhes tudo o que andou rolando por aqui. Vou continuar escrevendo e atualizando você das confusões em que ainda vou me meter. Enfim, esse foi só o começo da minha história, só um capítulo. Ainda tem um livro todo me esperando para ser escrito, e a parte que mais gosto é saber que terei Ian ao meu lado para me ajudar a escrevê-lo. Sei que essa é uma via de mão única, Nina, mas ao menos você poderá saber o que acontece comigo. Enquanto escrevo, te sinto mais perto.

Agora preciso ir. Tenho que me arrumar para a Ópera. Será a nossa primeira noite sem Nina, e eu estou tensa e animada ao mesmo tempo. ~~Se tudo correr bem, vou arrastar Ian pro canto e ficaremos de amasso o espetáculo todo! Na verdade estou planejando atacá-lo ainda na carruagem, para relembrar o começo de tudo.~~

Desculpa pela bagunça aí em cima. Ian tomou minha caneta e rabiscou esse pedaço. ~~Ele ficou todo constrangido, daquele jeito irresistível que me faz perder o foco.~~ Ele tá aqui do meu lado, lendo por sobre o meu ombro, ~~me distraindo com beijos no~~ pescoço dizendo que não é assim que se escreve uma carta. Ele manda beijos e diz que já te adora (na verdade, disse: "Mande lembrança à senhora Nina e diga que a estimo muito, mesmo sem conhecê-la pessoalmente").

Preciso mesmo ir. ~~Me vestir com Ian por perto é uma tarefa complicada, trabalhosa, e muito, mas muito prazerosa. Sempre termino com menos roupa do que quando comecei.~~

Te amo, minha irmã do coração. Se cuida e seja feliz pra sempre aí que eu farei o mesmo aqui.

Beijos pro Rafa.

Sofia Alonzo Clarke

P.S.: Diz pro Rafael que é melhor que ele cuide bem de você e da minha fábrica ou darei um jeito de arrancar as orelhas dele.

P.P.S.: Adoraria poder ver a sua cara agora

Nota da autora

A tradição de casar de branco não é tão antiga quanto pensamos. Até meados do século dezenove, a noiva escolhia para o grande dia a cor de vestido que mais lhe agradasse, inclusive preto. Foi a jovem (e fantástica) rainha **Vitória, do Reino Unido,** que decidiu romper com algumas tradições. Ela não só pediu a mão do homem que amava em casamento (arrasou, Vitória!) como se uniu a Alberto por amor, prática incomum à época. A rainha Vitória cruzou a capela real do Palácio de St. James vestida de branco da cabeça aos pés, em fevereiro de 1840, lançando moda e originando assim a tradição do vestido branco.

Já a crinolina caiu no gosto popular em 1829 e atingiu o auge em 1850. Durante esse período, milhares de mulheres perderam a vida por causa do acessório em diversos tipos de acidentes, sendo a eletrocussão o mais frequente deles. A jornalista americana Amelia Bloomer, militante feminista, foi uma das primeiras a se dar conta dos riscos da indumentária e criou um movimento para a extinção da crinolina. Ela chegou a desenvolver uma espécie de tailleur que chegava até os joelhos, para ser usado por cima de calças bufantes, mas teve de abandonar a criação devido ao enorme assédio sexual que sofreu.

Outro ponto interessante é que, segundo a crendice popular, o futuro papai, vestido em seus melhores trajes, deveria dar sete voltas ao redor da casa segurando uma galinha chocadeira para apressar o nascimento do filho. Todos os detalhes restantes (as esponjas, a pochete, a prática de flertes, a cabine de banho...) retratam a sociedade da época. E, assim como fiz em *Perdida: um amor que ultrapassa as barreiras do tempo*, fingi deliberadamente que a horrenda escravidão no Brasil jamais existiu.

E aqui nos encontramos de novo, leitor(a), na última página de um romance. Tudo o que posso desejar é que você feche este livro e volte para o mundo real, pronto(a) para viver um amor de conto de fadas, como o de Sofia e Ian. VALEU!

Agradecimentos

Escrever este livro foi meu maior desafio até hoje, e eu jamais teria conseguido sem o apoio incondicional que recebo diariamente, então minha eterna gratidão:

Aos meus pais, especialmente à minha mãe, que assumiu a cozinha para que eu pudesse fazer o que mais gosto.

À minha maravilhosa editora, Raïssa Castro, pela confiança e oportunidade ímpar. Agradeço também o trabalho espetacular de toda a equipe da Verus Editora, em especial a Anna Carolina Garcia, Ana Paula Gomes, Gabriela Adami e André Tavares.

À querida Paula Pimenta, um exemplo para mim, pela generosidade e ajuda com o subtítulo deste livro.

Aos músicos da banda OneRepublic, por criarem as canções mais perfeitas, em especial "Won't Stop", que embala o amor de Ian e Sofia.

À minha equipe beta fabulosa, sempre pronta para me socorrer com as palavras certas: Cinthia Egg, Thais Turesso, Joice Dantas e Aline Benitez.

Aos meus queridos leitores, que todos os dias põem um sorriso em meu rosto. Dei meu melhor neste livro e espero que corresponda às suas expectativas. A todos vocês que amam #SofIan tanto quanto eu, um gigantesco obrigada!

E, por último mas não menos importante, aos meus dois grandes amores: Lavínia, as batidas do meu coração, que sempre me entende e apoia e é a pessoa mais linda (por dentro e por fora) que conheço. Meu maior orgulho é dizer que sou sua mamãe. E Adriano, meu marido-agente-ninja, por ser sempre o primeiro a ler, a acreditar. Obrigada pelos puxões de orelha, pelos chocolates e pelas risadas quando as coisas ficaram difíceis, pelo amor e pela lealdade, por manter minha sanidade. Este livro jamais teria sido escrito sem a sua ajuda. Por isso, ele é para você!